Fernando Morais

Czarodziej

Biografia Paula Coelho

tytuł oryginału
O Mago

koncepcja graficzna
Michał Batory

zdjęcie Autora
Olga Vlahou

redakcja i korekta
Bogna Piotrowska

przygotowanie do druku
PressEnter

ISBN 978-83-89933-11-9

Drzewo Babel
ul. Litewska 10/11 • 00-581 Warszawa
listy@drzewobabel.pl
www.drzewobabel.pl

Fernando Morais

Czarodziej

Biografia Paula Coelho

przekład **Zofia Stanisławska**

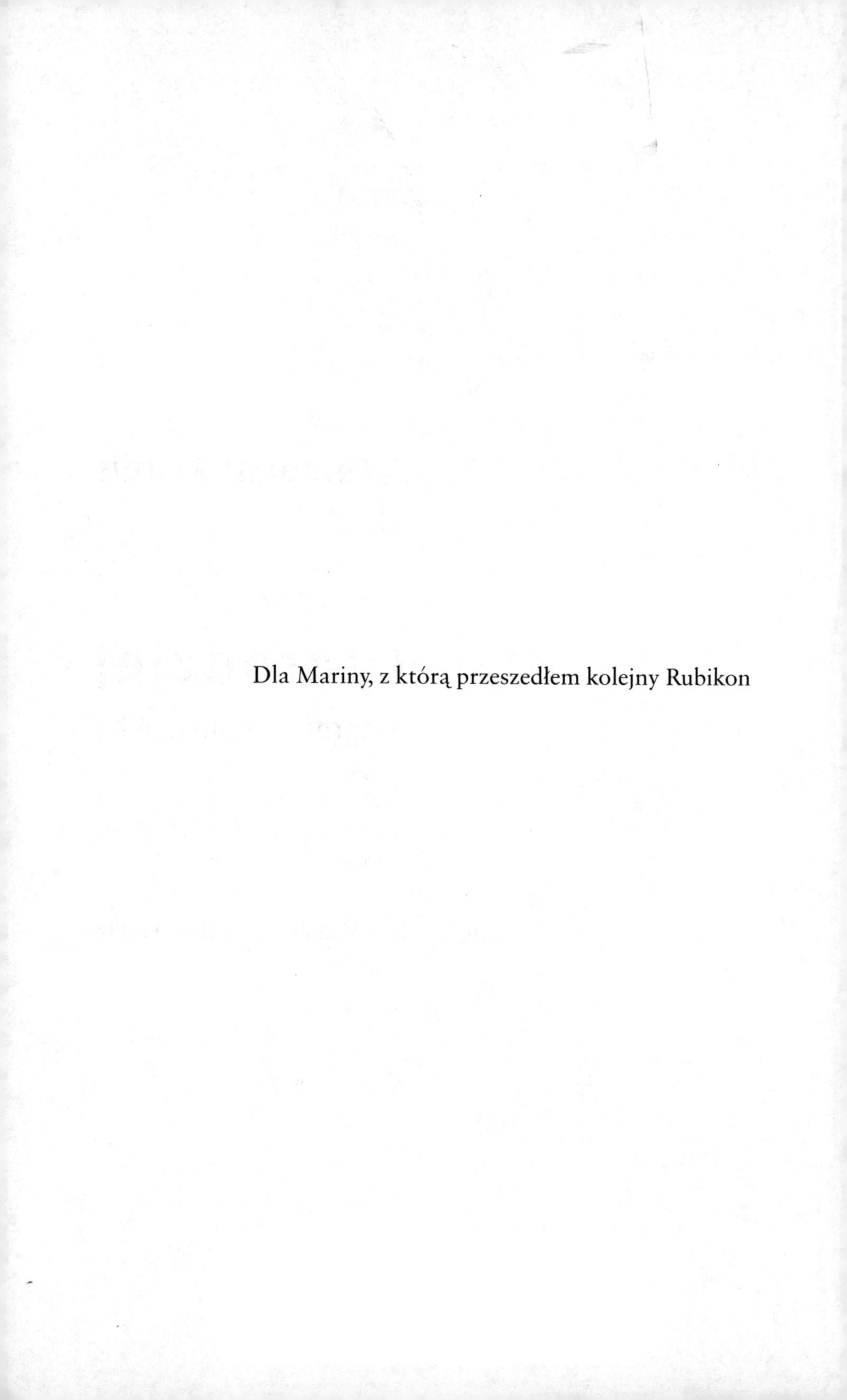

Dla Mariny, z którą przeszedłem kolejny Rubikon

Do 2000 roku ludzie przestaną zajmować się twórczością Paula Coelho, chyba że wcześniej nastąpi koniec świata.

WILSON MARTINS, KRYTYK LITERACKI, „O GLOBO", KWIECIEŃ 1998

Brazylia to nie tylko Rui Barbosa, Euclides da Cunha, ale też Paulo Coelho. Nie jestem czytelnikiem ani wielbicielem jego książek, lecz myślę, że należy zaakceptować jego twórczość jako jeden z przejawów współczesnej rzeczywistości Brazylii.

WILSON MARTINS, KRYTYK LITERACKI, „O GLOBO", LIPIEC 2005

Paulo przed dworcem Centralnym w Warszawie
podczas swojej pierwszej wizyty w Polsce, czerwiec 1997 rok

[FOTO KRZYSZTOF PLEBANKIEWICZ]

1.

Ptak to czy samolot? Nie, to gwiazda popkultury Paulo Coelho, którego książki rozeszły się w ponad stu milionach egzemplarzy

W szare majowe popołudnie 2005 roku Airbus A600 linii lotniczych Air France ląduje na mokrym pasie budapeszteńskiego lotniska Ferihegy. Zakończył się dwugodzinny lot z Lyonu. Stewardesa informuje, że w stolicy Węgier jest godzina osiemnasta, a temperatura powietrza wynosi osiem stopni powyżej zera.

W pierwszym rzędzie klasy biznes siedzi przy oknie przypięty pasami mężczyzna w czarnym podkoszulku. Podnosi oczy i spogląda w dal przez szybę. Obojętny na ciekawskie spojrzenia pasażerów, ze wzrokiem utkwionym w jeden punkt, podnosi wskazujący i środkowy palec prawej ręki w geście błogosławieństwa i na chwilę zastyga w tej pozycji. Samolot się zatrzymuje, pasażer wstaje, wyjmuje plecak z luku bagażowego. Jest cały ubrany na czarno. Wełniana marynarka, dżinsy, podkoszulek, wszystko w czerni. Można by go pomylić z księdzem. Drobny szczegół przy klapie marynarki zdradza pasażerom, przynajmniej tym narodowości francuskiej, że nie jest on zwykłym śmiertelnikiem. Do kołnierza ma przypiętą złotą, emaliowaną na czerwono rozetkę, niewiele większą od mikroprocesora. Wtajemniczeni wiedzą, że jej właściciel jest kawalerem Orderu Legii Honorowej, najwyższego francuskiego odznaczenia ustanowionego w 1802 roku przez Napoleona Bonaparte. Przyznaje się go na mocy dekretu prezydenta Republiki. Order otrzymany z rąk Jacques'a Chiraca nie jest jedynym szczegółem wyróżniającym mężczyznę spośród innych pasażerów.

Rzadkie, siwe, zmierzwione włosy tworzą z tyłu głowy kilkucentymetrową kitkę. To *sikha*, kosmyk włosów noszony przez braminów, ortodoksyjnych wyznawców Hare Kriszna i hinduizmu. Do tego wypielęgnowane wąsy i biała broda, okalająca szczupłą, ogorzałą twarz. Pomimo niskiego wzrostu i drobnej postury, mężczyzna jest świetnie zbudowany, ma sprężyste ruchy i ani grama tłuszczu.

Z plecakiem przewieszonym przez ramię szybko miesza się z tłumem wychodzących z samolotu pasażerów. Jedną ręką wkłada do ust brazylijskiego papierosa galaxy light, drugą ściska zapalniczkę, niecierpliwie czekając na moment, kiedy będzie mógł jej użyć. Nie trzeba znać węgierskiego, żeby zrozumieć napis *Tilos adohányzás*, bo obok widnieje znak z przekreślonym na czerwono papierosem. Zakaz palenia obowiązuje na terenie całego lotniska.

Człowiek w czerni staje obok taśmy, na której przesuwają się walizki i z niepokojem spogląda przez przezroczystą szybę na halę główną lotniska. W oddali widzi swój bagaż, na którym przed odlotem przezornie narysował kredą białe serce. Walizka jest tak mała, że mógł ją zabrać na pokład jako bagaż podręczny, ale nasz pasażer nie lubi dźwigać zbędnych ciężarów.

Mija celników i kieruje się do hali przylotów. Rozgląda się wokół, wśród tabliczek unoszących się ponad głowami taksówkarzy i pracowników biur podróży nie dostrzega swego nazwiska. Nie ma też tłumu reporterów ani telewizyjnych kamer. Nikt na niego nie czeka. Rozczarowany idzie do wyjścia. Podnosi kołnierz marynarki, by osłonić się przed wiatrem, ale przedtem zapala upragnionego galaxy. Zaciąga się tak mocno, że za jednym razem wypala pół papierosa. Pasażerowie samolotu wkrótce się rozchodzą, jedni do autobusów, inni do taksówek i samochodów prywatnych. Chodnik przed budynkiem lotniska pustoszeje. Pasażer w czerni jest wyraźnie rozczarowany i nie w humorze. Zapala drugiego papierosa. Wyjmuje komórkę i dzwoni. Mówi po portugalsku z silnym akcentem *carioca*, lekko podniesionym głosem.

– Jestem na lotnisku w Budapeszcie. Nikt po mnie nie przyszedł. Tak, zgadza się! Nikogo nie ma! – powtarza wolno każde słowo, jakby chciał wbić je do głowy rozmówcy. – Przecież mówię, nie ma ni-ko-go w Budapeszcie. Powtarzam, ni-ko-go!

Nie czekając na odpowiedź, wyłącza komórkę i gasi papierosa w stojącej obok popielniczce. Po chwili zapala następnego i zdenerwowany zaczyna chodzić w tę i z powrotem. Od jego wyjścia z samolotu minęło piętnaście długich minut. Nagle z oddali słychać znajomy gwar. Mężczyzna odwraca się w stronę, skąd dobiega hałas. W jego oczach pojawia się błysk, a na twarzy szeroki uśmiech. Tłum reporterów i fotografów biegnie w jego kierunku, wykrzykując sławne nazwisko. Prawie każdy trzyma przed sobą mikrofon albo dyktafon.

– Panie *Colero*! Panie *Colero*!

Tak Węgrzy wymawiają nazwisko brazylijskiego pisarza Paula Coelho, człowieka w czerni, który właśnie wylądował na budapeszteńskim lotnisku. Jest gościem honorowym Międzynarodowych Targów Książki 2005, zaproszonym przez Rosję, której poświęcona jest impreza (Brazylia nie ma na targach nawet własnego stoiska). Powodem ściągnięcia Coelho jest fakt, że stał się on najpoczytniejszym pisarzem w tym państwie, liczącym 143 miliony mieszkańców.

Za reporterami nadciąga tłum fanów. Wszyscy mają otwarte na pierwszej stronie, gotowe do podpisania egzemplarze najnowszej książki *Zahir*. Potykają się o kable i próbują przedrzeć przez grupę natarczywych dziennikarzy w nadziei na autograf. Błyski fleszy i chłodne światła reflektorów rzucają na siwą głowę pisarza pulsujące plamy, jakby stał w blasku lamp stroboskopowych w dyskotece z lat 70. Pomimo zamieszania i ścisku, gradu pytań po angielsku, francusku, węgiersku z jego twarzy nie znika błogi uśmiech. Widać, że sława dostarcza mu niezrównanej przyjemności i czuje się jak ryba w wodzie. Nie ma wątpliwości, że błysk w jego oczach i szeroki uśmiech płyną z głębi serca. Pan *Colero* staje się znów wielką gwiazdą, Paulem Coelho, którego książki sprzedały się w ponad 100 milionach egzemplarzy. Pisarz jest członkiem Brazylijskiej Akademii Literatury, wielbiciele w stu sześćdziesięciu krajach witają go jak gwiazdę muzyki pop, a jego powieści przetłumaczono na sześćdziesiąt siedem języków.

Pisarz opowiada dziennikarzom, że był na Węgrzech tylko raz, ponad dwadzieścia lat wcześniej. „Obawiam się, że w ciągu ostatnich piętnastu lat turystyka w kapitalistycznym wydaniu dokonała w Budapeszcie większych szkód niż Sowieci przez pół wieku", mówi prowokacyjnie, odnosząc się do czasów, gdy Węgry znajdowały się w strefie wpływów Związku Radzieckiego (1949-89).

Tego samego dnia, kilka godzin wcześniej, pisarz zakosztował już smaku sławy. Na lotnisku w Lyonie podszedł do niego siwobrody Brazylijczyk, przedstawiając się jako wielbiciel jego twórczości. Rozmawiali w kolejce do autobusu, który miał zawieźć ich na płytę lotniska. Kiedy przyszła kolej Brazylijczyka, okazało się, że nie może znaleźć karty pokładowej. Żeby nie tamować ruchu, pracownik linii lotniczych poprosił go, by stanął z boku i spokojnie jej poszukał wśród pliku gazet, które trzymał pod pachą. Paulo zaproponował, że poczeka na nowego znajomego, ale ten odparł:

– Dziękuję, nie ma potrzeby. Zaraz ją znajdę.

Wszyscy pasażerowie zdążyli już wsiąść do autobusu. Przedstawiciel Air France zaczął tracić cierpliwość.

– Bez karty pan nie wsiądzie.

Brazylijczyk zrozumiał, że jego wakacyjna podróż może się nagle zakończyć, ale nie tracił nadziei.

– Na pewno mam kartę. Kilka minut temu pokazywałem ją pisarzowi, panu Coelho. Chciałem sprawdzić, czy siedzimy obok siebie.

– Paulo Coelho? – zdziwił się mężczyzna. – To ten pan z kitką i Legią Honorową w klapie?

Usłyszawszy twierdzącą odpowiedź pracownik Air France wszedł do autobusu i zawołał:

– *Monsieur Paulo Coelho!*

Pisarz potwierdził, że widział bilet Brazylijczyka, a przedstawiciel linii ukłonił się grzecznie i wpuścił mężczyznę do autobusu.

W Budapeszcie zapada już zmrok, kiedy wysoki, szczupły młodzieniec ogłasza koniec pytań i mimo protestów dziennikarzy i fanów prowadzi Paula Coelho do wysłużonego białego mercedesa, którym zapewne kiedyś jeździły wielkie tuzy komunistycznego reżimu. Pisarzowi towarzyszą kierowca i ochroniarz w jednej osobie, Pál Szabados, niemal dwumetrowy drab z fryzurą na jeża, oraz opiekun na czas trzydniowego pobytu, Gergely Huszti, blady chłopak, który uwolnił pisarza od tłumu reporterów. Przysłało ich węgierskie wydawnictwo Athenäum, które publikuje książki Coelho.

Samochód rusza, Paulo prosi swego przewodnika o chwilę ciszy i robi to samo co w samolocie. Nieruchomym wzrokiem wpatruje się w przestrzeń, trzymając w górze wskazujący i środkowy palec prawej ręki. Wystarczy mu kilka sekund na cichą modlitwę. Ten rytuał pisarz powtarza przynajmniej trzy razy dziennie – po przebudzeniu, o szóstej wieczorem i o północy – także w samolotach i samochodach, czy to przed krótkim przejazdem taksówką, czy przed długą podróżą.

W drodze do hotelu Gergely przedstawia pisarzowi program targów książki. Po spotkaniu autorskim nastąpi rozdanie autografów. Potem w towarzystwie burmistrza miasta, Gábora Demszky'ego, pisarz odwiedzi budapeszteńskie metro. Udzieli pięciu wywiadów dla stacji telewizyjnych i gazet, a także weźmie udział w konferencji prasowej oraz w sesji zdjęciowej wraz ze swą wierną czytelniczką, Miss Peru, która przybyła do Budapesztu na promocję zbliżających się wyborów Miss Universum. Na koniec zaplanowano dwa spotkania i część artystyczną w dyskotece pod gołym niebem.

– Chwileczkę! – Paulo przerywa Gergely'emu. – Proszę wykreślić wizytę w metrze, dyskotekę i Miss Peru. Tego nie było w programie.

– Zostawmy przynajmniej wizytę w metrze – nalega chłopak. – To trzecie najstarsze metro na świecie. Poza tym, żona burmistrza jest pana wielbicielką. Zna wszystkie pańskie książki.

– Nie ma mowy. Dam jej egzemplarz ze specjalną dedykacją, ale do metra nie wejdę.

Przewodnik wykreśla metro, dyskotekę i miss (która pojawi się potem na spotkaniu pisarza z czytelnikami). Coelho akceptuje zmiany w programie. Pomimo trwającego tydzień maratonu związanego z promocją *Zahira*, nie wygląda na zmęczonego. Udzielił wywiadu chilijskiej gazecie „El Mercurio", potem francuskiemu „Paris Match", holenderskiemu „De Telegraaf", Maison Cartier, polskiemu „Faktowi" i norweskiemu miesięcznikowi „Kvinner og Klær". Na prośbę przyjaciela, który jest doradcą saudyjskiej rodziny królewskiej, spotkał się z Nigelem Dudleyem i Sarą MacInnes, wydawcami „Think", brytyjskiego czasopisma ekonomicznego.

Mija pół godziny od odjazdu z lotniska, kiedy mercedes zatrzymuje się przed stuletnim, imponującym gmachem czterogwiazdkowego Hotelu Gellert, stojącym nad brzegiem Dunaju, w pobliżu najstarszych term w Europie Środkowej. Przed załatwieniem formalności Paulo wita się serdecznie z piękną kobietą o jasnej cerze i długich włosach, która właśnie przyjechała z Barcelony. Czekała na niego w holu z pyzatym, niebieskookim dzieckiem. To trzydziestosześcioletnia Brazylijka, Mônica Antunes, a pulchny malec to jej synek. Traktowanie jej wyłącznie jako agentki Paula Coelho nie oddaje w pełni tego, co Mônica robi dla pisarza od końca lat 80.

Widząc nieśmiały, promienny uśmiech na jej pięknej twarzy nikt by się nie domyślił, że ma do czynienia z bezwzględną kobietą biznesu. Znana jest powszechnie ze stanowczości, z jaką potrafi bronić pisarza, gdy ktoś próbuje mu zaszkodzić. Wielu wydawców mówi o niej z niechęcią „wiedźma z Barcelony". Bo to tam mieszka i czuwa nad karierą swego jedynego podopiecznego. Jej rola znacznie wykracza poza funkcje zwykłej agentki. Mônica pośredniczy w kontaktach Coelho ze światem wydawniczym na całym globie. Wszystko, co w sposób pośredni lub bezpośredni wiąże się z jego twórczością, przechodzi przez biuro agencji literackiej Sant Jordi Asociados, której patronuje święty Jerzy. Ma ono swą siedzibę na siódmym piętrze nowoczesnego budynku. Jeśli jakiś wydawca próbuje skontaktować się bezpośrednio z Paulem Coelho, trafia na czarną listę Môniki. Co prawda agentka temu zaprzecza, ale robi to niezbyt przekonująco. Niejeden europejski czy południowoamerykański wydawca przekonał się na własnej skórze, że wcześniej czy później dosięgnie go kara.

Peruwiańska niania bawi się z dzieckiem w korytarzu, a Mônica siada z pisarzem przy stoliku i wyjmuje z teczki wydruki komputerowe pełne dobrych wieści. W ciągu trzech tygodni na Węgrzech sprzedano 106 tysięcy egzemplarzy *Zahira*. We Włoszech w tym samym czasie rozeszło się 420 tysięcy. Powieść Coelho wyprzedziła na liście bestsellerów *Pamięć i tożsamość* zmarłego niedawno Jana Pawła II.

Jednak pisarz nie wygląda na zadowolonego.

– To tylko liczby. Wolałbym je porównać ze sprzedażą poprzedniej książki w tym samym okresie.

Mônica nie ma gotowej odpowiedzi, ale zaczyna przeglądać papiery. Na jej twarzy pojawia się triumfalny uśmiech. Mówi po portugalsku z lekkim katalońskim akcentem, naleciałość dwudziestoletniego pobytu w Hiszpanii:

– Przez pierwsze trzy tygodnie *Jedenaście minut* rozeszło się we Włoszech w 328 tysiącach egzemplarzy, czyli sprzedaż *Zahira* jest większa o ponad 30 procent. Zadowolony?

– A jak jest w Niemczech?

– *Zahir* jest na drugim miejscu listy „Der Spiegel", przed *Kodem Leonarda da Vinci*.

Coelho prosi o informacje na temat sprzedaży jego książki w Rosji. Potem pyta o irańskiego wydawcę, Arasha Hejazi, który miał problemy z cenzurą, i o pirackie wydania jego utworów w Egipcie. Jeśli wierzyć Mônice, autor pobił własny rekord we wszystkich krajach, gdzie ukazała się książka. Po kilku tygodniach *Zahir* jest już na czele wszystkich list. Zajmuje pierwsze miejsce w prestiżowym zestawieniu „L'Express". W Rosji sprzedaż przekroczyła 530 tysięcy egzemplarzy, w Portugalii 130 tysięcy (tam po zaledwie sześciu miesiącach *Jedenaście minut* rozeszło się w 80 tysiącach egzemplarzy). W Brazylii w ciągu miesiąca sprzedano 160 tysięcy egzemplarzy *Zahira*, o 60 procent więcej niż w przypadku *Jedenastu minut*. Podczas pobytu Paula na Węgrzech 500 tysięcy egzemplarzy kastylijskiego przekładu *Zahira* trafia do czytelników od południa Stanów Zjednoczonych po Patagonię, czyli do osiemnastu krajów latynoskich i do amerykańskiej społeczności hiszpańskojęzycznej.

Na koniec najciekawsza wiadomość: dzień wcześniej na przedmieściach Buenos Aires grupa uzbrojonych ludzi napadła na transport książek i ukradła dwa tysiące świeżo wydrukowanych egzemplarzy *Zahira*. Pomimo rekordowych wyników w pierwszych tygodniach sprzedaży książki, pewien krytyk literacki z „Diario de Navarra" oskarżył pisarza o sfingowanie napadu w celach promocyjnych.

Niepewność i stres zawsze towarzyszą Paulowi Coelho, ilekroć na rynku ukazuje się jego nowy tytuł. Raz na dwa lata jeden z najpopularniejszych pisarzy na świecie zachowuje się niczym debiutant. Tak jest od czasu jego pierwszej książki. Po ukazaniu się *Pielgrzyma* rozdawał ulotki przed teatrami i kinami Rio de Janeiro. Pomagała mu żona, artystka Christina Oiticica. Potem chodził po księgarniach i dowiadywał się, ile sprzedano egzemplarzy. Minęło dwadzieścia lat, zmieniły się metody marketingowe i technologia, ale pisarz zachowuje się jak dawniej. Korzystając z komórki lub specjalnego serwisu internetowego śledzi najnowsze dane, informacje, opinie, bacznie obserwuje, jak jego powieści podbijają listy bestsellerów od Ziemi Ognistej po Grenlandię, od Alaski po Australię.

Coelho nie zameldował się jeszcze w recepcji, nie miał czasu pójść do pokoju. Nieformalne spotkanie z Môniką kończy się z chwilą, kiedy do hotelu wchodzi Lea, sympatyczna pięćdziesięcioletnia blondynka, żona ministra spraw wewnętrznych Szwajcarii. Poznali się na Forum Ekonomicznym w Davos. Na wieść o tym, że brazylijski pisarz odwiedzi Budapeszt, wsiadła w Genewie do pociągu i przejechała Szwajcarię, Austrię oraz pół Węgier, żeby spędzić kilka godzin w towarzystwie swego idola.

Paulo wchodzi do pokoju dopiero po ósmej wieczorem. W porównaniu ze skromnym bagażem gościa apartament wydaje się królewską komnatą. W walizce to, co zwykle: cztery czarne podkoszulki, cztery pary jedwabnych, luźnych bokserek, pięć par skarpetek, czarne levisy, berdmudy i karton papierosów galaxy (regularnie dosyłanych przez biuro pisarza w Rio lub przywożonych przez brazylijskich przyjaciół). Na specjalne okazje Paulo zabiera też marynarkę, koszulę, krawat i kowbojskie buty na lekko ściętym obcasie – oczywiście wszystko czarne. Wbrew pozorom wybór tego koloru nie ma nic wspólnego z zabobonem ani sprawami natury duchowej. Spędzając jedną trzecią życia poza domem, pisarz wie, że czarne ubrania lepiej znoszą hotelowe pranie, choć skarpetki, podkoszulki i bieliznę zwykle pierze sam. W rogu walizki znajduje się mały neseser ze szczoteczką do zębów i pastą, maszynką do golenia, nitką dentystyczną, wodą kolońską, kremem do golenia i maścią leczniczą przeciw łuszczycy, chorobie skóry powodującej świąd i łuszczenie, szczególnie na rękach i łokciach. Po drugiej stronie walizki, obok skarpetek, leży obrazek przedstawiający Nhá Chikę, świętą ze stanu Minas Gerais, oraz buteleczka wody święconej z Lourdes.

Pół godziny później, ogolony i pachnący lawendą, Coelho schodzi do recepcji. Wygląda, jakby przed chwilą wstał z łóżka. Spod narzuconej marynarki widać przedramię z tatuażem, który przedstawia niebieskiego motyla z rozpostartymi skrzydłami.

Dziś w planie jest jeszcze kolacja u artystki mieszkającej w prawobrzeżnej dzielnicy Buda, w starym domu na wzgórzu z widokiem na tysiącletnie miasto. Na pisarza przy blasku świec czeka pięćdziesięciu gości – artyści, pisarze i dyplomaci, głównie ludzie młodzi w okolicach trzydziestki. Jak zwykle większość stanowią kobiety, które Coelho przyciąga jak magnes. Goście rozsiadają się wygodnie na kanapach lub na podłodze i próbują rozmawiać przy dochodzącej z głośników głośnej muzyce rockowej. Wianuszek zasłuchanych wielbicieli otaczający pisarza zauważa dziwny mimowolny ruch ręki: kiedy Paulo przerywa monolog dla zaczerpnięcia tchu, unosi prawą rękę, jakby chciał odgonić niewidzialną muchę. Po kilku minutach gest się powtarza, tym razem wyimaginowany owad lata obok jego prawego ucha. Przy kolacji gość płynną angielszczyzną wygłasza mowę. Dziękuje za przyjęcie, chwali oryginalny smak węgierskiej kuchni, która niepozorne, duszone mięso przeistacza w *gulasz*. Goście rozchodzą się po kawie i kilku kieliszkach tokaju, który przypomina portugalskie porto. Jest druga nad ranem.

Następnego dnia już przed dziesiątą w sali konferencyjnej hotelu Gellert zbierają się pierwsi dziennikarze. Jest tylko trzydzieści siedzących miejsc, kto się zjawi punktualnie o dziesiątej, będzie musiał stać. Bohater spotkania jest na nogach od 8.30. Gdyby nie deszcz, jak zwykle poszedłby na poranną przechadzkę po okolicy. Nie lubi jeść śniadania w pokoju („Tylko chorzy jedzą w łóżku"), woli przekąsić coś naprędce w hotelowej kawiarni. Po kąpieli przegląda prasę, otwiera internet. Zwykle zaczyna od gazet z Rio i São Paulo, po czym przechodzi do wydawanej w Paryżu amerykańskiej „International Herald Tribune". Resztę wiadomości otrzyma w teczce z wycinkami i streszczeniami artykułów na swój temat.

Punktualnie o dziesiątej w blasku fleszy wchodzi do sali Coelho, przyciągając spojrzenia zebranych. Siada przy stoliku, na którym stoi butelka wody, szklanka, popielniczka i bukiet czerwonych róż. Gergely bierze do ręki mikrofon i wyjaśnia powód wizyty pisarza w Budapeszcie. Informuje, że na sali w pierwszym rzędzie siedzi Mônica Antunes, agentka Coelho. Kobieta wstaje, wyraźnie zmieszana. Ma na sobie elegancki, granatowy kostium.

Paulo mówi przez czterdzieści minut po angielsku, po każdym zdaniu robiąc przerwę na tłumaczenie Gergely'ego. Wspomina podróż do Budapesztu w 1982 roku, opowiada o sobie i swej karierze. Przypomina, że po ukazaniu się *Pielgrzyma* liczba osób odwiedzających Santiago de Compostela zwiększyła się z 400 rocznie do 400 dziennie. Dla podkreślenia zasług pisarza rząd Galicii nadał jednej z głównych ulic Santiago imię Paula Coelho. Zadający pytania dziennikarze dobrze znają twórczość gościa. Okazują mu wielką sympatię, zapominając o zawodowym obiektywizmie. Książki Coelho określają mianem „ulubionych". Spotkanie przebiega bez niedyskretnych pytań i zakłóceń. Atmosfera przypomina raczej zebranie członków fanklubu pisarza. Gergely ogłasza koniec konferencji, widownia bije brawo. Przed stolikiem ustawia się kolejka po autografy. Okazuje się, że prawie wszyscy przynieśli egzemplarze książek.

Paulo nie ma ochoty na obfity obiad. W hotelowej restauracji zjada lekki lunch: kanapka tostowa posmarowana pasztetem z wątróbek, sok pomarańczowy i filiżanka kawy. Do następnego spotkania zostało pół godziny, które wykorzystuje na przejrzenie artykułów na temat polityki międzynarodowej w „Le Monde" i „El País". Na bieżąco śledzi wydarzenia ze świata w internecie, telewizji i w prasie. Doskonale wie, co nowego w polityce, gdzie wybuchła wojna, a gdzie panuje kryzys, o którym donoszą pierwsze strony gazet. Często wypowiada się na tematy międzynarodowe, od napiętej sytuacji w Libanie po nacjonalizację przemysłu naftowo-gazowego w Boliwii. Wypowiada się pewnie, ale bez przybierania pozy eksperta. Swego czasu poparł wymianę zakładników między marksistowskimi bojówkami kolumbijskimi a rządem w Bogocie. W 2003 roku listem otwartym: „Dziękujemy panu, prezydencie Bush", krytykującym prezydenta Stanów Zjednoczonych za inwazję na Irak, wywołał dyskusję, w której wzięło udział 400 milionów internautów.

Po krótkiej lekturze gazet czas wracać do pracy. Kolej na wywiad z jasnowłosą Marsi Anikó, gwiazdą programu *Fókusz 2* w telewizji RTL Club. W niedzielne wieczory prezenterka króluje niepodzielnie wśród węgierskich widzów. Poza talentem i świetną aparycją ma jeszcze jednego asa w rękawie. Po każdym programie wręcza zaproszonej osobie prezent – przygotowane przez siebie danie kuchni węgierskiej.

W hotelu naprędce powstało studio. Wywiad, prowadzony w formie przyjacielskiej rozmowy, przebiega bez niespodzianek (tylko co pewien czas kamera robi zbliżenie na piękne nogi Marsi). Dopiero gdy Paulo Coelho pół żartem, pół serio zaczyna mówić o seksie, na twarzy prowadzącej pojawia się rumieniec. Na koniec gość dostaje od Marsi dwa całusy i tackę z *almásrétes*, tradycyjnym węgierskim tortem pokrytym masą z płatków maku, którą własnoręcznie utarła dziennikarka. Paulo otrzymuje też butelkę *pálinki*, mocnej węgierskiej wódki. W mgnieniu oka z sali znika scenografia *Fókusz 2*, a w jej miejsce pojawia się dekoracja programu rozrywkowego Andrása Simona z węgierskiego kanału MTV. Po godzinnej rozmowie zamiast prezentu dziennikarz wręcza Brazylijczykowi siedem książek do podpisania.

W przerwach między kolejnymi wywiadami dla znanych stacji Coelho pije kawę i pali ulubione galaxy. Tak mija całe popołudnie. Gdy ostatni dziennikarz opuszcza salę, nad miastem zapada zmrok. Paulo ma podkrążone oczy, ale zapewnia, że nie jest zmęczony.

– Wręcz przeciwnie. Kiedy w krótkim czasie rozmawiam o tylu rzeczach, czuję przypływ energii.

Może to profesjonalizm, może próżność lub inna tajemnicza siła, ale wygląd dobiegającego sześćdziesiątki pisarza budzi zazdrość. Wystarczy kąpiel i małe espresso, by o ósmej wieczorem pojawił się w holu, ochoczo zacierając ręce. Na dole czekają: Mônica, Lea, która w ostatniej chwili przyłącza się do grupki przyjaciół pisarza, małomówny ochroniarz Szabados oraz Gergely. Synek Môniki śpi w pokoju pod czujnym okiem niani, Juany Guzmán. Do końca dnia pozostał jeszcze jeden punkt programu: kolacja z pisarzami, wydawcami i dziennikarzami w domu Tamása Kolosi, właściciela wydawnictwa Athenäum, jednego z pomysłodawców zaproszenia Paula do Budapesztu. Podczas kolacji dania serwują kelnerzy we frakach.

Na pytanie Gergely'ego, czy nie jest zmęczony, Coelho wybucha śmiechem.

– Skądże znowu! Dziś miałem tylko przedsmak tego, co będzie jutro.

Mônica wykorzystuje dziesięć minut jazdy samochodem na ustalenia dotyczące następnego dnia.

– Otwarcie targów jest o drugiej po południu. Rano w hotelu udzielisz kilku wywiadów, ale nie będzie czasu na obiad. Zarezerwowałam restaurację, gdzie zjemy coś w drodze na targi.

Paulo myślami jest gdzie indziej.

– Martwi mnie ta sprawa z wydawcą izraelskim, który chce zmienić tytuł *Zahira*. Zadzwoń do niego i powiedz, że się nie zgadzam. Albo zaakceptuje tytuł, albo nie drukujemy książki. Wystarczy, że w *Pielgrzymie* zmienili imię bohatera z Santiago na Jakobi.

W sprawach swej twórczości Paulo był zawsze nieugięty. Mônica pamięta, jak w Stanach ukazał się *Alchemik*: wydawca chciał zmienić tytuł na *Sen pasterza*, ale autor uderzył pięścią w stół i postawił na swoim. Przypomina mu o tym, a Paulo uśmiecha się łagodnie.

– Byłem nikim, a HarperCollins to potężne wydawnictwo. Ale od razu powiedziałem, że się nie zgadzam i odtąd mnie szanują.

Następnego dnia nad miastem świeci słońce. Pisarz raźno wstaje i idzie na godzinny spacer wzdłuż Dunaju. Po powrocie bierze szybką kąpiel, sprawdza internet, pije poranną kawę, udziela dwóch wywiadów i jest gotowy stawić czoło popołudniowym zajęciom. W drodze na otwarcie targów zatrzymują się w restauracji, gdzie wcześniej Mônica zarezerwowała stolik. W środku klienci z niedowierzaniem przypatrują się starej szafie grającej, z której wydobywa się głośna muzyka. Paulo podchodzi, ścisza dźwięk, wrzuca 200 forintów i wybiera przebój z lat 50., *Love Me Tender* Elvisa Presleya. Zadowolony wraca do stolika.

– *Love me tender, love me true...* – nuci, naśladując głos piosenkarza. – Uwielbiam Beatlesów, ale ten facet jest nieśmiertelny!

Gergely pyta, skąd tak dobry humor.

– Jak to? Mamy dzień św. Jerzego, patrona książek – tłumaczy pisarz. – Dzisiaj wszystko nam się uda!

Międzynarodowe Targi Książki odbywają się w centrum konferencyjnym otoczonym dużym parkiem. Na drzewach widać jeszcze resztki śniegu. Impreza przyciąga tysiące ludzi. Trzej dobrze zbudowani ochroniarze prowadzą Paula do saloniku vipów. Okazuje się, że przy stoisku Coelho w kolejce po autograf czeka już pięćset osób.

– Inaczej się umawialiśmy! – Paulo wyraża niezadowolenie. – Miałem podpisać tylko sto pięćdziesiąt książek.

Przedstawiciele wydawnictwa tłumaczą, że nie mieli wyjścia.

– Przykro nam! Kiedy skończyły się bilety, ludzie powiedzieli, że nie odejdą. Ci, którzy się nie zmieścili, przeszli do sali, gdzie odbędzie się pańskie spotkanie z czytelnikami. To sala na trzysta pięćdziesiąt osób, a weszło już ponad osiemset. Dla tych, którzy się nie zmieszczą, ustawiliśmy przed wejściem telebimy.

Mônica niepostrzeżenie opuszcza salonik i idzie do stoiska wydawnictwa Athenäum. Wraca po pięciu minutach, z niedowierzaniem kręcąc głową.

– Fatalnie! Nie damy rady. Zrobi się zamieszanie.

Ochrona zapewnia, że wszystko będzie w porządku, radzi jednak, by syn Môniki został z nianią w saloniku. Wiadomość o nieoczekiwanych tłumach poprawia pisarzowi humor. Wstaje uśmiechnięty, klaszcze w ręce:

– Za dużo ludzi? Nie ma problemu! Zaraz idziemy, dajcie mi tylko pięć minut.

Udaje, że idzie „za potrzebą", ale w toalecie staje przed ścianą i wpatruje się w nią przez chwilę, odmawiając w ciszy modlitwę. Prosi Boga o wsparcie.

– Teraz wszystko w Twoich rękach – mówi.

Zdaje się, że Bóg wysłuchał jego próśb. Coelho wchodzi do sali imienia Béli Bartóka w towarzystwie trzech ochroniarzy i Szabadosa, który nie opuszcza go na krok. Błyskają flesze. Wszystkie miejsca siedzące są zajęte, w korytarzach, w przejściach między sektorami i na balkonach kłębią się tłumy ludzi – po równo mężczyzn i kobiet, a większość stanowi młodzież. Ochrona prowadzi Paula na scenę. Pisarz dziękuje za owacje, kłania się nisko ze skrzyżowanymi na piersiach rękami. Od rozgrzanych reflektorów i tłumu ludzi zaduch robi się nie do wytrzymania. Paulo na stojąco przez pół godziny opowiada po francusku (równie bezbłędnie jak wcześniej po angielsku) swoją historię, wspomina jak walczył, żeby zostać pisarzem i zrealizować swoje marzenia. Młoda kobieta tłumaczy na węgierski. Potem wybrane osoby zadają pytania, a na koniec autor wstaje i znów dziękuje za przyjęcie. Wśród publiczności słychać okrzyki. Ludzie proszą, żeby nie odchodził, podnoszą w górę książki, skandują: „Ne! Ne! Ne!".

Przekrzykując fanów, tłumaczka wyjaśnia, że „ne" oznacza po węgiersku „nie" – nie wypuszczą pisarza, zanim nie podpisze książek. Niestety, ochrona też mówi „ne". Trudno zadowolić taką liczbę chętnych. Publiczność wciąż skanduje „Ne! Ne! Ne!". Paulo udaje, że nie rozumie, co mówią do niego ochroniarze. Wyjmuje z kieszeni długopis i podchodzi do mikrofonu.

– Jeśli się zorganizujecie, spróbuję podpisać wasze książki!

Potykając się i przepychając tłum rusza w jego kierunku. Ludzie napierają, powstaje zamieszanie, atmosfera robi się napięta. Nie czekając na rozkazy przełożonych, wkracza ochrona. Biorą pisarza pod ramię i prowadzą za kurtynę.

– Mogliście mnie tam zostawić! – krzyczy Paulo oburzony. – Nie boję się swoich czytelników, boję się rozgardiaszu! W 1998 roku w Zagrzebiu jakiś człowiek wyjął pistolet, żeby się przepchnąć na początek kolejki. Wtedy było niebezpiecznie! Teraz nic mi nie groziło.

Pisarza eskortuje dwóch strażników z przodu, dwóch z tyłu. Wśród ciekawskich spojrzeń idą korytarzem do sali głównej targów do stoiska wydawnictwa Athenäum, gdzie na stole piętrzą się egzemplarze *Zahira*. Kolejka pięciuset osób zmienia się w niespokojny tłum, nad którym nikt już nie jest w stanie zapanować. Stu pięćdziesięciu szczęśliwców macha biletami w powietrzu, reszcie za przepustki mogą służyć jedynie egzemplarze książki Paula Coelho.

Doświadczony w takich sprawach, pisarz przejmuje dowodzenie. Korzystając z pomocy tłumaczki, donośnym głosem pyta, ile jest osób. Słyszy, że około tysiąca pięciuset, a może dwa tysiące. Trudno dociec, kto czeka na autograf, kto chce zobaczyć idola, a kogo wciągnął do sali tłum.

– Dziękuję, że przyszliście! – Paulo z trudem przekrzykuje harmider. – Wiem, że wielu z was czeka tu od południa. Prosiłem, żeby wszystkim rozdano wodę. Zrobimy dwie kolejki. W jednej staną posiadacze biletów, w drugiej reszta. Postaram się podpisać wszystkie książki. Bardzo dziękuję za cierpliwość!

Teraz czas na pracę fizyczną. Obsługa roznosi na tacach małe butelki z wodą mineralną, a pisarz próbuje zapanować nad chaosem. Najpierw podpisuje trzydzieści książek osobom z biletami, potem trzydzieści egzemplarzy tym, którzy przyszli bez biletów. Co pięćdziesiąt minut robi przerwę na pójście do łazienki lub na papierosa – w całym budynku obowiązuje zakaz palenia. Kiedy po raz trzeci wychodzi na patio, nazwane przez niego „kącikiem dla niegrzecznych chłopców", spotyka czytelnika z książką w ręku, który wymknął się z kolejki. To mieszkający na Węgrzech Brazylijczyk z Rio de Janeiro, dwudziestoletni Jacques Gil. Gra w Újpest, najstarszym węgierskim klubie piłkarskim, który właśnie obchodzi stulecie istnienia. Paulo podpisuje książkę, kilka razy zaciąga się papierosem, po czym szybko wraca do stoiska, gdzie cierpliwie czeka tłum.

Kiedy ostatni czytelnicy podchodzą do stolika, za oknami jest już ciemno. Po zakończeniu oficjalnego programu przychodzi czas na relaks. W holu hotelu do przyjaciół pisarza dołącza grupka najwierniejszych fanów składająca się z sześciorga młodych ludzi. O dziesiątej udają się do klubu karaoke Mammut w znanym centrum handlowym. Niestety na drzwiach klubu zastają kartkę: „Zamknięte z powodu awarii sprzętu". Młodzi Węgrzy są niepocieszeni.

– Mamy pecha! – wzdycha jeden z nich. – I to akurat teraz, kiedy udało nam się namówić Paula Coelho na śpiewanie...

Nazwisko pisarza od razu otwiera gościom drzwi do klubu. Właściciel szepce coś do ucha ostrzyżonemu na jeża blondynowi, a ten bierze kask i szybko wychodzi.

– Nagła awaria nie może nam popsuć wieczoru z udziałem pana Paula Coelho – mówi z uśmiechem właściciel. – Mój wspólnik pojechał pożyczyć sprzęt z innego klubu. Proszę się rozgościć!

Jednak wspólnik wraca tak późno, że gościom zostaje niewiele czasu na popisy. Paulo śpiewa w duecie z amerykańskim studentem imieniem Andrew, który spędza wakacje w Budapeszcie. Wykonują niezapomniany przebój Franka Sinatry *My Way*. Potem pisarz śpiewa *Love Me Tender*, ale nie godzi się na bisy. Wracają do hotelu, a następnego ranka przyjaciele Paula rozjeżdżają się w różne strony. Mônica wraca z synem i nianią do Barcelony, a Lea do Szwajcarii.

Paulo idzie na poranny spacer po centrum miasta. Potem wsiada do białego mercedesa prowadzonego przez Szabadosa. Obok, na tylnym siedzeniu, leży karton z książkami. Paulo wyjmuje je po kolei, podpisuje i podaje Gergely'emu, który siedzi z przodu obok kierowcy. Ostatnie dwa egzemplarze pisarz wręcza Szabadosowi i cicerone. Godzinę później siedzi już w klasie biznes samolotu Air France w drodze do Paryża. Znów modli się w ciszy. Kiedy gaśnie światełko „proszę zapiąć pasy", do Paula podchodzi czarnoskóra piękność z włosami zaplecionymi w warkoczyki. Podaje pisarzowi portugalski egzemplarz *Pielgrzyma* i prosi o autograf. Dziewczyna nazywa się Patrycja i jest asystentką Cesarii Evory, wielkiej gwiazdy z Wysp Zielonego Przylądka. Mówi z charakterystycznym dla tego regionu akcentem.

– To nie dla mnie, dla Cesarii. Siedzi z tyłu za panem. Uwielbia pańskie książki, ale jest bardzo nieśmiała.

Po dwóch godzinach Paulo jest już w Paryżu. Na lotnisku nieoczekiwana sesja fotograficzna połączona z podpisywaniem książek. Na piosenkarkę z wysp czeka grupa rastafarian, którzy rozpoznają sławnego pisarza. Robi się zamieszanie, dołączają do nich inni, rzucają się po autografy, przy okazji robią zdjęcia. Paulo jest zmęczony, ale z uśmiechem podpisuje wszystkie książki.

Przed budynkiem czeka srebrny mercedes z wydawnictwa. Kierowca Georges ma zawieźć pisarza do Bristolu, jednego z najbardziej luksusowych hoteli w Paryżu, w którym wynajęto dla Paula apartament za 1300 euro. Ten jednak woli spać we własnym, przestronnym mieszkaniu w eleganckiej 16. dzielnicy, z którego okien rozciąga się romantyczny widok na Sekwanę.

Okazuje się, że dziś trudno będzie tam dojechać. Przed ambasadą turecką, która sąsiaduje z domem pisarza, odbywa się manifestacja w rocznicę masakry Ormian. Po drodze przez szybę samochodu Paulo widzi plakaty kobiecego pisma „Femina", wychodzącego w 4 milionach egzemplarzy. Do nowego numeru dołączony jest rozdział z *Zahira*. Ogromne zdjęcie pisarza widnieje także na pierwszej stronie „Journal du Dimanche", który zamieszcza z nim wywiad.

Żeby dojechać do kamienicy, gdzie mieszka Coelho, Georges musi złamać kilka przepisów. Przez chwilę jedzie chodnikiem, potem pod prąd. Dom pisarza nie różni się od tysięcy kamienic wzniesionych w Paryżu na początku XX wieku w stylu charakterystycznym dla tzw. „architektury mieszczańskiej". Paulo rzadko tu bywa. Choć kupił mieszkanie cztery lata temu, nadal nie pamięta kodu do drzwi wejściowych, składającego się z dwóch liter i czterech cyfr. Na górze czeka żona pisarza, Christina, ale Paulo nie może się z nią skontaktować, bo nie pamięta numeru telefonu stacjonarnego, a Christina nie odbiera komórki.

Czeka, aż pojawi się któryś z sąsiadów. Zaczyna mżyć. Nad wejściem architekt nie przewidział markizy. Paulo moknie i coraz bardziej się niecierpliwi. Na domiar złego na każdym piętrze znajduje się tylko jedno mieszkanie, więc prawdopodobieństwo spotkania któregoś z sąsiadów jest niewielkie. Pozostaje krzyczeć i mieć nadzieję, że Christina jeszcze nie śpi.

Paulo staje na środku jezdni i przykładając dłonie do ust głośno woła:

– Chris! – Cisza. Próbuje jeszcze raz. – Christina!

Rozgląda się z obawą po oknach sąsiadów. Boi się, że ktoś go rozpozna. Nabiera powietrza i znów woła:

– Chris-ti-naaaaa!

Po chwili w oknie na trzecim piętrze pojawia się uśmiechnięta kobieta w dżinsach i wełnianym swetrze. Przypomina matkę, która z niepokojem wygląda powrotu dziecka. Rzuca mężowi pęk kluczy. Paulo jest zmęczony.

Spędzają w mieszkaniu tylko jedną noc. Następnego dnia przenoszą się oboje do apartamentu numer 722 w hotelu Bristol, zarezerwowanego przez wydawnictwo Flammarion. Wybór tej świątyni luksusu, znajdującej się przy ulicy Faubourg Saint Honoré, nie jest przypadkowy. W tym hotelowym foyer, wśród mebli w stylu Ludwika XV, rozgrywają się niektóre sceny z *Zahira*. To tu główny bohater spotyka się z dziennikarką Ester przy filiżance czekolady z kandyzowaną skórką pomarańczy. Na cześć pisarza dyrekcja hotelu nazwała napój „gorącą czekoladą Paula Coelho". Nazwę tę zapisano też złotymi literami na małych czekoladkach, które serwuje się gościom wraz z napojem za jedyne 10 euro.

Wieczorem do hotelu ściągają dziennikarze i liczni goście zagraniczni. W trakcie uroczystej kolacji szef Flammariona wyjawi światu sensację na europejskim rynku wydawniczym – kontrakt z Paulem Coelho. Od 1994 roku pisarz był wierny małej oficynie Editions Anne Carrière, której osiągnięcia mogłyby przyprawić o zawrót głowy wiele renomowanych domów wydawniczych. W ciągu dziesięciu lat Editions Anne Carrière sprzedało osiem milionów egzemplarzy książek Paula Coelho. Przez dekadę pisarz odmawiał współpracy z innymi wydawcami, aż w końcu otrzymał propozycję nie do odrzucenia od Flammariona – podobno na jego konto już wpłynęło 1,2 miliona euro, czego żadna ze stron nie potwierdziła.

W hotelu pojawia się Paulo z Christiną, żoną pisarza od 1980 roku. Christina ma 55 lat. Jest nieco niższą od męża, elegancką, piękną kobietą o jasnej cerze, piwnych oczach, zgrabnym nosie. Podobnie jak Paulo, po wewnętrznej stronie lewego przedramienia ma niebieski tatuaż przedstawiający motyla. Lśniące włosy równo przycięte poniżej ucha. Na długą, czarną suknię narzuciła czerwoną, przyciągającą wzrok pelerynę. Uwagę zwracają też dwa oryginalne pierścionki („zaczarowane przez szamana"), prezent od męża przywieziony z Kazachstanu. Paulo jak zwykle na czarno – spodnie, marynarka, kowbojskie buty. Jedyną widoczną zmianą w jego stroju jest koszula i krawat.

Jako pierwszy spośród zaproszonych przyjaciół pojawia się rosyjski dziennikarz Dmitrij Woskobojnikow, również gość hotelu Bristol. Ten pełen wigoru olbrzym do dziś pokazuje blizny na łydkach, wspomnienie tsunami, które w Boże Narodzenie 2005 roku nawiedziło Indonezję, gdzie wraz z żoną Eugenią zamierzał powitać Nowy Rok. Dmitrij, były korespondent agencji TASS w Londynie, syn dawnego szefa KGB, znienawidzonych tajnych służb sowieckich, jest obecnie właścicielem Interfaxu, potężnej agencji informacyjnej z siedzibą w Moskwie, która ma swych wysłanników w wielu krajach, od Portugalii po Azję.

Paulo wita się serdecznie z przyjacielem. Cała czwórka siada przy stoliku z marmurowym blatem w hotelowym foyer. Eugenia, korpulentna blondynka z Kazachstanu, wręcza Paulowi luksusowe wydanie *Zahira* w jej ojczystym języku. Kelner przynosi cztery kieliszki szampana i kryształowe miseczki z orzeszkami pistacjowymi. Niebawem temat rozmowy schodzi na kuchnię. Eugenia opowiada, że w Marrakeszu jadła kuskus *à la Paulo Coelho*, a Dmitrij przypomina sobie wizytę w restauracji „Paulo Coelho" w szwajcarskim kurorcie Gstaad.

Rozmowę przerywa pojawienie się następnego sławnego dziennikarza, Brazylijczyka Caco Barcellosa, szefa europejskiej sekcji telewizji Globo. Specjalnie przyjechał z Londynu, żeby relacjonować paryską galę zorganizowaną przez wydawnictwo Flammarion.

O szóstej Georges podjeżdża pod hotel i zawozi grupę przyjaciół na uroczystość. Miejsce wybrane przez wydawcę nie pozostawia wątpliwości, że szykuje się wielka gala. Kolacja na 250 osób odbędzie się w szykownej restauracja Le Chalet des Iles, w zabytkowym budynku, który Napoleon III kazał rozebrać i w częściach przewieźć ze Szwajcarii do Paryża, gdzie go odbudowano na wysepce leżącej na środku jeziora, w sercu Lasku Bulońskiego. Miał to być dowód miłości złożony żonie, hiszpańskiej hrabinie Eugenii de Montijo.

Goście kierowani są do łodzi, które płyną na Ile Supérieur, gdzie znajduje się restauracja. Na brzegu czeka obsługa i prowadzi ich do głównego wejścia. Tam szefowie Flammariona witają przybyłych. Wśród gości znajdują się wydawcy, krytycy literaccy, artyści, dyplomaci oraz osobistości ze świata kultury. Wokół kręcą się paparazzi i dziennikarze brukowców.

Na przyjęciu obecny jest Sérgio Amaral, ambasador Brazylii, oraz Kuansysz Sułtanow, ambasador Kazachstanu, kraju, gdzie toczy się część akcji *Zahira*. Zabrakło jedynie Frédérica Beigbedera, znanego z ciętego stylu krytyka literackiego i pisarza, który od 2003 roku był kierownikiem literackim we Flammarionie. Pikanterii jego nieobecności dodaje fakt, że kiedyś Beigbeder pisał dla plotkarskiego tygodnika „Voici", gdzie bezlitośnie skrytykował *Podręcznik wojownika światła* Paula Coelho.

Wszyscy zajmują swoje miejsca. Pisarz wita się z gośćmi, przechodząc od stołu do stołu. Przed podaniem przystawek dyrektor Flammariona, Frédéric Morel, wygłasza krótkie przemówienie. Jest bardzo dumny z pozyskania do współpracy Paula Coelho. Jego wydawnictwo ma dużą renomę i może poszczycić się wylansowaniem wielu sławnych pisarzy francuskich. Paulo ze wzruszeniem dziękuje gościom za tak liczne przybycie. Po deserze, toastach z szampanem i balu z orkiestrą przyjęcie kończy się o wyznaczonej godzinie, zgodnie z francuskim zwyczajem.

Rano Paulo i Christina lecą do Pau na południu Francji. Lot trwa godzinę. Na lotnisku wsiadają do skromnego renault scénic, który Paulo zostawił tu kilka dni wcześniej. Christina ma identyczny samochód. Pisarz nigdy nie przywiązywał wagi do dóbr doczesnych. Stał się właścicielem lepszej klasy samochodu dopiero w 2006 roku. Wtedy to niemiecka fabryka Audi poprosiła go o krótki, dwustronicowy tekst, który miał być dołączony do dorocznego raportu dla akcjonariuszy. Na pytanie, ile chciałby dostać za swą pracę, pisarz zażartował: „Jeden samochód".

Napisał tekst i wysłał go emailem. Po jakimś czasie przed jego domem stanął audi avant. Jak się później dowiedział od pewnej brazylijskiej dziennikarki, takie auto kosztuje około 100 tysięcy euro. Szybko wyliczył, że za każdą literę dostał szesnaście euro.

– Całkiem nieźle – skomentował. – Podobno Hemingway dostawał pięć dolarów od słowa.

Pół godziny później Paulo i Christina są już w Tarbes, malowniczej miejscowości liczącej pięćdziesiąt tysięcy mieszkańców. Miasteczko leży w regionie zamieszkanym przez Basków, kilka kilometrów od granicy z Hiszpanią. Po przejechaniu czterech kilometrów wąską, pustą drogą widać na horyzoncie dom w Saint-Martin. To mała wioska – 316 mieszkańców, kilkadziesiąt domów – wśród pól i łąk, na których pasą się dorodne krowy rasy holstein. Państwo Coelho postanowili osiedlić się na tym odludziu w 2001 roku, kiedy przyjechali z pielgrzymką do Lourdes, oddalonego od Saint-Martin o szesnaście kilometrów. Sanktuarium odwiedzane jest przez wiernych z całego świata i trudno tam o nocleg, więc Paulo i Christina udali się do Tarbes, gdzie zatrzymali się w skromnym, trzygwiazdkowym hotelu Henri IV. Piękna okolica, bliskość Lourdes i wspaniały widok na Pireneje sprawiły, że postanowili znaleźć tu dom. Przez dwa lata bez pośpiechu szukali odpowiedniego miejsca, rezydując w apartamencie Henri IV. Staremu hotelowi daleko było do luksusu, ale spartańskie warunki, łącznie z brakiem dostępu do internetu, rekompensowała ujmująca gościnność właścicielki, madame Geneviève Phalipou i jej syna Serge'a, recepcjonisty, kelnera i portiera w jednej osobie. „Apartament" zajmowany przez państwa Coelho składał się z sypialni, małego salonu oraz łazienki.

Przez te kilka lat brazylijski pisarz stał się częścią lokalnej społeczności. Nigdy nie miał sekretarki ani służby, jak reszta mieszkańców Tarbes sam robił zakupy, chodził na pocztę, do apteki, rzeźnika. Na początku traktowano go jak gwiazdę, zwłaszcza że stale odwiedzali go zagraniczni dziennikarze, którzy zatrzymywali się w hotelu pani Phalipou. Jednak o sławie się zapomina, jeśli się stoi wspólnie w kolejce po chleb lub do fryzjera. Po kilku miesiącach Coelho był już prawdziwym *tarbais*. Mimo że opuścił hotel i przeniósł się do Saint-Martin, mieszkańcy Tarbes nadal uważają go za swego. Paulo często podkreśla więź, jaka łączy go z tymi ludźmi. Dał temu wyraz podczas programu *Tout le Monde en Parle*, na kanale France 2. Jego gospodarz, Thierry Ardisson, znany jest z podchwytliwych pytań. Tego dnia gośćmi programu byli też piosenkarz Donovan i projektant Paco Rabanne. Ardisson złośliwie spytał:

– Panie Coelho, od dawna nie daje mi spokoju pewna sprawa. Jest pan bogaty, sławny, powszechnie znany i szanowany, a mieszka pan w ...Tarbes. Skąd ten niedorzeczny pomysł?

Pisarz nie dał się sprowokować. Roześmiał się i odparł:

– Mieszkańcy Tarbes też nie rozumieją. Zakochałem się w tej miejscowości od pierwszego wejrzenia. To po prostu miłość.

– Żarty na bok! – prowadzący nie dawał za wygraną. – Proszę szczerze powiedzieć, dlaczego wybrał pan to miejsce?

– Mówiłem, zakochałem się.

– Nie wierzę. Może to zakład, że przeprowadzi się Pan do Tarbes?

– Ależ skąd!

– Żeby zrobić zakupy w supermarkecie, najpierw musi pan dotrzeć do autostrady, a potem długo jechać do Laloubère albo Ibos.

– To prawda. Tam robię zakupy.

– Czy ludzie w Tarbes wiedzą, kim pan jest?

– Oczywiście, wszyscy się tam znają.

– Jeśli tak bardzo lubi pan tę mieścinę, może chciałby pan pozdrowić jej mieszkańca, o przepraszam... mieszkańców?

– Z wielką chęcią! Kocham was, drodzy *tarbais*! Dziękuję, że przyjęliście mnie do swego grona.

Ta deklaracja bardzo spodobała się nowym sąsiadom pisarza. Kilka dni później w gazecie „La Dépêche", wychodzącej w całym regionie Pirenejów francuskich, ukazał się artykuł, w którym chwalono postawę Coelho: „W sobotni wieczór Tarbes przeżyło chwile wielkiej sławy".

Nie jest prawdą, że Paulo mieszka w zamku. Państwo Coelho kupili stary młyn „Moulin Jeanpoc" i przerobili go na rezydencję. Powierzchnia użytkowa nie przekracza 300 metrów kwadratowych i zajmuje dwie kondygnacje. Wnętrza są przestronne, choć skromne. Na parterze znajduje się salon z kominkiem (gdzie pisarz ma swoje biurko), mała kuchnia, jadalnia i łazienka dla gości. Podczas przebudowy jadalni zamontowano przesuwne, szklane drzwi oraz przeszklony dach, żeby podczas kolacji można było podziwiać rozgwieżdżone niebo. Pierwsze piętro adaptowano na pracownię z antresolą, gdzie stoją sztalugi, blejtramy, pojemniki z pędzlami i farbami. Tam Christina Oiticica maluje swoje obrazy.

Na górze są też: sypialnia, pokój dla gości oraz pokój dla kucharki, Marii de Oliveiry, którą Christina sprowadziła z Brazylii, zapewniając godziwe wynagrodzenie w wysokości 2000 euro miesięcznie. Najpiękniej jest jednak przed domem, skąd roztacza się widok na Pireneje – ciągnący się 430 kilometrów, od Atlantyku po Morze Śródziemne, łańcuch górski, który wznosi się na wysokość 3000 metrów i stanowi naturalną granicę między Francją i Hiszpanią. Od listopada do marca, gdy skaliste szczyty gór pokrywa śnieg, pejzaż jest prawdziwie bajkowy. Żeby nic nie zakłócało pięknego widoku, pisarz kupił sąsiednią działkę, gdzie kiedyś hodowano owce oraz muły, i wyburzył stojący tam dom. Paulo nie pamięta, ile zapłacił za młyn oraz działkę obok, ale całość wycenia się teraz na 900 tysięcy euro. W skład majątku pisarza wchodzą następujące nieruchomości: dom w Tarbes, mieszkanie w Paryżu i apartament przy Copacabanie w Rio de Janeiro. W 2007 roku emir Dubaju i premier rządu Zjednoczonych Emiratów Arabskich, Jego Wysokość Szach Mohammed bin Rashid Al Maktoum, ofiarował pisarzowi posiadłość wartą 4,5 miliona dolarów – dom w ekskluzywnej dzielnicy Dubaju. Podobny zaszczyt spotkał Michaela Schumachera, kierowcę Formuły 1, angielskiego piłkarza Davida Beckhama oraz Brazylijczyka Pelego, legendę piłki nożnej.

Poza Marią państwo Coelho nie mają nikogo do pomocy. Paulo sam wykonuje większość czynności związanych z gospodarstwem. Rąbie drzewo, przycina róże, kosi trawę, grabi suche liście. Jest spod znaku Panny, a to podobno oznacza umiłowanie porządku. Stara się wprowadzać żelazną dyscyplinę, „regułę klasztorną", jak sam wyznaje żartem. Życie płynie tu spokojnie, inaczej niż wtedy, kiedy pisarz wyjeżdża, by promować książkę, wygłosić wykład lub wziąć udział w sympozjum. Wprawdzie nie prowadzi nocnego życia, ale rzadko kładzie się przed północą. Z alkoholi pije tylko wino w umiarkowanej ilości, więc nie ma kłopotów z porannym wstawaniem. Budzi się około ósmej, rześki i gotowy do pracy. Robi sobie kawę, kanapkę z masłem i serem, po czym – niezależnie od pogody – idzie na godzinny spacer po okolicznych polach i kamienistych szlakach. Zwykle towarzyszy mu Christina, chyba że wyjedzie albo jest chora. Gości też zachęca do spacerów, zaliczanych do nakazów „reguły klasztornej". Ulubiona trasa pisarza prowadzi do kaplicy Notre-Dame de Piétat w małej wiosce Barbazan-Débat sąsiadującej z Saint-Martin i Tarbes. Tam Paulo klęka przed ołtarzem, żegna się i w ciszy odmawia modlitwę. Potem wrzuca monetę do metalowej skarbonki i zapala świecę przed świętym obrazem. Matka Boska trzyma na kolanach osobliwą postać: Jezusa wielkości niemowlęcia, ale z brodą i poranionym ciałem.

Po powrocie do domu Paulo pracuje na świeżym powietrzu. Przycina kwiaty i krzewy rosnące wzdłuż ścieżki biegnącej przez ogród. Dopiero potem bierze prysznic i zasiada do komputera. Przegląda portale dwóch brazylijskich gazet („Folha de São Paulo" oraz „O Globo"), sprawdza, co poprzedniego dnia ukazało się na jego temat w prasie światowej. Zanim wejdzie na stronę z zestawieniem najlepiej sprzedających się książek, kładzie ręce na ekranie, jakby chciał je ogrzać. Zamyka oczy i koncentruje się, żeby – jak mówi – przyciągnąć pozytywną energię. Potem wskazującym palcem naciska klawisz „enter". Na ekranie wyświetlają się informacje, a na jego twarzy pojawia się uśmiech. *Zahir* jest na pierwszym miejscu we wszystkich liczących się krajach, poza Niemcami i Brazylią, gdzie króluje *Kod Leonarda da Vinci* Dana Browna.

W skrzynce pocztowej również brak niespodzianek. Przyszło niemal tysiąc maili ze stu jedenastu krajów. Wiadomości posegregowano alfabetycznie, od Andory, przez Burkina Faso, Niue i Tuvalu na Pacyfiku po Wenezuelę.

– Patrz, Chris! – mówi Paulo do siedzącej obok Christiny. – Wróciliśmy ze spaceru jedenaście po jedenastej, termometr wskazywał jedenaście stopni. Teraz otwieram skrzynkę i widzę emaile ze stu jedenastu krajów. Ciekawe, co to znaczy.

Paulo często zastanawia się nad takimi rzeczami. Kiedy w krótkim czasie jedna liczba pojawia się kilka razy w różnych kontekstach, przeciętny człowiek widzi w tym przypadek, ale pisarz dopatruje się drugiego dna. Wierzy, że imiona, miejsca, daty, kolory, przedmioty i cyfry mogą przynieść nieszczęście. Podobnie jak opędzanie się od niewidzialnej muchy, tego typu zachowania mogą świadczyć, że osoba cierpi na zespół chorobowy nazywany nerwicą natręctw.

Paulo nie wymówi na głos nazwy państwa „Paragwaj", nazwiska byłego prezydenta Brazylii Fernanda Collora ani jego minister gospodarki Zélii Cardoso de Mello. Imię czwartej partnerki, Adalgisy Rios, przeszło mu przez gardło dopiero po jej śmierci w czerwcu 2007 roku. Jeśli w jego obecności ktoś wymówi zakazane słowo, Paulo nerwowo szuka drewnianego przedmiotu, żeby odpukać w niemalowane i bronić się przed negatywną energią. Na widok gołębiego piórka na chodniku, przechodzi na drugą stronę ulicy. W 2007 roku w siedmiostronicowym wywiadzie dla „The New Yorker" przyznał się dziennikarce Danie Goodyear, że nie usiądzie nigdy do stołu nakrytego dla trzynastu osób. Christina nie potępia dziwactw męża, wręcz przeciwnie, dzieli wiele jego obsesji i lęków. Czasem sama zwraca mu uwagę na niekorzystny układ gwiazd i radzi, by wstrzymał się z decyzją.

Pisarz przed swoim domem w Saint-Martin. Z wyremontowanego młyna roztacza się piękny widok na Pireneje.

Utarło się, że jeden dzień w tygodniu Paulo poświęca korespondencji, która przychodzi tradycyjną pocztą. Co tydzień na biurku pisarza ląduje sterta dokumentów z jego brazylijskiego biura oraz agencji Sant Jordi w Barcelonie. Adresat zabiera wszystkie listy i paczki do ogrodu, rozkłada je na stole, dzieli według wielkości i po kolei otwiera scyzorykiem Ciszę przerywa czasem dobiegające z daleka muczenie krowy lub warkot traktora.

Paczek z debiutanckimi maszynopisami i płytami demo z zasady nie otwiera – jak ostrzega na stronach internetowych i w blogach – te od razu lądują w koszu. Czasem Paulo boi się, że w dobie bomb i wąglika jakiś szaleniec przyśle mu w kopercie ładunek wybuchowy albo śmiercionośny proszek. Na szczęście do tej pory nie otrzymał żadnej podejrzanej przesyłki, ale na wszelki wypadek koncentruje się przed otwarciem każdej koperty, żeby wyczuć pozytywne wibracje, nawet jeśli przesyłka jest z Rio lub Barcelony.

Teraz kolej na niezbyt dużą kopertę z biura w Rio de Janeiro. W środku gotowe do podpisania odpowiedzi na listy czytelników. Najdłuższe wydrukowano na papierze z nagłówkiem Brazylijskiej Akademii Literatury, której członkiem został Paulo w 2002 roku, krótsze pisane są na papierze firmowym autora. Ostatnia przesyłka to sto fotografii dla wielbicieli, na których trzeba złożyć autograf. Zdjęcie jak zwykle ukazuje Paula w czarnej koszuli, spodniach i kowbojskich butach.

Po wykonaniu kilku telefonów Paulo przez godzinę odpoczywa. W zaimprowizowanej strzelnicy w ogrodzie (tarcza przytwierdzona do maty ustawionej pod ścianą) uprawia japońską sztukę strzelania z łuku *kyudo*, wymagającą zarówno sprawności fizycznej jak i koncentracji. Wczesnym popołudniem zasiada do komputera, żeby napisać krótki tekst do swej rubryki. Zamieszcza ją trzydzieści gazet z pięciu kontynentów, od Libanu, przez Wenezuelę, Indie, Brazylię, Polskę po Afrykę Południową.

Paulo i Christina żyją podobnie jak większość mieszkańców wioski. Mają wąskie grono przyjaciół, wśród których próżno szukać intelektualistów, wielkich autorytetów czy bohaterów prasy bulwarowej. „Mam pięćset kanałów telewizyjnych, ale w mojej miejscowości brakuje piekarni", skarżył się Paulo kilka lat temu w wywiadzie dla „The New York Times". Nie ma piekarni, baru, supermarketu ani stacji benzynowej, podobnie jak w 35 tysiącach francuskich wiosek. Rozerwać się lub zrobić zakupy można w pobliskim Tarbes, pod warunkiem, że dotrze się tam przed 17.00, bo później miasteczko zamiera. Wieczorem można pójść do jednej z trzech restauracji.

Odpoczynek w Saint-Martin dobiega końca, trzeba wracać „do boju". Agencja Sant Jordi przysyła email z propozycją trzytygodniowego *tournée*, kolejnej podróży przez świat. Do programu podróży Sant Jordi dołącza zaproszenia na spotkania autorskie promujące *Zahira* w Argentynie, Meksyku, Kolumbii, Portoryko i w Paryżu. Przyszło też zaproszenie z Hamburga na uroczystość wręczenia pisarzowi nagrody Goldene Feder. W Egipcie, Syrii i Libanie planowane są spotkania z czytelnikami, połączone z rozdawaniem autografów. Na urodziny do Warszawy zaprasza Jolanta Kwaśniewska, żona byłego prezydenta. Potem przewidziano wizytę w Londynie i uroczystą kolację związaną z kampanią przeciw stosowaniu min. Wśród gości znajdą się: tenisista Boris Becker, piosenkarz Cat Stevens oraz były sekretarz generalny ONZ Butros Ghali. Następnego dnia pisarz ma pojechać do Francji, gdzie w Wersalu odbędzie się kolacja z Lily Marinho, wdową po Robercie Marinho, właścicielu imperium Globo. Cztery dni później zaplanowano spotkania autorskie i promocję *Zahira* w Japonii oraz Korei Południowej. W drodze powrotnej do Europy Coelho ma się zatrzymać w Astanie, stolicy Kazachstanu, żeby wziąć udział w kolacji z okazji sześćdziesiątych piątych urodzin prezydenta kraju, Nursułtana Nazarbajewa. W programie nie zmieści się wizyta na zaproszenie Klausa Schwaba, założyciela i prezesa Światowego Forum Ekonomicznego w Davos. Coelho miał wygłosić przemówienie na otwarciu szczytu i opowiedzieć o najbardziej znanym jego przedsięwzięciu, festiwalu kulturalnym w Verbier w Szwajcarii, na którym spotykają się młodzi adepci muzyki klasycznej z całego świata.

Paulo kilka razy odgania ręką niewidzialną muchę i zdenerwowany mruczy pod nosem:

– Nikt normalny nie jest w stanie tego wszystkiego zrobić.

Na kanapie obok siedzi Christina. Słysząc narzekania męża, zauważa z humorem:

– Przecież sam chciałeś zostać mistrzem świata Formuły 1! Teraz musisz wsiąść do ferrari i jazda.

Jej uwaga rozbawiła Paula. Ze śmiechem przyznaje, że nie tylko tego chciał, ale skoro całe życie walczył, żeby się znaleźć w takiej sytuacji, nie powinien się skarżyć.

– Masz świętą rację – wzdycha. – Ale po prostu nie jestem w stanie sprostać ich oczekiwaniom. Wszystko dzieje się w zawrotnym tempie, a do tego na trzech kontynentach!

Podróż oznacza stres związany z koniecznością przebywania na lotniskach, które od zamachów z 11 września na wieże WTC zamieniły się w istne piekło na ziemi. Środki ostrożności, biurokracja, brak zaufania i ciągłe opóźnienia samolotów coraz bardziej doskwierają podróżnym.

Słabym punktem przygotowanego przez Sant Jordi programu jest konieczność podróżowania zwykłymi liniami lotniczymi. Paulo drukuje listę i długopisem wykreśla imprezy wymagające lotów międzykontynentalnych. Odkłada na inny termin wizytę w Ameryce Południowej, Japonii i Korei Południowej, rezygnuje z urodzin prezydenta Kazachstanu, wizyty w Syrii i Libanie, ale pozostawia Egipt. Warszawę zamienia na Pragę, żeby spełnić obietnicę złożoną dwadzieścia lat wcześniej. Czechy będą jego pierwszym miejscem postoju. Stąd uda się po nagrodę do Hamburga, a potem poleci do Kairu. Jednak są problemy ze znalezieniem połączeń. Nie ma samolotu, który w dogodnym terminie leci z Hamburga do Egiptu. Niemcy nie mogą zmienić terminu gali, bo wysłano już zaproszenia, ale oferują pomoc. Po obchodach do Kairu zabierze Paula i jego przyjaciół prywatny samolot Klausa Bauera, właściciela konsorcjum medialnego Bauer, które patronuje uroczystości wręczenia nagrody Goldene Feder. Wszystkie zainteresowane strony akceptują zmiany w programie, a wtedy Paulo dzwoni do Môniki i z szelmowskim uśmiechem pyta:

– Skoro już jedziemy do Pragi, to może zrobimy tam mały *blitzkrieg*?

Blitzkrieg, po niemiecku „wojna błyskawiczna", to w żargonie zaimprowizowane spotkanie z czytelnikami, często po oficjalnych uroczystościach i bez wiedzy mediów. Pisarz wchodzi do pierwszej z brzegu księgarni, wita się z personelem, mówi: „Bardzo mi miło. Nazywam się Paulo Coelho. Chętnie podpiszę kilka książek". Niektórzy twierdzą, że w *blitzkriegu* jest pewien element ekshibicjonizmu i zarzucają Coelho, że zawsze dba o obecność dziennikarzy. Tak rzeczywiście było w Mediolanie, kiedy Paulowi towarzyszyła Dana Goodyear, która robiła z nim wywiad dla „New Yorkera". Przypisywano jej zorganizowanie „spontanicznego" spotkania Paula z czytelnikami. Tym razem pisarz chce zawiadomić wydawcę jak najpóźniej, żeby nie było czasu na sprowadzenie ekip telewizyjnych, które by go zmusiły do wywiadów, debat i udziału w *talk-show*. Wystarczy, że wydawca dowie się w przeddzień spotkania, co pozwoli mu przygotować dostateczną liczbę egzemplarzy powieści.

Jednak promocja książki nie jest głównym powodem wizyty Paula w Czechach. Po latach walki z kościołem i zainteresowania satanizmem w 1982 roku Coelho powrócił na łono katolicyzmu. Wraz z nową żoną Christiną zwiedzał Europę i zatrzymał się w Pradze. Idąc wąską ulicą Karmelicką, wstąpił do kościółka Matki Boskiej Zwycięskiej, wciśniętego między kamienicę i sklepik z pamiątkami. Tam przed figurką Dzieciątka Jezus złożył przysięgę.

Z nieznanych powodów koronowana w połowie XVII wieku figurka od dawna przyciąga brazylijskich wiernych. Do dziś w brazylijskiej prasie można spotkać ogłoszenia o treści: „Dzieciątku z Pragi w podzięce za otrzymane łaski". Podobnie jak miliony Brazylijczyków, Paulo też miał do Dzieciątka Jezus wielką prośbę. Uklęknął przed figurką w bocznej nawie i po cichu wyszeptał modlitwę, której nie słyszała nawet stojąca obok Christina.

Christina i Paulo w Pradze. Pisarz spełnia obietnicę złożoną 20 lat temu Dzieciątku Jezus i przywozi szatę utkaną złotą nicią.

– Spraw, bym stał się znanym i cenionym pisarzem!

Wiedział, że prosi o wiele i że cena za spełnienie tego życzenia może być wysoka. Ze wzruszeniem wpatrywał się w zniszczoną sukienkę okrywającą figurkę. Była to kopia pierwszej szaty, którą utkała i w 1620 roku ofiarowała Dzieciątku księżniczka Poliksena z Lobkovic.

– Obiecuję, że gdy stanę się sławny, wrócę tu z nową, złotą sukienką – wyszeptał Coelho.

Propozycja zorganizowania *blitzkriegu* była jedynie pretekstem, żeby po dwudziestu latach wrócić do Pragi i spełnić obietnicę. Strój został uszyty zgodnie z wymiarami figurki, która ma pół metra wysokości. Na sukience z czerwonego aksamitu matka Christiny, Paula Oiticica, przez wiele tygodni cierpliwie haftowała złotą nitką misterny wzór. Żeby szata nie uległa zniszczeniu, zapakowano ją w plastikowe pudło. Na lotnisku w Paryżu celnicy chcieli prześwietlić paczkę, żeby sprawdzić, czy nie ma w niej narkotyków albo ładunku wybuchowego, ale opakowanie nie mieściło się w urządzeniu. Paulo oświadczył, że bez sukienki nie wsiądzie do samolotu, a celnicy odmówili przepuszczenia paczki bez sprawdzenia jej zawartości. Zrobiło się spore zamieszanie. Na szczęście w porę pojawił się wyższy rangą pracownik lotniska, który rozpoznał *monsieur Coelo* i zezwolił, żeby sukienkę wniesiono na pokład bez prześwietlenia.

Państwo Coelho wchodzą do kościoła z darem dla Dzieciątka Jezus. Przed ołtarzem modli się około dwudziestu turystów. Karmelita Anastasio Roggero mówi jedynie po włosku i czesku. Nie rozumie, czego chce dziwny gość z włosami zebranymi w kitkę, który trzyma przed sobą czerwoną szatę. Z zakłopotaniem miętosi w ręku rąbek znoszonego habitu i słucha, jak Paulo tłumaczy mu coś po angielsku. Uśmiecha się, kiwa głową, ale nic nie rozumie. Wreszcie bierze szatę, żeby schować ją w zakrystii. Nagle jakaś starsza kobieta rozpoznaje pisarza. Ze wzruszenia zapomina, że znajduje się w kościele, i woła do znajomych po francusku:

– Patrzcie! To Paulo Coelho!

W jednej chwili turyści okrążają pisarza, proszą o autografy i zdjęcia. Ojciec Anastasio odwraca się zdziwiony, spogląda na szkarłatną szatę i zaczyna rozumieć, że popełnił gafę. Przeprasza, że nie rozpoznał Paula i dziękuje za dar. Idzie do zakrystii i po chwili wraca z cyfrowym aparatem nikon. Robi zdjęcia sukience, a potem sławnemu pisarzowi. Przy okazji zapewnia, że zna wszystkie jego dzieła.

Po wizycie w kościele Paulo i Christina idą na spacer po mieście. Potem odwiedzają brata Christiny, Leonarda Oiticicę, i jego żonę Tatianę, która pracuje w ambasadzie brazylijskiej. Gazety „Pravó" i „Komsomolskaia" już dowiedziały się o przyjeździe pisarza, więc *blitzkrieg* się nie uda. O trzeciej po południu, na godzinę przed zapowiadanym wydarzeniem, tłum czytelników kłębi się przed wejściem do Empiku, wielkiej i nowoczesnej księgarni wybranej przez współpracujące z Paulem wydawnictwo Argo.

Pisarz zjawia się punktualnie o czwartej i zastaje sytuację podobną jak w Budapeszcie – stu pięćdziesięciu szczęśliwców z biletami, a oprócz nich gęsty tłum w środku i na zewnątrz na słynnym Placu Wacława. Wszyscy marzą o autografach. Pisarz ucieka się do sprawdzonego w Budapeszcie sposobu – prosi o podanie wody, a potem dzieli chętnych na dwie grupy i rozdaje autografy na przemian ludziom z biletami i bez. O szóstej zerka na zegarek, zrywa się i prosi o krótką przerwę. Idzie na bok, chowa się za półkę z książkami i w ciszy odmawia modlitwę. Kiedy ostatni czytelnicy odchodzą z upragnionymi autografami, na dworze jest już ciemno. Wraz z grupą przyjaciół Paulo idzie na kolację do eleganckiej restauracji *nouvelle cuisine* na starym mieście.

Następnego dnia znów jest w Paryżu, gdzie podpisuje książki w księgarni Fnac przy Place des Ternes. Choć przewidziano miejsce dla wybranych losowo stu czytelników, wiadomość o przybyciu pisarza szybko się rozchodzi, ściągając do księgarni ponad trzysta osób, które tłoczą się w małym audytorium. W sali obok ludzie rozpychają się łokciami, żeby dotrzeć do wystawionych na półkach książek, płyt CD i DVD. Są tu nie tylko wszystkie wydane we Francji powieści Coelho, ale również jego ulubione lektury, muzyka i filmy. Wśród książek pisarz najbardziej ceni sobie *Obcego* Alberta Camusa, *Zwrotnik Raka* Henry'ego Millera, *Fikcje* Jorge Luísa Borgesa, *Gabrielę* Jorge Amado, a także *I'll Dress You in Mourning*, biografię torreadora El Cordobésa pióra Dominique'a Lapierre'a i Larry'ego Collinsa. Przybyli do Fnacu wielbiciele pisarza mogą też kupić jego ulubione filmy, między innymi: *Łowcę Androidów* Ridleya Scotta, *Dawno temu w Ameryce* Sergia Leone, *Odyseję kosmiczną* Stanleya Kubricka, *Lawrence'a z Arabii* Davida Leana, *Ślubowanie* Anselma Duarte. Wybór płyt z muzyką ma jeszcze bardziej zróżnicowany charakter: *Abbey Road* Beatlesów, 9. symfonia Beethovena, *Atom Heart Mother* zespołu Pink Floyd, *Pierwszy koncert fortepianowy* Fryderyka Chopina.

Francuscy czytelnicy tłoczący się we Fnacu są równie spokojni i cierpliwi jak ci w Budapeszcie. Paulo mówi przez godzinę, potem odpowiada na pytania i podpisuje książki wszystkim, którzy przyszli do księgarni.

Po żywiołowych, często improwizowanych spotkaniach z czytelnikami w Budapeszcie, Pradze i Paryżu protokół wręczenia nagrody Goldene Feder bardziej przypomina wojskową musztrę. Odkąd w Hamburgu wykryto komórkę Al-Kaidy, do której należeli autorzy zamachu z 11 września, miasto żyje w ciągłym strachu. Z dwudziestu porywaczy zamieszanych w spisek aż dziewięciu mieszkało na obrzeżach Hamburga, wśród nich szef grupy, Egipcjanin Mohammed Atta, pilot jednego z porwanych samolotów, które ugodziły w WTC. Sądząc po rzeszy ochroniarzy, mamy prawo podejrzewać, że feta na cześć Paula Coelho rzeczywiście mogłaby zainteresować zamachowców.

Na galę przyjechali bankierzy, przemysłowcy, biznesmeni, wydawcy, wiele znanych osobistości. Żeby uniknąć zamieszania, organizatorzy dają fotoreporterom i dziennikarzom tylko pięć minut na zrobienie zdjęć. Wśród osób, które mają otrzymać nagrodę są: naukowiec, profesor, właścicielka przedsiębiorstwa, duchowny. Relację z ceremonii wręczania nagród reporterzy mogą oglądać na ekranach w stołówce dla pracowników.

Pięć godzin później pisarz siedzi już z plecakiem w sali dla vipów na lotnisku w Hamburgu i czeka na samolot, którym poleci do Kairu. Wizyta Paula w stolicy Egiptu zbiega się w czasie z przyjazdem Laury Bush, pierwszej damy Stanów Zjednoczonych. Władze wprowadzają szczególne środki ostrożności. W tym pilnie strzeżonym mieście często dochodzi do zamachów terrorystycznych dokonywanych przez islamskich ekstremistów, których głównym celem są turyści, co bardzo niepokoi przyjaciół pisarza.

– Co zrobisz, jeśli cię porwą i za uwolnienie zażądają wypuszczenia stu więźniów politycznych? – pyta jeden ze znajomych.

Jednak Paulo się nie przejmuje. Po pierwsze, sprawdził swój horoskop, po drugie, będzie pod opieką Hebby Raouf Ezzat, która poprosiła go o wygłoszenie wykładu na uniwersytecie kairskim. Ta czterdziestoletnia muzułmanka, matka trójki dzieci, jest wykładowcą londyńskiego Uniwersytetu Westminster. Obdarzonej charyzmą pani politolog udało się zrobić karierę w pełnym uprzedzeń społeczeństwie patriarchalnym. Stała się jedną z przywódczyń ruchu obrony praw człowieka i orędowniczką dialogu islamu z innymi religiami. Przyjazd do Egiptu na zaproszenie Heddy daje Paulowi możliwość swobodnego poruszania się wśród przedstawicieli różnych ugrupowań politycznych i religijnych.

Pisarz ma też własne powody, aby odwiedzić Kair. Egipt zajmuje pierwsze miejsce wśród państw nielegalnie wydających jego powieści. Co prawda niemal połowę ludności stanowią analfabeci, ale szacuje się, że w obiegu jest tam ponad 400 tysięcy pirackich egzemplarzy, to jest około 5% nielegalnie wydawanych książek Paula na świecie. Całą twórczość Coelho, od *Podręcznika wojownika światła* po *Zahira*, można przeczytać po arabsku. Jego dzieła znajdują się zarówno w witrynach eleganckich księgarń, jak i na ulicznych kramach Kairu, Aleksandrii i Luksoru. Pirackie wydania są na każdą kieszeń – od powielanych na domowych kopiarkach wersji kieszonkowych po luksusowe edycje w twardej oprawie. Powstają przy udziale znanych wydawnictw, czasem nawet państwowych, a autor do tej pory z tytułu praw autorskich nie otrzymał od nich złamanego grosza. Pokrzywdzeni są też czytelnicy, bo dostają do ręki książkę skróconą lub z rozdziałami w złej kolejności, a niektóre fragmenty pochodzą z wydań w innych krajach arabskich, a więc są niezrozumiałe dla czytelnika egipskiego. Bezkarność piratów nie zna granic – podczas ostatnich targów książki w Kairze dzieła Coelho znalazły się na pierwszym miejscu wśród najlepiej sprzedających się książek w kraju, choć oficjalnie nie figurują na liście żadnego wydawnictwa respektującego międzynarodowe prawo autorskie.

Pisarz zamierza ostatecznie uporać się z tym problemem. Do Kairu lecą z nim Mônica Antunes oraz Ana Zendrera, właścicielka hiszpańskiego wydawnictwa Sirpus, które specjalizuje się

Paulo podpisuje książki w Kairze

w publikacjach na rynek arabski, od Bliskiego Wschodu po Afrykę Północną. Od czasu tej wizyty, która miała miejsce w 2005 roku, tylko dwa wydawnictwa mają prawo publikować dzieła Paula Coelho: libańskie All Prints i Sirpus.

Na pełnym uzbrojonych żołnierzy lotnisku na gości czeka Hebba i jej mąż Ahmed Mohammed, który również aktywnie działa na forum publicznym. Mężczyzna ubrany jest w stylu zachodnim, ale jego żona pokazuje jedynie uśmiechniętą twarz i białe dłonie. Resztę zasłania przed natarczywymi spojrzeniami obszerny szary czador, w którym Hebba robi wrażenie grubszej niż jest. Wszyscy rozmawiają po angielsku, który jest drugim językiem w Egipcie.

Obowiązują surowe obyczaje. Mężczyźni i kobiety wymieniają jedynie uściski dłoni, bez obejmowania się i pocałunków typowych dla ludzi Zachodu. Z lotniska jadą do hotelu Four Seasons. Dla pisarza zarezerwowano na ostatnim piętrze apartament z widokiem na Gizę, gdzie na skraju pustyni znajduje się jeden z siedmiu cudów świata – zespół piramid Cheopsa, Chefrena i Mykerinosa.

Przygotowany przez Hebbę program nie odbiega od typowych wizyt pisarza w innych krajach – wywiady dla najważniejszych gazet i stacji telewizyjnych, udział w kilku *talk-show*, spotkania z osobistościami życia kulturalnego, między innymi z noblistą Nadżibem Mahfuzem, dziewięćdziesięcioletnim, prawie już ślepym staruszkiem, któremu bardzo zależało, by gościć Brazylijczyka u siebie na herbacie. Paulo będzie miał też odczyt na Uniwersytecie Kairskim i weźmie udział w dwóch debatach – w siedzibie Stowarzyszenia Pisarzy Egipskich oraz w konkurencyjnym Związku Pisarzy Egipskich. Na prośbę Paula w hotelowej restauracji Hebba zorganizowała obiad, na który zaproszono najważniejszych wydawców, księgarzy i przedstawicieli Ministerstwa Kultury.

– Prawdziwy wojownik – mówi Paulo do Hebby z szelmowskim uśmiechem – wyciąga miecz tylko, gdy zamierza go użyć. Nie schowa go do pochwy, jeśli nie ma na nim śladów krwi.

Następnego ranka w hotelowych korytarzach roi się od ekip telewizyjnych. Wszędzie kamery, statywy, reflektory, kable, akumulatory rozłożone na podłodze i kanapach. Na oddzielne wywiady pozwolono jedynie stacjom telewizyjnym. Prasa musi się zadowolić konferencją prasową. Wyjątek stanowi „Al Ahram", najważniejszy dziennik w kraju, jak większość znaczących instytucji, znajdujący się w rękach państwa. Przywilej jest tym większy, że przedstawiciel „Al Ahram" jest pierwszy w kolejce. Po skończonym wywiadzie dziennikarz Ali Sayed wyjmuje z teczki kilka książek i prosi pisarza o autograf. Wszystkie utwory, *Alchemik*, *Maktub* i *Jedenaście minut*, zostały wydane nielegalne i kupione na ulicy po siedem dolarów egipskich za egzemplarz.

Wczesnym popołudniem Paulo idzie z przyjaciółmi do restauracji na lekki obiad „zakrapiany" fantą, coca-colą, herbatą i wodą mineralną. Serwuje się tu wprawdzie również wino i piwo, ale nikt nie zamawia alkoholu, bo fundatorem jest muzułmanin Ahmed.

Po spotkaniach z dziennikarzami Paulo uczestniczy w dwóch debatach zorganizowanych w konkurujących ze sobą stowarzyszeniach literatów. Wszędzie sale są pełne ludzi, którzy proszą o autografy. Pisarz z uśmiechem spełnia wszystkie prośby. Przed powrotem do hotelu składa wizytę sędziwemu politykowi Mohamedowi Heikalowi. Heikal rozpoczynał karierę u boku nieżyjącego prezydenta Gamala Abdela Nassera, rządzącego Egiptem w latach 1954-1970. Przetrwał liczne zawieruchy i niepokoje, które do dziś wstrząsają Egiptem. Przyjmuje swego gościa w małym mieszkaniu w obecności dwóch ochroniarzy. Na ścianach wiszą fotografie gospodarza w towarzy-

Autor z Hebbą, Ahmedem, Mônika Antunes i Aną Zendrera

stwie wielkich mężów stanu XX wieku. Jest wśród nich były przywódca ZSRR Nikita Chruszczow, premier Chin Czou En-lai, premier Indii Jawalarhal Nehru i kanclerz RFN Willy Brandt. Wisi też zdjęcie z Leonidem Breżniewem i Nasserem.

Spotkanie z noblistą Nadżibem Mahfuzem odbywa się przy wzmocnionej obstawie policyjnej. Egipski pisarz już raz cudem uszedł z życiem, kiedy przed jego własnym domem ranił go nożem w szyję islamski fundamentalista, oskarżający go o bluźnierstwo przeciw Koranowi. Pisarze odbywają krótką rozmowę po angielsku i wymieniają podpisane przez siebie książki. Po tym ostatnim punkcie programu przychodzi czas na nocny rejs statkiem po Nilu.

Następnego dnia Paulo ma wolne przedpołudnie, może dłużej pospać, przejść się po okolicy i sprawdzić wiadomości w internecie. O pierwszej zaczyna się obiad, na który pisarz zaprosił licznych gości. Wszyscy grzecznie się uśmiechają, ale atmosfera jest napięta. Siadają do stołu. Jeden z wydawców wstaje i uroczyście wita Brazylijczyka, choć, jak podkreśla, obiad jest kameralnym spotkaniem przyjaciół.

– Paulo Coelho nie tylko swoją twórczością, ale własnym życiem dowiódł, jak dobrze rozumie arabską duszę – mówi wydawca. – Zrobił to w kilku odważnych wypowiedziach publicznych, choćby w liście „Dziękujemy panu, prezydencie Bush", gdzie otwarcie potępił inwazję Stanów Zjednoczonych na Irak.

Wstaje kolejny mówca i znów płyną pochwały. Po mniej więcej godzinie głos zabiera Paulo. Na stole obok jego nakrycia leżą trzy egzemplarze nielegalnie wydanych książek jego autorstwa. Położył je tam specjalnie, żeby nieco zawstydzić eleganckich panów pod krawatem. Choć Paulo nie lubi wystąpień publicznych, ma w tej dziedzinie duże doświadczenie. Zaczyna grzecznie, nawiązując do Egiptu i kultury arabskiej, która zainspirowała go do napisania kilku książek. Potem zręcznie przechodzi do meritum.

– Każdy autor marzy o znalezieniu wydawcy w Egipcie. Mój problem jest inny – mam ich w Egipcie zbyt wielu.

Nikt nie śmieje się z jego żartu, ale Paulo nie zważa na to. Wznosi oczy, jakby prosił św. Jerzego o pomoc i nagle zmienia ton. Bierze do ręki piracki egzemplarz *Alchemika* i potrząsając nim w powietrzu mówi:

– Zostałem zaproszony przez panią doktor Hebbę, a więc i przez wszystkich Egipcjan. Przyjechałem z ważnego powodu. Chcę raz na zawsze rozwiązać kwestię pirackich wydań moich książek.

Goście nerwowo się rozglądają i poprawiają serwetki na kolanach. Paulo wie, że są wśród nich urzędnicy Ministerstwa Kultury, które ma udziały w zajmujących się takim procederem wydawnictwach.

– Rząd nie karze i nie ściga piratów – wytyka przedstawicielom władz. – A przecież Egipt podpisał wszystkie międzynarodowe konwencje o poszanowaniu praw autorskich. Musi ich więc przestrzegać. Mogę zatrudnić najlepszego adwokata i wygram w sądzie, ale tu nie chodzi tylko o moje prawa majątkowe. Chodzi o to, że czytelnicy kupują moje książki za psie pieniądze i dostają kiepskiej jakości produkt. To się musi skończyć!

Propozycja zawieszenia broni niezbyt podoba się zebranym.

– Zapomnijmy o przeszłości, o wszystkim, co do tej pory zaszło. Nie będę dochodził swych praw u żadnego z wydawnictw, które wypuściły na rynek 400 tysięcy egzemplarzy moich książek, mimo że nie mam w tym kraju swego wydawcy. Od tej pory wszystkie moje powieści będą ukazywać się wyłącznie pod szyldem wydawnictwa Sirpus lub All Prints. Reszta będzie nielegalna, a ich wydawanie potraktuję jako łamanie prawa.

Żeby pokazać, że to nie żarty, Paulo zapowiada *blitzkrieg* w księgarni Dar El Shorouk w pobliżu hotelu. Autor będzie podpisywał *Alchemika* w arabskim przekładzie, swoją pierwszą powieść wydaną w Egipcie przez wydawnictwo Sirpus, oraz angielską wersję *Zahira*. Pełne niespodzianek spotkanie kończy się w ciszy, większość gości wychodzi z sali z nosem na kwintę.

Popołudnie w księgarni przebiega zgodnie z przewidywaniami. *Blitzkrieg* okazuje się wielkim sukcesem. Paulo opowiada dziennikarzom, co zdarzyło się podczas obiadu.

– Jestem przekonany, że wydawcy zgodzą się na moją propozycję – powtarza kilka razy. – Od tej pory Egipcjanie będą czytać wyłącznie legalne przekłady moich książek, wydawane przez Sirpusa.

Jednak wkrótce okaże się, że radość była przedwczesna. Pół roku później pisarz otrzymał raport, z którego wynikało, że sytuacja na rynku egipskim pozostała bez zmian. Zmieniło się tylko jedno – nielegalne wydawnictwa zyskały legalnego konkurenta, Sirpusa.

Ostatniego dnia odbywa się wykład Paula na Uniwersytecie Kairskim. Wszystko idzie zgodnie z planem, jakby spotkanie zorganizowano w jednostce wojskowej, a nie na uniwersytecie. W auli na trzysta osób pojawia się dokładnie trzystu słuchaczy. Większość to młode kobiety ubrane zgodnie z zachodnią modą, w wydekoltowane, kuse bluzki odkrywające ramiona i obcisłe dżinsy. Po wykładzie chęć uzyskania autografu okazuje się silniejsza od dyscypliny i ludzie tłoczą się wokół pisarza z książkami do podpisania.

W drodze do hotelu Hebba proponuje zmianę programu. Członkowie fanklubu Paula Coelho nie dostali zaproszeń na żadną z oficjalnych imprez i proponują spotkanie po południu. Zadowolony z obiadu z wydawcami Paulo ochoczo godzi się na zmianę planów. Hebba opuszcza towarzystwo, żeby wcześniej spotkać się z fanami i przygotować zaimprowizowane spotkanie nad Nilem przy moście. Nikt nie wie, jakim sposobem Hebba mobilizuje czytelników, ale gdy Brazylijczyk pojawia się z przyjaciółmi w wyznaczonym miejscu, zaskoczenie jest ogromne. Przyszło ponad dwa tysiące osób. Amfiteatr nad brzegiem rzeki wygląda tak, jakby ktoś w połowie przerwał jego budowę, z betonowych konstrukcji wystają żelazne pręty. Ludzie wypełniają główną część, a także boczne galerie budowli. Trudno uwierzyć, że bez ogłoszeń w prasie, radiu czy telewizji można w parę godzin zgromadzić taki tłum. Ludzie obsiedli nawet mury i drzewa wokół amfiteatru.

W niemiłosiernym skwarze Hebba prowadzi Paula na scenę, gdzie z boku ustawiono stół i trzy fotele. W całkowitej ciszy pisarz wypowiada pierwsze słowa po angielsku:

– Witajcie! Dziękuję za przybycie.

Ciszę przerywa burza oklasków. Paulo przez pół godziny opowiada o swoim życiu i drodze do sławy, wspomina walkę z narkotykami i czarną magią. Mówi o pobycie w szpitalu psychiatrycznym, o prześladowaniach politycznych i poczuciu odrzucenia, wreszcie o realizacji marzeń i powrocie do wiary. Ludzie słuchają go w skupieniu, jakby mieli przed sobą kaznodzieję przekazującego im prawdy życiowe, a nie ulubionego pisarza. Wielu nie ukrywa wzruszenia i łez. Kiedy Paulo mówi „dziękuję", słychać, że głos drży mu ze wzruszenia.

Oklaskom nie ma końca. Wzruszony Paulo kilkakrotnie dziękuje fanom, kłania się z rękami skrzyżowanymi na piersiach. Publiczność bije brawo na stojąco. Na scenę wchodzi dziewczyna w ciemnym czadorze i wręcza mu bukiet czerwonych róż. Paulo nawykł do takich hołdów, ale tym razem jest wyraźnie zawstydzony i nie wie, jak się zachować. Publiczność wciąż stoi i klaszcze. Pisarz schodzi ze sceny, chowa się za kurtyną i dziękuje za wsparcie świętemu Józefowi, który przed sześćdziesięciu laty przywrócił go do życia.

2

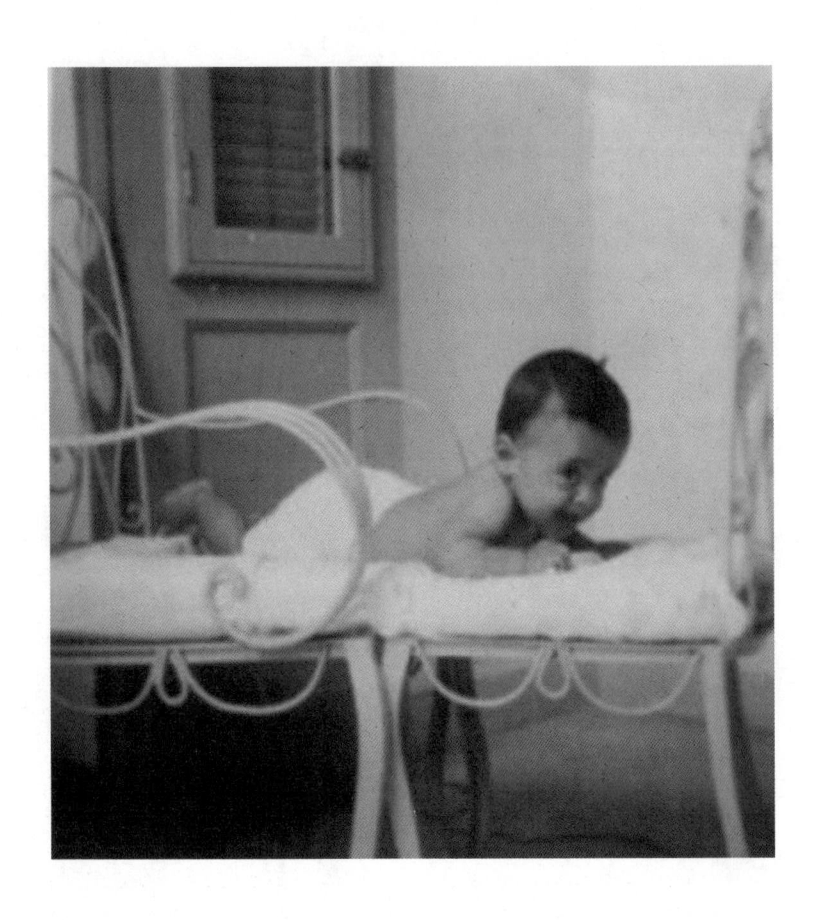

Powyżej:
Maleńki Paulo

Na poprzedniej stronie:
Lygia trzyma na ręku niemowlę, które po narodzinach obdarzono wątpliwym komplementem: „To cały tata!”.

2.

Lekcja dla dwunastoletniego Paula: jeśli coś cię boli, zmierz się z tym od razu, bo dzięki temu unikniesz dalszego cierpienia

Paulo Coelho de Souza przyszedł na świat w deszczowy poranek 24 sierpnia 1947 roku, w dniu św. Bartłomieja, w szpitalu pod wezwaniem św. Józefa w dzielnicy Humanitá, zamieszkałej przez klasę średnią Rio de Janeiro. Lekarze przewidywali, że poród może być skomplikowany. Było to pierwsze dziecko dwudziestotrzyletniej Lygii Araripe Coelho de Souzy i starszego o dziesięć lat inżyniera Pedra Queimy Coelho de Souzy. Chłopiec był też pierwszym wnukiem czworga dziadków, pierwszym bratankiem i siostrzeńcem wujków oraz ciotek obu rodzin. Rutynowe badania przed porodem wskazywały, że dziecko zachłysnęło się wodami płodowymi i przestało się ruszać. Jedynie cud mógł je uratować. Lekarze zdecydowali się na poród kleszczowy. Pięć minut po północy położnik okrężnymi ruchami zaczął wyciągać dziecko z łona matki i wtedy usłyszał cichy dźwięk, przypominający trzask łamiącego się grafitu w ołówku. Delikatny bark dziecka nie wytrzymał nacisku metalowych kleszczy. Nikt się nie przejął „wypadkiem przy pracy", bo chłopiec i tak był martwy. Zachłysnął się płynem, który przez dziewięć miesięcy chronił go w łonie matki.

Jedyne, co przyszło do głowy zrozpaczonej Lygii, to wezwać na pomoc patrona szpitala.

– Święty Józefie! – błagała. – Ratuj mojego synka! Jego życie jest w twoich rękach!

Zdesperowani rodzice prosili o księdza, który udzieliłby dziecku ostatniego namaszczenia, ale nie było żadnego w pobliżu, wobec czego świętymi sakramentami opatrzyła je siostra zakonna. Płacz rodziców przerwało nagle ciche kwilenie, a właściwie odgłos przypominający miauczenie. Ich syn żył, choć jego stan był krytyczny. Narodziny były pierwszym wyzwaniem, jakie postawił przed Paulem los. Z tej pierwszej bitwy wyszedł zwycięsko.

Następne trzy dni noworodek spędził w inkubatorze. Przez siedemdziesiąt dwie godziny ojciec czuwał przy nim dzień i noc. Odszedł dopiero wtedy, kiedy minęło niebezpieczeństwo. Czwartego dnia wyjęto Paula z inkubatora, a Pedro zgodził się spędzić noc przy łóżku Lygii. Przy dziecku zastąpiła go teściowa, Maria Elisa. Sześćdziesiąt lat później Paulo powie, że było to jego najwcześniejsze wspomnienie. Przywrócony do życia noworodek zapamiętał wchodzącą do sali kobietę i zrozumiał, że była jego babką. Mimo tych przejść chłopiec był zdrowy, ważył 3,33 kilo, a mierzył 49 centymetrów. Potem Lygia zapisała w albumie pierworodnego, że miał ciemne włosy, brązowe oczy, jasną cerę i był podobny do ojca. Imię Paulo dano synowi na cześć przedwcześnie zmarłego na zawał wuja.

Po urodzeniu niemowlę nabawiło się kaszlu, który przerodził się w koklusz, ale wkrótce wyzdrowiało i chowało się zdrowo. W wieku ośmiu miesięcy wypowiedziało pierwsze słowo, a gdy miało dziesięć, wyrosły mu ząbki. Jedenastomiesięczny Paulo zaczął chodzić bez przejściowej fazy raczkowania. Lygia wspominała, że był chłopcem „łagodnym, posłusznym, bardzo żywym i inteligentnym". Kiedy miał dwa lata, na świat przyszła jego siostra, Sônia Maria. Paulo był wobec niej zawsze opiekuńczy i nigdy nie czuł się o nią zazdrosny. W wieku trzech lat nauczył się robić znak krzyża, a niedługo potem odmawiać pacierz za zdrowie rodziców, dziadków, ciotek i wujów. Do 1960 roku, czyli przez pierwsze trzynaście lat życia, Paulo mieszkał z rodziną w dzielnicy Botafogo, w jednym z jedenastu domów, które jego ojciec zbudował u zbiegu ulic Teresy Guimarães i Mena Barreto. Była to dzielnica zamieszkała przez klasę średnią. Najlepszy dom z ogrodem przypadł teściom, Lilisie i Tuce, do których należał cały teren. Jedną działkę w ramach wynagrodzenia za pracę otrzymał Pedro, a pozostałe dziewięć wynajęto, sprzedano lub odstąpiono krewnym.

Państwo Coelho obawiali się o bezpieczeństwo rodziny. Wprawdzie ich osiedle otaczał mur z zaryglowanymi bramami, ale domownicy pilnie dbali, żeby zamykać wszystkie drzwi. Choć dom leżał blisko plaży Botafogo, dzieci rzadko wychodziły poza mury osie-

ORGANIZAÇÃO ARCO
Rua Mena Barreto 9
Rio

Rio, de de 196

Prezada senhora
Tenho o prazer de comunicar-vos que o nosso curso por correspondencia foi criado a fim de possibilitár aos que residem distánte dos grandes centros culturais o estudo de 'COMO TORNAR SUA FIGURA MAIS ESBELTA ATRAVÉS DA GINÁSTICA

As aulas são escritãs em linguagem muito clara e as acompanham muitõs desenhos, esquemas, clichês, e, para maior incentivo, no fim do curso, lhe ofertaremos inteiramente grátis, um cinzeiro com seu nome pintado

Os Nossos professor ocupa lugar de destaque no magistério brasileiro. Faca hoje mesmo a sua matricula e gosará do titulo de ser estudante de uma das melhores escolas por correspondencia do D.F. Temos planos especiais de mensalidades que a possibilitarão de ser mais bela por menos dinheiro. A duração do curso é de 10 mêses com 3 aulas por mês e será bom ajuntar aulas, pois êsses exercicio serão repetidos durante 3 mêses depois das aulas
Se a senhora estiver impossibilitáda no momento, esse talão que acompanha essa promissória servira' também para sua filha ou qualquer outra parente, desde que a senhora escreva-nos, enviando junto com o talão-pedido sua carta dizendo que foi transferid[a]

Não se esqueça, envie hoje mesmo sua folha-pedido!!
Atenciosamente
ORGANISAÇÃO ARCO

Paulo i list tajnej organizacji „Arco", która czasem rezygnowała z sabotażu na rzecz reklamy perfum domowej roboty dla mieszkających w sąsiedztwie pań dla. Spokojne Rio z lat 50. napawało strachem rodziców i sąsiadów Paula. Z czasem osiedle zamieniło się w fortecę, która miała strzec bezpieczeństwa jej mieszkańców przed groźnym światem zewnętrznym, zwanym „ulicą". Dzieci mogły się swobodnie bawić tylko wewnątrz osiedla. Kontakty z nieokrzesanymi urwisami z „ulicy" były zabronione.

Paulo od małego był bystry i inteligentny. Często zaskakiwał rozmówców swymi wypowiedziami. Lygia, znalazłszy na podwórku trzyletniego malca umorusanego jak nieboskie stworzenie, usłyszała:

– Wiesz, dlaczego tak wyglądam? Dziś mój anioł stróż nie pracuje. Skończyły mu się baterie.

Uwielbiał pomagać dziadkowi Tuce przy samochodzie marki Packard. Dumny ojciec nie miał wątpliwości, że z Paula wyrośnie inżynier. Pedro miał samochód marki Vanguard, znacznie skromniejszy od maszyny teścia, za to nigdy się nie psujący, głównie dlatego, że rzadko opuszczał garaż. Oszczędny Pedro Coelho uważał, że rodzina może jeździć autobusem zamiast wydawać na benzynę.

Surowe napomnienia ojca i jego oszczędność to najwcześniejsze wspomnienia Paula z dzieciństwa spędzonego w Botafogo. Inżynier Pedro Queima Coelho de Souza marzył o zbudowaniu dla rodziny dużego, luksusowego domu z salonem, oranżerią, tarasem i łazienkami. Kamieniem węgielnym pod budowę tej rodzinnej „katedry" był prezent od Tuki – czterystumetrowa działka przy ulicy Księdza Leonela Franco w eleganckiej dzielnicy Gávea na południu miasta. Według Pedra w takiej dzielnicy mógł stanąć tylko wielki dom. Od tej pory wydatki rodzinne ograniczano z myślą o przyszłej rezydencji.

– Budujemy dom dla wszystkich członków rodziny, więc każdy musi oszczędzać – tłumaczył inżynier Coelho.

Trzeba było zapomnieć o nowych ubraniach, przyjęciach urodzinowych, prezentach i przejażdżkach samochodem.

– Na nic nie było nas wtedy stać – wspomina pisarz. – Ale podstawowych rzeczy nigdy nam nie brakowało.

Na szczęście na gwiazdkę dziadkowie ze strony matki kupowali wnukom niemieckie kolejki i francuskie lalki, a na edukację dzieci rodzice nie szczędzili. W domu mogło być skromnie, ale szkoły musiały być najlepsze. Budowa willi nie tylko znacznie uszczupliła domowy budżet, wprowadzony reżim oszczędnościowy wiązał się też z innymi niedogodnościami. Zamiast trzymać pieniądze w banku, Pedro inwestował w materiały budowlane, a wobec braku magazynu, do czasu rozpoczęcia budowy składował wszystko w domu.

Dzieciństwo Paula i jego siostry upływało wśród muszli klozetowych, baterii łazienkowych, worków cementu i kafelków.

Okres zaciskania pasa nie wpłynął jednak ujemnie na życie intelektualne u państwa Coelho. Pedro nie kupował już wprawdzie nowych płyt z muzyką operową i klasyczną, ale co wieczór słuchał arii ze swej starej kolekcji. Te koncerty na zawsze pozostały w pamięci jego dzieci. Kiedy z gramofonu Pedra nie wydobywały się dźwięki muzyki Bacha lub Czajkowskiego, z okien jego domu sąsiedzi słyszeli, jak Lygia gra na fortepianie. Dzięki jej zainteresowaniom intelektualnym, półki uginały się pod ciężarem pokaźnego zbioru albumów i książek, po narodzinach dzieci wzbogaconego o literaturę dziecięcą.

Na początku 1952 roku, kiedy Paulo miał cztery i pół roku, rodzice zapisali go do przedszkola św. Patryka, gdzie spędził dwa lata. Widząc w synu przyszłego ucznia prywatnego gimnazjum św. Ignacego, w 1954 roku matka umieściła go w szkole pod wezwaniem Matki Bożej Zwycięskiej, zajmującej stary budynek otoczony drzewami, w pobliżu domu. Widniejące nad głównym wejściem motto placówki brzmiało: „Wszystko dla ucznia, a uczeń dla Boga". Oficjalnie szkoła nie była związana z zakonem jezuitów, ale wedle powszechnej opinii najlepiej przygotowywała do nauki w prywatnym gimnazjum św. Ignacego, uważanym za najbardziej konserwatywne w całym Rio, i obok gimnazjum im. Pedra II za najlepszą placówkę edukacyjną dla chłopców. Szkoła im. Pedra II szczyciła się wysokim poziomem nauczania, a do tego, jako instytucja publiczna, podległa władzom federalnym i nie pobierała czesnego. Za to szkoła św. Ignacego gwarantowała to, na czym państwu Coelho zależało najbardziej – rygor i żelazną dyscyplinę. Jezuici wpajali uczniom wiedzę tak samo gorliwie jak wiarę. Przez lata profesorowie i rodzice z dumą powtarzali, że św. Ignacy nie tylko daje wykształcenie, ale jest kuźnią ludzkich charakterów. Nie liczyła się cena, jaką płacili uczniowie. Lygia i Pedro święcie wierzyli, że ten rodzaj wychowania jest dla ich syna najlepszy. Potrzebował dyscypliny w nauce i mocnej ręki w kształtowaniu charakteru.

Pomimo kordonu sanitarnego, jaki otaczał osiedle w Botafogo, Paula nie udało się odizolować od zgubnego wpływu „ulicy". Kiedy miał pięć lat, sąsiedzi zaczęli się skarżyć, że sprowadza ich dzieci na złą drogę. Poza Paulem to samo imię nosili jego dwaj kuzyni, Paulo Arraes i Paulo Araripe, dlatego dla odróżnienia nazywano go po prostu „Coelho". Ku przerażeniu rodziców to, co początkowo wydawało się historiami wyssanymi z palca, zaczęło przybierać realne kształty. Małego Paula obarczano winą za różne zagadkowe zdarzenia, jakie rozgrywały się w sąsiedztwie. Najpierw znaleziono dziewczynkę przywiązaną sznurem do pnia drzewa, tak wystraszoną, że bała się wskazać winowajcę.

Potem rozeszła się wieść, że w nocy chłopcy urządzają wyścigi kurcząt, kończące się ukręceniem łepków wszystkim „zawodnikom" prócz zwycięzcy. Innym razem ktoś wylał z flakonu lakier do włosów i wypełnił go wodą. Sprawców wykryła starsza kuzynka Paula, Cecília Arraes, która padła ofiarą żartu. Ta sama Cecília w kryjówce chłopców znalazła teczkę z podejrzanymi papierami. Były to „dokumenty tajnej organizacji", która miała swój statut i przywódców. Jej członkowie regularnie spotykali się na zebraniach. Nazwa tajnego stowarzyszenia brzmiała „Arco" (Łuk), od pierwszych dwóch liter nazwisk – Paulo Araripe, Paulo Coelho – sprawców występków.

– Co to za organizacja? – wypytywała Cecília przyszłego pisarza. – Co wy tam robicie? Jeśli mi nie powiesz, pójdę do rodziców!

Paulo przestraszył się.

– To tajne stowarzyszenie, nie wolno mi o nim opowiadać.

Jednak kuzynka nalegała i groziła.

– Błagam! Nie zmuszaj mnie! – prosił zrozpaczony Paulo. – Mogę tylko powiedzieć, że nasza organizacja zajmuje się sabotażem.

Wtedy też wyjawił, że woda w lakierze do włosów i dziewczynka przywiązana do drzewa to były kary za przekroczenie wyznaczonej kredą granicy, która dzieliła terytorium członków „Arco" od reszty świata. Szczególnie dotkliwie karano dziewczynki, którym wstęp na teren organizacji był „surowo wzbroniony". Kiedy wiadomość o udziale Paula w podejrzanych sprawkach dotarła do rodziców, stało się jasne, że los syna trzeba powierzyć surowym i mądrym jezuitom.

Pierwsze, co czekało Paula w szkole pod wezwaniem Matki Bożej Zwycięskiej, to zmiana planu zajęć. Żeby uczniowie łatwiej przystosowali się do rygorów obowiązujących później u św. Ignacego, dniem wolnym była środa, a nie sobota, która obowiązywała w innych szkołach w kraju. Do zabawy z kolegami pozostawały niedziele, bo w soboty, kiedy inne dzieci miały wolne, Paulo musiał się uczyć. Z kolei w środę koledzy byli w szkole, więc pozbawiony towarzystwa Paulo, chcąc nie chcąc, siedział w domu nad książkami.

W szkole Matki Bożej Zwycięskiej uczyły się dzieci pomiędzy siódmym a jedenastym rokiem życia. Od wczesnych lat wpajano im nie tylko szacunek do nauki, ale też do innych uczniów. Nie bez przyczyny było to jedno z najważniejszych szkolnych przykazań. Chłopcy musieli się go nauczyć na pamięć: „Zachowaniem niekoleżeńskim i niezgodnym z postawą chrześcijańską jest drwić i wyśmiewać się z mniej utalentowanych kolegów". Paulo znienawidził wszystkie przedmioty bez wyjątku. Do siedzenia nad książkami zmuszała go jedynie konieczność przechodzenia do następnej klasy i zdobywania ocen. Przez pierwsze dwa lata w szkole Matki Bożej Zwycięskiej metoda ta okazała się skuteczna – na świadectwach Paulo miał oceny powyżej średniej, co dotyczyło też ocen ze sprawowania. Jednak w trzeciej klasie wszystko się zmieniło. W liście napisanym w 1956 roku do Pedra z okazji dnia ojca Paulo zwierza się ze swych kłopotów:

Drogi Tato,

Teraz będziesz musiał codziennie pomagać mi w lekcjach, bo dostałem ocenę niedostateczną z matematyki. Reszta przedmiotów idzie mi lepiej. Z religii podciągnąłem się z niedostatecznej na szóstkę, z portugalskiego z niedostatecznej na sześć i pół, z matematyki, po ostatniej czwórce, teraz dostałem dwa i pół. Mam słabą średnią, choć ogólnie nieco się poprawiłem. W klasie z dwudziestego piątego miejsca przesunąłem się na szesnaste.

Twój syn, Paulo

Warto wspomnieć, że w klasie było dwudziestu pięciu uczniów. W tamtych czasach tego typu szkoły nie były koedukacyjne. Fakt, że Paulo był najgorszym uczniem, nie oznaczał, że w domu państwa Coelho nie przywiązywano wagi do wykształcenia. Wręcz przeciwnie, Paulo nie lubił się uczyć, ale pochłaniał książki. Czytał bajki dla dzieci, potem książki popularnego pisarza Monteira Lobato, serię o Tarzanie. Nie stronił od lektur kupowanych przez rodziców, pożyczał książki od kolegów. Wkrótce stał się etatowym bajarzem na osiedlu. Ciotka Cecília Dantes Arraes, matka ofiary „incydentu lakierowego", po latach wspominała:

– Paulo nosił luźne szorty, miał chude łydki i długie nogi. Kiedy nie obmyślał nowej psoty, siadał z dzieciakami na chodniku i opowiadał im różne historie.

Nikt nie pamięta, czy historie były zmyślone, czy prawdziwe. Z pewnością opowiadał o wojnach, szpiegach i królach. Kiedyś z rodzicami i dziadkami oglądał w telewizji popularny teleturniej *O Céu é o Limite* [Nie ma rzeczy niemożliwych], tym razem poświęcony imperium rzymskiemu. Na pytanie prowadzącego, kto

U GÓRY: dziesięcioletni Paulo w szkole Matki Bożej Zwycięskiej (w pierwszym rzędzie, drugi z lewej).
PONIŻEJ: czek na „pięć milionów całusów” dla mamy.

BANCO BOA SORTE S/A
Rua da Felicidade 13

5.000.000

Pagara ao portador a quantia de cinco milhoẽs de beyos referente a conta de Paulo Coellio de Souza

19/1/60

objął władzę po Juliuszu Cezarze, Paulo podskoczył na krześle i ku zdziwieniu obecnych krzyknął:

– Oktawian August!

Okazało się, że wie znacznie więcej.

– Zawsze lubiłem Oktawiana Augusta. Od niego pochodzi nazwa miesiąca, w którym się urodziłem.

Wiedzą chłopiec rekompensował brak tężyzny fizycznej. Chudy, drobny, wątły, na podwórku i w szkole nazywany był „skórą", co w Rio de Janeiro oznacza „chłopca do bicia". Z początku wszyscy w klasie się na nim wyżywali, ale wkrótce Paulo odkrył, jak się wyróżnić i narzucić innym swą wolę. Zrozumiał, że musi wiedzieć więcej od kolegów i czytać książki, których oni nie znają. Nigdy nie był wysportowany, a w szkolnych zawodach brał udział tylko ze względu na oceny. W trzeciej klasie dowiedział się o konkursie na redaktora gazetki szkolnej. Uznał, że ma szansę. Temat wypracowania brzmiał „Alberto Santos-Dumont – ojciec lotnictwa". Praca nie mogła mieć więcej niż dwie strony. Bez niczyjej pomocy Paulo napisał krótki tekst.

Dawno temu był sobie chłopiec, który nazywał się Alberto Santos-Dumont. Codziennie od rana do wieczora przyglądał się ptakom i myślał: „Jeśli orzeł lata, dlaczego ja nie mógłbym latać? Jestem mądrzejszy od ptaków". Santos-Dumont zaczął się pilnie uczyć. Ojciec i mama, Francisca Dumont, zapisali go na kurs modelarstwa.

Wielu ludzi przed nim próbowało latać, jak ksiądz Bartolomeu czy Augusto Severo. Ten drugi zrobił balon, który spadł i go zabił. Ale Santos-Dumont nie poddawał się. Zbudował balon, którym można było sterować. Okrążył wieżę Jefla [sic!] w Paryżu i wylądował w miejscu, z którego wystartował.

Potem z bambusa i jedwabiu zrobił maszynę cięższą od powietrza. W 1906 roku na polach Bagatelle wyprubował [sic!] swój samolot. Ludzie śmiali się, bo nie wierzyli, że może polecieć. Samolot 14-bis przejechał 220 metrów i nagle jego koła oderwały się od ziemi. Kiedy tłum to zobaczył, krzyknął: „Ho!" i tyle. Tak wymyślono awiację.

Na najlepsze wypracowanie głosowali sami uczniowie. Paulo do tego stopnia nie wierzył w siebie, że oddał głos na pracę kolegi. Jakież było jego zdziwienie, kiedy okazało się, że wygrał konkurs. Kolega, na którego głosował, zdobył drugie miejsce, ale został zdyskwalifikowany, bo wyszło na jaw, że przepisał artykuł z gazety.

Zwycięstwo w konkursie nie pomogło Paulowi w egzaminach do szkoły św. Ignacego. Dyscyplina i rygor narzucony przez nauczycieli poszły na marne. Nie zdał. Kara była sroga. Przygotowując się do kolejnego podejścia, Paulo przesiadywał w domu z korepetytorami. Nie wyjechał na wakacje do wuja do Araruamy, pięknej miejscowości nad jeziorem blisko wybrzeża, sto kilometrów od Rio.

W obawie o jego kondycję fizyczną matka zapisała Paula na poranne zajęcia z wychowania fizycznego, organizowane dla dzieci w koszarach São João. Budynek koszar znajdował się w spokojnej i romantycznej dzielnicy Urca w samym centrum Rio. Paulo został więc zmuszony do dwóch rzeczy, których nienawidził najbardziej – do sportu o poranku i nauki po południu. Czuł, jakby go skazano na dwa miesiące karceru.

Codziennie rano Lygia odwoziła syna autobusem do Urki i oddawała w ręce katów. Największym koszmarem były skoki do wody, poprzedzone intensywną gimnastyką, biegami i ćwiczeniami na drabinkach. Instruktorzy prowadzili pięćdziesięciu chłopców na most nad opływającą fort rzeczką. Stamtąd trzeba było skakać do lodowatej wody. Paulo wiedział, że się ani nie utopi, ani nie zrani, ale na samą myśl o skokach wpadał w popłoch. Początkowo ustawiał się na końcu kolejki i przeżywał katusze w każdej mijającej sekundzie, która zbliżała go do wejścia na balustradę. Serce biło mu jak szalone, ręce robiły się lodowate ze strachu. Miał ochotę krzyczeć, że chce do mamy. Z trudem powstrzymywał się, żeby nie zsiusiać się w majtki. Zrobiłby wszystko, żeby oddalić straszną chwilę, ale jeszcze bardziej się bał, że dzieci nazwą go tchórzem, więc z rezygnacją poddawał się torturom. Wreszcie dokonał odkrycia: „Jeśli będę pierwszy w kolejce, nie będę tyle cierpiał".

Problem został rozwiązany.

– Nadal bałem się skoków – wspomina po latach – ale przestałem cierpieć. Nauczyłem się pierwszej ważnej rzeczy w życiu – jeśli coś cię boli, zmierz się z tym od razu, a unikniesz dalszych cierpień.

Tak czy owak, były to stracone miesiące i pieniądze wyrzucone w błoto. Korepetycje zakończyły się fiaskiem – Paulo znów oblał egzamin.

Wreszcie, po rocznych przygotowaniach do kolejnych egzaminów, w 1959 roku Paulo dostał się do szkoły św. Ignacego z doskonałą średnią 8,3. Taki wynik dawał mu nie tylko miejsce w szkole, ale prawo do „tytułu". Od tej pory był „hrabią" Paulem Coelho de

Souza. Gdyby w ciągu roku szkolnego poprawił średnią, awansowałby na „markiza", a największym marzeniem wszystkich rodziców był tytuł „księcia" dla ich pociech, ale to wymagało samych dziesiątek na świadectwie.

Takiego powodu do dumy rodzice Paula nigdy się nie doczekali. Patrząc na historię całej jego edukacji, od szkoły podstawowej po uniwersytet, ocenę na egzaminie wstępnym można uznać za jego największe osiągnięcie. Od rozpoczęcia nauki w św. Ignacym w 1959 roku do końca szkoły średniej w roku 1965 (w jednym z najgorszych liceów Rio) jego średnia systematycznie spadała. Najwidoczniej swym jednorazowym sukcesem chciał przekazać rodzicom przesłanie: „Spełniłem wasze marzenia i dostałem się do św. Ignacego, ale teraz dajcie mi spokój". Ocenę 8,3 można by nazwać ostatnim osiągnięciem w normalnym świecie – określenie, do którego pisarz później często się odwoływał w swych książkach.

Wspomnienia z raju – Araruama.
U GÓRY: pełen tajemnic dom wuja José.
OBOK: samochód skonstruowany przez wuja.
POWYŻEJ: piórka ptaka upolowanego przez Paula.

3.

Matka rozwiewa marzenia Paula o karierze pisarza: „Synu, na świecie jest tylko jeden pisarz: Jorge Amado"

Mury gimnazjum św. Ignacego kojarzyły się Paulowi z piekłem, natomiast raj leżał sto kilometrów od Rio i nazywał się Araruama. Tam pisarz spędzał wakacje z młodszą o dwa lata siostrą Sônią Marią. Rodzinę rzadko było stać na wakacje, bo prawie wszystko pochłaniała budowa nowego domu. Kiedy jednak nadarzała się okazja, dzieci jechały do Belém w stanie Pará, skąd pochodziła rodzina ojca.

Araruama leży w regionie jezior w stanie Rio de Janeiro i słynie z wód termalnych. Państwo Coelho nie wybrali tej miejscowości ze względu na jej walory krajobrazowe i zdrowotne, ale dlatego, że mieli tu zapewnione lokum. W Araruamie mieszkał ekscentryczny cioteczny dziadek Paula, José Braz Araripe, z wykształcenia inżynier mechanik. W latach 20. pracował dla budującej statki firmy Lóide Brasileiro i został szefem jej stoczni remontowej w Stanach Zjednoczonych. Wraz z innym brazylijskim inżynierem, Fernandem Iehly de Lemosem, spędzał każdą wolną chwilę w laboratorium, pracując nad wynalazkiem, który okazał się przełomowy dla jego kariery i zmienił życie milionów ludzi na całym świecie, o czym dziś niewielu Brazylijczyków pamięta. Wuj José zbudował mianowicie automatyczną skrzynię biegów. Rozpoczął od prototypu z 1904 roku skonstruowanego przez braci Sturtevant z Bostonu, którego nie wprowadzono do masowej produkcji, ponieważ miał tylko dwa biegi i sprawdzał się jedynie, gdy silnik działał na wysokich obrotach.

Po niezliczonych próbach rewolucyjny wynalazek wuja José został opatentowany w 1932 roku. W tym samym roku fabryka General Motors kupiła prawa do jego masowej produkcji, którą rozpoczęto w 1938 roku. To właśnie produkowany przez GM oldsmobile miał w wyposażeniu największą sensację od czasu skonstruowania pierwszego automobilu – automatyczną skrzynię biegów hydramatic. Za ten luksusowy dodatek klient płacił siedemdziesiąt dolarów więcej, wtedy jedną dziesiątą ceny samochodu. Co do wynagrodzenia obu wynalazców, informacje są sprzeczne. Niektóre źródła podają, że każdy dostał niebagatelną sumę, inne, że od każdego sprzedanego egzemplarza skrzyni biegów otrzymywali ustalony procent. Niezależnie jakie były ustalenia finansowe, wiadomo, że w domu wuja José nigdy nie brakowało pieniędzy.

Zabezpieczywszy sobie byt, José zrezygnował z pracy w Lóide i wrócił do Brazylii. Wszyscy myśleli, że osiądzie w Rio, gdzie mieszkała jego rodzina, ale z powodów zdrowotnych wybrał Araruamę. W Stanach uległ wypadkowi, w wyniku którego cierpiał na lekki niedowład lewego ramienia, na co miały mu rzekomo pomóc kąpiele błotne w Araruamie. Wuj kupił jedną z największych działek w mieście (przy ulicy Oscara Clarka) i zbudował luksusową willę z sześcioma sypialniami. Jedno wyróżniało ten dom spośród innych – wszystko w nim dawało się przesunąć, złożyć i rozłożyć w zależności od potrzeb: ścianę, łóżko, stół. Za naciśnięciem guzika pokoje zamieniały się w jeden przestronny warsztat pracy, gdzie poza sezonem wakacyjnym wuj oddawał się swej konstruktorskiej pasji.

Latem meble i ściany wracały na swoje miejsce, i dom był gotów na przyjęcie gości. Raz w tygodniu, wieczorem, wszystko znów znikało, a w sali pozostawał jedynie profesjonalny 35-milimetrowy projektor filmowy. Zdarzało się, że wuj miał pod swym dachem dwudziestu gości, zwykle liczną gromadę ciotecznych wnuków oraz kilku opiekunów, którzy bezskutecznie próbowali zapanować nad rozkrzyczaną czeredą. Dorośli niechętnie patrzyli na ekstrawagancje wuja, ale możliwość darmowych wakacji, i to w luksusowych warunkach, zamykała im usta. Mamy wzdychały i szeptały oburzone, oskarżając wuja o organizowanie pokazów filmów pornograficznych dla chłopców, co zresztą było prawdą.

Sześćdziesięcioletni wówczas José zwykle chodził w poplamionym kombinezonie (pod którym nie nosił bielizny), czym nie budził sympatii otoczenia. Pewnego razu pojechał do Rio, żeby kupić nowy samochód. Wszedł do salonu Mercedesa i wybrał najnowszy model, ale wyjechał nim dopiero po kilku godzinach, bo tyle czasu minęło, zanim sprzedawca upewnił się, co do wypłacalności wuja. Nie mógł uwierzyć, że człowiek w brudnych portkach z dziurą na siedzeniu, przez którą widać było białe pośladki, może sobie pozwolić na najdroższy model mercedesa.

Wuj był niewątpliwie dziwakiem, ale zawsze chętnie się wszystkim dzielił. Jako jedyny właściciel telewizora, wynosił go na ulicę i ustawiał krzesła, by każdy mógł uczestniczyć w nowym, narodowym szaleństwie. Seanse telewizyjne trwały od siódmej do dziesiątej wieczór.

Przyjaciele Paula z Araruamy, Michele Conte i Jorge Luiz Ramos, wspominają, że ich kolega zawsze przywoził z Rio jakieś nowości. Kiedyś był to pistolet Diana, którym Paulo zabił pierwszego ptaka, po czym wyrwał mu wszystkie czarne piórka i zawinął w papier, na którym umieścił dane ofiary (pisarz do dziś przechowuje to trofeum w mieszkaniu w Rio). Innym razem pojawił się z maską do nurkowania i gumowymi płetwami. Wuj zrobił mu harpun do podwodnych polowań. Broń ta, przypominająca średniowieczną kuszę, wyposażona była w mechanizm sprężynowy wypuszczający strzały.

Jak większość dzieci w domu wuja Paulo budził się o świcie, kiedy za oknem było jeszcze ciemno. W mieście pamiętają go jako chłopca o chudych nogach, w opadających skarpetkach i szerokich szortach, który nie rozstawał się z chustką do nosa, bo wiecznie miał katar. Razem z innymi dziećmi buszował po okolicznych lasach, chodził nad jezioro, kradł łodzie rybackie, czasem wdzierał się do cudzych sadów i zapuszczał do okolicznych jaskiń. Z wypraw przynosił do domu łupy – martwe gołębie z przestrzelonymi główkami, morskie i rzeczne ryby łapane na haczyk lub skonstruowanym przez wujka harpunem. Kucharka Rosa przygotowywała z tego kolację. Zdarzało się, że na niedozwolonych zabawach przyłapywał go gajowy i odprowadzał do domu.

Pod koniec tygodnia przyjeżdżała Lygia, której udzielał się beztroski nastrój. Brała gitarę i wieczorami urządzała dzieciom potańcówki do muzyki Trini Lopeza albo Roberta Carlosa. Jedyną rozrywką, której nie lubił Paulo, były bale karnawałowe. Podobały mu się pełne przepychu pochody, ale nienawidził tańców. Czuł się okropnie, zmuszany do podrygiwania w takt muzyki. Z czasem znalazł na to sposób. Po przyjściu z przyjaciółmi do klubu natychmiast znikał w toalecie, ściągał koszulę i moczył ją pod kranem. Wracał na salę z doskonałą wymówką.

– Przed chwilą tańczyłem. Zobacz, jak się spociłem. Muszę chwilę odpocząć.

Araruama była też miejscem pierwszych młodzieńczych ekscesów Paula. Kiedyś udało mu się kupić w Rio dwie butelki rumu, które przemycił w walizce między ubraniami. Wraz z dwoma kolegami poszedł na dziką plażę, gdzie w kilka minut wypili obie butelki do dna. Stracił przytomność i obudził się po paru godzinach. Miał poparzoną skórę, bo leżał w pełnym słońcu. Chorował przez kilka dni. Doświadczenie było tak niemiłe, że odtąd stronił od alkoholu.

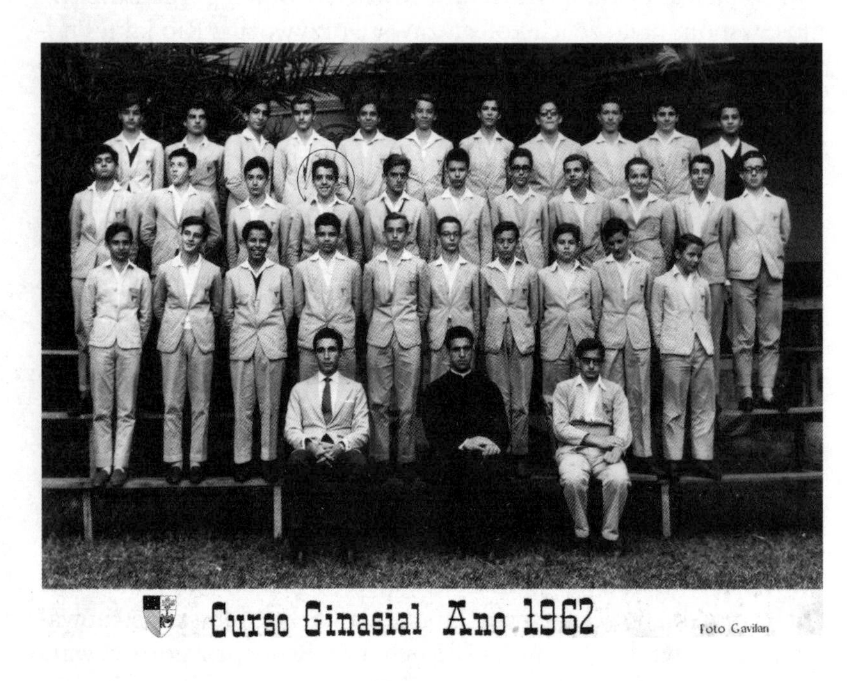

Piętnastoletni Paulo w gimnazjum św. Ignacego, gdzie z roku na rok wiodło mu się coraz gorzej.

Pierwszy pocałunek także zdarzył się podczas wakacji w Araruamie. Co prawda Paulo przechwalał się, że jego „usta są tylko dla prostytutek", ale pierwsze niewinne doświadczenie przeżył z Élide, zwaną Dedê, siostrą Michela Conte, którą można uznać za pierwszą narzeczoną pisarza. Pierwsza przygoda erotyczna również miała miejsce w Araruamie. Ściany działowe w domu wuja były tak cienkie, że łatwo można było w nich zrobić dziurkę scyzorykiem. Przez jedną taką dziurkę Paulo podglądał kuzynki. Na widok nagich dziewczyn, a zwłaszcza gęstych włosków na ich łonach, z wrażenia zaczął się krztusić i o mało nie zemdlał. Niewiele brakowało, a atak kaszlu zdradziłby go przed całą rodziną.

Niestety problemy z oddychaniem dały o sobie znać ze zdwojoną siłą w okresie dojrzewania. Astma przybrała bardzo ostrą postać, szczególnie pod wpływem kilku czynników, między innymi zmian klimatu, kurzu, pleśni i dymu z papierosów. Ataki przychodziły niespodziewanie – nagle zaczynało mu brakować tchu, potem następowały duszności i atak kaszlu, żeby wykrztusić rozsadzające płuca powietrze. Pierwszy atak miał miejsce podczas rodzinnej wyprawy na plażę Guarapari. Od tamtej pory Paulo nie ruszał się bez torby pełnej syropów, leków na bazie kortyzonu i inhalatorów. Rodzice często dyżurowali przy jego łóżku, żeby w razie potrzeby przyjść mu z pomocą. Zdesperowana Lygia zaprowadziła syna do poleconego przez przyjaciół znachora. Weszli do gabinetu, usiedli, a mężczyzna przenikliwie spojrzał na Paula i powiedział:

– Ciałem chłopca zawładnął duch!

To wystarczyło. Lygia chwyciła dziecko za rękę i uciekła. Uznała, że nie jest to miejsce dla chrześcijanina. Kiedy ataki astmy nawiedzały Paula w Araruamie, z dala od domu, korespondencja między synem a matką przybierała na częstotliwości i bywała dramatyczna. „Dlaczego nie przyjechałaś z ciocią Elisą, żeby mnie leczyć?", żalił się Paulo. Po takich pytaniach następowała fala telegramów od Lygii, która błagała ciotkę o opiekę nad dziećmi. „Martwi mnie bardzo astma Paula. Lekarz kazał przez trzy dni dawać mu reductil, a do tego dwie tabletki meticortenu na dzień. Pisz, co się dzieje".

Paulo twierdził później, że nie lubił pisać listów, tylko je dostawać. Jednak gdy tylko posiadł sztukę pisania, korzystał z każdego pretekstu, by wysyłać do rodziców wielostronicowe epistoły. Ich treść świadczy o tym, że był chłopcem nad wiek dojrzałym i delikatnym. Smuciła go sława kiepskiego ucznia. Listy do Lygii były pełne czułości i miłych słów, jak ten z 1957 roku, napisany z okazji Dnia Matki, gdy Paulo miał 9 lat:

Kochana Mamusiu,

Nie, nikt nie musi nam przypominać, że 8 maja powinniśmy podziękować Ci za wszystkie dobre rzeczy, które nam dałaś. Dostajemy od ciebie tyle miłości i ciepła, choć często jesteśmy niegrzeczni […]. Ale Twoja miłość jest cierpliwa, rozciąga się jak gumka i nigdy nie pęka. Oby Bóg miał Cię w opiece, Mamusiu kochana, i przebaczył mi grzechy, bo jestem jeszcze mały. Obiecuję, że wkrót-

ce się poprawię.
Twój, Paulinho

Listy do ojca były bardziej oficjalne, chociaż w nich także pojawiały się czułe nuty. Nawet podpis był inny. Paulo zwykle o coś ojca prosił lub o czymś przypominał.

Tato,
Oddałeś moje filmy do wywołania? Czy na budowie wszystko w porządku? Kiedy się przeprowadzamy?
Mam nadzieję, że następnym razem nas odwiedzisz.
Ściskam, Paulo Coelho

Z czasem pisanie listów weszło mu w krew. Pisał do rodziców, dziadków, ciotek, wujków i przyjaciół. Jeśli nie miał do kogo wysłać listu, zapisywał swoje refleksje na skrawkach papieru, później chowanych w sekretnym miejscu. W wieku dwunastu lat kupił sobie kieszonkowy notes, który łatwo mieścił się w dłoni. Codziennie coś w nim notował. Wiecznym piórem kreślił koślawe, nierówne litery, ale od najmłodszych lat nie robił błędów ortograficznych. Zapisywał, co ma do zrobienia („sprzątnąć biurko", „urodziny Freda", „zadzwonić do Cazuzy"), później też własne obserwacje i przemyślenia. Zdarzały się bardzo krótkie notatki, które tylko on mógł zrozumieć: „zamienić się na s. z Zeką", „wyjaśnić ojcu", „wykonać punkt E planu". W tym czasie stworzył swój pierwszy literacki autoportret.

Urodziłem się 24 sierpnia 1947 roku w szpitalu pod wezwaniem św. Józefa w Rio. Mieszkam tu od dziecka. Trzy razy zmieniałem szkołę, a w każdej traktowano mnie jak prawdziwego księcia, bo zawsze pięknie się ubierałem. Wszędzie miałem dobre oceny.

Lubię się uczyć i bawić. Nie interesuje mnie opera ani muzyka romantyczna. Nienawidzę rock-and-rolla, za to lubię muzykę brazylijską. W karnawale podobają mi się tylko bale przebierańców.

Lubię przygody, ale boję się niebezpieczeństwa […]. Miałem kilka narzeczonych. Uwielbiam sport. Najbardziej chciałbym zostać chemikiem, bo lubię szklane menzurki i lekarstwa. Bardzo lubię chodzić do kina, łowić ryby i sklejać modele samolotów.

Lubię rozwiązywać krzyżówki i kalambury. Nie cierpię pikników i wycieczek. Nie lubię wszystkiego, co jest męczące.

Regularne pisanie o sobie i o sprawach codziennych tak bardzo spodobało się Paulowi, że zaczął prowadzić dziennik. Od tego czasu swoje myśli zapisywał w zeszycie, a bywało, że nagrywał na taśmę. Wraz z rozwojem informatyki zamienił zeszyt na zapis cyfrowy. Kiedyś zebrał wszystkie notatki, które prowadził przez czterdzieści lat, i zamknął je w kufrze. Umieścił w nim 170 grubych zeszytów i 94 płyty CD z zapisem zwierzeń i przemyśleń – poczynając od roku 1959, kiedy miał dwanaście lat, a kończąc na 1995 roku, kiedy skończył 48 lat i zaczął pisać na komputerze. Już jako sławny pisarz oświadczył publicznie, że po jego śmierci zawartość kufra należy spalić. Na szczęście tę decyzję później odwołał. Autor pamiętnika zawsze musi się liczyć z ewentualnością ich publikacji. Przy tym często nie ma możliwości zredagowania zapisków dokonywanych niemal równocześnie z toczącymi się wydarzeniami. Zwykle tego typu pisarstwo stanowi rodzaj *katharsis* dla autora, co jest szczególnie widoczne w pamiętnikach Paula, gdzie większość tekstu stanowią opisy przeżyć wewnętrznych – często przejaskrawionych i odkrywających mroczne, nieco perwersyjne zakamarki duszy autora, a pomijających jego dobroć i wrażliwość, liczne sukcesy i osiągnięcia. Tych ostatnich było w okresie jego dojrzewania zdecydowanie mniej, ale warto o nich pamiętać.

W pamiętniku Paulo puszczał wodze fantazji. Wbrew temu co pisał, wcale nie ubierał się elegancko, szczerze nienawidził nauki i sportu, a jego sercowe podboje nie zawsze kończyły się sukcesem. Pierwszą ukochaną Paula była kuzynka Cecília (ta od lakieru), a po niej sąsiadka Mônica, Dedê, której skradł pierwszy pocałunek w Araruamie, oraz Ana Maria, czyli Tatá, śliczna Mulatka z aparatem na zębach. Pierwsze miłości Paula były gwałtowne, jak to zwykle bywa w okresie dojrzewania. Na punkcie uroczej Mulatki całkiem oszalał, czego dowodzą pełne dramatycznych uniesień zapiski.

„Po raz pierwszy w życiu płakałem z powodu kobiety", pisał. „Przez nią cierpię i jestem nieszczęśliwy". W bezsenne noce oczyma wyobraźni widział siebie jako bohatera tragedii rodem z dramatów Nelsona Rodriguesa: oto przejeżdża na rowerze pod domem ukochanej, kiedy potrąca go samochód. Leży na ziemi cały we krwi, a ona klęka obok z twarzą zalaną łzami. Nim na zawsze zgaśnie w nim życie, bohater szeptem wypowiada ostatnie słowa: „Za ciebie przelałem krew. Zapamiętaj mnie na zawsze...".

Była to oczywiście miłość platoniczna, ale mimo to rodzice Any Marii natychmiast zareagowali, zabraniając córce spotykać się z tym „dziwnym chłopcem". Ukochana postanowiła walczyć o prawo do miłości. Przeciwstawiła się woli rodziny, za co, jak zwierzyła się Paulowi, kilka razy dostała od matki w twarz, ale nie dawała za wygraną. Podczas wakacji w Araruamie Paulo dostał list od Chika, kolegi z sąsiedztwa. „Tatá prosi, żeby ci przekazać, że wszystko skończone. Ma nowego chłopaka". Wiadomość była jak grom z jasnego nieba. Chodziło nie tyle o utratę ukochanej, co o wstyd przed kumplami, a Paulo za nic nie chciał się przed nimi ośmieszyć. Dlatego dzień po otrzymaniu wstrząsającej wiadomości w liście do Chico upoważnił przyjaciela do przekazania lubej i wszystkim kolegom, że przez cały czas udawał zakochanego, bo jako „agent CIC – Central Intelligence Center – agencji wywiadu amerykańskiego", zdobywał informacje na temat dziewczyny i tylko dlatego spotykał się z Aną Marią. Kiedy po tygodniu przyszła odpowiedź od Chika, zanotował w dzienniku: „Uwierzył w moją opowiastkę, ale teraz muszę żyć w cieniu własnego kłamstwa. Pozory zachowane, ale serce krwawi".

Krwawiły też serca Lygii i Pedra, ale nie z miłości. Pierwsze miesiące u św. Ignacego zakończyły się klęską. Kiedy pod koniec semestru rodzice poznali wyniki syna, w domu wybuchła awantura. Sônia Maria była jedną z najlepszych uczennic w szkole, za to Paulo wlókł się na szarym końcu, jeśli nie liczyć przedmiotów dodatkowych, takich jak śpiew czy zajęcia techniczne. Miał średnią poniżej pięciu na dziesięć – absolutnego minimum, by pozostać w gimnazjum św. Ignacego. Wprowadzono ścisły reżim. Po szkole Paulo przez resztę dnia ślęczał nad książkami i pobierał korepetycje z kilku przedmiotów, aż pod koniec pierwszego semestru podniósł średnią do upragnionego 6,3. W drugim semestrze znów było gorzej – nadal miał niezłe oceny ze śpiewu, ale coraz gorzej mu się wiodło z głównymi przedmiotami: matematyką, portugalskim, historią, geografią, łaciną i angielskim.

Rodzice uważali syna za dobre dziecko, ale wymagające żelaznej dyscypliny, którą zapewnić mogli jezuici. Skutek był taki, że Paulo stawał się coraz bardziej nieśmiały, niepewny, zamknięty w sobie. Zrezygnował nawet z ulubionej rozrywki chłopców – z wyczekiwania po lekcjach przed żeńskim gimnazjum św. Jacobina – z wielkiej przygody, którą wielu z nich zapamiętało na całe życie.

– Żeby zobaczyć wychodzące ze szkoły dziewczyny, należało przejść kilka przecznic. To były magiczne chwile – wspominał po latach pisarz i autor przewodników, Ricardo Hofstetter. – Do dziś pamiętam ich piękne, smukłe nogi, które czasem wyzierały spod plisowanych spódnic. Wychodziły w grupkach, a widok ich nóg i kołyszących się plisowanych spódniczek był hipnotyzujący. Niektórym farciarzom udawało się zdobyć serce jednej z gimnazjalistek, o czym opowiadali z najwyższym uniesieniem. Ja niestety takiego szczęścia nie dostąpiłem.

Paulo też nie. Nie znalazł narzeczonej ani w tym, ani w żadnym innym gimnazjum. Rzadko umawiał się z dziewczętami, z Araruamy pisał listy do koleżanek, ale nie było to nic poważnego. Koledzy przechwalali się swymi podbojami, w rzeczywistości ograniczającymi się do skradzionego pocałunku i niewinnych pieszczot, a Paulo w tej kwestii nie miał nic do opowiedzenia. Matka natura nie obdarzyła go urodą. Miał wielką głowę, chude ciało, wąskie ramiona i nazbyt wydatne usta, które odziedziczył po ojcu. Nos też zdawał się zbyt duży jak na chłopca w jego wieku. Z każdym dniem Paulo czuł się coraz bardziej samotny. Uciekał w świat książek, ale nie tych, które zalecali ojcowie jezuici. Nienawidził lektur szkolnych, wolał powieści przygodowe i romanse. Choć czytał dużo i namiętnie, nie wpływało to na jego szkolne oceny. Tradycyjnie na zakończenie roku szkolnego koledzy odbierali medale i wyróżnienia, a jego nazwiska nikt nie wyczytywał. Ledwo zdał do następnej klasy, z wynikiem o jedną setną wyższym niż minimum niezbędne dla otrzymania świadectwa. O mały włos powtarzałby rok, co oznaczałoby zmianę gimnazjum, gdyż w św. Ignacym brak promocji do następnej klasy był równoznaczny z wydaleniem ze szkoły.

Paulo poniósł w szkole totalną klęskę. Pozostawało jedynie się łudzić, że przysporzy chluby jako wzorowy chrześcijanin. W tej dziedzinie budził spore nadzieje, gdyż opresyjny charakter gimnazjalnego życia duchowego bardzo mu odpowiadał. Na niedzielne msze po łacinie chodził wbity w galowy mundurek. Polubił tajemnicze rytuały, jak zakrywanie obrazów czerwoną zasłoną na czas Wielkiego Postu. Podziemia kościoła, gdzie spoczywały szczątki braci jezuitów, także budziły jego ciekawość, choć nigdy nie odważył się ich zwiedzić.

Nadzieje Lygii i Pedra ożyły w czwartej klasie, kiedy Paulo zdecydował się na udział w organizowanych przez szkołę rekolekcjach. Zwykle trwały trzy lub cztery dni, nigdy w soboty i niedziele, żeby nie kojarzyły się dzieciom z wakacjami. Odbywały się w domu modlitwy ojca Anchiety, zwanym Domem Gávea, który stał na szczycie góry w odległej wówczas dzielnicy São Conrado, piętnaście kilometrów od centrum Rio. Ten biały, trzypiętrowy, solidny budynek, wzniesiony w 1935 roku wśród gęstych lasów, miał od frontu trzydzieści niebieskich okien, tyle ile cel dla gości. Rozciągał się z nich wspaniały widok na dziką plażę São Conrado. Jak jezuici z dumą powtarzali, sumienne przestrzeganie ciszy pozwalało z każdego miejsca domu i o każdej porze usłyszeć szum fal rozbijających się o brzeg.

W gorący październikowy poranek 1962 roku Paulo wyruszył na spotkanie z Panem Bogiem. W zapakowanej przez matkę walizeczce miał ubranie oraz kilka drobiazgów, między innymi zeszyt w twardej oprawie i pióro – w tym czasie zaczął pisać prawdziwy pamiętnik. O ósmej rano wszyscy chłopcy stawili się na szkolnym dziedzińcu i czekali na autokar. W pewnej chwili Paulo poczuł przypływ odwagi i z dwoma kolegami poszedł do ciemnych podziemi. Na dole, w blasku świec, zobaczyli trumny zmarłych zakonników. Robiło to przerażające wrażenie. Paulo był zaskoczony swoją reakcją. Zamiast uciekać w popłochu, poczuł spokój, jakiego nigdy wcześniej nie zaznał. W dzienniku zastanawiał się, dlaczego tak się stało. „Być może nie widziałem straszliwego oblicza śmierci, lecz wieczny spokój tych, którzy żyli i cierpieli w imię Chrystusa".

W domu modlitwy, gdzie odbywały się rekolekcje w każdej celi stały dwa łóżka, szafa, stół, krzesła i klęcznik. W rogu znajdowała się miednica i dzban z wodą, a nad nimi lustro – „pewnie po to, byśmy mogli patrzeć, jak podczas rekolekcji pięknieją nam twarze", pisał z nadzieją Paulo. Chłopcy rozpakowali się i zeszli do refektarza, gdzie podano herbatę i ciastka. Opiekun grupy, ojciec João Batista Ruffier, przedstawił dzieciom regulamin. Pierwsza zasada zaczynała obowiązywać w dziesięć minut od zakończenia przemówienia: od tej chwili aż do momentu opuszczenia domu modlitwy nikomu nie wolno wypowiedzieć ani jednego słowa.

Energiczny, korpulentny zakonnik pochodził z francuskiej rodziny hodowców bydła. Jego pasją było pszczelarstwo. Z wielką gorliwością pilnował przestrzegania zasad. Jego podopieczni na zawsze zapamiętali płomienne wystąpienie ojca Ruffiera:

– Jesteście jak maszyny, które przechodzą przegląd. Rozłóżcie swoje ciało i duszę na części. Nie bójcie się brudu, który odkryjecie. Najważniejsze, byście ponownie zmontowali maszynę, wkładając każdą część w odpowiednie miejsce. Musicie to zrobić uczciwie i szczerze.

Kazanie trwało prawie godzinę, ale te słowa najbardziej utkwiły Paulowi w pamięci. Myślał o nich cały dzień, kiedy samotnie przechadzał się po okolicy. Wieczorem zanotował: „Wszystko przemyślałem i jestem gotów do zmian". Odmówił Zdrowaś Mario i Ojcze Nasz i poszedł spać.

Ojciec Ruffier i budzące grozę rekolekcje w Casa da Gávea. Masturbacja groziła wiecznym potępieniem.

Ojciec Ruffier nie pozostawił wątpliwości co do celu wizyty chłopców: „Z dala od codziennych spraw będziecie oddawać się medytacji i modlitwie". Jednak nie wszystkim przyświecał ten sam cel. Po kolacji i wieczornych modlitwach mrocznymi korytarzami przemykały cicho niewyraźne cienie chłopców. Zbierali się na potajemne spotkania. Ktoś wbrew surowym zakazom przemycił w bagażu mały tranzystor, żeby słuchać sprawozdań z wyścigów konnych. Modlitewny nastrój bezczeszczono podczas nocnych spotkań papierosami i whisky, przemyconą w butelkach po szamponie. Wprawdzie jeśli w którymś z pokoi zbyt długo paliło się światło, zakonnicy wyłączali prąd, nie przynosiło to pożądanego skutku, bo heretyckie spotkania odbywały się wtedy przy blasku świec, które w dzień kradziono z kaplicy.

Drugiego dnia Paulo obudził się o świcie nieco wystraszony. Nastrój mu się poprawił, kiedy otworzył okno i zobaczył fale migoczące w pierwszych promieniach słońca. O szóstej rano, jeszcze przed śniadaniem, chłopcy zebrali się w kaplicy na mszę. Paulo był gotów na szczerą rozmowę z Bogiem i komunię świętą, której od roku unikał. Nie bał się eucharystii, lecz poprzedzającej ją spowiedzi. Chłopcy spowiadali się z banalnych spraw, a każdy miał coś na sumieniu. Zwykle pod koniec spowiedzi padało sakramentalne pytanie: „Chłopcze, czy zgrzeszyłeś przeciw czystości?". Gdy odpowiedź była twierdząca, ksiądz pytał dalej: „Sam czy w towarzystwie?". Jeśli nieszczęśnik wyznawał, że w towarzystwie, ku jego przerażeniu spowiednik drążył temat: „Z człowiekiem czy ze zwierzęciem?". Po odpowiedzi „z człowiekiem" wystarczyło podać płeć współwinnego.

Dla Paula był to temat bardzo trudny, w ogóle nie rozumiał, dlaczego uznawano takie sprawy za grzech. Uważał, że masturbacja nikogo nie krzywdzi, czemu dał wyraz w pamiętniku: „Nikt nie może rzucić we mnie kamieniem, bo nikt nie jest wolny od grzechu". Mimo to nie miał odwagi przyznać się przed księdzem. Paraliżowała go myśl, że żyje w grzechu, wolał więc sam pomodlić się przed ołtarzem i iść do komunii bez spowiedzi. Podczas mszy ojciec Ruffier poruszył wstydliwy temat w płomiennym kazaniu. Wywołując przerażenie na twarzach chłopców, sugestywnie opisał miejsce, do którego trafiają grzesznicy:

– Jestem w piekle! Płonie straszliwy ogień! Widać łzy i słychać przeraźliwe zgrzytanie zębów. Jestem tam z kolegą i złorzeczę mu, bo z jego winy zostałem potępiony. Obaj płaczemy z bólu i rozpaczy. Diabeł uśmiecha się do nas, potęgując naszą udrękę. Najgorszą karą jest jednak to, że nie mamy nadziei. Jesteśmy tu na zawsze!

Paulo nie miał wątpliwości, o kim mówił ojciec Ruffier. Przez rok odkładał spowiedź w obawie przed koniecznością poruszenia kwestii masturbacji. Teraz przeraził się, że jeśli nagle umrze, pójdzie do piekła. Wyobraził sobie Diabła, który patrzy mu w oczy i śmieje się z pogardą.

– Mój drogi, twoja męka dopiero się zaczyna – mówił Szatan.

Był załamany i przerażony. Nie wiedział, do kogo się zwrócić, ale czuł, że po to są dni skupienia, żeby rozwiać wszelkie wątpliwości. Mając do wyboru wieczne męki piekielne i spokój duszy, poszedł drogą wiary. W akcie skruchy, klęcząc samotnie na kamienistym zboczu, przysiągł Bogu, że nigdy więcej nie będzie się masturbował. Po chwili poczuł siłę i spokój, ale na krótko. Następnego dnia Diabeł zaatakował z takim impetem, że Paulo uległ i wrócił do dawnych nawyków. Kiedy wyszedł spod prysznica, zdawało mu się, że ma ręce splamione krwią. W pokoju padł na klęcznik i zawołał:

– Panie! Chcę się zmienić, ale nie potrafię oprzeć się pokusie. Tyle razy przysięgałem, a wciąż grzeszę. Grzeszę myślą, mową i uczynkiem. Błagam, daj mi siłę!

Uspokoił się dopiero, kiedy łkając w ukryciu w lesie, zobaczył, że ma kompana w niedoli, który też oddawał się zgubnym praktykom. Zawstydzonego Paula jeszcze bardziej przygnębiło następne kazanie ojca Ruffiera. Trudno oprzeć się wrażeniu, że zakonnik robił wszystko, żeby nastraszyć chłopców. Wrócił do wstrząsającego obrazu piekła, które czeka ludzi przywiązanych do dóbr doczesnych. Ruffier stał na ambonie, żywo gestykulując pulchnymi rękami.

– Zaprawdę powiadam wam, drogie dzieci, przyjdzie czas, gdy wszyscy będziemy leżeć jak ci chorzy w szpitalu! Wyobraźcie sobie zapłakanych rodziców, którzy stoją przy łóżku, a obok na stoliku piętrzy się sterta bezużytecznych leków. W takiej chwili widać, jacy jesteśmy słabi. Gdy człowiek pojmie swą kruchość, nabiera pokory. Co mu po sławie, pieniądzach, samochodach i innych dobrach doczesnych? Jakie to ma znaczenie w obliczu Śmierci?

Wzniesione w górę ramiona z zaciśniętymi pięściami przypominały dwa konary drzewa. W ojca Ruffiera jakby wstąpił gniew Boży.

– Porzućcie to wszystko! Porzućcie! – krzyczał w natchnieniu.

Wśród dzieci byli synowie najbogatszych rodzin w Rio, należało więc zadbać, by nikt nie miał złych skojarzeń, na przykład z socjalizmem. Szkoła św. Ignacego była uważana za konserwatywną. Organizowano w niej projekcje filmów dokumentalnych z Kuby Fidela Castro, na których pokazywano masowe egzekucje. Dyrekcji zależało na tym, żeby młodzież poznała „krwawe oblicze komunizmu". Sam ojciec Ruffier chwalił się, że uciekł z Kolumbii przed komunizmem (chodziło mu o „Bogotazo", zamieszki w Bogocie w 1948 roku). Chłopcy wpatrywali się w niego z rosnącym przerażeniem, a on ze zdwojoną siłą wracał do wizji piekła. Żeby rozwiać wszelkie wątpliwości, podkreślał, że grzeszników czeka nieuchronna kara.

– Piekło jest jak morze. Wyobraźcie sobie jaskółkę, której raz na sto lat wolno przylecieć nad morze i wypić kroplę wody. Ta jaskółka to wy. Tak wygląda wasza pokuta. Będziecie cierpieć miliony lat, aż kiedyś morze wreszcie zniknie, a wtedy powiecie: to już koniec, mogę spocząć w pokoju.

Ojciec Ruffier dramatycznie zawiesił głos, po czym zaatakował słuchaczy ze zdwojoną pasją:

– Ale nie! Wtedy przyjdzie Stwórca i z uśmiechem powie, że to dopiero początek waszej udręki. Pojawią się następne oceany i tak przez całą wieczność. To, co jaskółka wypije, znów wypełni się wodą.

Słowa kaznodziei prześladowały go przez cały dzień. Chodził po lesie i próbował podziwiać widoki, ale kazanie ojca Ruffiera wciąż dźwięczało mu w uszach. Doszedł do wniosku, że czas rekolekcji nie poszedł na marne. Wieczorem przed zaśnięciem napisał:

Zapomniałem o całym świecie, o tym, że dostanę pałę z matematyki, że drużyna Botafogo prowadzi w rozgrywkach i że za tydzień jadę na wyspę Itaipu. Czuję, że z każdą mijającą chwilą zaczynam wszystko lepiej rozumieć. Wracam do świata, którego dotychczas nie rozumiałem i którego nienawidziłem. Rekolekcje nauczyły mnie kochać i rozumieć. Zauważyłem piękno w źdźble trawy i w kamieniu, słowem – nauczyłem się żyć.

Paulo wracał do domu z czymś, co od tej pory, niezależnie od wzlotów i upadków, stanowiło fundament jego życia – z wiarą. Nawet rodzice, którzy stracili już wszelką nadzieję na poprawę syna, z radością powitali odmienione jezuickimi kazaniami dziecko.

– Dobrze, że się odnalazłeś – powiedziała Lygia.

Nawrócenie Paula było długo niespełnionym marzeniem państwa Coelho. Plany materialne zostały w pełni zrealizowane. Pedro Queima Coelho własnymi rękami zbudował wielki różowy dom. Rodzina miała przenieść się do willi za kilka miesięcy. Przeprowadzka nastąpiła jeszcze przed zakończeniem budowy, co oznaczało, że przez jakiś czas mieszkali wśród puszek farby, worków cementu i umywalek. Willa mogła budzić zazdrość. Miała jadalnię, salon, pokoje gościnne, a przy każdej sypialni łazienkę. Był też taras, marmurowe schody i przestronny ogród zimowy, gdzie Paulo planował urządzać przedstawienia teatralne.

Dla Paula zmiana była szokiem. Opuścił Botafogo, gdzie się urodził i był niekwestionowanym przywódcą wśród dziecięcej ferajny, a przeniósł się do porośniętej lasami, niemal dzikiej Gávei z kilkoma domami na krzyż. Co gorsze, przeprowadzka wzmogła niepokój rodziców o bezpieczeństwo. Pedro miał obsesję na punkcie „ulicy", która mogła wypaczyć charakter syna, dlatego zabronił mu wychodzić wieczorami z domu. I tak z dnia na dzień Paulo stracił przyjaciół, zniknęła cała paczka dzieciaków, z którymi się wychował. Życie ograniczało się do trzech podstawowych czynności: spania, chodzenia do szkoły i czytania. To ostatnie zajęcie nie było niczym nowym, bo nawet w statucie tajnej organizacji „Arco" Paulo umieścił punkt mówiący o „możliwości czytania dla rozrywki". Zaczęło się od klasyków literatury dziecięcej i młodzieżowej chętnie kupowanych dzieciom przez rodziców, takich jak powieść Monteira Lobato *Skarb młodości*. Potem Paulo odkrył Conan Doyle'a i został szczęśliwym posiadaczem całej serii książek o Sherlocku Holmesie. Przeczytawszy *Karierę* Aluísia Azevedo z listy szkolnych lektur, zanotował w swym pamiętniku niezbyt pochlebną opinię: „Nie podoba mi się. Nie rozumiem, dlaczego Aluísio Azevedo pisze tyle o seksie". Potem zmienił jednak zdanie: „Wreszcie zrozumiałem, o co chodzi w *Karierze*. Życie bez ideałów, pełne kłamstw i wyrzutów sumienia, które dręczą ludzkość. Po przeczytaniu tej książki pojąłem, że życie jest długie i przynosi wiele rozczarowań. To bardzo wnikliwa książka, skłaniająca do refleksji nad cierpieniem człowieka". Szkolna lektura stała się przyjemnością.

Od tej pory Paulo wypowiadał się na temat wszystkich przeczytanych książek. Czasem jego krytyka sprowadzała się do kilku słów, jak „słaba fabuła" (chodziło o powieść Françoise Sagan *Czy pani lubi Brahmsa?*), a czasem ciągnęła przez dobrych kilka stron, jak w przypadku „cudownej" książki P. A. Houreya *Vuzz*.

Paulo czytał wszystko, co mu wpadło w ręce, od poezji lirycznej Michela Quoista po zawiłe teksty Jean-Paula Sartre'a. Sięgał po bestsellery Leona Urisa, kryminały spółki autorskiej Ellery Queen oraz książki popularnonaukowe, na przykład *O Homem no Cosmo* [Człowiek w kosmosie], o której w pamiętniku napisał: „źle ukrywana czerwona propaganda". Czytając jego zapiski, odnosi się wrażenie, że oceniał lektury pod względem estetycznym i obyczajowym. O zbiorze utworów Viniciusa de Moraes *Para Viver um Grande Amor* [Przeżyć wielką miłość] pisał: „To poezja ukazująca najciemniejsze strony ludzkiej moralności, które trudno mi zaakceptować". Po przeczytaniu dramatu *Bonitinha mas Ordinária* [Piękna pospolita] Nelsona Rodriguesa zanotował: „Brazylijski czytelnik nie jest jeszcze gotowy na tego typu lekturę". Na kartach dziennika nie szczędził ostro sformułowanych opinii. O Rodriguesie napisał: „Podobno stał się niewolnikiem czytelników, ale nie zgadzam się z tą opinią. On jest stworzony do tego typu twórczości, nikt go do tego nie zmuszał".

Jego przekonania polityczne były równie konserwatywne. Po obejrzeniu ekranizacji powieści Jorge Amado *Seara Vermelha* [Czerwone pola] Paulo napisał: „To dzieło na wskroś komunistyczne, ukazujące wyzysk człowieka przez człowieka". Po przeczytaniu powieści był mile zdziwiony talentem sławnego pisarza, a pisząc o powieści *Gabriela: kronika pewnego miasta interioru* nie krył zachwytu: „Co za naturalność! Bez cienia komunistycznej propagandy. Bardzo mi się podobało". Za największego poetę brazylijskiego uważał Manuela Bandeirę („bo pomija brudne sprawy życia i koncentruje się na tym, co proste i ważne"). Nie cierpiał João Cabrala de Melo Neto („przeczytałem parę zdań, ale po chwili zamknąłem książkę"). Przyznał, że nie rozumie Carlosa Drummonda de Andrade („Jego styl jest zbyt abstrakcyjny i zawiły. Trudno go zrozumieć").

U czternastoletniego Paula po raz pierwszy pojawiła się natrętna myśl, wręcz obsesja, by zostać pisarzem. Niemal pół wieku później, jako jeden z najpopularniejszych autorów na świecie, wyjawił w *Zahirze*, skąd wziął się ten pomysł:

Piszę, ponieważ kiedy byłem nastolatkiem, grałem w piłkę jak noga, nie miałem samochodu, pieniędzy ani muskułów. [...] Całe moje towarzystwo to byli pisarze i ich książki.

Paulo czuł się pisarzem na długo, zanim ogłosił to światu. Był nie tylko zwycięzcą konkursu szkolnego, lecz od chwili, kiedy nauczył się czytać, z pasją oddawał się twórczości poetyckiej. Pisał wierszyki dla rodziców, dziadków, przyjaciół, kuzynów, narzeczonych, a nawet dla świętych czczonych w rodzinie państwa Coelho. Oto przykłady: *O Pani! W gorączce nastoletniej nocy / Ofiaruję Ci me dzieciństwo niewinne / Które dziś trawi płomień / i ku Tobie dymem się unosi / Niech ten ogień uwolni mnie od przeszłości* (wiersz dedykowany Matce Boskiej); *Jeśli to co najlepsze / Bóg naszym rodzicom oddaje / Prawdą jest także / Że cierpień im wciąż dodaje* (wierszyk dla rodziców). Jeśli nie było okazji, by komuś wiersz zadedykować, pisał dla siebie: *Przeszłość wygasła / Przy-*

szłość nie nadeszła / Tu i teraz ulotna chwila / Gdzie miłość, marzenie, zwątpienie? / To chyba życie tak mija.

Kilka lat później, już jako wytrawnemu czytelnikowi, wpadła mu w ręce książka, w której znalazł ciekawy cytat przypisywany Emilowi Zoli. Miał on podobno wyznać, że pisanie wierszy nie wyszło mu na dobre, bo poezja to „muza, która zmienia się w plotkarkę i nie ma z niej żadnego pożytku. Lepiej zajmować się prozą". Niezależnie, czy Zola rzeczywiście wypowiedział te słowa, czy nie, Paulo uznał, że oddają one stan jego ducha i postanowił wprowadzić je w życie. „Od dziś kończę z poezją", zanotował. „Będę pisał sztuki i powieści". Zebrał wszystkie napisane do tej pory wiersze – a trzeba przyznać, że był poetą bardzo płodnym – zaniósł do ogrodu, ułożył w stos i podpalił. Niezbyt sprawiedliwie potraktował swoją poezję, bo to jej zawdzięczał sławę w gimnazjum św. Ignacego. Jego wiersz zatytułowany „Trzynastoletnia kobieta" wygrał konkurs, w którym uczestniczyło 1200 uczniów. Co roku Akademia Literatury św. Ignacego, instytucja powołana przy szkole w 1941 roku, ogłaszała konkurs literacki, który miał zachęcić młodzież do pisania. Do jury zapraszano znanych autorów.

Kiedy Paulo miał czternaście lat, jego pierwszy artykuł ukazał się w gazetce Akademii „Vitória Colegial". W tekście zatytułowanym „Dlaczego lubię książki" autor żarliwie bronił losu pisarzy, którzy w bezsenne noce tworzyli swe dzieła, a potem głodni i wyzyskiwani przez wydawców umierali w zapomnieniu.

> *Czym jest książka? To podstawa naszej kultury, bo otwiera nam okno na świat. Dzięki niej przeżywając przygody* Don Kichota *i* Tarzana, *identyfikujemy się z bohaterami. Śmiejemy się z zabawnych perypetii* Don Camilla *[Giovanniego Guareschi] i cierpimy razem ze sławnymi postaciami literatury światowej. Dlatego w wolnych chwilach lubię czytać. Książki przygotowują nas do życia i kształtują. Wystarczy przeczytać parę kartek, by poznać prawdy, które sami odkrywalibyśmy kosztem wielkich wyrzeczeń, a nawet utraty życia. Każda książka czegoś nas uczy i jest krokiem na drodze ku chwale ojczyzny. Dlatego w szkole też lubię czytać. Jak to się dzieje, że książka trafia do naszych rąk? Zawdzięczamy to ciężkiej pracy ich autorów. Ileż bezsennych nocy spędzili przy słabym świetle kaganka, pracując nad swymi dziełami, cierpiąc głód i samotność? A potem umierali w zapomnieniu, niezasłużenie odsunięci w cień, wykorzystani przez wydawców. Ile siły i wyrzeczeń trzeba, by doczekać sławy? Dlatego lubię książki.*

Kilka miesięcy później ogłoszono doroczny konkurs poetycki. Paulo był wówczas pod wielkim wrażeniem filmu Vittoria De Siki

Matka i córka na podstawie powieści Alberta Moravii. Opowiadał historię Cesiry (Sophia Loren) i jej trzynastoletniej córki Rosetty (Eleanora Brown), podczas wojny zgwałconej przez alianckich żołnierzy. Po obejrzeniu filmu Paulo wrócił do domu i z myślą o młodej bohaterce napisał wiersz „Trzynastoletnia kobieta". Ten właśnie wiersz wysłał później na szkolny konkurs. W dniu ogłoszenia wyników Paulo przeżywał katusze, o niczym innym nie był w stanie myśleć. Wieczorem, kiedy z grona uczestników miano wybrać trzech autorów, przemógł nieśmiałość i podszedł do jednego z profesorów, żeby się dowiedzieć, na kogo głosował. Z ulgą przyjął jego słowa:

– Głosowałem na ciebie, Átilę i Chame.

Do finału przeszło dwadzieścia utworów. Paulo znał przynajmniej jeden wiersz finalisty José Átili Ramosa zatytułowany „Introduce" i uważał autora za głównego kandydata do nagrody. Lubił go i cieszył się na myśl o jego wygranej. Szczytem jego własnych marzeń było zdobycie trzeciego miejsca. O dziewiątej wieczór w audytorium zgromadziły się tłumy podekscytowanych uczniów, którzy oddawali głosy na swych faworytów i robili zakłady. Zapadła cisza, przewodniczący jury, składającego się z dwóch profesorów i jednego ucznia (był nim przyszły kompozytor Sidney Miller), zaczął wyczytywać nazwiska zwycięzców, zaczynając od trzeciego miejsca. Usłyszawszy, że trzecią nagrodę zdobył wiersz „Serpentyna i Kolombina", a drugą „Introduce", Paulo stracił nadzieję, a kiedy usłyszał swoje nazwisko, niemal spadł z krzesła.

– Jednogłośnie zwyciężył wiersz „Trzynastoletnia kobieta" Paula Coelho de Souzy!

Pierwsze miejsce! Paulo nie mógł uwierzyć. Serce biło mu jak oszalałe, a nogi odmówiły posłuszeństwa. Chudy, nieśmiały chłopak z trudem wszedł na podium, żeby odebrać dyplom i nagrodę – czek na tysiąc cruzeiros (dziś równowartość około 40 dolarów). Po uroczystości szybko opuścił szkołę, żeby jak najszybciej podzielić się z rodzicami radosną nowiną. Po drodze zastanawiał się, jakich użyje słów, opowiadając ojcu o swym nowym powołaniu. Jakież było jego zaskoczenie, gdy Pedro powitał go przed domem, kręcąc z dezaprobatą głową i wymownie pukając palcem w tarczę zegarka.

– Jest jedenasta. Jeszcze się nie nauczyłeś, że w tym domu drzwi zamykają się punktualnie o dziesiątej?

Mając w zanadrzu tak wspaniałą wiadomość, która z pewnością skruszy zatwardziałe serce ojca, roześmiany Paulo zamachał w powietrzu czekiem na tysiąc cruzeiros i drżącym z emocji głosem opowiedział o nagrodzie, o jednogłośnym werdykcie jury, kilkudziesięciu uczestnikach konkursu i o swym powołaniu. Jednak nie udało mu się wzruszyć inżyniera Pedra. Nie bacząc na radość syna, z miejsca ostudził jego zapał:

– Wolałbym, żebyś przynosił ze szkoły lepsze oceny i wracał do domu o czasie.

Paulo miał nadzieję, że przynajmniej matka podzieli jego entuzjazm, ale i tu czekało go rozczarowanie. Podszedł do drzwi sypialni i z błyszczącymi oczami powtórzył jej to, co przed chwilą opowiedział ojcu: o jednogłośnym werdykcie, licznych uczestnikach i o swym powołaniu. Lygia zareagowała niemal tak jak ojciec, tyle że z natury taktowna, delikatniej.

– Synku, nie łudź się, że zostaniesz pisarzem. To bardzo miło, że piszesz wiersze, ale rzeczywistość jest bezlitosna. W Brazylii mieszka siedemdziesiąt milionów ludzi, tysiące z nich zajmuje się pisaniem, ale tylko Jorge Amado żyje z książek. A Jorge Amado jest jeden.

Przybity i nieszczęśliwy Paulo poszedł do swego pokoju i nie mógł zasnąć do świtu. W pamiętniku zapisał: „Mama jest okrutna, a tata ograniczony". Rano nie miał żadnych wątpliwości: jedynym celem rodziców jest pogrzebanie jego marzeń o literaturze. „A przecież to jedyny powód, by żyć", pisał dramatycznie w dzienniku. Po raz pierwszy w życiu zdał sobie sprawę, że jest gotów zapłacić wysoką cenę za realizację swego celu, nawet gdyby miał wytoczyć wojnę rodzicom. Lygia i Pedro Queima Coelho wkrótce mieli się o tym przekonać.

Márcia, pierwsza miłość Paula, „przehandlowała” narzeczonego za 2 sukienki.

4.

Carlinho krzyczy przerażony: „Paulo! Uciekaj! Zabiłeś dziecko!"

Pod koniec 1962 roku ojciec zmusił Paula do kontynuowania nauki w liceum w klasie o profilu ścisłym, a nie klasycznym, jak chciał syn. Oceny uzyskane w czwartej klasie gimnazjum ukazywały ogrom klęski. Szczególnie kiepsko szła mu matematyka, ulubiony przedmiot ojca. Odrabiając pracę domową albo przygotowując się do klasówki Paulo często prosił go o pomoc z algebry. W końcu zdobył minimalną liczbę punktów, żeby przejść do następnej klasy. W tym czasie w szkole św. Ignacego były dwie możliwości. Uczniowie mogli się dalej uczyć w klasie o profilu ścisłym albo – jeśli w przyszłości zamierzali podjąć studia humanistyczne – w klasie o profilu klasycznym. Rodzice postanowili wykształcić go na inżyniera, koniec kropka. Paulo nie miał szans przekonać ich do własnego planu, choć nie ukrywał swoich zainteresowań, a jego oceny końcowe w gimnazjum były dość mizerne.

Pedro Queima Coelho nie bez powodu wierzył, że syn wyrośnie na dobrego inżyniera. Paulo żywo interesował się historią życia swego wuja mechanika, a jako mały chłopiec często prosił rodziców, by kupowali mu popularne w latach 50. czasopismo dla majsterkowiczów „Mecânica Popular", gdzie znajdował informacje, jak złożyć froterkę do podłogi i własnoręcznie zbudować statek albo dom. W wieku dziesięciu lat Paulo z taką pasją poświęcił się modelarstwu, że ojciec oczami wyobraźni widział go jako inżyniera lotnictwa. Większość chłopców w tym wieku bawi się modelami samolotów, ale Paulowi samo klejenie nie wystarczało. Założył Niedzielny Klub Majsterkowicza, do którego należał również mieszkający w odległym Belém kuzyn Fred. Dwóch członków klubu oraz ich latające modele dzieliło trzy tysiące kilometrów, dlatego ich działalność ograniczała się do wymiany listów z informacjami o nowych nabytkach. Na podstawie tych danych Paulo stworzył rejestr zakupów i dokonań klubu. Szczegółowo zapisywał typy samolotów, rozpiętość skrzydeł, datę i miejsce zakupu, wydatki związane ze sklejaniem modelu, a czasem datę i godzinę jego zaginięcia. Żadna z tych informacji nie miała praktycznego znaczenia, ale według Paula „lepiej mieć wszystko uporządkowane". Kiedy jego szybowiec „Chiquita" roztrzaskał się o mur domu, zanotował: „Wzbił się w powietrze tylko raz, ale za to jak pięknie się rozbił! Zupełnie jak samolot bojowy. Paulo Coelho de Souza, dyrektor".

Gorączka modelarstwa szybko minęła, ustępując manii pirotechnicznej, co jak na przyszłego inżyniera było bardzo obiecujące. Przez kilka miesięcy Paulo i jego szkolny kolega Renato Dias poświęcali nowej pasji każdą wolną chwilę. Po latach pisarz nie był w stanie powiedzieć, co go do tego skłoniło. Całymi godzinami ślęczał w Bibliotece Narodowej, rozszyfrowując takie pojęcia, jak „siła napędowa wybuchu", „paliwa stałe" czy „metale alkaliczne". W niedziele i święta mały ogródek przed domem państwa Coelho zamieniał się w plac bojowy. Paulo nie byłby sobą, gdyby wszystkiego nie notował. Jako chłopiec drobiazgowy i sumienny założył kolejny zeszyt, a na okładce napisał: „Astronautyka – obowiązkowe zajęcia w ramach kursu robienia sztucznych ogni". Notował, ile godzin spędził w bibliotece, jakich potrzebował materiałów i ile czasu zajęło mu skonstruowanie racy. W dniu planowanego wybuchu na oddzielnej fiszce zapisywał datę, miejsce, godzinę, temperaturę oraz dane dotyczące wilgotności powietrza i widoczności.

Do budowy rac chłopcy używali aluminiowych tubek o długości 20 centymetrów i wadze 200 gramów, do których doczepiali drewniane konstrukcje w kształcie ostrołuków. Do detonacji stosowali substancje własnej produkcji na bazie „cukru, prochu, magnezu i kwasu azotowego". Po wymieszaniu wszystkich składników w specjalnym pojemniku otrzymywali mieszankę wybuchową, którą podpalali łuczywem maczanym w nafcie. Każda raca miała swoją nazwę, na przykład Goddard I, II, III na cześć pioniera astronautyki Roberta H. Goddarda czy Von Braun I, II, III, dla upamiętnienia Wernera von Brauna, projektanta rakiety balistycznej V-2, użytej przeciwko Anglii podczas drugiej wojny światowej.

W dniu planowanego wybuchu Paulo ozdabiał drzwi wejściowe domu i wydzielał fragment chodnika „dla publiczności". Sam chował się z kolegą w „schronie", w wykopie pozostawionym przez monterów linii telefonicznej. Na pokaz Paulo zapraszał ojca i pozostałych domowników, a także przypadkowych przechodniów, których zachęcał do podpisywania specjalnych kart wstępu. Jednak rozmach przygotowań był odwrotnie proporcjonalny do efektu widowiska: żadna raca nie wzbiła się wyżej niż kilkadziesiąt centymetrów, a większość wybuchała jeszcze na ziemi. Okres zainteresowania astronautyką skończył się równie nagle, jak się rozpoczął. Po sześciu miesiącach zrezygnowano z programu i budowy siódmej racy.

W tym samym okresie pojawiały się inne przelotne pasje, między innymi filatelistyka, ale pierworodny inżyniera Pedra wciąż marzył o jednym – żeby zostać pisarzem. Na szesnaste urodziny ojciec zdobył się na gest i zaproponował, że kupi mu bilet lotniczy do Belém. Paulo podziękował, choć to miejsce było dla niego rajem na ziemi, jak kiedyś piękna Araruama. Powiedział, że woli maszynę do pisania. Pedro kupił mu więc maszynę Smith Corona, która towarzyszyła pisarzowi przez wiele lat, do czasu, gdy zamienił ją na elektryczną maszynę Olivetti, a wreszcie na komputer.

Godna podziwu konsekwencja w lekceważeniu obowiązków szkolnych sprawiła, że pod koniec pierwszej klasy liceum Paulo był jednym z najgorszych uczniów. Ze średnią 5.2 mało brakowało, a nie przeszedłby do drugiej klasy. Informacja o ocenach dotarła do rodziców w Boże Narodzenie 1963 roku. Paulo nigdy nie zrozumiał, co było bezpośrednią przyczyną decyzji, o której matka poinformowała go tuż przed przybyciem pierwszych gości.

– Zapisałam cię do lekarza. 28 grudnia pójdziesz do psychiatry.

Wiadomość ta przeraziła Paula, choć nie bardzo wiedział, czym dokładnie zajmuje się psychiatra. Zamknął się w pokoju i nie przebierając w słowach podsumował swoje relacje z rodzicami.

Idę do psychiatry. Z przerażenia mam lodowate ręce, ale teraz przynajmniej wiem, z kim mieszkam pod jednym dachem.

Mama nie karze mnie po to, by mnie czegoś nauczyć, ale żeby pokazać swą władzę. Nie rozumie, że jestem nerwowy i czasem wybucham. Zawsze wymyśla mi za to kary. To, co ma być dla mnie dobre, zawsze brzmi jak groźba, bo tak naprawdę ona myśli tylko o sobie. Jest wielką egoistką. W tym roku ani razu nie udzieliła mi wsparcia, może raz lub dwa.

Tata jest bez serca. W domu zachowuje się jak urzędnik. Podobnie jak mama, prawie wcale ze mną nie rozmawia. Myśli wyłącznie o domu i swojej pracy. To jest straszne.

Sônia nie ma żadnej osobowości i ślepo naśladuje mamę. Na szczęście nie jest zła ani samolubna. Zaczynam się z nią coraz lepiej dogadywać.

Mama jest okrutna. Lubi się nade mną pastwić. Jest okrutna, strasznie okrutna. Tata jest taki sam.

Okazuje się, że nie było potrzeby tak się denerwować:

Wczoraj byłem u psychiatry. Pierwsza wizyta. Na razie bez komentarzy.

Widziałem sztukę Pobre Menina Rica *[Biedna bogata dziewczyna] Carlosa Lyry i Viniciusa de Moraesa. Potem zjadłem pizzę.*

Postanowiłem przełożyć plany literackie z 1964 na 1965 rok. Poczekam, aż bardziej dojrzeję.

Zgodnie z obowiązującymi w rodzinie zasadami tym razem Paulo miał prawo do wakacji. Zamierzał je spędzić w Belém. Pobyt u dziadków, Cencity i Cazuza, miał wielką zaletę – kto wie, czy nie większą niż wakacje w Araruamie. Poczta działała wolno, na rozmowę międzymiastową trzeba było czekać godzinami, a dzieląca go od domu odległość trzech tysięcy kilometrów oznaczała, że Paulo nie musiał obawiać się nagłych wizyt Lygii i Pedra. W Belém mógł sobie pozwolić na to, co w Rio było nie do pomyślenia. Chodził na piwo, grał w bilard, spał poza domem, zwykle w towarzystwie trójki osieroconych kuzynów, wychowywanych przez dziadków. Tyle się działo, że w ciągu kilku dni Paulo zgubił scyzoryk, zegarek, latarkę i ukochany długopis marki Sheaffer, który kupił za pieniądze z konkursu literackiego. Jednak niezależnie od tego, gdzie spędzał noc, zawsze przed snem pisał listy do przyjaciół i czytał jedną z książek, które przywiózł z domu. W walizce znalazł się zarówno kryminał (*Sprawa blondynki z podbitym okiem* Erle'a Stanleya Gardnera), jak i encyklika Jana XXIII z roku 1963 *Pacem in Terris* („Ta lektura pogłębiła moją wiedzę na tematy społeczne").

W listach do przyjaciół opisywał swoje letnie przygody i zabawy, natomiast tematem przewodnim listów do ojca były pieniądze.

Nie mogłeś lepiej zainwestować swoich pieniędzy. Dzięki temu, że kupiłeś mi bilet, bawię się jak nigdy dotąd. Jednak żeby ta inwestycja przyniosła pożytek, potrzebuję więcej pieniędzy. Twoje 140 tysięcy cruzeiros pójdzie na marne, jeśli nie będę mógł się bawić.

Gdybyś ich nie miał, to trudno, choć myślę, że nie warto wszystkiego ładować w dom, kiedy moje życie przemija.

Dla Paula Belém było miastem wielkiej przygody. Trzy lata wcześniej podczas pobytu w stolicy stanu Pará odkrył, skąd się biorą dzieci. Wcześniej próbował wydobyć informacje na ten temat od starszego kolegi, niejakiego Rui, ale jego grubiańskie wyjaśnienia zupełnie zbiły go z tropu.

– To proste. Facet nadziewa babę na swoją lachę, a kiedy jest mu dobrze, zostawia w niej swoje nasienie. Potem ono rośnie w brzuchu i rodzi się człowiek.

Paulo nie uwierzył. Nie potrafił sobie wyobrazić, żeby ojciec z matką dopuszczali się takich bezeceństw. Temat nie nadawał się na korespondencję, więc czekał cały rok, żeby podczas wakacji wypytać kuzyna Freda. Był starszy i należał do rodziny, a więc godny zaufania. Przy pierwszej sposobności, kiedy Paulo znalazł się sam na sam z kuzynem, pokierował rozmową tak, by zejść na nurtujący go temat. Powtórzył mu, co powiedział Rui. Był bliski ataku astmy, kiedy kuzyn potwierdził tę odrażającą wersję.

– Rui ma rację. Mężczyzna wchodzi w kobietę, zostawia nasienie w jej macicy i tak powstaje człowiek.

Paulo wpadł we wściekłość.

– Mówisz tak, bo nie masz matki! Możesz sobie wyobrazić, że ojciec wchodzi w twoją matkę? Chyba zwariowałeś!

Utrata niewinności nie była jedynym szokiem, jaki Paulo przeżył w Belém. Po raz pierwszy w życiu zetknął się tu ze śmiercią. Było to w sobotnią noc karnawałową, kiedy po balu w klubie Tuna Luso wrócił do dziadków. Wchodząc do domu, usłyszał głos ciotki: „Czy Paulinho już wie?”. Okazało się, że nagle zmarł na zawał dziadek Cazuza. Paulo był przybity, ale jednocześnie poczuł się ważny, gdyż na pogrzebie dziadka reprezentował swoją rodzinę, bowiem Lygia i Pedro nie byli w stanie przyjechać w tak krótkim czasie. Swoim zwyczajem Paulo nie okazywał uczuć, lecz zapisał je w pamiętniku.

8 LUTEGO, SOBOTA KARNAWAŁU

Dla starego Cazuzy ta noc nie przemieni się w dzień. Czuję się sparaliżowany i bezradny wobec tej tragedii. Jeszcze wczoraj słyszałem jego tubalny śmiech, a dziś wszędzie panuje cisza. Jego głos już nigdy nie będzie rozsiewać radości. Jego serdeczny uścisk dłoni, opowieści o starym Rio, jego rady, słowa otuchy – wszystko minęło. Ulicami przechodzą szkoły samby, przejeżdżają udekorowane platformy z tancerzami, ale to już koniec.

Tej samej nocy napisał wiersz „Wspomnienie", który zadedykował dziadkowi. Ból wyrażony wierszem i prozą wydaje się szczery, ale nie brak też było innych uczuć. Podczas gdy w pokoju gościnnym nadal spoczywało ciało dziadka, Paulo kilka razy zgrzeszył przeciw czystości, podniecony widokiem kształtnych nóg zgromadzonych w domu kuzynek. W niedzielne popołudnie odbyła się „podniosła uroczystość", zanotował wnuk Cazuzy. Nie przeszkodziło to jednak Paulowi i jego kuzynom w ostatki bawić się do rana.

Były to ostatnie wakacje młodego Coelho w Belém, stanowiące cezurę między dzieciństwem a młodością. Bogatszy o nowe doświadczenia, wracał do domu ze świadomością, że nowy rok szkolny będzie bardzo ciężki. Do nauki się nie garnął, nietrudno więc było przewidzieć, jaki będzie koniec jego kariery w św. Ignacym i jakie konsekwencje to za sobą pociągnie. Jeszcze jedno ciążyło mu na sercu. Po powrocie do domu, opisując pogrzeb dziadka, małymi literami zanotował: „Dużo rozmyślałem i zdałem sobie sprawę ze strasznej rzeczy – tracę wiarę".

Nie było to nic nowego. Pierwsze wątpliwości nachodziły Paula podczas szkolnych rekolekcji i odtąd pojawiało się ich coraz więcej. Chęć zaspokojenia popędu walczyła w nim z poczuciem winy.

Z przerażeniem wspominał apokaliptyczną wizję wiecznych tortur w ogniu piekielnym, którą roztoczył przed nim ojciec Ruffier. W tym stanie ducha, z zapalczywością daleką od chrześcijańskiej pokory, skierował swój żal przeciw Bogu.

To Ty stworzyłeś grzech! To Twoja wina, że brak mi sił, by mu się przeciwstawić! To Twoja wina, że złamałem dane słowo!

Następnego dnia popadł w jeszcze większe przygnębienie, kiedy przeczytał, co napisał poprzedniego wieczora. Zdesperowany zaciągnął w cichy kąt swego kolegę Eduarda Jardima i otworzył przed nim serce. Wybór nie był przypadkowy. Eduardo był jego ideałem: inteligentny, oczytany, pisał wiersze, odznaczał się skromnością. Kilku uczniów ze św. Ignacego spotykało się w garażu obok domu Eduarda, żeby rozmawiać o książkach.

Jardim imponował Paulowi swą niezachwianą wiarą i budził zaufanie. Był idealnym słuchaczem dla zbłąkanej duszy. Wszystko zaczęło się od wątpliwości, wyznał młody Coelho: skoro istnieje Bóg, który stworzył go na swoje podobieństwo, to dlaczego z takim upodobaniem naraża go na cierpienie? Potem przyszły kolejne pytania, aż do fundamentalnej kwestii – czy Bóg w ogóle istnieje? Jardim widocznie obawiał się, że ktoś mógłby podsłuchać ich rozmowę, gdyż szeptem odpowiedział:

– Kiedy byłem młodszy, też zacząłem tracić wiarę. Robiłem wszystko, żeby ją odzyskać. Modliłem się, zimą kąpałem się w lodowatej wodzie, ale to nie pomogło. W końcu przestałem i całkiem straciłem wiarę.

A więc nawet Jardim przegrał tę walkę! Paulo wyobraził sobie, jak ten wątły chłopiec bierze zimne kąpiele, błagając Boga, by go nie opuszczał. Ale Bóg nic sobie z tego nie robił. Tego dnia Paulo Coelho znienawidził Pana Boga. Dobrze wiedział, co to znaczy, bo w dzienniku zanotował:

Wiem, czym grozi nienawiść do Boga.

W drodze powrotnej z rekolekcji doszło do pozornie błahego zdarzenia, które jeszcze nadwątliło jego wiarę w Boga i w dobre intencje kleru. Autokar, którym jechali, pędził z nadmierną prędkością. Paula ogarnął strach – w każdej chwili mogło dojść do wypadku, a gdyby zginął przed spowiedzią, mógł trafić do piekła. Przerażony przemógł wstyd i podszedł do siedzącego obok kierowcy ojca Ruffiera.

– Ojcze! Za szybko jedziemy. Boję się, że zginiemy.

Ruffier zmierzył go wściekłym wzrokiem i wrzasnął mu w twarz:

– Ty się boisz umrzeć, a mnie wstyd, żeś taki tchórz!

Niebawem pierzchły wszelkie wątpliwości. Paulo znienawidził księży („ciemnogród") i wszystko, co mu narzucali, niezależnie, czy dotyczyło to sfery świeckiej, czy duchowej. Jezuici go rozczarowali. To, co na początku brzmiało mu jak prawdy objawione, z czasem stało się „jadem sączonym w uszy wiernych po to, żeby obudzić nienawiść do życia". Przerażało go, że tak długo dawał się zwieść pustym słowom. „Byłem idiotą, uwierzyłem, że życie jest nic nie warte", napisał. „Myślałem wciąż o śmierci i ze strachu przed piekłem ciągle chodziłem do spowiedzi". Rozmyślał przez wiele bezsennych nocy, aż wreszcie w wieku siedemnastu lat podjął decyzję. Miał dość kościoła, kazań i rozważań o grzechu. Nie zamierzał też poprawiać ocen w szkole, gdzie właśnie rozpoczął kolejny rok nauki. Był pewien, że jest w stanie zaryzykować wszystko, by zostać pisarzem. Teraz jednak nie nazywał tego swoim powołaniem, lecz „zawodem".

Po pierwszym semestrze stało się jasne, że szkoła przestała być dla Paula priorytetem. „Byłem wcześniej złym uczniem, ale wtedy zostałem najgorszym". Sądząc po ocenach na koniec semestru nie było w tym przesady – był jednym z dwóch najsłabszych uczniów w klasie. Po pierwszej serii sprawdzianów jego średnia wyniosła niewiele ponad 5 na 10, a to tylko dzięki niespodziewanie wysokiej ocenie (9) z chemii. W maju średnia obniżyła się do 4,4, a w czerwcu spadła do tragicznego poziomu 3,7. Lygia i Pedro zostali wezwani do szkoły. Polecono im przynieść dzienniczek syna, co oznaczało, że czekały ich złe wieści. Jeden z księży odczytał im piąty paragraf regulaminu św. Ignacego: uczniowi, który nie otrzymał minimalnej średniej uprawniającej do promocji do następnej klasy, grozi usunięcie ze szkoły. Dalej ksiądz nie owijał w bawełnę: jeśli Paulo nadal nie będzie się uczył, zostanie relegowany, a ten niechlubny fakt zaważy na jego dalszej edukacji. Jest tylko jeden sposób, by oszczędzić wstydu chłopcu i jego rodzicom. Zanim rada pedagogiczna podejmie decyzję, należy przenieść syna do innej placówki. Na koniec ksiądz dodał, że w historii szkoły nigdy wcześniej nie zaproponowano nikomu takiego rozwiązania. Wyjątek czynią dla wnuka jednego z pierwszych uczniów św. Ignacego, Arthura Araripe Júniora, „mistrza Tuki", rocznik 1903.

Pedro i Lygia wrócili do domu zdruzgotani. Wiedzieli, że syn po kryjomu pali, czasem czuć było od niego alkohol. Wysłuchiwali skarg innych rodziców, że chłopak daje kolegom zły przykład. „To chuligan", szeptały po kątach ciotki. „Sprowadza inne dzieci na złą drogę". Ale do tej pory „dziwne" zachowanie Paula było tematem rozmów tylko w wąskim gronie rodzinnym. Teraz wyrzucenie go ze szkoły stanowiło publiczną zniewagę dla rodziców, oznakę ich klęski wychowawczej. „Syn jest wizytówką rodziny", powtarzał często Pedro. Teraz, według niego, Paulo okrył hańbą cały ród Coelhów.

W czasach, kiedy wobec dzieci stosowano kary cielesne, Lygia i Pedro nigdy nie podnieśli ręki na Paula. Ale na karę zasłużył, i to surową. Ojciec oświadczył, że zapisał syna do szkoły św. Andrzeja, gdzie miał kontynuować naukę w klasie o profilu ścisłym. Dodał, że od tej pory nie ma prawa do wakacji ani kieszonkowego. Na papierosy i piwo musi sam zarobić.

Jednak kara okazała się chybiona, bo Paula zachwyciła zmiana. Nowa szkoła była laicka, a do tego koedukacyjna, a więc czekała go najwspanialsza nagroda – dziewczyny. Były też dyskusje polityczne, klub kinomana, a nawet kółko teatralne, do którego Paulo dołączył, zanim zdołał poznać wszystkich nauczycieli. Jego przygoda z teatrem zaczęła się rok wcześniej – podczas wakacji zamknął się na trzy dni w swoim pokoju i napisał sztukę, a czwartego dnia na pierwszej stronie wykaligrafował tytuł: *Brzydal*. Jak sam napisał, była to farsa w stylu Aluísia Azevedo, której krótkie streszczenie zamieścił w dzienniku:

W tej sztuce ukazuję brzydkiego człowieka w społeczeństwie. To historia odrzuconego chłopaka, który popełnia samobójstwo. W tle przewijają się bezimienne postacie, a o uczuciach bohaterów opowiada czteroosobowy chór. W przerwie między pierwszym a drugim aktem siedzący z tyłu widowni mężczyzna śpiewa bossa novę, której słowa nawiązują do akcji z pierwszego aktu. Myślę, że to dobry pomysł. Jeszcze w tym roku wystawię ją w domu.

Zmysł krytyczny okazał się jednak silniejszy od próżności i tydzień później Paulo podarł sztukę na strzępy. W dzienniku znalazła się lakoniczna notatka: „Była do niczego. Niedługo napiszę drugą". W 1964 roku w nowym liceum zajął się dramatopisarstwem i związał ze szkolnym kółkiem teatralnym. Innymi przejawami życia szkolnego, jak nauczyciele czy klasówki, nie zaprzątał sobie głowy. Rzadko wspominał o szkole w pamiętniku, a gdy poświęcał jej uwagę, wyrażał się krytycznie i narzekał: „Źle mi idzie nauka. Jestem zagrożony z geometrii, fizyki i chemii", „Nie jestem w stanie zajrzeć do podręczników. Wszystko mnie rozprasza, tracę czas na głupstwa", „Lekcje dłużą się niemiłosiernie". Te skargi dowodzą, że Paulo nieuchronnie staczał się w przepaść.

W październiku, na dwa miesiące przed końcem roku, ze wszystkich przedmiotów miał średnią poniżej pięciu. Ojciec uznał, że najwyższy czas dać wyrodnemu synowi nauczkę. Na jego prośbę kuzyn Hildebrando Góes Neto załatwił Paulowi pracę w dziale robót ziemnych przedsiębiorstwa zajmującego się pogłębianiem portu w Rio de Janeiro. Pensja była tak niska, że nie pokrywała nawet kosztów przejazdu ani wydatków na papierosy. Codziennie po lekcjach Paulo biegł do domu, jadł obiad, a potem jechał autobusem do Santo Cristo w centrum miasta, skąd przeprawiał się do portu, gdzie spędzał resztę dnia. Każdą wyrzuconą na brzeg przez pogłębiarkę porcję piachu Paulo zaznaczał kredą na tabliczce. Zajęcie wydawało mu się całkowicie bezsensowne, jak w micie o Syzyfie pchającym pod górę głaz, który u szczytu stacza się w dół, zmuszając nieszczęśnika do nieustającej pracy. „Ta robota nie ma końca", żalił się w dzienniku. „Kiedy zdaje mi się, że skończyłem, wszystko zaczyna się od nowa".

Wymyślona przez ojca kara nie przyniosła pożądanego efektu. Paulo nie poprawił ocen. Pewien, że będzie powtarzać rok, napisał:

„Kolega powiedział, że nie przepuszczą mnie z matematyki. Mimo to poranek wydaje się taki piękny i tyle cudnych dźwięków słyszę dookoła. Jestem szczęśliwy. Boże, jak ja kocham życie! Jak cudnie jest żyć!". Na koniec roku jego obawy się potwierdziły. Średnia 4,2 na świadectwie oznaczała, że nie zaliczył żadnego przedmiotu.

Paulo zdawał się coraz bardziej obojętny na wszystko, co go otacza. Bez słowa skargi znosił harówkę w porcie, nie żalił się, gdy na Boże Narodzenie dostał od rodziców skromny prezent w postaci scyzoryka. Spędzał czas na lekturze. Czytał powieści, dramaty i poezję, do której z zapałem wrócił po kilku miesiącach przerwy. „Zanim dojrzeję do stworzenia pierwszego dzieła prozą, będę pisał wiersze", postanowił. „Mam już temat na powieść, ale nie potrafię jej ani zacząć, ani rozwinąć wątków. Brakuje mi cierpliwości", narzekał. „Mimo to jestem zdecydowany uprawiać ten zawód", kończył.

Szybko zadomowił się w nowej dzielnicy Gávea. Poznał młodych ludzi, którzy jak on interesowali się literaturą – grupę piętnastu osób, chłopców i dziewcząt. Razem stworzyli klub literacki o nazwie „Rota 15" („Szlak 15") od pierwszych liter imienia patrona ulicy Rodriga Otávia, która obok domu Paula krzyżowała się z ulicą

Leonela Franki. Na tym to rogu spotykali się członkowie klubu. Paulo pisał w takim tempie, że do planowanego przez członków klubu zbioru poezji zaproponował trzynaście swoich wierszy, między innymi nagrodzony utwór „Trzynastoletnia kobieta". W książeczce zamieszczono także krótką notę biograficzną: „Paulo Coelho rozpoczął karierę literacką w 1962 roku, pisząc artykuły do szkolnej kroniki. W 1963 roku został przyjęty do Akademii Literatury w szkole św. Ignacego. W tym samym roku Akademia przyznała mu pierwszą nagrodę w konkursie poetyckim". Klub „Rota 15" zakończył działalność w atmosferze skandalu. Młodego Coelho oskarżono, że jako skarbnik ukradł klubowe pieniądze, żeby kupić sobie bilet na koncert francuskiej piosenkarki Françoise Hardy w Rio.

Paulo uznał, że jest już na tyle dojrzałym poetą, że nie musi zabiegać o poparcie amatorskich klubów i pisemek. Nadszedł czas rozwinąć skrzydła. Marzył o pochlebnej recenzji – choćby krótkiej wzmiance o jego twórczości – w cotygodniowej rubryce „Pisarze i Książki" José Condégo w gazecie „Correio da Manhã". Jednym zdaniem Condé mógł przyczynić się do wielkiego sukcesu lub klęski pisarza. Słynący z ciętego języka krytyk był też współautorem zbioru esejów zatytułowanego *Os Sete Pecados Capitais [Siedem grzechów głównych]*, który zawierał teksty takich sław, jak

Guimarães Rosa, Otto Lara Resende, Carlos Heitor Cony czy Lygia Fagundes Telles. Paulo podziwiał suchy styl Condé i głęboko wierzył, że przenikliwe oko tego krytyka dostrzeże w jego twórczości ziarno ukrytego talentu. Do antologii wydanej przez „Rota 15" dodał dziewięć nowych wierszy, dopracował szatę graficzną i wysłał do redakcji gazety. W następną środę pobiegł do kiosku, kupił nowy numer „Correio da Manhã" i niecierpliwie szukał czegoś na swój temat. Musiał być zaskoczony tym, co znalazł, bo wyciął artykuł, wkleił do dziennika i napisał: „Tydzień temu wysłałem swoje wiersze do J. Condé z prośbą o opinię, a oto co dziś znalazłem w gazecie" – oburzyło go *postscriptum* do artykułu:

> *Pamięci młodych gniewnych, którzy nie mogą się doczekać wydania swych dzieł, polecam postać Carlosa Drummonda de Andrade, który w ciągu piętnastu lat opublikował zaledwie trzy tomiki poezji, w sumie 144 wiersze. Niedawno pewien krytyk przypomniał, że Ernest Hemingway 20 razy przepisywał swe krótkie arcydzieło* Stary człowiek i morze.

Paula zaskoczył oschły ton tej wypowiedzi. Niedawno dziękował Bogu, że odkrył swe powołanie, teraz pojawiły się wątpliwości. „Chyba przestanę pisać", zanotował. „Może rzeczywiście żaden ze mnie pisarz?". Z szoku szybko się otrząsnął. Podobnie jak jego kolega, który kąpał się w lodowatej wodzie, żeby odzyskać wiarę w Boga, postanowił walczyć o marzenia i przywdział wojenną zbroję. Cios zadany przez Condé był mocny, ale Paulo nie zamierzał się poddać. Cały następny dzień rozmyślał o tekście krytyka z „Correio". Wieczorem próbował się odprężyć, oglądając w telewizji słynny serial amerykański *Doktor Kildare* o perypetiach młodego lekarza (w tej roli wystąpił Richard Chamberlain) w wielkim szpitalu. Wyłączył telewizor przed końcem odcinka i zanotował w dzienniku:

> *W dzisiejszym odcinku dyrektor szpitala mówi do lekarza: „Nie powinienem wtrącać się do twojego życia, Jim. Każdy z nas ma do osiągnięcia jakiś cel". Dla mnie tym celem jest zostać pisarzem, i dopnę swego.*

Zachwycony własną postawą napisał wiersz wzorowany na słynnym utworze „If" Rudyarda Kiplinga (po polsku znanym także jako „List do syna"):

Jeśli umiesz szukać pomocy u przyjaciół i wrogów,
Jeśli w słowie „nie" słyszysz cień „być może",

Jeśli zaczynasz od zera, a widzisz w tym tak wiele,
Jeśli masz siłę pracować nad sobą
i dojść do szczytu nie tknięty próżnością,
Zostaniesz pisarzem.

Zaprzątnięty wielkimi sprawami, z niechęcią myślał o powrocie do szkoły. Perspektywa ta tak go przerażała, że postanowił zrealizować plan, który na kilka lat mógł go uwolnić od konieczności nauki. Podobnie jak paru jego kolegów chciał zdobyć stypendium i wyjechać z kraju. Ku radości rodziców zapisał się do American Field Service, popularnej wówczas instytucji zajmującej się wymianą kulturalną. Sądząc po ocenach, był całkiem niezły z angielskiego, miał więc szansę na stypendium. Przez kolejne dwa tygodnie w wolnym czasie wypełniał formularze, gromadził świadectwa szkolne, robił zdjęcia paszportowe i pisał podania. O stypendium ubiegało się początkowo siedmiu kandydatów. Po pierwszej turze egzaminów zostało czterech, a do ostatniego etapu przeszło tylko trzech, w tym Paulo. Ze Stanów przysłano egzaminatora, który miał odbyć z kandydatami rozmowę – oczywiście po angielsku.

Paulo był tak zdenerwowany, że kiedy usiadł przed egzaminującą go młodą dziewczyną, poczuł straszliwy ucisk w mostku. Na chwilę zapomniał o swych kłótniach z Panem Bogiem i zaczął się modlić o pomoc. Atak astmy się nasilił. Siny, z wybałuszonymi oczami, próbował wyciągnąć z kieszeni inhalator. Zamiast słów z jego ust wydobywało się bełkotliwe rzężenie. Przerażona Amerykanka patrzyła na niego bezradnie. Po kilku minutach atak minął. Paulo odprężył się i przebrnął przez rozmowę, ale po wyjściu miał złe przeczucia. „Przez astmę wszystko przepadło", napisał później. Miesiąc przed terminem wyjazdu przyszedł list, w którym powiadomiono go, że jego kandydatura została odrzucona. Paulo nie wiązał niepowodzenia ze znajomością języka, lecz z faktem, że jego matka była kiedyś w Stanach. „Pewnie woleli wybrać osobę, której rodzina nigdy nie była w Ameryce", pocieszał się. „Chyba uznali, że jak na Stany Zjednoczone jestem intelektualnie zbyt rozwinięty".

W tym czasie przeżywał kolejną wielką fascynację. Tym razem obiekt jego uczuć był z krwi i kości, miał piwne oczy, długie nogi i nosił wdzięczne imię Márcia. Siedemnastoletni Paulo wciąż był niski i chudy, ważył 50 kilo, co przy 169 centymetrach wzrostu oznaczało przynajmniej 10 kilo poniżej normy. Nawiasem mówiąc, na tych 169 centymetrach Paulo się zatrzymał. Do tego nie był urodziwy, co sam z goryczą przyznaje: „Byłem brzydki, chudy jak patyk i pozbawiony jakichkolwiek walorów zewnętrznych, którymi mógłbym zainteresować dziewczyny". „Z powodu wyglądu miałem spore kompleksy", wspominał później w wywiadach. Większość chłopców nosiła koszule z krótkim rękawem, żeby chwalić się bicepsami, Paulo natomiast zawsze chował wątłe ramiona pod długimi rękawami. Wypłowiałe, wytarte dżinsy podtrzymywał na chudym ciele nieproporcjonalnie szerokim paskiem. Do tego nosił druciane okulary z kolorowymi szkłami, jakie kilka lat później stały się znakiem rozpoznawczym Johna Lennona. Zakrywające uszy długie włosy opadały mu na ramiona. Zapuścił też wąsik i kozią bródkę.

Młodsza o rok Márcia była jego sąsiadką. Mieszkała w domu u zbiegu ulic Rodriga Otávia i Leonela Franki. Chodziła do tej samej szkoły i należała do klubu „Rota 15". Miała długie, jasne włosy, zgrabny nosek i migdałowe oczy. Brat i rodzice nie spuszczali jej z oczu, uchodziła za kokietkę i była najbardziej adorowaną dziewczyną w klasie. Nieśmiały, zakompleksiony Paulo nie mógł zrozumieć, dlaczego zwróciła na niego uwagę. Może zaimponował jej swoimi wystąpieniami w burzliwych dysputach o filmie, książkach i teatrze, jakie toczył z drugim intelektualistą w grupie, Alcidesem Linsem, zwanym Cidinho. Wszyscy czuli się „egzystencjalistami" – choć mało kto spośród członków grupy znał znaczenie tego słowa. Paulo nie ubierał się modnie, nie miał samochodu, był chudy i niepozorny, a mimo to Márcia patrzyła na niego z uwielbieniem, szczególnie gdy opowiadał o książkach lub deklamował wiersze sławnych poetów. Początkowo przyszły autor bestsellerów nie zauważał zainteresowania okazywanego mu przez dziewczynę. W końcu Márcia przejęła inicjatywę.

W sylwestrową noc 1964 roku Paulo zakończył kolejny zeszyt melancholijnym stwierdzeniem: „Dziś ostatni dzień 1964 roku, roku pełnego upokorzeń". Dwa dni później w wisielczym nastroju poszedł ze znajomymi do teatru Arena na Copacabanie, gdzie w przedstawieniu *Opinião* występowała piosenkarka Nara Leão. Márcia usiadła obok Paula, a gdy zgasły światła i zabrzmiały pierwsze takty piosenki „Peba na Pimenta" João do Vale, dziewczyna poczuła delikatne muśnięcie czyjejś dłoni. Dyskretnie zerknęła w bok. Widząc, że to Paulo, bez wahania ścisnęła go za rękę. Jej sąsiad tak się przeraził, że był bliski ataku astmy. Na szczęście po chwili się uspokoił: „Byłem pewien, że to Bóg pokierował jej dłonią", wspominał po latach. „Pomyślałem, że Stwórca na pewno nie chciał mnie pokarać atakiem astmy". Paulo poczuł, że rodzi się między nimi wielka miłość. Nara Leão bisowała kilka razy, śpiewając motyw przewodni spektaklu – piosenkę Zé Kétiego, która stała się hymnem opozycji wobec dyktatury, ustanowionej w Brazylii dziewięć miesięcy wcześniej. Wychodząc z teatru, Paulo wciąż słyszał słowa piosenki:

Możecie mnie bić, zamknąć
Możecie mnie nawet głodzić
Nie zmienię zdania
Nie opuszczę mojego domu, o nie!

Zdjęli buty i poszli na plażę Copacabana. Paulo objął Márcię i chciał ją pocałować w usta, ale dziewczyna odepchnęła go delikatnie:

– Nikt mnie jeszcze nie całował w usta.

– Spokojnie, całowałem się z niejedną dziewczyną – odparł Paulo z nonszalancją godną Don Juana. – Żadna się nie skarżyła.

W upalną noc, pod rozgwieżdżonym niebem Rio pocałowali się po raz pierwszy. Tę chwilę oboje zapamiętali na całe życie. Rok 1965 nie mógł rozpocząć się lepiej. Znajomość z Márcią dała Paulowi wewnętrzny spokój, jakiego nigdy wcześniej nie zaznał, nawet podczas wspaniałych wakacji w Araruamie czy Belém. Był w tak dobrym nastroju, że nie przejął się porażką w konkursie poezji pod patronatem Instytutu Narodowego Mate. „Jedna nagroda mniej, jedna więcej. Cóż to znaczy dla mężczyzny, którego wybrała Márcia", skomentował beztrosko. Kolejne strony zeszytu zapełniały się rysunkami przebitych strzałą serc oraz imionami zakochanych.

Jednak szczęście trwało krótko. Pod koniec lata rodzice Márcii dowiedzieli się o narzeczonym i byli nieubłagani: każdy chłopak, byle nie ten. Na pytanie dziewczyny, skąd ta niechęć, matka odparła wprost:

– Po pierwsze, jest brzydki. Nie rozumiem, co taka śliczna dziewczyna może widzieć w tym brzydalu. Po drugie, ty lubisz się bawić, a on nie umie tańczyć i jest chorobliwie wstydliwy. Interesują go tylko książki. Po trzecie, wygląda na chuchro.

Márcia odparła, że Paulo jest całkiem zdrowy, cierpi tylko na astmę, ale ta przypadłość trapi miliony ludzi na świecie i są sposoby, żeby się z niej wyleczyć. Zresztą, dodała, nie ma to związku z jego charakterem. Matka uznała jednak, że poza uleczalną astmą Paulo może być nosicielem groźnych „chorób zakaźnych".

– Słyszałam, że jest egzystencjalistą, a do tego komunistą. Nie chcę o nim więcej słyszeć!

Córka nie dała za wygraną. Poskarżyła się Paulowi i razem postanowili widywać się w tajemnicy. Spotykali się u znajomych, a więc rzadko mieli szansę choć przez chwilę być ze sobą sam na sam. Czasem widywali się nad jeziorem Rodrigo de Freitas, gdzie pływali na rowerach wodnych. Paulo zachowywał się nonszalancko, choć w rzeczywistości jego doświadczenia seksualne sprowadzały się do jednego zbliżenia, które miało miejsce kilka miesięcy wcześniej. Kiedy jego rodzice poszli do kina, namówił na łóżko nową służącą Magdalenę, dziewczynę zaledwie osiemnastoletnią, ale na tyle doświadczoną, że tę pierwszą noc z kobietą Paulo zapamiętał na całe życie.

Kiedy do rodziców Márcii dotarło, że córka wciąż chodzi z „tym typem spod ciemnej gwiazdy", wzmogli czujność i zabronili rozmów telefonicznych. Niebawem odkryli, że młodzi nastawiali budziki na czwartą rano i pod osłoną nocy szeptali sobie czułe słówka do słuchawki. Tym razem kara była surowsza, bo dziewczynę zamknięto na miesiąc w domu. Márcia nie poddawała się i za pośrednictwem służącej słała ukochanemu liściki miłosne, informując go, kiedy może zobaczyć ją w oknie. Któregoś ranka na chodniku przed jej domem pojawił się wielki napis: „P. kocha M.".

Po miesiącu „szlabanu" matka znów przypuściła atak na Márcię. Chłopak nie nadawał się do niczego, nie miał przyszłości, ich związek nie przetrwa próby czasu. Dziewczyna powtarzała jednak z uporem, że nie zrezygnuje z miłości i chce wyjść za Paula. Na takie deklaracje jedna z ciotek zasugerowała, że tak chorowity chłopak nie będzie w stanie spełniać powinności małżeńskich. „Wiesz, o czym mówię, kochanie?", dopytywała się. „Małżeństwo, seks, dzieci... Czy taki cherlak może normalnie żyć?". Ale i te przestrogi nie zrobiły na Márcii wrażenia. Znowu zaczęła po kryjomu widywać się z Paulem. Znaleźli idealną kryjówkę w pobliskim kościele. Żeby nie wzbudzać podejrzeń, rozmawiali szeptem i nigdy nie siadali w ławce obok siebie, tylko jedno za drugim. Mimo takich środków ostrożności ojciec Márcii przyłapał ich na gorącym uczynku, zawlókł płaczącą córkę do domu i wymierzył jej karę godną przewinienia – kilka bolesnych razów pasem.

Dziewczyna nadal trwała w postanowieniu: będzie się spotykać z ukochanym, a potem zostanie jego żoną. Planom Márcii sprzeciwiała się także rodzina Coelhów, która krzywo patrzyła na wybrankę syna. Młodzież często organizowała prywatki i Paulo ubłagał rodziców, żeby pozwolili mu zaprosić przyjaciół do siebie. Spotkanie okazało się katastrofą. Pedro na chwilę nie spuszczał młodzieży z oka. Widząc syna przytulonego w tańcu do Márcii, podszedł do nich, stanął niczym żandarm i tak długo wpatrywał się w dziewczynę, aż ta zawstydzona odsunęła się. Tak było za każdym razem, kiedy któryś z chłopców zbytnio przytulał do siebie partnerkę lub kładł rękę poniżej jej talii. Inżynier Pedro zostawiał tańczącą parę w spokoju dopiero, kiedy młodzi zachowywali „przyzwoitą" odległość. Do tego obowiązywała zasada „zero alkoholu", choć pojawiło się kilka puszek piwa. Trudno się dziwić, że była to pierwsza i ostatnia prywatka w różowej willi państwa Coelho.

Mimo licznych przykrości nic nie było w stanie zakłócić szczęścia Paula. Po dwóch miesiącach idylli matka wezwała Márcię na rozmowę. Wobec klęski dotychczasowych działań postanowiła użyć innego argumentu. Zbliżały się urodziny córki, wobec czego zaproponowała:

– Jeśli przestaniesz widywać się z Paulem, możesz pójść do najdroższego sklepu w Rio i kupić sobie, co tylko zechcesz.

Dobrze wiedziała, że córka ma słabość do strojów. Początkowo Márcia uznała propozycję za „paskudny szantaż", ale po namyśle doszła do wniosku, że dość się nacierpiała w imię miłości i że bez akceptacji rodziców związek z Paulem nie ma przyszłości. Oboje byli niepełnoletni i zależni finansowo od rodziny. Propozycja rozejmu warta była przemyślenia i Márcia w końcu uległa. Kiedy przyszedł list informujący o zerwaniu, Paulo się załamał. Zalewając się łzami pisał w dzienniku, że marzył, by ich miłość miała tragiczny finał, jak u Romea i Julii. „Myślałem, że z Gávei zrobię drugą Weronę, a skończyło się na paru sukienkach".

Opuszczony przez Márcię, swą Wielką Miłość (pisane dużymi literami), Paulo popadł w depresję. Rodzice coraz bardziej niepokoili się jego stanem. Mimo fatalnej średniej na koniec semestru, nie wymierzyli mu kary i wysłali syna na karnawał do Araruamy, dokąd Paulo udał się autobusem w piątkowy wieczór. Koniec tygodnia spędził w minorowym nastroju. Nie poszedł nawet oglądać tancerek na ulicach miasta. W poniedziałek wieczorem spotkał się z kolegami na piwie w pobliskiej dyskotece. Kiedy na stole było gęsto od pustych puszek, Carlinho rzucił pomysł:

– Rodzice wyjechali, w garażu stoi samochód. Jeśli któryś umie prowadzić, przejedziemy się po mieście.

– Ja mogę prowadzić – rzekł Paulo, który nigdy wcześniej nie siedział za kierownicą.

Zapłacili za piwo, poszli do Carlinha i we czwórkę wsiedli do samochodu. Jechali w stronę głównej ulicy, gdzie defilowały szkoły samby, kiedy nagle w całym mieście zgasły światła. Niczym nie zrażony Paulo nadal jechał wśród tłumu gapiów i tancerzy. Nagle jak spod ziemi przed maską samochodu wyrosła grupa mężczyzn przebranych za kobiety. Paulo gwałtownie skręcił, jednocześnie dodając gazu.

– Uważaj! Dziecko! – krzyknął jeden z jego towarzyszy.

Było za późno. Poczuli uderzenie ciała o maskę. Paulo nie zdjął nogi z gazu. Chłopcy odwrócili się przerażeni i zobaczyli leżącego na ziemi chłopca.

– Paulo! Uciekaj! Zabiłeś dziecko! – wołali.

casa de saúde
dr. eiras s/a rua assunção n.° 2 - botafogo - tel. 551-8442 - c.g.c. 34.161.232/0001-43 - insc. mun. 430.653.01

Rio de Janeiro, 05 de maio de 1998.

Ofício nº 2269
Ilmo. Sr.
Paulo Coelho de Souza
Av. Atlântica, nº 3370 aptº 701 - Copacabana
Rio de Janeiro - RJ

Prezado Senhor,
Em resposta ao seu requerimento de 24 de abril de 1998, transcrevemos, abaixo, os dados constantes do prontuário médico em nome de **Paulo Coelho de Souza**:

Internações:
- 1ª 01.06.65 a 28.06.65 -> Alta médica
- 2ª 20.07.66 a 09.09.66 -> Alta por evasão
- 3ª 28.06.67 a 09.07.67 -> Alta por evasão

Histórico:
- **1ª internação:** segundo o pai, o paciente vem apresentando modificações psicológicas, principalmente no que se refere à conduta. Tornou-se agressivo, irritável, hostilizando abertamente os genitores. Até politicamente mostra-se contrário aos pai-sic. Na escola, vem decaindo progressivamente e fala em largar os estudos. A mãe pensa que o paciente enfrenta problemas de ordem sexual, pois tem fimose e não parece ter amadurecido suficientemente-sic. Quando não consegue obter o desejado, usa de artifícios nem sempre aceitáveis. Assim, assinara pelo pai um atestado que o mesmo se recusara a dar-sic. "Sinto que o menino vem tomando atitudes cada vez mais extremadas e isto nos levou a interná-lo." Ultimamente estava trabalhando como repórter e parece que tinha boa produtividade, pois iria ser efetivado-sic.
- **2ª internação:** Queixasse apenas de cansaço. Nega-se a dar informações. Está calmo, bem orientado no tempo e no espaço.
- **3ª Internação:** Internado para observação e tratamento.

Diagnóstico: CID 10 (JANEIRO/98) -> F60.1
Tratamento: Psicotrópicos, complexo vitamínico, antitóxicos.
Médico Assistente: Dr. Benjamim Gomes

Atenciosamente,

p/ Dr. Heyder Gomes de Mattos
Diretor-Técnico

Dr. Antonio Paris
Médico

Nota: A divulgação deste laudo é de exclusiva responsabilidade do requerente.

Cód.: 046

Po latach Paulo poprosił w szpitalu Dra Eirasa o odpis swojej karty pacjenta. Jak powiedziała lekarzowi matka, syn jest „porywczy, łatwo się irytujący, wrogo nastawiony do otoczenia, ma poglądy polityczne sprzeczne z przekonaniami rodziców, a do tego problemy o podłożu seksualnym".

5.

Żeby przebłagać anioła śmierci, Paulo zabija kozę, obryzgując krwią ściany domu

Chłopiec nazywał się Luís Cláudio, zwany zdrobniale Claudinho, i był synem krawca Laura Vieiry de Azevedo. Miał siedem lat i mieszkał przy ulicy Oscara Clarka, blisko domu wuja José. Uderzenie było tak silne, że ciało zostało odrzucone daleko od samochodu, a z otwartej rany brzucha wypłynęły wnętrzności. Nieprzytomnego chłopca przewieziono do jedynego szpitala w Araruamie. Na miejscu stwierdzono ponadto złamanie ręki. Ponieważ chłopiec się wykrwawiał, lekarz zarządził transfuzję, mimo to ciśnienie tętnicze dramatycznie spadało. Cláudio walczył o życie.

Po potrąceniu chłopca Paulo nie dość, że nie zawrócił, żeby udzielić pierwszej pomocy, ale uciekł z miejsca wypadku. Miasto wciąż tonęło w ciemnościach. Chłopcy zostawili samochód w garażu i poszli do Maurícia. Po drodze dochodziły do nich wieści o wypadku. Przerażeni, że chłopiec może umrzeć, zgodnie postanowili milczeć i nigdy nikomu nie zdradzić tajemnicy. Rozeszli się do domów. Paulo wrócił do wuja José, jak gdyby nic się nie stało (napisał potem, że był to z jego strony „szczyt cynizmu"). Pół godziny później wybuchł skandal. Jeden ze świadków zdarzenia rozpoznał Maurícia i Aurélia, których wkrótce aresztowano. Podczas przesłuchania wydali pozostałych kolegów. Wuj wyjaśnił Paulowi powagę sytuacji.

– Dzieciak walczy o życie. Miejmy nadzieję, że przeżyje. Jeśli nie, będziesz miał kłopoty. Twoi rodzice o wszystkim już wiedzą. Przyjadą z Rio, żeby porozmawiać z policją i prokuratorem. Od tej pory nie wolno ci wychodzić z domu. Tylko tutaj jesteś bezpieczny.

Wuj wiedział, że ojciec poszkodowanego cieszy się złą sławą i może zrobić Paulowi krzywdę. Jego obawy okazały się słuszne. Prosto ze szpitala, gdzie leżał jego nieprzytomny syn, krawiec przyszedł pod dom wuja José w towarzystwie dwóch rzezimieszków. Kiedy José wyszedł na próg, wzburzony zaczął wymachiwać mu przed nosem rewolwerem.

– Panie Araripe! Mój Claudinho umiera w szpitalu. Dopóki nie odzyska przytomności, pański siostrzeniec nie wyjedzie z Araruamy, a jeśli mój dzieciak umrze, obok niego pochowamy Paula. Zabiję go! Przysięgam!

Nad ranem zjawili się Lygia i Pedro. Zanim zobaczyli się z synem, poszli do sędziego, od którego się dowiedzieli, że „sprawca" nie opuści miasta bez jego zgody. Obecność rodziców nie uspokoiła Paula. Całą noc nie zmrużył oka. Drżącą ręką pisał:

Najdłuższa noc w moim życiu. Przeżywam katusze, nie wiem, w jakim stanie jest chłopiec. Najgorsze było to, kiedy po wypadku szliśmy do Mauricia i wszyscy dookoła mówili, że dzieciak nie żyje. Marzyłem, żeby rozpłynąć się w powietrzu, zniknąć. Márcio, jesteś moją jedyną pociechą. Pewnie oskarżą mnie o prowadzenie samochodu bez prawa jazdy, a jeśli chłopakowi się pogorszy, wytoczą mi proces i wyślą do kolonii karnej.

To były straszne chwile. We wtorek rano całe miasto wiedziało o groźbach krawca. Pod domem wuja José gromadziły się tłumy gapiów. Lygia i Pedro postanowili odwiedzić rodziców chłopca, żeby przeprosić za to, co się stało i zapytać o stan ich syna. Lygia przygotowała kosz pełen owoców z nadzieją, że matka dziecka zawiezie je do szpitala. Krawiec czekał na nich na progu domu. Kazał im się wynosić i powtórzył swoją groźbę („Wasz syn nie wyjedzie, dopóki mój nie wyzdrowieje"). Podarunku nie przyjął.

– Tu nikt nie przymiera głodem. Nie potrzebujemy jałmużny. Chcemy, żeby syn wrócił do domu.

Paulo opuszczał swój pokój tylko po to, by dowiedzieć się o stan dziecka. Każdą informację zapisywał w dzienniku.

[...] Rano pojechali do szpitala. Gorączka spadła. Może jego ojciec wycofa skargę.

[...] Całe miasto już wie. Nie mogę wyjść z domu. Szukają mnie. Podobno wczoraj w dyskotece pytał o mnie jakiś tajniak.

[...] Chłopiec znów ma wysoką gorączkę.

[...] w każdej chwili mogą mnie aresztować. Ktoś im powiedział, że jestem pełnoletni. Teraz wszystko zależy od Claudinha.

Gorączka kilka razy spadała i znów się podnosiła. Claudinho odzyskał przytomność w środę rano, dwa dni po wypadku, ale dopiero wieczorem lekarze rozwiali wszelkie wątpliwości – stan chłopca jest stabilny, dziecko wkrótce dojdzie do siebie. W czwartek o świcie Pedro Coelho zawiózł syna do sądu celem złożenia zeznań. Musiał też podpisać zobowiązanie, że pokryje koszty pobytu chłopca w szpitalu. Cláudio szybko wrócił do zdrowia i jedyną pamiątką po wypadku była duża blizna na podbrzuszu, która została mu do końca życia. Jednak los jest nieubłagany. Trzydzieści cztery lata później, 15 lutego 1999 roku, Claudinho zginął tragicznie. Pracował wówczas jako handlowiec, miał żonę i dwoje dzieci. W karnawałową noc wywlekli go z własnego domu dwaj zamaskowani bandyci należący do mafii okradającej ciężarówki. Żądali okupu, długo go torturowali, po czym związali, oblali benzyną i podpalili.

W 1965 roku, po cudownym wyzdrowieniu chłopca, sytuacja Paula wciąż była trudna. W Rio rodzice zakazali mu przez miesiąc wychodzić wieczorem z domu. Potem nałożyli kolejną karę – powrót do pracy w porcie, żeby oddać ojcu 100 tysięcy cruzeiros (ówczesną równowartość 1600 dolarów), wydane na leczenie poszkodowanego.

W szkole rozpoczął się drugi semestr. Informacje o ocenach przyniesione po dwóch miesiącach obudziły w rodzinie Coelhów nowe nadzieje. Z kilku przedmiotów Paulo był wprawdzie zagrożony, za to z portugalskiego, filozofii i chemii dostał oceny powyżej 6. Nie było to wiele, ale oznaczało postęp w stosunku do wcześniejszych dokonań. Niestety, następna ocena okresowa wypadła dużo gorzej – średnia 4,6, a trzecia wręcz fatalnie – 2,5. To były trudne dni dla Paula. Pedro Queima Coelho de Souza wpadał w furię, walił pięściami w stół, odbierał synowi kieszonkowe, nakładał kolejne kary, ale Paulo na wszystko pozostawał obojętny.

– Mam dosyć szkoły – powtarzał kolegom. – Zrobię wszystko, żeby się z niej wyrwać.

Z młodzieńczą energią realizował plan, by zostać pisarzem. Nie zniechęcał go brak sukcesów i mocno wierzył w swój talent. Doszedł do wniosku, że problem sprowadza się do jednego – promocji. Podczas długich wieczornych spacerów po Copacabanie w towarzystwie przyjaciela Eduarda Jardima często roztrząsał ten temat („Co zrobić, żeby zostać sławnym pisarzem?"). Jego rozumowanie było proste. Uważał, że świat staje się coraz bardziej materialistyczny (za sprawą zarówno komunizmu, jak i kapitalizmu). Naturalną koleją rzeczy jest zanik sztuki, w tym literatury. Jedynie odpowiednia promocja sztuki uchroni świat przed kulturalną apokalipsą. Dotyczy to przede wszystkim literatury, jak niejednokrotnie podkreślał w rozmowach z Eduardem. Nie jest tak powszechnie dostępna jak muzyka i nie trafia bezpośrednio do młodych ludzi. „Jeśli nikt nie zarazi tego pokolenia miłością do literatury, niebawem książki odejdą do lamusa", przekonywał. Na koniec podawał własną receptę na sukces:

– Moim najważniejszym celem będzie propagowanie tego, co napiszę. Sam się tym zajmę. Poprzez promocję moich powieści zmuszę ludzi do ich czytania i wydawania opinii. Dzięki temu moje książki będą się lepiej sprzedawały. Najważniejsze to rozbudzić zainteresowanie i szacunek do moich przekonań wśród szerokich rzesz czytelników.

Jardim słuchał z rosnącym zdumieniem, jak Paulo śmiało roztacza przed nim wizję kolejnych etapów swojej kariery, gdy zdobędzie już serca czytelników.

– Tak jak Balzac będę pisał pod pseudonimem artykuły na własny temat, zarówno przychylne, jak i krytyczne. Ale to dopiero później.

– Paulo, myślisz jak kupiec – oponował Jardim. – Promocja to fałsz, wciska ludziom na siłę to, czego nie chcą.

Jednak Paulo, głęboko przekonany o słuszności swych założeń, w styczniu tego roku umieścił na blacie biurka plan działań, który zamierzał wprowadzić w życie dla zdobycia popularności.

ZAŁOŻENIA LITERACKIE NA ROK 1965

Raz w tygodniu kupować wszystkie czasopisma wychodzące w Rio.

Czytać wiadomości literackie, nawiązać kontakt z redaktorami prowadzącymi i naczelnymi czasopism. Wysyłać teksty redaktorom prowadzącym i listy z komentarzami redaktorom naczelnym. Dzwonić, pytać o datę ukazania się tekstu. Mówić o własnych planach i założeniach.

Szukać poparcia u innych osób, które mogą ułatwić mi publikację.

Powtarzać działania dotyczące czasopism.

Dowiedzieć się, czy któryś z adresatów chce regularnie otrzymywać moje teksty.

Propagować własną twórczość w radiu. Podsuwać pomysły na program autorski lub przesyłać informacje o moim udziale w innych programach. Nawiązać kontakt telefoniczny i sprawdzać, kiedy na antenie będą czytane moje teksty (jeśli zajdzie taka potrzeba).

Znaleźć adresy znanych pisarzy i wysyłać im moje wiersze z prośbą o opinię i poparcie w celu publikacji. Pisać ponownie, jeśli nie odpowiedzą.

Chodzić na wszystkie wieczory autorskie, prelekcje, premiery teatralne. Rozmawiać z wpływowymi osobami, dać się poznać.

Wystawiać spektakle oparte na moich sztukach. Zapraszać ludzi z kręgów literackich starszego pokolenia w celu uzyskania ich „błogosławieństwa" i poparcia.

Szukać kontaktów z pisarzami młodego pokolenia, stawiać im drinki, pojawiać się w miejscach, w których bywają. Nadal propagować własną twórczość wśród kolegów i zawsze informować ich o swoich sukcesach.

Przepisany na maszynie plan działania zdawał się doskonały, ale w rzeczywistości Paulo wciąż był w upokarzającej pozycji początkującego pisarza. Nie wydawał, nie poznał żadnego krytyka literackiego ani dziennikarza, nikogo, kto mógłby otworzyć mu drzwi do sukcesu. Do tego w szkole wiodło mu się coraz gorzej i chodził na zajęcia z rosnącą niechęcią. Uważał, że niepotrzebnie traci czas, a oceny miał coraz słabsze. Zachowywał się, jakby żył w innym świecie. Z letargu otrząsnął się dopiero, kiedy poznał nowego kolegę, Joela Macedo, z klasy o profilu klasycznym. Byli w tym samym wieku, ale poza tym wszystko wydawało się ich dzielić. Joel był otwarty, miał ukształtowane poglądy polityczne, należał do tzw. pokolenia „Paissandu", młodej, radykalnej inteligencji, której przedstawiciele zbierali się w kinie Paissandu w dzielnicy Flamengo. Organizował różne imprezy kulturalne, był szefem grupy teatralnej TACA i redaktorem naczelnym gazety „Agora", wydawanej przez uczniów liceum św. Andrzeja. Na prośbę Joela Paulo został jednym z jej redaktorów. Gazetka spędzała sen z powiek dyrekcji konserwatywnej szkoły, ponieważ pisano w niej o aresztowaniach i represjach, jakich dopuszczała się dyktatura.

Przed Paulem otworzyły się drzwi do nowego świata. Wejście do grupy Paissandu oznaczało, że stał się częścią śmietanki intelektualnej Rio i mógł poznać najsłynniejszych opozycjonistów lewicowych tamtych czasów. Byli to filmowcy, muzycy, dramatopisarze i dziennikarze, którzy nadawali ton życiu kulturalnemu miasta. Spotykali się w kinie oraz w dwóch pobliskich barach, Oklahomie i Cineramie. Na „zakazanych seansach", które odbywały się w piątki o północy, pokazywano nowości kina europejskiego. Siedemset wejściówek rozchodziło się błyskawicznie. Paulo nie miał zainteresowań politycznych ani społecznych, ale jego egzystencjalnemu niepokojowi odpowiadała atmosfera kina Paissandu. Wkrótce poczuł się tam jak ryba w wodzie.

Nadszedł jednak dzień, kiedy musiał wyznać Joelowi, dlaczego nie przychodzi na piątkowe „zakazane seanse", na które było zawsze tylu chętnych.

– Dopiero za kilka miesięcy skończę osiemnaście lat, a tam pokazują głównie filmy dla dorosłych – tłumaczył. – Zresztą jeśli wrócę po jedenastej, ojciec nie otworzy mi drzwi.

Joel uważał, że siedemnastoletni chłopak nie powinien godzić się na takie traktowanie.

– Musisz walczyć o swoją wolność. Jeśli chodzi o wiek, sprawę łatwo można załatwić. Zmień datę urodzenia w legitymacji szkolnej. Ja tak zrobiłem.

Po chwili znalazł również sposób, jak rozwiązać problem późnego powrotu do domu.

– W piątki możesz nocować u mnie w Ipanemie.

Po sfałszowaniu legitymacji i zapewnieniu sobie lokum Paulo zaczął przygodę z kinem. W ten sposób poznał filmy Jean-Luc Godarda, Glaubera Rochy, Michelangela Antonioniego, Ingmara Bergmana i Roberta Rosselliniego.

Jedna sprawa wciąż wymagała rozwiązania. Za wejściówki, piwo i papierosy trzeba było płacić. Nie były to duże kwoty, ale pozbawiony kieszonkowego Paulo nie miał ani grosza. Szczęśliwie pomoc przyszła nieoczekiwanie ze strony ojca. Przyjaciel Pedra, Luís Guimarães był redaktorem naczelnym wpływowej gazety „Diário de Notícias", a jej właścicielką szwagierka pana Coelho, Ondina Dantas. Pedro umówił syna na spotkanie z dziennikarzem. Kilka dni później Paulo rozpoczął pracę w gazecie jako „foka", co w żargonie dziennikarskim oznaczało nowicjusza. Redakcja mieściła się przy ulicy Riachuelo w centrum miasta. Do czasu podpisania umowy Paulo nie dostawał pensji. Problem finansowy pozostał, ale były też dobre strony nowego układu. Praca dawała szansę na wyzwolenie się spod kontroli ojca. Paulo bywał w domu coraz rzadziej. Rano wychodził do szkoły, wracał na obiad, po południu pracował w gazecie, a wieczory spędzał w Paissandu. Mieszkanie Joela stało się jego drugim domem.

W redakcji „fokom" powierzano mało odpowiedzialne zadania. Adepci dziennikarstwa pisali o dziurawych jezdniach, kłótniach małżeńskich z udziałem policji, sporządzali listy zmarłych w szpitalach publicznych, na podstawie których potem redagowano nekrologi. Czasem szef działu reportaży Silvio Ferraz wzywał któregoś z nich i dawał inne zadanie:

– Przejdź się po sklepach i wypytaj właścicieli, czy spadła im sprzedaż.

Mimo braku zarobków i niezbyt odpowiedzialnej pracy Paulo poczuł się jak prawdziwy intelektualista. Nieważne, co pisał, ważne, że jego teksty codziennie ukazywały się w gazecie. Praca miała też inną zaletę. Na pytanie kolegów ze szkoły lub kina Paissandu, co robi, Paulo z nonszalancją odpowiadał:

– Jestem dziennikarzem. Pracuję w „Diário de Notícias".

Gazeta, kino, amatorski teatr – wszystko to sprawiało, że dni stawały się coraz krótsze i brakowało czasu na lekcje. Na wieść o tym, że syn zakończył naukę w kwietniu ze średnią 2,5 (oblał portugalski, angielski i chemię), Pedro z trudem powstrzymał się, by

ANO LETIVO DE 1965

TURMA 202

CADERNETA DE FREQÜÊNCIA E BOLETIM DO ALUNO: Paulo Coelho de Souza

DATA DO NASCIMENTO 24/8/45

TURNO Manhã

Dzięki poparciu Joela Macedo Paulo został członkiem „grupy Paissandu", co wymagało z jego strony sfałszowania legitymacji i dodania sobie dwóch lat.

nie wytargać go za uszy. Paulo zdawał się żyć w innym świecie. Robił to, na co miał ochotę, przychodził do domu, kiedy chciał, oczywiście jeśli zastawał drzwi otwarte. Jeśli były już zaryglowane, wracał na przystanek, wsiadał do autobusu i jechał do Joela. Rodzice byli bezradni.

W maju kolega poprosił Paula, by wystarał się u ojca o list polecający, ponieważ ubiegał się o pracę w Banku Crédito Real de Minas Gerais, gdzie inżynier Pedro miał konto. Paulo obiecał pomóc, ale ojciec go tylko srodze zbeształ:

– Jeszcze czego! Nie będę popierał twoich przyjaciół, leni i nierobów!

Paulo wstydził się przyznać, że ojciec odmówił pomocy. Niewiele myśląc, zamknął się w pokoju i napisał na maszynie list, w którym rozpływał się nad zaletami kandydata. Na końcu podpisał się jako „Inżynier Pedro Queima Coelho de Souza" i włożył list do koperty. Kolega dostał pracę i postanowił telefonicznie podziękować ojcu Paula. Inżynier Pedro początkowo nie zrozumiał, o co chodzi.

– Jaki list? – zdziwił się.

Gdy chłopak wyjaśnił, odparł oburzony:

– Nie napisałem żadnego listu! Proszę mi go natychmiast przynieść. To na pewno sprawka Paula. Podrobił mój podpis!

Odłożył słuchawkę i poszedł do banku, żeby odzyskać sfałszowany dokument, dowód kolejnej zbrodni syna. Paulo wrócił do domu niczego nieświadom. Ojciec zdawał się nie w humorze, ale nie było w tym nic dziwnego, bo zdarzało się to dosyć często. Przed pójściem spać Paulo zanotował w dzienniku:

Przez półtora miesiąca napisałem dziewięć reportaży dla „Diário de Notícias". 12 czerwca jadę do Furnas, gdzie zobaczę czołowe osobistości ze świata polityki. Będzie prezydent, najważniejsi gubernatorzy i ministrowie.

Następnego ranka obudził się w wyśmienitym humorze: w redakcji mówiono, że tego dnia podpisze umowę, dostanie pensję i stanie się prawdziwym dziennikarzem. Kiedy zszedł na dół, zdziwił się, że rodzice czekają na niego w salonie. Ojciec złowrogo milczał, rzucając mu wściekłe spojrzenia. Pierwsza odezwała się Lygia.

– Synu, martwimy się bardzo twoją astmą. Idziemy do lekarza na wizytę kontrolną. Wypij szybko kawę, zaraz wychodzimy.

Ojciec wyprowadził z garażu swego vanguarda, co zdarzało się bardzo rzadko, i cała trójka pojechała wybrzeżem w stronę centrum. Paulo siedział z tyłu, podziwiając mgłę unoszącą się nad morzem, widok charakterystyczny o tej porze roku. Zatoka Guanabara wyglądała romantycznie, a jednocześnie złowrogo. W połowie drogi nad plażą Botafogo samochód nagle skręcił w lewo, w ulicę Marquês de Olinda, minął następną przecznicę i zatrzymał się obok trzymetrowego muru. Wszyscy troje podeszli do żelaznej bramy. Ojciec szepnął coś portierowi i po chwili pojawiła się zakonnica, która miała ich zaprowadzić do gabinetu lekarskiego. Byli w wielkim szpitalu Dra Eirasa, który mieścił się w kilku budynkach rozsianych wśród drzew. Zakonnica szła pierwsza, za nią rodzice, a na końcu zdezorientowany Paulo. Wsiedli do windy i wjechali na dziewiąte piętro. Wyszli na korytarz i skierowali się w stronę gabinetu. Nagle zakonnica otworzyła drzwi i pokazała rodzicom Paula pomieszczenie z dwoma łóżkami i zakratowanym oknem.

– Tu będzie spał – powiedziała z uśmiechem. – Proszę zobaczyć, jaki jasny i przestronny pokój.

Paulo nic nie rozumiał, ale zanim zdążył zapytać, weszli do gabinetu lekarskiego. Za drewnianym biurkiem siedział psychiatra Benjamim Gaspar Gomes, pięćdziesięcioparoletni, łysy mężczyzna o małych oczkach i miłym wyglądzie.

Paulo spojrzał przerażony na rodziców.

– Przecież chodzi o astmę. Po co mi pokój? – spytał.

Pedro milczał, a Lygia spokojnie wyjaśniła:

– Nie będziesz chodził do szkoły ani mieszkał w domu. Najpierw musieliśmy przenieść cię ze św. Ignacego do nowej szkoły, żeby cię nie wyrzucono. Potem potrąciłeś dziecko w Araruamie.

– Sfałszowałeś mój podpis. Miarka się przebrała! – warknął ojciec. – To już nie jest zabawa, to kryminał.

Dalej sprawy potoczyły się błyskawicznie. Matka powiedziała, że po długiej naradzie z doktorem Gomesem, kolegą Pedra z Zakładu Rent i Emerytur i przyjacielem rodziny, doszli do wniosku, że Paulo jest zbyt nerwowy i wymaga leczenia. W związku z tym musi przez kilka dni pozostać w „miejscu odosobnienia".

Zanim Paulo zdołał cokolwiek powiedzieć, rodzice wstali, pożegnali się i bez słowa wyszli. Paulo zrozumiał, że jest sam, zamknięty w szpitalu, z zeszytami szkolnymi i kurtką pod pachą. Był przerażony. Chwytając się ostatniej nadziei, żeby uciec przed koszmarem, zwrócił się do lekarza:

– Nie może mnie pan zamknąć w szpitalu dla obłąkanych bez badań. Nawet pan ze mną nie rozmawiał.

– To nie jest szpital psychiatryczny – Benjamim Gomes uśmiechnął się czarująco. – To sanatorium. Będziesz brał leki i wypoczywał. Nie muszę przeprowadzać wstępnej rozmowy, bo wszystko o tobie wiem.

Informacje otrzymane od inżyniera Pedra nie dawały żadnych podstaw do tego, żeby zamykać Paula w szpitalu. Przewinienia, jakich się dopuścił, nie zasługiwały na tak srogą karę. Był porywczy, wrogo nastawiony do otoczenia, źle się uczył i „nawet w sprawach dotyczących polityki przyjmował wobec ojca agresywną postawę". Ale tego typu „objawy" miało dziewięciu na dziesięciu dorastających nastolatków. Matkę Paula martwiło co innego. Według niej syn „ma problemy o podłożu seksualnym", na poparcie czego przytaczała niedorzeczne argumenty. Trudno uwierzyć, że tak inteligentna kobieta jak Lygia naprawdę wierzyła w to, co mówi. Twierdziła, że syn nie ma dziewczyny, nie pozwolił sobie usunąć napletka, a ostatnio urosły mu piersi, jakby był dziewczynką. Dla każdego z tych „symptomów" można było znaleźć wytłumaczenie. Nabrzmiałe piersi były ubocznym efektem działania hormonu wzrostu przepisanego przez lekarza, do którego Lygia sama zaprowadziła syna. Natomiast jedyna sprawa mogąca wzbudzić podejrzenia co do poczytalności Paula nigdy nie wyszła na jaw.

Kilka miesięcy wcześniej, cierpiący na depresję i bezsenność

Paulo postanowił popełnić samobójstwo. Pewnej nocy zszedł do kuchni i przed odkręceniem kurka z gazem zaczął zaklejać taśmą szpary w oknach. Nagle przestraszył się. Zrozumiał, że nie chce umierać, a jedynie zwrócić na siebie uwagę rodziców. Kiedy usuwał spod drzwi ostatni kawałek taśmy i zamierzał wrócić do łóżka, poczuł, że nie jest sam. Objawił mu się Anioł Śmierci. Wpadł w panikę, bo gdzieś wyczytał, że raz wezwany na ziemię, anioł nigdy nie odchodzi z pustymi rękami. Tak opisał tę chwilę grozy w dzienniku:

Czułem blisko jego zapach, jego oddech, czułem, że Anioł chce kogoś ze sobą zabrać. Milczałem i w myślach zapytałem go, czego chce. Odpowiedział, że został wezwany i musi kogoś zabrać, by wywiązać się z zadania. Wziąłem nóż kuchenny, wyszedłem na dwór, przeskoczyłem przez ogrodzenie na teren, gdzie ludzie z faweli trzymali kozy. Złapałem jedną i poderżnąłem jej gardło. Krew trysnęła tak mocno, że zabryzgała ścianę domu. Anioł odszedł zadowolony. Teraz już wiem, że nigdy więcej nie targnę się na własne życie.

W późniejszym okresie Paulo podejrzewał, że rodzice czytali jego pamiętniki, ale w tym czasie z pewnością o niczym nie wiedzieli, a zabicie kozy uznali za wybryk chuliganów. Incydent ten nie mógł więc przyczynić się do zamknięcia syna w szpitalu psychiatrycznym.

Pielęgniarz zaprowadził zszokowanego chłopaka do jego pokoju. Paulo wyjrzał przez zakratowane okno i jego oczom ukazał się wspaniały widok, kontrastujący z ponurym wnętrzem szpitala. Z dziewiątego piętra budynku mógł podziwiać białą plażę Botafogo, niedawno otwarty park w dzielnicy Flamengo, wyniosły szczyt Urki i Górę Cukrową. Drugie łóżko było puste, co oznaczało, że będzie musiał sam przejść przez najtrudniejsze chwile. Po południu ktoś zostawił na portierni walizkę z jego ubraniami, książkami i drobiazgami. Do końca dnia nic się nie wydarzyło. Paulo leżał na łóżku i zastanawiał się, co ma w tej sytuacji zrobić. Mógł trzymać się uparcie swego planu zostania pisarzem, a jeśli to się nie powiedzie, zaakceptować rolę wariata, jaką mu przypisano. Państwo dawałoby mu zasiłek, nie musiałby pracować i byłby zwolniony z wszelkiej odpowiedzialności. To niestety oznaczało wieloletni pobyt w szpitalu psychiatrycznym. Spacerując korytarzem, odkrył, że większość pacjentów kliniki Dra Eirasa nie przypomina wariatów z hollywoodzkich filmów.

Poza niektórymi patologicznymi przypadkami katatonii i schizofrenii większość pacjentów normalnie rozmawia o codziennych sprawach. Miewają ataki paniki, depresję albo stają się agresywni, ale to nie trwa długo.

Przez następne dni Paulo poznawał miejsce swego zesłania. Rozmawiał ze stale kręcącymi się po korytarzach pielęgniarzami i salowymi. Dowiedział się, że szpital ma ośmiuset pacjentów, podzielonych według klas społecznych i stopnia zaawansowania choroby. Na jego piętrze znajdowali się tzw. „spokojni wariaci" i chorzy skierowani przez prywatnych lekarzy. „Niebezpieczni" pacjenci i ludzie skazani na państwową służbę zdrowia zajmowali inny budynek. Pacjenci uprzywilejowani spali w pokojach dwuosobowych i mieli do dyspozycji własne łazienki, zaś w ciągu dnia mogli swobodnie poruszać się po piętrze, z tym że drzwi windy były zamknięte na klucz. Można było z niej skorzystać jedynie w towarzystwie pielęgniarza, po otrzymaniu specjalnej przepustki od lekarza. Wszystkie okna, balkony i tarasy były zakratowane, niektóre dodatkowo zabezpieczone. Pacjenci objęci państwową służbą zdrowia spali w dziesięcio-, dwudziesto-, nawet trzydziestoosobowych salach. Najbardziej agresywnych chorych trzymano w izolatkach.

Centrum medyczne Dra Eirasa poza szpitalem psychiatrycznym obejmowało klinikę neurologiczną i kardiologiczną oraz oddział odwykowy dla alkoholików i narkomanów. Dyrektorzy placówki, doktorzy Abraham Ackerman i Paulo Niemeyer, należeli do najbardziej znanych neurologów w Brazylii. W kolejce do przychodni ustawiały się tłumy chorych z opieki społecznej, ale pacjentami kliniki byli też ludzie znani.

Co tydzień Paula odwiedzała matka. Kiedyś Lygia przyprowadziła piętnastoletnią wówczas Sônię Marię, która bardzo chciała zobaczyć brata. Dziewczyna przeżyła szok.

– Tam było strasznie – wspominała z oburzeniem. – Ludzie na korytarzu mówili sami do siebie. Paulo czuł się zagubiony w tym piekle. Nigdy nie powinien był się tam znaleźć.

Chciała błagać rodziców o litość nad bratem i zabranie go do domu, ale zabrakło jej odwagi. W owym czasie nie potrafiła upomnieć się nawet o własne prawa. W odróżnieniu od Paula całkowicie podporządkowywała się woli rodziców, i to do tego stopnia, że już jako żona i matka ukrywała przed ojcem fakt, że pali papierosy i nosi bikini.

Jeśli chodzi o stan zdrowia Paula, doktor Benjamim Gomes,

który odwiedzał go codziennie rano, z uznaniem mówił o pewnej predyspozycji psychologicznej swego pacjenta.

– To ciekawe, jak ten chłopak potrafi interpretować rzeczywistość na swoją korzyść. Czasem nawet nie przyjmuje do wiadomości tego, że jest w szpitalu – mówił rodzicom.

Był zdania, że przed poważną chorobą chroni Paula „umiejętność przystosowania się do nowych warunków". Dzięki niej oszczędzono mu elektrowstrząsów, barbarzyńskiej metody stosowanej w chorobach psychicznych. Wprawdzie doktor Benjamim Gomes znał opinie współczesnych na jej temat – w końcu przetłumaczył wiele dzieł medycznych – ale należał do zagorzałych zwolenników elektrowstrząsów, już wtedy uznanych za niedopuszczalne.

– W pewnych przypadkach przewlekłej depresji nie ma innego wyjścia – tłumaczył z przekonaniem. – Każda inna terapia przynosi skutek przejściowy, jest mało efektywna i niebezpiecznie wydłuża czas trwania choroby.

W szpitalu faszerowano Paula tak silnymi lekami psychotropowymi, że snuł się półprzytomny, szurając po korytarzu kapciami. Nigdy nie brał narkotyków, nawet marihuany, a przez cztery tygodnie „leczenia" pochłonął takie ilości lekarstw, że mógł popaść w uzależnienie.

Nikt ze znajomych nie wiedział, że jest w szpitalu, początkowo nie miał kontaktu z przyjaciółmi. Pewnego dnia niespodziewanie odwiedził go ten sam kolega, który prosząc o poparcie pana Coelho przyczynił się do nieszczęścia. Chłopak był przerażony tym, co zobaczył. Wpadł na szalony pomysł, żeby z grupą przyjaciół z „Rota 15" odbić Paula siłą, ale planu nigdy nie zrealizował.

Największe ukojenie przynosiły Paulowi wizyty Renaty Suchaczewskiej, koleżanki z teatru amatorskiego, która wiele lat później, jako Renata Sorrah, została jedną z najsławniejszych aktorek brazylijskich. Paulo nazywał ją „Rennie" lub „Kaczuszka". Jeśli Renacie nie udawało się uzyskać przepustki na widzenie, posyłała mu liściki: „Wyjrzyj przez okno, żebym mogła ci pomachać"; albo „Zrób listę potrzebnych rzeczy. Zabiorę ją w piątek. Wczoraj dzwoniłam, ale nie chcieli mnie z tobą połączyć".

Cztery tygodnie leczenia wycieńczyły Paula, ale w swej dramatycznej sytuacji starał się dostrzec jakieś dobre strony. Po powrocie do domu napisał w dzienniku:

Przez część semestru przebywałem w klinice psychiatrycznej Dra Eirasa, bo uznano mnie za niepoczytalnego. Spędziłem tam 28 dni, straciłem mnóstwo lekcji i pracę. Wyszedłem tak samo zdrowy jak w dniu, gdy mnie przyjęto. Starzy mnie wykończą! Straciłem przez nich pracę i zawaliłem rok. Wydali pieniądze tylko po to, by dowiedzieć się, że nic mi nie jest. Teraz wszystko zacznie się od nowa, kłótnie, cała ta obłuda. (Najgorsze, że kiedy mnie zamykali w szpitalu, miałem szansę dostać stały etat w redakcji.)

Z drugiej strony wyszło mi to na dobre. Jak mówił jeden z pacjentów na moim oddziale: „Wszystkie doświadczenia, nawet te złe, przynoszą nam coś dobrego". Rzeczywiście dużo skorzystałem. Wydoroślałem, nabrałem pewności siebie. Miałem czas, żeby przemyśleć swoje przyjaźnie, zweryfikować poglądy na świat, zmienić to, co dla innych niezrozumiałe. Stałem się mężczyzną.

Paulo opuszczał szpital z przeświadczeniem, że „nic mu nie jest", ale doktor Benjamim Gomes był innego zdania. W karcie chorego, która zachowała się w archiwum, znajduje się przygnębiająca diagnoza, brzmiąca jak wyrok: „Pacjent z osobowością schizoidalną, jednostka aspołeczna, niechętnie nawiązująca kontakty osobiste. Przejawia skłonność do działania w pojedynkę. Nie umie okazywać uczuć ani cieszyć się z życia". Opinia wyrażona przez lekarza sugerowała, że najgorsze było jeszcze przed Paulem.

50	Os direitos do escritor	Sohzentizin	ensaio - censura	—
51	Um dia na vida de Ivan	"	romance	***
52	O terceiro homem	Cookrige	espionagem	*
53	Explosão biológica	Retray	ensaio	**
54	Quatro quartetos	T. S. Eliot	poesia	****
55	A vida dos Beatles	Hunter Davies	biografia	**
56	A nuvem negra	Fred Hoyle	Ficção científica	****
57	Amor 5 dimensões	vários	" "	**
58	O Colosso de Marussi	Henry Miller	ensaio	****
59	Anabal - Pânico	Anabal	teatro	****
60	O atentado a Heidrich	Jon Houst	documentário	***
61	Minha vida com Mané	Elsa Soares	biografia	***
62	Mapa e ciência	Lourenço Braga	espiritismo	**
63	O mundo de H. Miller	Vários autores	ensaios	—
64	O mundo do sexo	Henry Miller	biografia	***
65	Ritual de Umbanda	Benedito Ramos	ensaio	—
66	Submarino Amarelo	Nelson Motta (adap)	conto	O
67	Sexo em Clichy	Henry Miller	biografia	****
68	Grito consciência	M. Luther King	discurso	*****
69	Ecce Homo	Nietzche	filosofia	**
70	Livro das profecias	Mozart Monteiro	profecias	O
71	Nostradamus	M. da Cruz	"	O
72	Até 1954 e depois	Sana-Khan	"	*
73	Interpretação Apocalipse	Isaac Newton	"	*
74	Horóscopo Astrocabalístico	Waldomiro Lorenz	Astrologia	—
75	A Astrologia	Vários Autores	Astrologia	—

Paulo czytał wszystko, od T. S. Elliota, przez Elzę Soares po Henry'ego Millera. Czytał, recenzował i klasyfikował książki, przyznając im gwiazdki.

6.

Paulo obrzuca kamieniami własny dom i śni mu się, że znów zamykają go w szpitalu. Niestety, to nie sen

Nielicznych znajomych, którzy wiedzieli o pobycie Paula w szpitalu, zdziwiła jego przemiana. Fizycznie wycieńczony, mizerniejszy niż przedtem, nie krył, gdzie ostatnio przebywał. Podczas pierwszych spotkań z przyjaciółmi chwalił się, że przeżył coś, czego nie doświadczył żaden z kumpli – wcielił się w rolę wariata. Opisywał pacjentów i absurdalne sytuacje, jakie zaobserwował. Mocno koloryzował, żeby wzbudzić zazdrość wśród tych, którym nie było dane znaleźć się w tak ciekawym miejscu. Zachowanie syna niepokoiło Lygię i Pedra. Obawiając się, że pobyt w szpitalu mógłby w sposób nieodwracalny wpłynąć na jego sytuację w szkole i w pracy, zachowywali pełną dyskrecję. W szkole i w redakcji „Diário de Notícias" ojciec tłumaczył nieobecność syna koniecznością „nagłego wyjazdu". Kiedy Pedro dowiedział się, że Paulo na prawo i lewo opowiada o pobycie w psychiatryku, ostrzegł go:

– Nie rób tego! Jeśli wszyscy się dowiedzą o twoich problemach psychicznych, nigdy nie będziesz mógł kandydować na prezydenta republiki.

Paulo nie zamierzał kandydować na prezydenta jakiegokolwiek kraju. Ze zdwojoną energią rzucił się w wir życia intelektualnego. Poza teatrem szkolnym i kinem Paissandu pojawiło się nowe miejsce, gdzie mógł rozwijać swoje zainteresowania. Bárbara Heliodora, dyrektor Państwowego Zarządu Teatrów, uzyskała zgodę władz na przekształcenie dawnej siedziby Krajowego Zrzeszenia Studentów w Państwową Szkołę Teatralną. Od czasu puczu wojskowego, kiedy to został podpalony przez ekstremistyczne grupy prawicowe, budynek był częściowo zniszczony, ze ścianami osmolonymi ogniem. W części, gdzie mieścił się słynny niegdyś dom kultury, powstał teraz Teatr Palcão z widownią na 150 osób, niebawem ważny ośrodek opozycyjny, gdzie odbywały się warsztaty, próby teatralne i spektakle. Tam też powstał Narodowy Teatr Uniwersytecki, w którym grali wyłącznie studenci.

Pierwsze kontakty ze sceną zainspirowały Paula do napisania sztuki *Brzydal*, która miała krótki żywot, wyrzucona na śmietnik przez autora niedługo po ukończeniu. Podobnie było z dwoma, może trzema innymi próbami literackimi, które nigdy nie ujrzały światła dziennego. Mimo to Paulo odkrył w sobie żyłkę teatralną i zaangażował się w działalność nowej szkoły teatralnej.

Gdy po miesiącu wrócił do „Diário de Notícias", zrozumiał, że stracił szansę na stały etat. Taka okazja mogła się już nie powtórzyć. Mimo to został w redakcji, godząc się na pracę bez wynagrodzenia. Cieszył się, że może codziennie pisać, nawet jeśli tematy były mało pasjonujące. Pod koniec czerwca 1965 roku spotkało go wyróżnienie – zlecono mu napisanie artykułu na temat zgromadzenia marianów w Brazylii. Miał już wprawę i z zadania wywiązał się świetnie. W siedzibie zgromadzenia przeprowadził wywiady z zakonnikami i skrupulatnie zanotował wszystkie informacje. Potem napisał krótki artykuł o historii marianów w Brazylii od czasu ich przybycia do kolonii wraz z portugalskimi jezuitami do chwili obecnej. Następnego ranka w drodze do szkoły kupił gazetę i z dumą znalazł w niej swój artykuł. Poza drobną korektą redakcyjną tekst opublikowano bez zmian i teraz czytały go miliony ludzi.

Po południu w redakcji okazało się, że za artykuł o zakonie może przypłacić głową. Marianie byli oburzeni informacjami zawartymi w tekście. Zwrócili się bezpośrednio do właścicielki gazety, twierdząc, że w usta przełożonych zakonu Paulo włożył słowa, których nigdy nie wypowiedzieli. Świeżo upieczony dziennikarz był zbulwersowany oskarżeniami. Po sfałszowaniu podpisu ojca dostał nauczkę na całe życie i nie zamierzał powtarzać tego samego błędu. Koledzy radzili mu przeczekać burzę, ale pomny na lekcję z dzieciństwa, kiedy czekał w kolejce do skoku z mostu, Paulo postanowił wyjaśnić sprawę od razu. Nie zwlekając, udał się do przeszklonego gabinetu dyrektorki, zwanego „akwarium", gdzie cierpliwie czekał na jej przybycie. Kiedy pojawiła się dwie godziny później, wszedł do środka i stanął przed biurkiem.

– To ja napisałem artykuł o zakonie marianów – zaczął. – Chciałem powiedzieć, że...

– Zwalniam pana! – przerwała mu w pół słowa pani Dantas.

– Ale przecież niedługo mam podpisać umowę o pracę! – oponował zdezorientowany Paulo.

– Zwalniam pana. Proszę wyjść! – powtórzyła właścicielka nie podnosząc wzroku znad sterty papierów.

Paulo opuścił gabinet, przeklinając własną naiwność. Gdyby poczekał kilka dni, jak radzili mu koledzy, sprawa rozeszłaby się po kościach. Teraz nie było ratunku. Wrócił do domu w wisielczym nastroju. Mimo przygnębienia nie opuszczała go skłonność do fantazjowania. Opisując tę scenę w dzienniku, przedstawia się jako ofiara prześladowań politycznych:

> *Mogłem tego uniknąć! Gdybym wyrzekł się swoich przekonań i przystąpił do prawicy, nie wylano by mnie z pracy. Ale nie, chciałem cierpieć za miliony, dałem się ukrzyżować za poglądy, zanim pozwolono mi je wygłosić. Nie mogłem nawet powiedzieć, że jestem niewinny, że walczyłem o sprawę ważną dla wszystkich ludzi. Nie! Musiałem polec od razu! Jestem śmierdzącym tchórzem. Wyrzucili mnie za niesubordynację. Teraz pozostaje mi szkoła wieczorowa i mnóstwo czasu na przemyślenia.*

„Diário de Notícias" nie była gazetą prawicową i nie zwolniono go z powodów politycznych. Najwidoczniej jednak Paulo postanowił wykorzystać swoje „wariackie papiery" i zachowywać się tak, jakby nie obowiązywały go żadne zasady. Uznał, że nie musi liczyć się z rodzicami ani ze szkołą, bo najważniejsze są jego marzenia. Nazwał siebie „wykolejeńcem", który przystąpiłby do ulicznego gangu, gdyby natura obdarzyła go odpowiednią muskulaturą. A skoro natura mu poskąpiła, pozostawała mu rola intelektualnego „wykolejeńca", rozczytującego się w nieznanych i niezrozumiałych dla przeciętnego człowieka dziełach. W tym czasie uczestniczył w spotkaniach trzech różnych grup: w kinie Paissandu, w szkole teatralnej oraz w klubie „Rota 15". Kiedy dochodziło do bójki, nie brał w niej udziału i wycofywał się ze wstydem, obwiniając się o brak odwagi.

Już wtedy zdawał sobie sprawę, że do brylowania w towarzystwie nie potrzebne są silne mięśnie. Przez jakiś czas określał swoją postawę jako „egzystencjalną, skłaniającą się ku komunizmowi", a wkrótce nazwał siebie „komunistą ulicy". Przeczytał słynną trylogię Henry'ego Millera *Sexus*, *Plexus* i *Nexus*, przejrzał dzieła Marksa i Engelsa, po czym stwierdził, że posiadł wystarczającą wiedzę, by wypowiadać się na tematy „realnego socjalizmu", „zimnej wojny" i „wyzysku robotników". W tekście zatytułowanym „Sztuka w Brazylii" cytuje Lenina i stwierdza, że bolszewicki przywódca „wiedział, iż trzeba czasem zrobić dwa kroki do tyłu, by móc potem uczynić jeden krok w przód. Ta sama reguła dotyczy sztuki, która najpierw powinna dostosować się do potrzeb odbiorcy. Zaistnieje realnie dopiero wtedy, gdy utemperuje swą dumę, zbytnią pewność i miłość własną". Takie sofizmaty, zapuszczanie się na tereny sobie nieznane, wynikały z przeświadczenia, że każdy intelektualista jest z definicji komunistą. Matka jednej z jego koleżanek oskarżyła go o „wmawianie dziewczynie głupot". „Od Henry'ego Millera do komunizmu jest jeden krok", pisał. „Ja już jestem komunistą". Jednocześnie w dzienniku przyznaje, że nienawidzi Bergmana, o Godardzie pisze, że jest „drętwy", a Antonioniego uważa za „nudziarza". Tak naprawdę lubił słuchać Beatlesów, do czego jako komunista nie mógł się publicznie przyznać.

Jak sobie obiecywał, szkoła zeszła na plan dalszy. Groziło mu pozostanie na drugi rok w tej samej klasie. Lygia i Pedro zostali wezwani do szkoły dla omówienia trzech spraw: niskich ocen, zaległości w nauce i „zachowania ucznia". Po lipcowych wakacjach Paulo nie osiągnął średniej powyżej 2,5 z żadnego przedmiotu. Regularnie opuszczał lekcje matematyki i nic dziwnego, że nie uzyskał dobrej oceny. Codziennie rano wychodził z domu i szedł prosto do szkoły, ale kółko teatralne pochłaniało tyle czasu, że rzadko pojawiał się na zajęciach. Dyrektor postawił rodzicom ultimatum – albo ich syn przezwycięży niechęć do nauki, albo zostanie relegowany. Choć w św. Andrzeju nie obowiązywały tak surowe kryteria jak u św. Ignacego, dyrekcja dała do zrozumienia, że dla „uniknięcia większego zła" lepiej zawczasu zapisać ucznia do „mniej wymagającej" szkoły. Innymi słowy, jeśli rodzice nie chcą najeść się wstydu, powinni jak najszybciej przenieść syna do „przechowalni". Tak nazywano szkoły, gdzie wystarczyło regularnie płacić czesne, by zagwarantować promocję ucznia do następnej klasy. Rodzice Paula uznali tę propozycję za upokarzającą. Wciąż łudzili się, że ich pierworodny wróci na dobrą drogę. Zgoda na propozycję dyrekcji św. Andrzeja oznaczała kapitulację, a oni nie dopuszczali do siebie myśli, że ich dziecko mogłoby skończyć w podejrzanej szkole piątej kategorii.

Jednak Paulo żył w innym świecie. Obracając się w środowisku teatralnym, zbliżył się do młodzieży aktywnej politycznie. Oglądał tylko sztuki zaangażowane, powtarzał slogany typowe dla ówczesnej lewicy, jak „chcemy chleba, nie broni", „naród zjednoczony narodem niezwyciężonym". Któregoś wieczora poszedł z przyjaciółmi na sztukę *Liberdade, Liberdade (Wolność, wolność)* Oduvalda Viany Júniora i Paula Autrana w Teatrze Opinião. Spektakl w połowie przerwano, kiedy na scenę wbiegł ogolony na łyso chłopak i z północnobrazylijskim akcentem wygłosił płomienną mowę przeciw dyktaturze. Był to Vladimir Palmeira, przyszły deputowany, a w owym czasie opozycjonista i przewodniczący Ruchu Studenckiego im. Cândida de Oliveiry, organizacji działającej przy wydziale prawa.

Paulo brał udział w manifestacjach tylko po to, żeby zrobić na złość ojcu – biuro Pedra mieściło się w centrum miasta, gdzie coraz częściej organizowano antyrządowe demonstracje. Tak naprawdę mało go interesowała polityka. Podchodził do niej obojętnie, rzadko o niej pisał. Wyjątkiem był komentarz po zwycięstwie Jânia Quadrosa w wyborach prezydenckich w 1960 roku. Ale kiedy w kwietniu 1964 roku doszło do przewrotu wojskowego, Paula pochłaniały rozważania na temat Nieba i Piekła. Dwa tygodnie przed zamachem, kiedy w kraju zawrzało po słynnym przemówieniu prezydenta João Goularta, Paulo rozwodził się nad urodą „szesnastoletniej blondynki", którą poznał na ulicy. „Trudno uwierzyć, ale ona uciekła z domu. Zmuszona jest robić różne upokarzające rzeczy, żeby się utrzymać. Nadal jest dziewicą, ale pewnie i to niedługo się zmieni. Musi przecież z czegoś żyć. Kiedy widzę coś takiego, przestaję wierzyć w Boga", pisał z goryczą.

Dopiero po jakimś czasie przyszły autor bestsellerów postanowił zostać opozycjonistą, chociaż jego opór wobec dyktatury ograniczał się do uwag notowanych w pamiętniku i nawet na jego kartach przybierał formy łagodne. Kiedyś Paulo skomentował sytuację w kraju w pamflecie politycznym zatytułowanym „Oskarżam":

Oskarżam bogatych o to, że kupili sumienia polityków. Oskarżam generałów, że tłumią uczucia narodu. Oskarżam Beatlesów, karnawał i piłkę nożną o to, że odciągają umysły młodych ludzi od spraw istotnych, a to przecież młodzież ma siłę, by obalić tyranów. Oskarżam Franco i Salazara o to, że zniewalają swoje narody. Oskarżam Lyndona Johnsona, że podporządkowuje sobie biedne kraje, które ulegają potędze dolara. Oskarżam papieża Pawła VI o to, że odszedł od nauki Chrystusa.

Czy jest w świecie jeszcze coś dobrego? Owszem. Generał de Gaulle, który podniósł z upadku Francję i pragnie, by cały świat cieszył się wolnością. Jewtuszenko, który przeciwstawił się reżimowi ze świadomością, że jeśli zginie, nikt nie dowie się o jego śmierci;

na szczęście doczekał chwili, gdy jego słowa poszły w świat wolne jak ptak. Jest Chruszczow, który pozwolił poecie wypowiedzieć się zgodnie z własnym sumieniem. Są też Francisco Julião i Miguel Arraes, dwaj bojownicy, którzy potrafili walczyć do końca. A także Rui Guerra i Glauber Rocha, którzy poprzez sztukę przekazali ludziom przesłanie buntu. Jest wreszcie Luís Carlos Prestes, który poświęcił życie dla ideałów. We mnie też tkwi ta siła, która kiedyś pozwoli mi zabrać głos. Świat jest w rękach młodych. Może obudzą się, nim będzie za późno i będą walczyć do końca.

Wkrótce pojawiła się propozycja nowej pracy, niestety dalekiej od rewolucyjnych ideałów i wiary w wyzwolenie biednych ludów spod amerykańskiego jarzma. Trupa teatralna Destaque zamierzała pod koniec roku 1965 wystawić klasykę literatury dziecięcej – *Pinokia*, lecz nie mogła uporać się z pewnym problemem. Inscenizacja wymagała siedmiu zmian dekoracji. Istniało więc niebezpieczeństwo, że po zapadnięciu kurtyny dzieci się porozłażą i nie uda się zaprowadzić na sali porządku przed następną odsłoną. Francuz Jean Arlin wpadł na pomysł, żeby zatrudnić kogoś, kto zabawi widownię do czasu, kiedy kurtyna znów pójdzie w górę. Przypomniał sobie o pełnym wdzięku brzydalu, którego przedstawił mu kiedyś Joel Macedo – o Paulu Coelho. Nie była to wielka rola w opozycyjnym teatrze i nie miała nawet tekstu – chodziło o kilka minut improwizacji. Perspektywa zarobienia paru groszy też wydawała się nikła, bo pieniądze ze sprzedaży biletów szły najpierw na opłacenie sali, potem dla pracowników technicznych i obsługi teatru. Dopiero resztę sprawiedliwie dzielono między aktorów – zwykle starczało na ciepły posiłek.

Paulo bez wahania przyjął propozycję. Przywdział znaleziony w garderobie stary kombinezon i wyświechtany kapelusz, usiadł za sceną i czekał na swoją kolej. Argentyński reżyser Luís Maria Olmedo, zwany „Pieskiem", powiedział mu tylko: masz improwizować. Gdy opuszczono kurtynę, żeby zmienić scenografię, Paulo w podskokach wbiegł na scenę i zaczął deklamować wierszyki.

– Pan kartofel, kiedy spada, robi w kuchni wielki szum, a mamusia, gdy zasypia, widzi we śnie warzyw tłum.

Dzieciaki były zachwycone, a Paulo zyskał miano „Kartofla". Nie łudził się, że ma talent aktorski, ale z takim zaangażowaniem wcielał się w swoją rolę, że jeszcze przed premierą jego interludia stały się pełnoprawną częścią spektaklu, a jego nazwisko pojawiło się na plakacie. Za każdym razem zmieniał coś w improwizacji, nigdy nie przekraczając wyznaczonego mu czasu. Wymyślał dziwaczne imiona, robił śmieszne miny, skakał, krzyczał. Wiedział, że to co robi, jest w gruncie rzeczy żałosne, ale gotów był skorzystać z tylnych drzwi, byle tylko trafić na scenę. Minęły czasy przedstawień w domowym zaciszu. Paulo zaczął obracać się wśród profesjonalistów, którzy żyli z gry na scenie. Zwykle po próbach wesoła kompania szła plażą aż do ulicy Sá Ferreira i zatrzymywała się w barze Gôndola, gdzie spotykali się aktorzy, reżyserzy i pracownicy techniczni prawie dwudziestu teatrów działających w dzielnicy Copacabana.

Paulo był w siódmym niebie. Miał osiemnaście lat, mógł więc pić do woli, oglądać wszystkie filmy i sztuki, włóczyć się po nocach. Nikomu nie musiał się tłumaczyć, oczywiście poza ojcem. Inżynier Pedro Queima Coelho z ponurą miną obserwował narodziny teatralnej pasji syna. W szkole Paulo był coraz rzadszym gościem, znowu groziło mu relegowanie. Poza tym, dla jego rodziców świat teatru skupiał głównie „homoseksualistów, komunistów, narkomanów i obiboków", od których syna należało trzymać jak najdalej.

Pod koniec grudnia, nieco pogodzeni z losem, przyjęli zaproszenie na próbę generalną *Pinokia*. Była to w końcu klasyka literatury dziecięcej, nie mająca nic wspólnego z nieobyczajnym i wywrotowym teatrem współczesnym, który święcił triumfy w całym kraju. Paulo zarezerwował miejsca dla rodziców, siostry oraz dziadków i był szczerze zdziwiony, kiedy stawili się w komplecie. W dniu premiery w dodatku do gazety „Jornal do Brasil" pojawiła się notatka o przestawieniu, w której wymieniono jego nazwisko – co prawda na szarym końcu, ale dla debiutanta dobre i to. Paulo tak opisał swoje pierwsze kroki na scenie:

> *Wczoraj była premiera. Dużo emocji, prawdziwych wzruszeń. Nigdy nie zapomnę chwili, gdy stanąłem przed publicznością, oślepiony blaskiem reflektorów. Nie zapomnę śmiechu, który co rusz wybuchał na sali. To było niezapomniane przeżycie. Spełniłem moje pierwsze marzenie w tym roku.*

Pojawienie się rodziny na przedstawieniu nie oznaczało zawieszenia broni. Rodzice wciąż byli przekonani, że Paulo ma problemy psychiczne. Na wieść o grożącym mu wydaleniu ze szkoły zmusili go do poddania się terapii grupowej trzy razy w tygodniu. Nie bacząc na wrogie nastawienie rodziny, Paulo upajał się swoimi sukcesami teatralnymi. W ciągu kilku tygodni stworzył nową postać, która stała się nieodłączną częścią przedstawienia. Po opadnięciu kurtyny siadał na skraju sceny, wyjmował z papierka cukierek i ze smakiem cmoktał. Dzieci patrzyły na niego, przełykając ślinę, a wtedy pochylał się nad kimś w pierwszym rzędzie i pytał:

– Chcesz cukierka?

– Ja chcę! Ja chcę! – wrzeszczało pół sali.

– Możecie sobie krzyczeć do woli, a i tak nic nie dostaniecie! – odpowiadał ze złośliwym uśmieszkiem.

„Kartofel" ze smakiem zjadał cukierek i znów kusił:

– Chcesz lizaka?

Znów podnosiły się krzyki i znów Paulo odmawiał poczęstowania kogokolwiek słodyczami. Po chwili zaczynała się następna część spektaklu. Sześć tygodni po premierze sztukę przeniesiono do teatru Carioca, który mieścił się w nowoczesnym budynku w dzielnicy Flamengo, blisko kina Paissandu. Któregoś dnia podczas próby Paulo zauważył w ostatnim rzędzie śliczną dziewczynę. Miała niebieskie oczy i długie do ramion włosy. Nie spuszczała z niego wzroku. Nazywała się Fabiola Fracarolli i mieszkała na ósmym piętrze budynku, w którym mieścił się teatr. Zobaczyła otwarte drzwi i weszła do środka. Kiedy pojawiła się na widowni po raz trzeci, Paulo postanowił do niej podejść. Fabiola miała szesnaście lat i mieszkała z matką krawcową oraz babcią w małym, wynajętym mieszkaniu. Babka była karlicą, miała sklerozę i całe dnie spędzała w fotelu, trzymając na kolanach torbę z papierami, które nazywała swoją „fortuną". Przez piętnaście lat życia biedna Fabiola cierpiała z powodu karykaturalnie dużego nosa, niczym Cyrano de Bergerac. Odkrywszy, że kuzynki przekupują jej pierwszego chłopaka, żeby się z nią umawiał, weszła na parapet i zagroziła, że rzuci się z ósmego piętra, jeśli matka nie załatwi jej operacji plastycznej.

Kilka tygodni później mogła się pochwalić ślicznym, zgrabnym noskiem, dziełem chirurga plastycznego. Pierwsza rzecz, jaką zrobiła, to zerwała z chłopakiem, który dopiero teraz dostrzegł jej urodę. Odmieniona Fabiola bez pamięci zakochała się w Paulu. W tym czasie młody Coelho coraz bardziej interesował się kobietami. Chodził z Renatą Sorrah, a jednocześnie łaskawie wybaczył niewierność Marcii, co nie przeszkadzało mu flirtować z Fabiolą. Matka dziewczyny była najwyraźniej poruszona losem wątłego astmatyka. Wkrótce Paulo zadomowił się u Fabioli na dobre. Zaczął się tam regularnie stołować, co bardzo ułatwiało mu artystyczne życie. Po jakimś czasie matka Fabioli przeniosła się do pokoju babki, by dać Paulowi większą swobodę. Dawny pokój pani domu służył mu jako sypialnia, gabinet i sala zebrań. Żeby pokój nabrał bardziej służbowego charakteru, Paulo powyklejał gazetami ściany, sufit i podłogę. Pod nieobecność matki gabinet zmieniał się w sypialnię, gdzie Fabiola straciła z nim dziewictwo.

W dowód miłości Fabiola
pozwala Paulowi zgasić papierosa
na swoim udzie.

Paulo wciąż nie rozumiał, dlaczego tak piękna dziewczyna, która na zawołanie mogła mieć każdego mężczyznę, zainteresowała się takim brzydalem jak on. Jego chorobliwa niepewność pchnęła go do postawienia Fabioli zaskakującego ultimatum.

– Nie mogę uwierzyć, że taka piękna, czarująca, elegancka kobieta jak ty straciła dla mnie głowę – powiedział. – Udowodnij, że naprawdę mnie kochasz.

Dziewczyna odparła, że zgodzi się na wszystko.

– Jeśli naprawdę mnie kochasz – śmiało rzekł Paulo – pozwól mi zgasić papierosa na swoim udzie. Tylko nie wolno ci płakać!

Fabiola bez słowa uniosła długą spódnicę, ukazując nagie udo. Zrobiła to tak niefrasobliwie, jakby czekała na ukłucie igłą. Paulo zaciągnął się, i kiedy koniec papierosa zajarzył się czerwonym blaskiem, mocno przycisnął go do opalonej skóry dziewczyny. Fabiola zacisnęła powieki i cicho jęknęła. Poczuła swąd palącego się ciała, ale nie uroniła ani jednej łzy. Blizna na udzie pozostała jej na całe życie. Paulo nie odezwał się ani słowem, ale z satysfakcją pomyślał: „Ależ ona musi mnie kochać!". Mimo tylu dowodów miłości ze strony Fabioli, wciąż nie był pewien swych uczuć. Z jednej strony rozpierała go duma, że bywa w modnych miejscach w towarzystwie pięknej dziewczyny, z drugiej przerażała go jej niewiedza i brak obycia. Fabiola należała do kobiet, które w owym czasie nazywano „kociakami" albo „ciziami". Były ładne, dobrze ubrane, ale nie miały absolutnie nic do powiedzenia. Kiedy któregoś wieczora przy piwie Fabiola powiedziała, że Mao Tse-tung był „francuskim krawcem, który zaprojektował bluzę ze stójką zwaną mao", Paulo chciał się zapaść pod ziemię z zażenowania. Jednak znajomość z Fabiolą dawała mu wiele korzyści, a nie wymagała wielu poświęceń. Warto więc było nauczyć się patrzeć na wszystko z dystansem.

Któregoś dnia Paulo przyprowadził Fabiolę do domu. Dziewczyna niemal zemdlała z wrażenia. Jej chłopak ubierał się niechlujnie i nigdy nie miał grosza przy duszy (zdarzało się, że Fabiola oddawała mu swoje kieszonkowe na papierosy czy bilet autobusowy). Dlatego była przekonana, że jest biedny jak mysz kościelna. Tymczasem drzwi do domu otworzył im lokaj w białych rękawiczkach i surducie ze złotymi guzikami. W pierwszej chwili Fabiola wzięła go za ojca Paula, ale wkrótce okazało się, że jej chłopak jest potomkiem właścicieli „wielkiej, różowej willi z pianinem i wspaniałym, rozległym ogrodem". „W holu były dokładnie takie same schody jak w filmie *Przeminęło z wiatrem*", wspominała po latach.

Choć Paulo wydoroślał i miał więcej ogłady niż dawniej, często zachowywał się jak dziecko. Pewnego wieczora u Marcii (jej rodzice pozwolili im na odnowienie znajomości) do późna słuchali płyt z nagraniami poezji. W drodze powrotnej do domu, a miał dosłownie kilka kroków, natknął się na „bandę agresywnych nygusów". Przypominali wyrostków, z którymi kilka dni wcześniej wdał się w dyskusję, bo zbyt głośno grali w piłkę. Kiedy zobaczył, że są uzbrojeni w kije i butelki, przestraszył się i wrócił do Marcii, skąd zadzwonił do domu. Obudził wściekłego Pedra i dramatycznym głosem poprosił:

– Tato! Błagam, przyjdź po mnie do Marcii! Tylko weź broń, bo z tuzin rzezimieszków grozi mi śmiercią.

Odważył się wyjść dopiero, kiedy z okna zobaczył postawnego Pedra w piżamie i ze sztucerem w ręku.

Pedro zawsze był gotów bronić syna, chociaż ich wzajemnym relacjom daleko było do ideału. Rodzice nie kontrolowali go jak dawniej, ale w domu panowała napięta atmosfera. Średnia ocen w szkole groziła niedopuszczeniem do matury. Pozostawało jedynie znalezienie dla Paula „mniej wymagającej szkoły", choć wcześniej ojciec zarzekał się, że do tego nie dopuści. Wybór padł na Guanabarę w dzielnicy Flamengo, gdzie Paulo miał szansę dobrnąć do końca liceum, by potem próbować dostać się na studia. Oczywiście ojciec oczami wyobraźni widział go na wydziale inżynierii. Szkoła prowadziła zajęcia w trybie wieczorowym, rodzicom nie pozostawało więc nic innego, jak pogodzić się z tym, że syn będzie wracał późno do domu. Dostał własny komplet kluczy, ale wolność miała swoją cenę. Skoro Paulo zamierzał chodzić do wybranej przez siebie szkoły, zajmować się teatrem i wracać do domu nocą, musiał zacząć zarabiać. Ojciec załatwił mu nieźle płatną pracę, która polegała na szukaniu reklamodawców chętnych do ogłaszania się w folderach z programami gonitw Jockey Clubu. Niestety przez tydzień Paulo nie zdołał zarobić ani grosza.

Niepowodzenie syna nie zniechęciło Pedra, który wkrótce znalazł mu inne zajęcie, tym razem w firmie Souza Alves sprzedającej narzędzia do fabryk. Paulo nie cierpiał, gdy go do czegoś zmuszano, ale na propozycję ojca się zgodził, by zyskać niezależność finansową. Pierwszego dnia wbił się w garnitur, założył krawat i przyczesał niesforną czuprynę. W nowym miejscu pracy spytał, gdzie będzie jego biurko, na co szef bez słowa zabrał go na zaplecze i dał do ręki miotłę.

– Możesz zaczynać – powiedział. – Najpierw sprzątniesz całą halę. A kiedy skończysz, daj mi znać.

Zamiatanie? Przecież był aktorem i pisarzem! Jak ojciec mógł mu to zrobić? Po namyśle Paulo uznał to za żart, próbę, jakiej poddawano każdego nowego pracownika. Jeśli tak, można było się pobawić. Zakasał rękawy i zaczął zamiatać. Zbliżała się pora obiadu, kiedy poczuł ból w ramionach, ale dokończył robotę. Potem włożył marynarkę, wrócił do szefa i z uśmiechem zameldował wykonanie zadania.

– Weź dwadzieścia pudeł z hydrometrami – nie podnosząc wzroku, mężczyzna podał mu jakiś rachunek – i zanieś je do spedycji razem z tą fakturą.

A więc to nie żarty! Ojciec wymyślił to specjalnie, żeby go upokorzyć. Zmusić, żeby harował fizycznie. Paulo był załamany, ale zrobił, co mu kazano. Jego obowiązki, jak się okazało, ograniczały się do noszenia paczek, gromadzenia rachunków za światło i wodę oraz zamiatania podłóg w hali i magazynach. Podobnie jak syzyfowa praca przy pogłębianiu portu, to zajęcie również zdawało się nie mieć końca. Po zakończeniu jednego zadania, natychmiast otrzymywał następne. Kilka tygodni później napisał w dzienniku:

Czuję się, jakbym popełniał samobójstwo na raty. Nie mam już siły wstawać o szóstej rano, przychodzić do pracy na 7.30, cały dzień zamiatać podłogi i przenosić żelastwo z kąta w kąt. Nie mam nawet czasu na obiad. Potem muszę biec do szkoły i pisać wypracowania.

Wytrwał półtora miesiąca. Nie musiał się zwalniać, właściciel firmy zadzwonił do inżyniera Pedra i poinformował, że syn „nie nadaje się do takiej pracy". Opuszczając budynek firmy Souza i Alves, Paulo miał w kieszeni trzydzieści cruzeiros, które niezwłocznie wydał na płytę Roberta Carlosa. Trudno się dziwić, że nie wytrzymał takiego rytmu. Sześć razy w tygodniu występował w *Pinokiu* i brał udział w próbach do nowej sztuki w reżyserii Luísa Olmeda „Pieska" zatytułowanej *A Guerra dos Lanches (Obiadowa wojna)*. „Tak dobrze wypadłem jako Kartofel w *Pinokiu*, że zaangażowano mnie do nowego przedstawienia", pisał z dumą. Pracował jako prawdziwy aktor u boku Joela Macedo oraz pięknej, ciemnoskórej Nancy, siostry Roberta Mangabeiry Ungera, prymusa ze św. Ignacego, który zgarniał wszystkie szkolne nagrody. Po wyczerpujących próbach sztuka miała premierę w połowie kwietnia 1966 roku. Widząc, że Paulo się denerwuje, Olmedo cmoknął go w czoło i powiedział:

– Wierzę w ciebie, Kartofelku!

Paulo poradził sobie znakomicie. Wystarczyło, by w stroju kowbojskim pojawił się na scenie, a widzowie pokładali się ze śmiechu. Tak było przez cały spektakl. Po przedstawieniu okrzyknięto go gwiazdą wieczoru. Wśród radosnej wrzawy Lygia i Pedro patrzyli nieufnie, jak „Piesek" ściska i całuje ich syna.

– Kartofelku, byłeś wspaniały! Brak mi słów! Zelektryzowałeś całą publiczność. Coś niesamowitego.

Po ostatnim przedstawieniu *Pinokia* było to samo. Reżyser uważał, że Kartofel był jedynym aktorem (właściwie amatorem), który potrafił okiełznać publiczność. Gdyby nie ciągły brak pieniędzy, Paulo byłby w siódmym niebie. Miał kilka dziewczyn, osiągnął sukces aktorski, przymierzał się do napisania i wystawienia własnej sztuki. Nauczył się grać na gitarze, z którą od jakiegoś czasu się nie rozstawał, naśladując swych idoli bossa novy. Jednak chwile radości często zakłócały nagłe przypływy depresyjnego nastroju. Po przeczytaniu biografii Toulouse-Lautreca napisał:

> *Skończyłem jedną z najbardziej wzruszających opowieści, jaką kiedykolwiek czytałem. To historia bogatego, dobrze urodzonego malarza, którego natura obdarzyła wielkim talentem. Zdobył sławę jako młody artysta, a mimo to był najnieszczęśliwszym człowiekiem pod słońcem. Ze względu na swą brzydotę i ułomność nigdy nie zaznał miłości. Wpadł w alkoholizm i umarł młodo, gdyż jego organizm nie wytrzymał wyniszczającego trybu życia. Był stałym bywalcem obskurnych kafejek Montmartre'u, znał Van Gogha, Zolę, Oskara Wilde'a, Degasa, Debussy'ego. Jako siedemnastolatek prowadził życie, którego mógłby pozazdrościć mu niejeden intelektualista. Nigdy nie wykorzystywał swej pozycji ani pieniędzy, by poniżać innych. Jednak samemu malarzowi bogactwo nie przyniosło krztyny miłości, a jego serce próżno marzyło o czułości. Czuję z nim jakąś bliską więź. To Henri Toulouse-Lautrec, a jego historię pięknie opisał na 450 stronach Pierre La Mure. Tytuł książki to* Moulin Rouge. *Nigdy jej nie zapomnę.*

Nadal dużo czytał, ale od jakiegoś czasu lekturze towarzyszył nowy zwyczaj. Po przeczytaniu książki Paulo umieszczał w dzienniku krótką recenzję oraz klasyfikację na wzór tej, którą stosowali zawodowi krytycy. Jedna gwiazdka oznaczała złą książkę, dwie – dobrą, trzy – bardzo dobrą, cztery – arcydzieło. W czerwcu Paulo sam był zdziwiony tempem, w jakim pochłaniał książki. „Pobiłem rekord. Czytam pięć rzeczy na raz. Długo tak nie pociągnę".

Nie były to czytadła, ale poważne powieści, jak *Zbrodnia i kara* Dostojewskiego, *Bojaźń i drżenie* Kierkegaarda, *For People under Pressure* Davida Harolda Finka, *Arcydzieła poezji światowej*, zbiór pod redakcją Sérgia Millieta czy *Panorama teatru brazylijskiego* Sábato Magaldiego.

W tym samym miesiącu 1966 roku Paulo odważył się pokazać Jeanowi Arlinowi swe pierwsze dojrzałe dzieło. Sztuka w trzech aktach, nosząca tytuł *Wieczna młodość*, była w rzeczywistości kompilacją poezji, prozy i cytatów różnych autorów, od Bertolta Brechta, przez Morrisa Westa, Manuela Bandeirę, Viniciusa de Moraes, Carlosa Drummonda de Andrade, Jean-Paul Sartre'a po Carlosa Lacerdę i oczywiście Paula Coelho.

Francuz uznał tekst za ciekawy, wprowadził kilka poprawek i postanowił rzecz wystawić. Inscenizacja nie wymagała scenografii i dużej obsady, więc reżyser zdecydował się pokazać ją na zbliżającym się Festiwalu Młodych, który miał się odbyć w oddalonym o sto kilometrów od Rio mieście Teresópolis. Organizatorzy festiwalu zaprosili także autora sztuki. W drugim tygodniu lipca Paulo wraz z trupą Destaque wybrał się do Teresópolis. Oczywiście zrobił to wbrew woli rodziców. Zainspirowany festiwalową atmosferą napisał wiersz „Bunt", który zgłosił do konkursu poezji. Sztuka poniosła klapę, a konkurs poetycki miał być rozstrzygnięty dopiero za miesiąc. Jednak liczyło się to, że Paulo przełamał strach i spróbował swych sił.

Atmosfera w domu wciąż była napięta. Rodzice robili awantury z powodu nocnego trybu życia Paula, który pojawiał się w domu dopiero nad ranem. Wciąż toczyła się wojna o to, żeby Paulo ściął włosy, które zaczął zapuszczać sześć miesięcy wcześniej. Ilekroć zgrzyt klucza w zamku budził ojca, Paulo wysłuchiwał przed snem półgodzinnego kazania. Którejś nocy zastał Pedra stojącego z założonymi rękami przed drzwiami sypialni.

– Przekroczyłeś wszelkie granice przyzwoitości – powiedział ojciec z groźną miną. – Odtąd drzwi zamykamy punktualnie o jedenastej. Jeśli się spóźnisz, możesz spać na ulicy.

Następnego dnia Paulo krążył między swoim „gabinetem" w mieszkaniu Fabioli a teatrem, gdzie trwały próby do *Obiadowej wojny*, która przyciągała coraz mniej widzów. Wieczorem poszedł do Paissandu na najnowszy film Godarda *Chinka*. Reżysera nie cenił, ale był ciekaw debaty, którą zaplanowano po projekcji. Spotkał tam Renatę i po dyskusji zjedli kolację. Potem poszli plażą w stronę Leblonu do ulicy Rity i po długim oczekiwaniu na autobus Paulo wykończony dotarł do domu o czwartej nad ranem. Próbował otworzyć drzwi, ale bez skutku. Ojciec dotrzymał obietnicy i zmienił zamki. Było za późno, żeby pójść do Fabioli czy Joela. Wściekły, zebrał garść kamieni i zaczął ciskać je w dom. Rodzice chętnie daliby mu nauczkę i wezwali policję, ale przeważył wstyd przed sąsiadami. Pedro zszedł na dół i otworzył drzwi. Nie ulegało wątpliwości, że Paulo jest pijany. Zaczęło się tradycyjne kazanie, tyle że tym razem syn odwrócił się na pięcie i bez słowa poszedł do swego pokoju.

Tej nocy długo spał, ale śniły mu się koszmary. Zdawało mu się, że na brzegu jego łóżka siedzi lekarz i pod czujnym okiem dwóch pielęgniarzy bada mu puls. Dopiero po chwili doszło do niego, że to nie sen. Ojciec wezwał ze szpitala psychiatrycznego karetkę pogotowia. Tym razem Paula zabrano na oddział siłą.

List Renaty Suchaczewskiej
do przebywającego w szpitalu Paula:
„Mój Kartofelku, bądź dzielny, walcz
i nie poddawaj się złym nastrojom".

Meu muito querido "Batatinha"

Estou muito triste e aflita com tudo o que aconteceu. Foi um choque muito grande para mim. Nunca podia imaginar uma coisa dessas. Parece um pesadelo. Soube pela Eliane. Nós todos sentimos muito, muito mesmo. Temos muitas saudades mas, saudades essas, que aumentam dia a dia, e maior é nossa aflição em vê-lo assim sem nada podermos fazer. Tenho pensado muito em você e cada vez que o faço nao consigo me convencer de que tudo que está acontecendo é verdade. Me parece um pesadelo daqueles que fazem a gente acordar suando frio e gritando de desespêro. É impossível avaliar o que você está passando, como está se sentindo. Meu Deus. Mas por favor, meu Batatinha, coragem, lute, nao se deixe afetar nem influenciar por êste ambiente. Desligue-se completamente. Procure se distrair lendo ~~muito~~ escrevendo, observando êsses tipos estranhos que aí vivem; faça como se fôsse um estudo. Eu sei que é duro mas faça fôrça. Pense em nós que tanto te queremos e nos momentos alegres em que estivemos reunidos. Faça disso, uma constante lembrança. Nao é fácil, eu sei. Mas procure, faça. Talvez ajude a diminuir um pouco teu sofrimento. PENSE EM VOCÊ. Eu sei que você nao tem nada, nós todos o sabemos. Talvez se convençam de que tudo nao passa de um terrível engano. Lute. Nao se entregue. Mas tudo na mais perfeita harmonia. Converse com os médicos, se abra com êles, peça sua ajuda, faça dêles amigos que

7.

Fragmenty ballady o izolatce w szpitalu dla wariatów (inspirowanej wierszem Oskara Wilde'a)

ŚRODA, 20 LIPCA

8.00 Obudziłem się, kiedy zmierzyli mi ciśnienie. Byłem ledwo przytomny, najpierw myślałem, że śnię. Dopiero po chwili zdałem sobie sprawę, że wszystko dzieje się na jawie. I to był koniec. Kazali mi się szybko ubrać. Przed domem czekała karetka pogotowia. Nie wiedziałem, że wejście do niej może być tak przygnębiające.

Sąsiedzi patrzyli przez okna, na chudego, długowłosego chłopaka wchodzącego do ambulansu z opuszczoną głową. Z opuszczoną głową, czyli pokonanego.

9.00 Mam za sobą formalności. Znów jestem na dziewiątym piętrze. Jak to się szybko stało! Jeszcze wczoraj byłem taki szczęśliwy z Rennie. Ostatnio czułem się nieco przybity, ale nie przypuszczałem, że tak to się skończy. Jestem tu dlatego, że nie chciałem spać na ulicy. Wciąż o niej myślę i czuję się jak zbity psiak.

Tu wszyscy chodzą smutni, nikt się nie uśmiecha. Oczy utkwione w jeden punkt, jakby czegoś szukały, w oczekiwaniu na spotkanie z samym sobą. Chłopak, z którym dzielę pokój, jest kuzynem jakiegoś ministra. W kółko mówi o śmierci. Dla zabawy gram na gitarze Marsza pogrzebowego. *Dobrze, że ją wziąłem. Daje mi odrobinę radości w tym ponurym miejscu. Czuje się tu dojmujący smutek ludzi, którzy już niczego nie chcą od życia. Pocieszające, że jeszcze potrafią śpiewać.*

15.00 Rozmawiałem z chłopakiem, który siedzi tu od dwóch lat. Zwierzyłem mu się, że jestem zrozpaczony i chcę stąd wyjść. A on na to ze zdumieniem: „Po co? Tu jest tak dobrze. Niczym nie mu-

sisz się przejmować. Po co walczyć? I tak nikt cię nie zrozumie". Boję się. Boję się, że zacznę myśleć jak on. Jestem załamany, bo nie wiem, kiedy przestanę oglądać świat zza krat. Trudno opisać tę rozpacz. To smutek więźnia skazanego dożywocie, który z nadzieją czeka na warunkowe zwolnienie. Kiedy to nastąpi? Za miesiąc, za rok, za trzy lata? A może nigdy?

17.00 A może nigdy?

19.20 Nie wolno mi opuszczać piętra, nie mogę dzwonić ani pisać listów. Próbowałem porozmawiać z Rennie. Jadła kolację, ale nawet gdyby miała chwilę, co mógłbym jej powiedzieć? Mam się żalić, przeklinać? Może ja już nie potrafię z nikim rozmawiać?

Jestem przerażony spokojem, z jakim ludzie godzą się na to więzienie. Boję się, że z czasem stanę się taki sam. „Każdy człowiek w młodości jest podpalaczem, a po czterdziestce staje się strażakiem". Czuję się, jakbym miał 39 lat i 11 miesięcy. Jestem o krok od klęski. Zrozumiałem to, gdy wczoraj odwiedziła mnie mama i patrzyła na mnie z wyższością. Już pierwszego dnia czuję się pokonany, ale muszę wygrać.

CZWARTEK, 21 LIPCA

8.00 Wczoraj dali mi jakiś piekielnie silny środek usypiający i dopiero teraz się obudziłem. W nocy, nie wiedzieć czemu, mój współlokator obudził mnie i spytał, czy pochwalam masturbację. Powiedziałem, że tak i przewróciłem się na drugi bok. Nie rozumiem, co mu przyszło do głowy. A może to był sen, ale taki dziwny. Flávio całymi godzinami milczy. Kiedy się odzywa, pyta zawsze o to, jak wygląda życie poza szpitalem. Widać, że jeszcze chce utrzymać kontakt ze światem zewnętrznym. Biedak! Chwali się swoim dawnym cygańskim życiem, ale teraz siedzi tu uwięziony i wierzy, że naprawdę jest chory.

Ja nigdy w to nie uwierzę. Jestem zdrowy.

11.00 Zauważyłem, że opróżnili mi portfel. Nie mogę niczego kupić mojej Kaczuszce. Wczoraj znów rozmawialiśmy. Obiecała, że mnie dziś odwiedzi. Wiem, że to zabronione, ale muszę się z nią zobaczyć. Rozmawialiśmy przez telefon, nawet próbowałem żartować, żeby ukryć mój wisielczy nastrój.

Personel chwali się nowościami na oddziale. Lubię tych ludzi. Roberto wyjaśnia mi, jak zgaduje wiek pacjenta i jak działają różne urządzenia. Flávio ma manię poznawania ważnych osób. Wokół jest dużo ciekawych przypadków, choćby ten człowiek, który ciągle wącha jedzenie. Inny nic nie je, bo boi się utyć, a trzeci mówi tylko o seksie i perwersjach seksualnych. Mój kompan leży na plecach i gapi się w sufit smutnym, nieobecnym wzrokiem. W radiu słychać piosenkę Menina Flor. Ciekawe, o czym myśli Flávio? Rozpaczliwie próbuje zrozumieć siebie, a może czuje się opuszczony, zgubiony, przegrany?

Rozmawiam z pacjentami. Niektórzy są tu trzy miesiące, inni dziewięć, jeszcze inni całe lata. Dłużej tego nie wytrzymam.

„Od godziny szóstej mrok ogarnął całą ziemię, aż do godziny dziewiątej. Około godziny dziewiątej Jezus zawołał donośnym głosem: Boże mój, Boże mój, czemuś Mnie opuścił?" [Mt 27,45-46]

Muzyka, słońce za kratami, wszystko wprawia mnie w melancholijny nastrój. Przypominam sobie Teresópolis, gdzie wystawialiśmy Młodość poza czasem. *Kompletna klapa, jeśli chodzi o publiczność, ale mimo to wspaniałe przeżycie. Szczęśliwe dni, gdy mogłem oglądać słońce, jeździć konno, całować się, śmiać.*

Teraz nic już nie mam. Planowaliśmy wystawić sztukę w Rio. Zrobią to beze mnie. To smutne przerwać coś w połowie. Bardzo przygnębiające. Nie chce mi się pisać o sztuce, ale nie mogę zasnąć. Senność przeszkadza w racjonalnym myśleniu. Niedługo będę taki jak cała reszta. Na szczęście mam parę wycinków z gazet, które ukazały się przed naszym wyjazdem do Teresópolis. Skończę pisać później. Mam czas. Dużo czasu.

14.10 Czekam na Kaczuszkę. Mój lekarz zadał sobie wiele trudu i przyniósł mi do pokoju antologię poezji francuskiej. To dobrze, pouczę się trochę języka. Powiedział, że wyglądam na spokojnego i pewnie mi się tu podoba. Czasem rzeczywiście tak jest. To zupełnie inny świat, gdzie się tylko je i śpi. Jednak przychodzą chwile, gdy przypomina mi się rzeczywistość za kratami i mam ochotę uciec. Ostatnio coraz rzadziej. Wczoraj miałem kryzys. Ale powoli zaczynam się przyzwyczajać. Brakuje mi tylko maszyny do pisania.

Dziś ma przyjść Kaczuszka. Pewnie niepokoi się, co się ze mną dzieje. Przyjdzie jeszcze dwa, trzy razy, a potem zapomni. C'est la vie! *Nic na to nie poradzę. Chciałbym, żeby odwiedzała mnie codziennie i pocieszała, ale to niemożliwe. Nawet nie wiem, czy dziś pozwolą mi się z nią zobaczyć. Pomimo tej niepewności miło jest czekać na spotkanie.*

14.45 Za kwadrans trzecia, a Kaczuszki nie ma. Pewnie już nie przyjdzie. Może jej nie wpuścili?

PIĄTEK, 22 LIPCA

11.50 Wczoraj była Kaczuszka. Przyniosła zdjęcia ze Stanów i obiecała dać mi jedno z dedykacją. Bardzo ją lubię. Przykro mi, że źle ją traktowałem. Byłem oziębły i wyniosły, a ona okazała mi tyle czułości...

Nadal nie przywieziono z domu moich rzeczy. Gdy tylko dostanę maszynę do pisania, zrecenzuję książkę o psychiatrii, którą dał mi doktor Benjamim Gomes. Skończyłem już antologię poezji francuskiej i zabieram się za Lamparta *Lampeduzy.*

To dziwne, ale zaczynam się przyzwyczajać do myśli, że tu zostanę.

12.00 Chce mi się spać. Sen jest ciężki, nic mi się nie śni, to rodzaj ucieczki, która pozwala mi zapomnieć, że tu jestem.

14.00 Nie mogę przebrnąć przez Lamparta. *To najnudniejsza książka, jaką kiedykolwiek miałem w ręku. Monotonne, grube, bezwartościowe. Utknąłem na 122 stronie. Przykro mi bardzo, ale nie dam rady. Usypiam, a przecież za wszelką cenę muszę bronić się przed snem.*

14.30 Nie lubię przerywać książki w połowie.

– Nie chcę mieszkać w szpitalu, ani tu w klinice doktora Eirasa we Flamengo, ani w Copacabanie, nigdzie...

– To gdzie chciałbyś mieszkać, Flávio?
– Na cmentarzu São João Batista. Od karnawału 1964 roku życie straciło dla mnie sens.
– Dlaczego?
– Osoba, którą kochałem, nie chciała ze mną pójść do teatru.
– Flávio, daj spokój. Tyle jest innych kobiet na świecie. [Pauza] Nadal ją kochasz?
– To był chłopak. Teraz zdaje na medycynę, a ja czekam tu na śmierć.
– Flávio, przestań!
– Zadzwonił do mnie wczoraj. Jest taki delikatny. Chciałem, żeby mnie odwiedził. Przez niego próbowałem się otruć. W ostatnią noc karnawału wypiłem cały flakon perfum, popiłem whisky i pojechałem na pogotowie. Teraz on jest tam, a ja tu. Czekam na śmierć.

Dziwny ten Flávio. Wygląda jak wariat, ale czasem rozmawia ze mną normalnie, tak jak teraz. Czuje się przygnębiony i bezsilny. Tutaj też próbował popełnić samobójstwo. Dużo mi opowiadał o swoim cygańskim życiu. Mam wrażenie, że jest z niego dumny. Z własnego doświadczenia wiem, że każdy, kto prowadzi taki tryb życia, lubi się nim chwalić.

Flávio płacze.

Drodzy przyjaciele! Myślę, że większość ludzi jest tu z powodu braku miłości (na przykład rodziców lub kogoś innego). Zaliczam się do tych pierwszych (brak miłości rodzicielskiej).

15.00 Niektórzy chorzy są naprawdę zabawni. Jest taki jeden starszy gość, nazywa się Ápio i ma 56 lat. Powiedział mi wczoraj, że rewolucję bolszewicką finansowali Amerykanie. Poznałem też chłopaka w moim wieku, który wciąż się śmieje. Czasem w nocy gramy w karty.

Nie mogę dłużej pisać. Flávio płacze.

SOBOTA, 23 LIPCA

10.00 Wczoraj wieczorem zadzwoniłem do Luísa i Kaczuszki. Kaczuszka powiedziała, że jest moją dziewczyną i że mnie kocha. Je-

stem szczęśliwy i pewnie dlatego nagadałem głupot. Ale ze mnie mięczak! Pod koniec rozmowy wtrąciła się pani z centrali, więc musieliśmy przerwać. Rennie przyjdzie w poniedziałek. Boję się, że się przy niej rozkleję. To takie głupie, jestem do niczego.

Luís ma przyjść w południe.

Teraz siedzi obok mnie ten drętwy Marcos. Przyjmowali go, gdy poprzednio wychodziłem ze szpitala. Co chwilę zabiera mi radio i słucha transmisji meczu. Grzecznie wyprosiłem go z pokoju.

20.30 Dopiero dwudziesta trzydzieści, a wydaje się, że jest o wiele później. Zadzwoniłem do Kaczuszki i powiedziałem parę bzdur.

NIEDZIELA, 24 LIPCA

Jest niedziela rano. Słucham radia i czuję, jak samotność powoli mnie dobija. Jest niedziela rano, ponuro i smutno. Siedzę tu za kratami, z nikim nie mogę porozmawiać, jestem pogrążony w samotności. Podoba mi się to określenie: pogrążony w samotności.

Niedziela rano. Nikt nie śpiewa, z radia płynie tęskna, miłosna melodia. Kolejny beznadziejny dzień.

Kaczuszka jest daleko. Pewnie jeszcze śpi po długiej, wesołej nocy z przyjaciółmi. Siedzę tu sam. Teraz w radiu grają walca. Myślę o ojcu. Żal mi go. Przykro jest mieć takiego syna jak ja.

Dziś poczułem, że moja miłość do Rennie powoli gaśnie. Myślę, że ona czuje to samo. Mam puste ręce, nic jej nie mogę ofiarować, niczego dać. Jestem bezsilny i bezradny, jak ptak bez skrzydeł. Czuję się zły, pokręcony, samotny. Sam na świecie jak palec.

Tu wszystko jest monotonne, choć nieprzewidywalne. Ze strachem chowam po kątach zdjęcia Kaczuszki, pieniądze i papierosy. To moje jedyne przyjemności.

PONIEDZIAŁEK, 25 LIPCA

Wciąż ciebie wypatruję i z każdą chwilą czekania wzmaga się we mnie tęsknota. Wczoraj powiedziałaś przez telefon, że jesteś moją dziewczyną. Cieszę się, że mam dziewczynę. Nie czuję się taki samotny. Nawet tu, za kratami, świat wydaje się wtedy piękniejszy. Gdy przyjdziesz, będzie jeszcze piękniej. Dlatego teraz o poranku otwieram przed tobą serce, kochana. Ogarnia mnie smutek, bo jesteś daleko i nie możemy być razem. Ale jestem już mężczyzną i sam muszę sobie z tym poradzić.

Dziwne, ale mam wrażenie, że staję się zaborczy. Wczoraj rozmawiałem przez telefon z Luísem i Ricardem. Przyjdą we wtorek. Wiem, jakie to dla nich trudne. Ojciec Luísa jest w szpitalu, a Ricardo ma dużo nauki. Zrozumiałem, że człowiek może czerpać radość z najsmutniejszych rzeczy. Zrozumiałem, że nie jestem taki samotny, jak mi się zdawało. Są ludzie, którzy mnie kochają i potrzebują. Jestem dziś w nostalgicznym nastroju, ale szczęśliwy.

WTOREK, 26 LIPCA

Wczoraj wieczorem przeczytałem książkę Grahama Greene'a Nasz człowiek w Hawanie. *Nie miałem czasu (ha! ha! ha!) napisać recenzji, ale ta lektura mnie odprężyła. Podobała mi się.*

NIEDZIELA, 31 LIPCA

13.00 Siedzę sobie w pokoju i nagle o trzynastej dostaję wiadomość, że w konkursie poezji ogłoszonym przez „Diário de Notícias", w którym udział wzięło 2500 osób, zdobyłem dziewiąte miejsce oraz wyróżnienie. Pewnie umieszczą mnie w antologii.

Jestem taki szczęśliwy! Chciałbym wyjść i opowiedzieć wszystkim, co się zdarzyło. Jestem taki szczęśliwy.

Siedząc za kratami, zastanawiam się, czy Tatá mnie jeszcze pamięta. Byłem jej pierwszym chłopakiem. Ciekawe, czy urosła, jest gruba, szczupła, stała się intelektualistką, czy woli „high-life". Może miała wypadek, straciła matkę albo przeniosła się do willi? Nie widziałem jej osiem lat, ale dziś za nią zatęskniłem. Nic o niej nie wiem. Któregoś dnia zadzwoniłem i spytałem, czy pamięta chłopaka o nazwisku Coelho. Powiedziała „tak" i rozłączyła się.

SOBOTA, 6 SIERPNIA

Kaczuszko kochana, tak bardzo chciałbym z tobą porozmawiać! Doktor Gomes postraszył mnie insuliną i elektrowstrząsami. Twierdzą, że uzależniłem się od leków. Czuję się jak zaszczute zwierzę, bez możliwości obrony. Tak bardzo chciałbym z tobą pogadać. Być może za chwilę stanę się innym człowiekiem, zaczną rozkładać mnie na części. W takiej chwili chciałbym, żebyś była przy mnie.

Wyobrażam sobie nasze spotkanie. Patrzę, jak odchodzisz uśmiechnięta i mam nadzieję, że cię znów zobaczę. Nie musisz nic wiedzieć. Przecież i tak zwykle mówię, że jest w porządku. Stajesz w windzie i widzisz w moich oczach łzy. Mówię, że to nic takiego, zmęczyła mnie rozmowa. Na pożyczonym od ciebie adapterze słucham piosenki Nary Leão „Olê, Olá". Wychodzisz na dwór, spoglądasz w górę i widzisz jak zza krat macham ci na pożegnanie. Wracam do pokoju i płaczę w poduszkę, myśląc o tym, co było, co powinno być, a co się nigdy nie zdarzy. Wchodzą lekarze z czarną skrzynką i po chwili moje ciało przeszywa prąd.

Potem leżę samotnie w ciemnościach. Biorę żyletkę i patrzę na twoje zdjęcie nad łóżkiem. Tryska krew, a ja wpatruję się w twój uśmiech i cicho mówię: „Oto moja krew". Umieram bez uśmiechu i bez łez. Umieram, zostawiając za sobą tyle niedokończonych spraw.

NIEDZIELA, 7 SIERPNIA

Rozmowa z doktorem Benjamimem Gomesem.

– Gdzie się podziała twoja godność? Po pierwszym pobycie w szpitalu myślałem, że tu nie wrócisz i zrobisz wszystko, żeby się unie-

zależnić. Pomyliłem się. Znowu tu jesteś. Co w tym czasie zrobiłeś? Nic. Co ci dała podróż do Teresópolis? Jakie przyniosła korzyści? Dlaczego nie potrafisz do niczego sam dojść?
– Nikt sam do niczego nie dochodzi.
– Może masz rację... Ale powiedz mi, po co ci był wyjazd do Teresópolis?
– Nowe doświadczenie.
– Chcesz całe życie eksperymentować?
– Panie doktorze, wszystko, co robimy z miłością, jest coś warte. Miłość jest wystarczającym usprawiedliwieniem naszych czynów. To moja filozofia.
– Gdybym przyprowadził tu czterech schizofreników, daliby mi zdecydowanie lepszą odpowiedź.
– Powiedziałem coś głupiego?
– Oczywiście! Spójrz na siebie! Tracisz czas, tworząc iluzoryczny świat, który nie ma nic wspólnego z rzeczywistością. Nie wykorzystujesz potencjału, który posiadasz. Jesteś zerem.
– Wiem, mówię tak, bo muszę się bronić. Tak naprawdę nic nie jestem wart.
– No to zrób coś! Tylko że ty nie potrafisz. Jesteś zadowolony z tego, co ci się przytrafiło. Dobrze ci z tym. Postanowiłem oddać cię w ręce konsylium lekarskiego. Zaaplikują ci elektrowstrząsy, insulinę, glukozę, wszystko, co sprawi, że zapomnisz, kim jesteś. Wtedy staniesz się bardziej uległy. To twoja ostatnia szansa. Postaraj się, bądź mężczyzną! Zrób coś ze sobą!

NIEDZIELA, 14 SIERPNIA (DZIEŃ OJCA)

Dzień dobry, tato. Dziś jest twój dzień.

Przez wiele lat tego dnia budziłeś się uśmiechnięty.
Z uśmiechem otwierałeś prezent, który ci przynosiłem do łóżka.
Z uśmiechem całowałeś mnie w czoło i robiłeś znak krzyża.
Dzień dobry, tato. Dziś jest twój dzień.
A ja nic nie mogę ci dać ani powiedzieć.
Twoje zgorzkniałe serce jest głuche na słowa.
Zmieniłeś się. Twe serce się zestarzało,
Uszy są pełne rozpaczy, a myśli obojętne.
Ale wciąż wiesz, co to łzy. Myślę, że dziś po kryjomu płaczesz,
Ty, surowy i wszechwładny ojciec.
Płaczesz nad mym losem, bo siedzę tu sam za kratami.
Płaczesz, bo dziś dzień ojca, a ja jestem daleko.
Przeze mnie twoje serce przepełnia smutek i zwątpienie.
Dzień dobry, tato. Wstaje piękne słońce.

Dziś jest święto, dzień radości.
Ale ty jesteś smutny. To ja jestem twym smutkiem.
Choć nie chciałem, zmieniłem się w twój krzyż,
Który dźwigasz na plecach, choć wbija się w ciało
I kaleczy ramiona.
O tej porze moja siostra wchodzi do pokoju

Z prezentem zapakowanym w piękną bibułę.
Uśmiechasz się, by nie było jej przykro.
Ale twoje serce zapłacze żałośnie.
A ja nie nam nic do powiedzenia prócz chorych słów buntu.
Nic nie mogę ci dać prócz większego cierpienia.
Nic nie mogę ci ofiarować prócz łez i żalu,
Że mnie począłeś.
Może gdybym nie pojawił się na świecie, byłbyś szczęśliwszy.
Spełniony, radosny człowiek, który żyje godnie
I w spokoju.
Dziś, w dniu ojca,
Zostałbyś sowicie wynagrodzony za swój trud
Całusami i drobiazgami kupionymi za marne grosze,
Które czekały, odłożone gdzieś w szufladzie,
By zmienić się w mały prezent,
Który rośnie w ojcowskim sercu.
Dziś jest dzień ojca, ale mój tata zamknął mnie w szpitalu.
Jestem daleko i nie mogę go uścisnąć.
Jestem daleko od rodziny, od wszystkiego.
Wiem, że on patrzy na innych ojców otoczonych dziećmi,
Na radosne uściski.
I czuje, jak ból niczym sztylet przeszywa jego serce.
A ja jestem w celi, od dwudziestu dni nie oglądam słońca.
Gdybym mógł mu coś dać, ofiarowałbym mu
Ciemność i rozpacz człowieka, który już nie marzy i nie pragnie.
Leżę cicho... Nie mówię:
„Dzień dobry, kochany tato,
To ty mnie począłeś którejś nocy,
A mama zrodziła w bólu.
Teraz ofiaruję ci mały skarb, schowany w mym sercu,
Twoją własną, strudzoną i spracowaną ręką".
Milczę. Muszę być cicho,
By go bardziej nie zasmucić.
By nie wiedział, że cierpię i płaczę
W tej przepastnej ciszy podobnej do nieba
– Jeśli istnieje.
To smutne mieć takiego syna jak ja.
Dzień dobry, tato. Mam puste ręce.
Daję ci słońce, które wstaje purpurowe i wielkie.
Może będziesz mniej smutny, bardziej radosny,
Pewien, że postąpiłeś słusznie i że jestem szczęśliwy.

WTOREK, 23 SIERPNIA

Jest wczesny poranek, dzień przed moimi urodzinami. Chciałbym napisać coś wesołego i mądrego. Właśnie dlatego wyrwałem poprzednie strony. Były niezrozumiałe i smutne. Ciężko jest osobie z moim temperamentem wytrzymać trzydzieści dwa dni w zamknięciu. Wierzcie mi, to naprawdę bardzo trudne. Jednak wiem, że są ludzie nieszczęśliwsi ode mnie. W moich żyłach płynie jeszcze młoda krew i mogę wszystko wiele razy zaczynać od nowa.

Jeszcze dzień do moich urodzin. Piszę wcześnie rano, bo chcę dodać sobie odwagi.

„Paulo, zobacz, ile jeszcze przed tobą! Nie ma co się obrażać na świat. Wykorzystaj ten czas, by wszystko przemyśleć i coś napisać. Jest z tobą wierna towarzyszka, maszyna do pisania marki Rosetta, gotowa ci służyć o każdej porze dnia i nocy. Pamiętasz Salingera? Zapisuj swoje doświadczenia. Może kiedyś komuś posłużą. Pomyśl o tym. Nie jesteś samotny, przecież na początku przyjaciele cię wspierali. Krótka pamięć to podstawowa reguła życia. Ty też zapomniałeś o tych, co odeszli. Nie obwiniaj przyjaciół. Zrobili, co mogli. Zabrakło im sił, ale tobie też by ich nie starczyło".

CZWARTEK, 1 WRZEŚNIA

Jestem tu od lipca. Wszystko opiera się na zastraszaniu. Cokolwiek się dzieje, jestem uznawany za winowajcę. Wczoraj byłem jedynym pacjentem, któremu dali zastrzyk ze środkiem nasennym, chociaż tylko ja położyłem się do łóżka bez szemrania, podczas gdy inni się wymigiwali. Pielęgniarka pokłóciła się z moją dziewczyną i teraz Kaczuszka nie może mnie odwiedzać. Dowiedzieli się, że chcę sprzedać koszule i film do aparatu fotograficznego. Straciłem szansę na pieniądze. Zobaczyli mnie z berettą w ręku i na mnie donieśli.

Po przerwie: obcięli mi włosy.

Koniec z długimi włosami. Teraz wyglądam jak smarkacz i tak się czuję. Chłopczyk w krótkich spodenkach. Zapragnąłem zostać tu na zawsze. Nie chcę już wyjść. Utknąłem tu na dobre. Ostatni raz byłem u fryzjera w lutym. Zagrozili mi, że jeśli nie zetnę włosów, nigdy mnie nie wypuszczą, więc wolałem się ostrzyc. Jednak od razu zrozumiałem, że straciłem ostatnią rzecz, która do mnie należała. Dzisiejsze zapiski miały być manifestem niezależności, ale straciłem ochotę do buntu. Wszystko stracone. Nie będę się więcej buntował. Przystosowałem się.

SOBOTA, 3 WRZEŚNIA

Tak kończy się ta ballada i tak kończy się moje życie.
Bez przesłania, bez niczego, choćby nikłej chęci zwycięstwa,
którą w zarodku zdusiła ludzka nienawiść. Całkowita klęska. [...]
Zaczynam wszystko od nowa.

Im bardziej pochłaniał Paula fascynujący świat teatru, tym mniej interesowała go szkoła.

8.

Za każdym obrotem korbki przywiązane do łóżka ciało Paula przeszywa prąd. Zaczynają się elektrowstrząsy

Była wrześniowa niedziela 1966 roku. Po obiedzie Paulo szwendał się bez celu po korytarzu. Przeczytał jeszcze raz „Balladę o izolatce w szpitalu dla wariatów", którą skończył dzień wcześniej. Był dumny z trzydziestu pięciu stron maszynopisu, spłodzonych podczas sześciotygodniowego pobytu w zamknięciu. Podobieństwo do oryginału, którym się inspirował, było uderzające. „Ballada o więzieniu w Reading" Oskara Wilde'a powstała w 1898 roku. Autor odbywał wówczas karę dwóch lat więzienia za zakazane w wiktoriańskiej Anglii praktyki homoseksualne. Ostatnie zdanie utworu Paula „Zaczynam wszystko od nowa" nie było tylko efektownym zakończeniem ballady. Zostało napisane z pełnym przekonaniem. Początek nowego oznaczał przede wszystkim jak najszybsze opuszczenie piekła, którym była klinika. Paulo marzył, by zacząć nowe życie. Z przerażeniem zdał sobie sprawę, że dalsze poddawanie się woli rodziców i lekarzy oznacza spędzenie na dziewiątym piętrze szpitala wielu długich lat.

Zatopiony w myślach nie zauważył dwóch pielęgniarzy, którzy stanęli przed nim na korytarzu i poprosili, żeby poszedł z nimi do innej części budynku. Zaprowadzili go do pomieszczenia, gdzie podłoga i ściany były wyłożone kafelkami. Czekał na niego doktor Gomes. Na środku sali stała leżanka przykryta gumową ceratą, a obok aparatura przypominająca transformator. Miała przewody oraz korbkę i przywodziła na myśl *maricotę* urządzenie stosowane przez policję do tortur i wymuszania zeznań.

– Będę miał elektrowstrząsy? – Paulo przestraszył się.

– Bez obaw, nie będzie bolało – psychiatra z uśmiechem próbował go uspokoić. – Gorzej wygląda to z boku. Przecież wiesz, że to nie boli.

Paulo położył się. Pielęgniarz wsunął mu do ust plastikową tubkę, żeby podczas konwulsji nie zadławił się językiem. Drugi mężczyzna przystawił mu do skroni elektrody podobne do małego defibrylatora. Paulo wpatrywał się w obłażącą farbę na suficie. Włączono aparaturę i rozpoczęła się terapia elektrowstrząsami. Ilekroć pielęgniarz poruszył korbką, Paulo miał wrażenie, że traci wzrok. Po chwili widział już tylko ciemność. Po każdym ruchu korbki jego ciało wstrząsane prądem miotało się na wszystkie strony, a z ust ciekła piana. Nie miał pojęcia, jak długo trwały takie sesje – kilka minut czy godzinę. Nie czuł się po nich źle. Gdy odzyskiwał przytomność, miał wrażenie, jakby budził się z narkozy. Tracił pamięć, godzinami leżał w łóżku ze wzrokiem wbitym w sufit, zanim doszedł do siebie i potrafił rozpoznać miejsce, w którym się znajdował. Poza mokrymi plamami na poduszce i kołnierzyku piżamy nie było żadnych śladów po brutalnych zabiegach. Elektrowstrząsy miały taką siłę, że mogły zniszczyć w mózgu neurony, ale doktor Gomes miał rację – nie bolały.

Terapia opierała się na założeniu, że choroby psychiczne są skutkiem „zaburzeń elektrycznych w mózgu". Pacjenta poddawano najpierw serii dziesięciu, potem dwudziestu elektrowstrząsów. Konwulsje spowodowane wyładowaniami elektrycznymi miały mu „przemeblować" mózg i pozwolić na powrót do normalności. Metoda ta miała tę zaletę w porównaniu z innymi kuracjami – metazolem i szokiem insulinowym – że powodowała amnezję wsteczną. Paulo nie pamiętał wydarzeń bezpośrednio poprzedzających elektrowstrząsy ani momentu podłączenia do aparatury. Nie mógł sobie przypomnieć, co mu się przydarzyło i kto zaaplikował mu taką terapię, nie żywił więc urazy ani do lekarzy, ani do rodziny.

Po pierwszej sesji obudził się po południu z gorzkim smakiem w ustach. W głowie miał pustkę, ciało bezwolne. Wstał powoli i zgarbiony jak starzec poczłapał do zakratowanego okna. Zauważył, że mży, lecz swojego szpitalnego pokoju nadal nie rozpoznawał. Próbował sobie przypomnieć, co jest za drzwiami, ale nie potrafił. Noga za nogą podszedł do drzwi i wyjrzał na długi, pusty korytarz. Zapragnął się nim przejść, zwiedzić ten cmentarz żywych trupów. Było tak cicho, że szuranie jego kapci roznosiło się echem po białym, sterylnym budynku. Po kilku krokach ściany zaczęły się do niego zbliżać. W pewnej chwili były tak blisko, jakby chciały go zmiażdżyć. Poczuł ból kręgosłupa, a mury wciąż napierały. Stanął i nie był w stanie zrobić kroku. Próbował racjonalnie myśleć i się uspokoić.

– Jeśli się nie poruszę, nic mi nie będzie, ale jeśli pójdę dalej, zgniotą mnie ściany. Chyba, że je zniszczę...

Nie wiedział, co robić. Stał nieruchomo, dopóki nie przyszła pielęgniarka i nie zaprowadziła go do łóżka. Kiedy się obudził, zobaczył nad sobą chudziutkiego Mulata, Luísa Carlosa, pacjenta z sąsiedniego pokoju, który płatał innym figle. Chłopak się jąkał i tak się tego wstydził, że przy obcych udawał niemowę. Jak większość pacjentów na oddziale, zaprzeczał, jakoby był wariatem.

– Jestem tu, bo staram się o rentę – szeptał konspiracyjnie, jakby zdradzał tajemnicę państwową. – Załatwiłem u lekarza zaświadczenie o niepoczytalności. Odsiedzę tu dwa lata, potem dadzą mi rentę.

Podobnie jak Paulo, którego w szpitalu zamknęli rodzice, każdy z pacjentów na swój sposób tłumaczył pobyt w klinice. Jeden mówił, że uciekł przed długami karcianymi, drugiego zamknęła w szpitalu zazdrosna żona, trzeci twierdził, że jego jedynym przewinieniem była słabość do alkoholu. Z czasem Paulo miał dosyć wysłuchiwania tych opowieści. Podczas wizyt rodziców, padał przed nimi na kolana, płakał i błagał, by go zabrali. Jednak odpowiedź zawsze była jedna:

– Jeszcze tylko parę dni. Widać już poprawę. Doktor Gomes wkrótce cię wypisze.

Jedynym kontaktem ze światem zewnętrznym były dla Paula coraz rzadsze wizyty przyjaciół, którzy przekupywali strażników, żeby wejść na oddział. Wykorzystując zamieszanie w portierni i przy odrobinie szczęścia udawało im się wnosić do szpitala różne rzeczy. Kiedyś w akcie rozpaczy Paulo poprosił kolegę, żeby przyniósł mu broń. Chłopak przemycił pod spodniami berettę, kaliber 7.65. Jednak posiadanie rewolweru Paula tak przestraszyło, że szybko oddał go Renacie, która wyniosła niebezpieczny przedmiot ze szpitala. Dziewczyna była najczęstszym gościem. Jeśli nie udawało się jej przekupić strażnika, zostawiała na portierni bileciki z prośbą o doręczenie adresatowi.

[...] Babsztyl z windy już mnie zna, dziś nie pozwolił mi wjechać na górę. Powiedz strażnikowi na piętrze, że się ze mną pokłóciłeś. Może nie będą cię dręczyć.

[...] Nie jestem przygnębiona, bo mnie zasmuciłeś. Po prostu nie wiem, jak ci pomóc.

[...] Pistolet schowałam w szafie. Nikomu go nie pokazałam. Widział go tylko mój brat, ale jemu można ufać. Nie pytał, skąd go mam, sama mu powiedziałam.

[...] Jutro zostawię na portierni list. Będzie mi smutno. Nie rozumiem, dlaczego każą ludziom cierpieć w samotności. Postoję kwadrans na dole pod Twoim oknem. Chcę mieć pewność, że doręczyli ci list. Jeśli cię nie zobaczę, będę wiedziała, że go nie dostałeś.

[...] Kartofelku, tak bardzo się o Ciebie boję, że czasem mam ochotę pójść do Twojej mamy albo do doktora Gomesa, choć wiem, że nic to nie da. Trzymaj się mocno i nie poddawaj się. Wpadłam na genialny pomysł. Kiedy wyjdziesz, popłyniemy statkiem do Portugalii i zamieszkamy w Porto.

[...] Wiesz, kupiłam ostatnio paczkę papierosów Continental, żeby poczuć smak Twoich ust.

W dniu urodzin Paula Renata pojawiła się z paczką listów i kartek od przyjaciół, pełnych słów otuchy i wsparcia. Wszyscy trzymali kciuki za powrót Kartofla na scenę. Wśród licznych życzeń była też kartka od Jeana Arlina: „Przyjacielu, 12 września w Rio odbędzie się premiera naszej sztuki *Wieczna młodość*. Liczymy na obecność autora". Paulo znów zaczął myśleć o ucieczce, szczególnie kiedy się okazało, że po ścięciu włosów nie rozpoznał go nawet jego współlokator. Przez dwa dni siedział na korytarzu, udając, że czyta książkę, a tak naprawdę obserwując windę. Była to jedyna droga ucieczki, ale dawała też możliwość poruszania się w obrębie szpitala. Największy ruch panował w niedzielę, pomiędzy godziną 12.00 a 13.00. Wtedy następowała zmiana dyżurującego personelu. Lekarze, pielęgniarki i inni pracownicy ginęli w tłumie gości opuszczających windę.

W piżamie i kapciach złapano by go od razu, ale w zwykłym ubraniu i butach bez trudu wmieszałby się w tłum nerwowo tłoczący się przy windzie. Dla niepoznaki mógłby trzymać w ręku książkę. Drogę ucieczki przećwiczył w pamięci setki razy. Wziął pod uwagę wszystkie przeszkody i doszedł do wniosku, że ma spore szanse. Trzeba to tylko zrobić możliwie szybko, zanim personel przyzwyczai się do jego nowego wyglądu – do krótko przystrzyżonych włosów.

O swoim planie opowiedział tylko Renacie i Luísowi Carlosowi, koledze z sąsiedniego pokoju, który udawał niemowę. Renata wspierała go nie tylko słowem, ale dała mu 30 tysięcy cruzeiros (dziś około 180 dolarów), na wypadek, gdyby musiał kogoś przekupić. Luís Carlos tak się zapalił do pomysłu, że postanowił towarzyszyć Paulowi, bo „miał dosyć" szpitalnego marazmu. Na pytanie Paula, czy w związku z tym rezygnuje z planu zostania rencistą, jąkając się odparł:

– Ucieczka to etap choroby. Każdy wariat przynajmniej raz ucieka ze szpitala. Już kiedyś zwiałem, ale wróciłem.

Wreszcie nadeszła oczekiwana niedziela, 4 września 1966 roku. Ubrani w zwykłe stroje weszli do windy. Zjazd na dół wydawał im się wiecznością, winda zatrzymywała się na każdym piętrze. Stali ze spuszczonymi głowami, modląc się w duchu, żeby nie rozpoznał ich żaden lekarz ani pielęgniarka. Z ulgą wysiedli na parterze i odważnie ruszyli w stronę wyjścia. Paulo setki razy przećwiczył to w pamięci. Szli niezbyt wolno, ale też nie za szybko, żeby nie wzbudzać podejrzeń. Wszystko przebiegało zgodnie z planem. Nikogo nie musieli przekupywać, mieli dość pieniędzy na kilka dni.

Poszli na dworzec autobusowy i kupili bilety do Mangaratiby, małej, nadmorskiej miejscowości sto kilometrów na południe od Rio. Przed zachodem słońca udało im się namówić właściciela łodzi, by przewiózł ich na wysepkę oddaloną od lądu o pół godziny drogi. Mniejsza od dzielnicy Ipanema, wyspa Guaíba przez lata była rajem na ziemi, dopóki nie zbudowano na niej portu przeładunkowego rudy żelaza. Na wyspie przy plaży Tapera stał dom siostry Lygii, ciotki Heloizy Araripe, zwanej „ciocią Helói".

Chorobliwie podejrzliwy Paulo wreszcie poczuł się bezpieczny, daleko od przeklętego szpitala, lekarzy i pielęgniarek. Miejsce wydawało się idealne na kryjówkę. Jednak wkrótce chłopcy przekonali się, że długo tam nie wytrzymają. Ciotka rzadko bywała w letniskowym domku, więc nie było tam dosłownie nic, poza mętną wodą o dziwnym, zielonkawym zabarwieniu w dużym, glinianym naczyniu. Obok domku, w rozpadającej się szopie, mieszkał jakiś bezdomny. Odmówił podzielenia się swym posiłkiem z uciekinierami, musieli więc zadowolić się bananami z drzewa. Następnego dnia obudzili się pokąsani przez owady i znów – zamiast porannej kawy – poszli na banany. Podobnie było w porze obiadu i wieczorem. Następnego dnia jąkała zaproponował inną dietę – ryby. Tyle że w kuchni nie było ani gazu, ani naczyń, ani przypraw. We wtorek, trzy dni po przyjeździe, usiedli na brzegu, modląc się o przybycie rybackiej łodzi, która zabrałaby ich na ląd. Kiedy dotarli na dworzec autobusowy w Rio, Paulo powiedział koledze, że zamierza się ukrywać jeszcze przez kilka dni, a potem zdecyduje, co dalej. Luís Carlos miał już dosyć przygody i postanowił wrócić do szpitala.

Pożegnali się wylewnie, obiecując sobie, że się kiedyś spotkają. Paulo udał się do Joela Macedo, u którego zamierzał przeczekać kilka dni. Przyjaciel przyjął go z otwartymi ramionami, ale obawiał się, że jego mieszkanie nie jest bezpieczną kryjówką. Rodzice Paula wiedzieli, że ich syn często nocuje u Joela. Najlepszym schronieniem, uznał, będzie wybudowany przez jego ojca dom na nowym osiedlu w Cabo Frio, czterdzieści kilometrów od Araruamy. Przed podróżą namówił Paula, który od czterech dni nie widział mydła ani ciepłej wody, na porządną kąpiel i zmianę ubrania. Po kilku godzinach byli już na autostradzie i mknęli dekawką Vemag Joela do Cabo Frio. Prowadził Macedo, bo od czasu wypadku Paulo nie odważył się zasiąść za kierownicą. Wieczorami szli na piwo do dzielnicy Ogiva, łazili po plaży. Po powrocie czytali sztuki Gorkiego i Gogola, gdyż teatr rosyjski stał się nową pasją Joela. Kiedy wydali wszystkie pieniądze od Renaty, Paulo stwierdził, że czas wracać do domu. Minął tydzień od jego ucieczki i nie było sensu dalej się włóczyć. Poszedł do budki telefonicznej i zadzwonił do domu. Na dźwięk jego głosu w słuchawce ojciec nie ukrywał radości, choć jednocześnie wyrażał szczere zaniepokojenie jego stanem zdrowia. Zaproponował, że przyjedzie po niego do Cabo Frio, ale Paulo wolał wrócić z Joelem.

Zrozpaczeni rodzice przez tydzień szukali Paula w kostnicach i na posterunkach policji. Kiedy pojawił się w domu, ich zachowanie zmieniło się nie do poznania. Zgodzili się, by nie wracał do szpitala, byli czuli i dyskretni. Okazywali zainteresowanie jego planami teatralnymi i uchylili zakaz powrotu do domu po 23.00. Paulo patrzył na to z niedowierzaniem. „Po tygodniu paniki, gdy nie mieli ode mnie żadnej wiadomości, zaakceptowali wszystkie moje żądania, więc musiałem to wykorzystać", wspominał później. Mógł zapuścić włosy i brodę, a wolny czas, którego i tak miał niewiele, poświęcać na dziewczyny. Na horyzoncie pojawiły się znów Renata i Fabiola. Márcia zniknęła z pola widzenia, a jej miejsce zajęła urocza, smukłonoga Genivalda. Pochodziła z północy, nie była zbyt urodziwa, ale za to bardzo inteligentna. Geni, jak kazała do siebie mówić, nie ubierała się modnie, nie mieszkała w szykownej dzielnicy, ani nie studiowała na elitarnym Uniwersytecie Katolickim w Rio. Była za to chodzącą encyklopedią, czym zapewniła sobie miejsce w kręgach Paissandu.

Paulo cieszył się coraz większym powodzeniem u kobiet. Nie było to skutkiem operacji plastycznej, jak w przypadku Fabioli, lecz wyrazem przemian, jakie zaszły w brazylijskiej obyczajowości. Pojawienie się kontrkultury wpłynęło nie tylko na zmianę poglądów politycznych i obyczajów, ale także na wzorce estetyczne. Brzydcy mężczyźni, tacy jak rockman Frank Zappa czy Caetano Veloso, zaczęli uchodzić za ideały męskiej urody. Silnego, zdrowego macho zastąpił cherlawy, obdarty i zarośnięty młodzieniec. Kobiety przestały wzdychać do Johna Wayne'a, a zakochiwały się w Woodym Allenie. Korzystając z mody na niechlujny wygląd, Paulo zaczął romansować na potęgę, jakby chciał nadrobić stracony czas. Poza „stałymi" narzeczonymi, miewał przygodne romanse, zadawał się z prostytutkami. W czasach, kiedy nie było moteli, a do hotelu przyjmowano tylko małżeństwa, młody człowiek bez „garsoniery" miał niewiele możliwości na intymne spotkania. Paulowi pozostawał wytapetowany gazetami pokój u matki Fabioli, która przymykała oko (czasem zatykała też uszy) na to, co działo się w jej mieszkaniu. Mógł też liczyć na pomoc wuja José. Dom w Araruamie był dla niego zawsze otwarty, zarówno w wakacje, jak i weekendy, bez względu na to, kto mu towarzyszył.

Paulo nie przepuszczał żadnej okazji. Pewnego razu poderwał młodą, początkującą aktorkę. Grę wstępną odbyli na rowerze wodnym, a po wypiciu sporej ilości alkoholu przenieśli się do mieszkania dziewczyny, składającego się z jednego dużego pokoju, gdzie zabawiali się na oczach niemej i głuchej babki. Zresztą nie tylko raz. W pamiętniku Paulo opisał kilka innych niecodziennych historii.

> *Zaprosiłem Marię Lúcię na spacer po plaży. Potem kochaliśmy się na cmentarzu. Piszę o tym, bo chcę pamiętać, że miałem kochankę na jeden dzień. Nie miała żadnych zahamowań i była zwolenniczką wolnej miłości. Dziewczynka, która zachowywała się jak kobieta. Według niej mój wygląd zdradza, że jestem świetny w łóżku. Czasem przerywaliśmy ze zmęczenia albo dlatego, że w pobliżu odbywał się pogrzeb. Kochaliśmy się całe popołudnie.*

Kilka tygodni po ucieczce z kliniki problem rozwiązał się sam. Przy poparciu dziadka rodzice zezwolili, by na próbę Paulo zamieszkał sam. Schronienie zaoferował wnukowi sam Mistrz Tuca. Kawalerka znajdowała się w budynku Marquês de Herval, w alei Rio Branco w centrum Rio. Była to jedna z najgorszych dzielnic miasta, gdzie pełno było domów publicznych. W ciągu dnia panował tu niesamowity rozgardiasz, ulice roiły się od handlarzy, sprzedawców losów na loterię, żebraków, aleją ciągnął nieprzerwany strumień samochodów i autobusów. O siódmej wieczór, niczym w teatrze, zmieniała się sceneria. Wrzawa dnia ustępowała tajemniczej atmosferze nocy, a krzykliwych handlarzy zastępowały prostytutki, typy spod ciemnej gwiazdy, transwestyci, alfonsi i dilerzy narkotyków. Nic tu nie przypominało świata, z którego pochodził Paulo. Nie zrażało go to jednak. Odkrył, że budynek ma dobrą aurę i ciekawą historię. W latach 20. znajdował się tu słynny Palace Hotel, miejsce schadzek pięknych Francuzek z brazylijskimi młodzieńcami, wśród których rej wodzili dwaj panowie, Mistrz Tuca i jego przyjaciel, kompozytor Bororó.

Po powrocie do Destaque Paulo dowiedział się, że próby sztuki *Wieczna młodość* odwołano ze względu na brak funduszy. Część aktorów, którzy grali w *Pinokiu* i *Obiadowej wojnie*, zaangażowała się w nowe przedsięwzięcie. Tym razem była to sztuka dla dorosłych, adaptacja *Capitães da Areia* [Kapitanowie piasku], kontrowersyjnej powieści Jorge Amado z lat 30. Próby odbywały się w gmachu Narodowego Teatru Uniwersyteckiego. Reżyser i autor adaptacji, Francis Palmeira, wyglądał jak fanatyk surfingu, spędzający każdą wolną chwilę na plaży. W wieku piętnastu lat napisał swoją pierwszą sztukę – dramat *Ato Institucional* [Akt instytucjonalny], który cenzura wycofała z teatrów. Jorge Amado, sławny pisarz i członek Brazylijskiej Akademii Literatury, bardzo się ucieszył, że młodzi ludzie wzięli na warsztat jego twórczość. Zezwolił na adaptację i przesłał sympatyczny tekst do programu:

> *Z radością i pełnym zaufaniem powierzam studentom adaptację mojej powieści* Kapitanowie piasku, *ponieważ to dzięki nim dzieje się tyle dobrego w Brazylii. Walczą o demokrację, prawa człowieka, o postęp i dobrobyt brazylijskiego ludu, sprzeciwiają się dyktaturze. W powieści, na podstawie której powstała sztuka, starałem się przekazać słowa otuchy oraz wyrazić sprzeciw wobec wszelkich form zniewolenia i niesprawiedliwości. Pierwsze wydanie powieści* Kapitanowie piasku *ukazało się przed powstaniem „Nowego Państwa". Jednak wkrótce powróciły czasy wstecznictwa, a brutalna dyktatura wycofała powieść z księgarń. Ten utwór był orężem walki. Dziś zyskuje nowy wymiar jako spektakl teatralny i zaczyna żyć wśród szerszej publiczności. Życzę studentom Narodowego Teatru Uniwersyteckiego sukcesu, bo walczą w słusznej sprawie – o brazylijską demokrację.*

Niebawem zaczęły się problemy. Najpierw odezwał się przedstawiciel sądu dla nieletnich, który zagroził zawieszeniem prób, jeśli biorąca w przedsięwzięciu młodzież, łącznie z reżyserem, nie uzyska zgody rodziców na występy. Kilka dni przed premierą pojawił się w teatrze Edgar Façanha, szef cenzury w Rio, a wraz z nim urzędnik z Narodowej Służby Wywiadowczej. Domagali się przedstawienia zezwolenia na wystawienie sztuki. Młodzi artyści stosownego dokumentu nie mieli, więc zaczęły się przepychanki, wezwano policję i zatrzymano aktora Fernanda Resky'ego. Jeśli sztuka ma mieć premierę 15 października 1966 roku – usłyszeli młodzi aktorzy – należy jak najszybciej przekazać tekst do cenzury. Po kilku dniach tekst sztuki zwrócono, ale z wykreślonymi fragmentami, które nawiązywały do zacofania i zniewolenia ludu dręczonego przez wojskowy reżim. Zniknęły słowa: „towarzysz", „dialog", „rewolucja", „wolność". Wykreślono też zdanie: „Każdy dom był jego domem, bo rewolucja to jedna ojczyzna i jedna rodzina".

Trudności z wystawieniem sztuki było tyle, że zespół bez sprzeciwu zaakceptował wszystkie zmiany. Wystąpiło w niej trzydziestu aktorów, w tym Paulo, który dostał dość ważną rolę – homoseksualisty Almira, który pod koniec sztuki umiera na ospę. Jorge Amado obiecywał przyjść na próbę generalną, ale w tym samym czasie promował w Lizbonie swoją nową powieść *Dona Flor i jej dwóch mężów*. Prosił więc, by na premierze reprezentował go słynny „Volta Seca", bezdomny chłopak z Salvadoru, który był pierwowzorem głównej postaci. W prasie pojawiły się doniesienia o ingerencji cenzury, dlatego na przedstawienie przychodziły tłumy. W dniu premiery dysponujący czterystoma miejscami teatr Serrador nie był w stanie pomieścić wszystkich chętnych. Z osób zaproszonych przez Paula nie pojawili się tylko Renata i doktor Benjamim Gomes, ten sam, który aplikował mu elektrowstrząsy.

Od czasu drugiego pobytu w szpitalu Paula i lekarza połączyła osobliwa przyjaźń. Choć sporo się przez niego nacierpiał, Paulo miał do psychiatry słabość. Liczył się z jego opinią, dzięki niemu nabrał większej pewności siebie. Jak wówczas tłumaczono, był to efekt amnezji wstecznej, a wiele lat później Paulo określił tę postawę jako „syndrom sztokholmski" – emocjonalną więź między ofiarą a katem.

– Moje stosunki z doktorem Gomesem przypominały relacje osoby porwanej z porywaczem – powiedział po latach pisarz. – Po wyjściu ze szpitala, kiedy przeżywałem chwile zwątpienia albo miałem problemy z dziewczynami, prosiłem go o radę.

Sztuka *Kapitanowie piasku* nie schodziła z afisza przez dwa miesiące. Wpływy ze sprzedaży biletów pokryły koszty wynajmu sali, starczyło też na skromne wynagrodzenie dla aktorów oraz pracowników technicznych. Przedstawienie zbierało bardzo pochlebne opinie, między innymi krytyka Walmira Ayali z „Jornal do Brasil" i Vana Jafy (pseudonim pochodzącego z Bahii José Augusta Farii do Amarala), który pisał dla „Correio da Manhã". „Rewelacyjna sztuka", „Wielka niespodzianka", pisali recenzenci.

Kiedy minęła euforia po premierze, Paulo znów popadł w depresję. Czuł się wypalony, zagubiony, dostawał ataków furii, kopał i niszczył wszystko, co mu wpadło w ręce. Niemiła atmosfera dzielnicy sprawiała, że coraz dotkliwiej odczuwał samotność. Nie miał z kim porozmawiać, czy to w trudnych, czy w radosnych chwilach. Gdy nadchodził kryzys, kartki pamiętnika zapełniały się drobnym maczkiem. Pewnej nocy ręcznie zapisał pół grubego zeszytu, a do tego wiele kartek na maszynie. Swoje nowe dzieło zatytułował *Zwierzenia pisarza.*

> *[...] Moje życie nagle się zmieniło. Znalazłem się w najbardziej przygnębiającym miejscu – w centrum wielkiego miasta. W nocy nikogo, w dzień nieprzebrane tłumy. Samotność tak mi doskwiera, że odczuwam ją jak coś żywego, namacalnego, co wypełnia każdy kąt i zamyka wszystkie drogi. Ja, Paulo Coelho, lat 19, zostałem z niczym.*

Usytuowanie mieszkania sprzyjało częstym wizytom w domach publicznych, które wyrastały w sąsiedztwie jak grzyby po deszczu, od dzielnicy Lapa po Mangue. Prostytutki nie były tak eleganckie ani tak ładne jak dziewczyny, z którymi do tej pory się zadawał, ale mógł z nimi o wszystkim porozmawiać – nie było tematów tabu. Do tego spełniał swe najskrytsze fantazje erotyczne bez strachu, że ktoś go potępi. Czasem tylko ogarniał go całkowity marazm:

> *Wczoraj poszedłem z najstarszą prostytutką w dzielnicy. Nigdy dotąd nie byłem z tak wiekową kobietą (nie spałem z nią, tylko patrzyłem). Miała piersi jak dwa puste worki. Stała przede mną naga, z ręką między nogami. Patrzyłem na nią i nie mogłem się zdecydować, czy budzi we mnie litość, czy szacunek. Była taka niewinna, czuła, profesjonalna, a jednocześnie bardzo stara, trudno opisać, jak stara. Miała około siedemdziesięciu lat i była Francuzką. Na podłodze leżała gazeta „France Soir". Pracuje od 18.00 do 23.00. Potem wraca autobusem do domu, gdzie ma opinię sympatycznej, starszej pani. Kto by pomyślał! Muszę o niej zapomnieć, bo kiedy mi się przypomina, targają mną sprzeczne uczucia. Chyba nigdy nie zdołam jej wyrzucić z pamięci. To było takie dziwne.*

Czasem płacił, żeby tylko popatrzeć, czasem uprawiał seks za darmo lub za symboliczną kwotę. „Wczoraj miałem dobry dzień, przekonałem prostytutkę, żeby poszła ze mną bez zapłaty. Potem wzięła sobie sweter, który ukradłem koledze", pisał.

Gdy mieszkało się w takiej dzielnicy, można było przeżyć zarówno miłość czysto platoniczną, jak i niebezpiecznie wyniszczającą namiętność, godną bolera lub tanga. Kolejne strony pamiętnika

Paulo poświęcił gwałtownemu uczuciu do pewnej młodej prostytutki. Którejś nocy dziewczyna zniknęła z innym klientem i Paulo wpadł w szał. Choć był inteligentny, wciąż zachowywał się jak mały chłopiec i z naiwnością nastolatka rzucił się w wir nowej miłości, przeżywając rozpacz z powodu zdrady. „W miłości trzeba uważać!", pisał niepocieszony. „Nigdy dotąd nie chciało mi się tak płakać. Przy niej zapominałem na chwilę o samotności". Potem dowiedział się, że dziewczyna wróciła i plotkuje na jego temat:

Podobno obgaduje mnie na ulicy, opowiada, co robiłem dla niej z miłości. Ani razu nie powiedziała o mnie nic dobrego. Zrozumiałem, że jestem dla niej zerem, nikim, spalonym mostem. Zapiszę sobie imię kobiety, której oddałem wszystko co najczystsze w moim brudnym sercu: Tereza Cristina de Melo.

W dzień prowadził życie, jakie sobie wymarzył. Spotykał się z dziewczynami, chodził na próby, uczestniczył w kółkach zainteresowań, dyskusjach o kinie i egzystencjalizmie. W nowej szkole nie spędzał wiele czasu, mimo to zdał do następnej klasy i tylko krok dzielił go od studiów. Oczywiście nie myślał o inżynierii, jak to sobie wymarzył ojciec. W domu bywał rzadko, zwykle tylko po to, żeby się najeść lub poprosić o pieniądze. Zmyślał niestworzone historie, żeby zaszokować rodziców. Opowiadał, że jest bywalcem najbardziej ekstrawaganckich lokali w Rio. „Czytałem w gazetach opisy barów, gdzie zbierała się zbuntowana młodzież i kłamałem, że też tam bywam. Grałem rodzicom na nerwach". Wszędzie nosił ze sobą gitarę, choć na niej nie grał („To przyciągało dziewczyny"). Kiedy był nieco starszy, z rozbawieniem patrzył, jak urzędnicy sądu dla nieletnich tropią młodzież pijącą alkohol.

Za to z nadejściem nocy ogarniał go smutek i poczucie osamotnienia. W końcu uznał, że już nie jest w stanie tego wytrzymać. Od trzech miesięcy próbował walczyć z koszmarem, ale opuściły go siły. Spakował rzeczy i upokorzony pojechał do rodziców, prosząc, by go przyjęli. Wrócił do domu, choć obiecywał sobie, że nigdy tego nie zrobi.

EM SOCIEDADE

ILMA FONTES

DE ONTEM E DE HOJE

EM SOCIEDADE

ILMA FONTES

JUVENTUDE X ARTE

Prasa Aracaju przyjmuje Paula jako wielkiego dramaturga z Rio. Przed swym tajemniczym zniknięciem Paulo przepisuje artykuł Carlosa Heitora Cony'ego przeciw dyktaturze i podpisuje go swym imieniem i nazwiskiem.

9.

Po trzeciej próbie Paulo przekonuje się, że nie jest homoseksualistą

Ze względu na łatwość, z jaką Paulo zdobywał serca kobiet, od prostytutek z Mangue po eleganckie dziewczyny z Paissandu, postrzegano go jako mężczyznę erotycznie spełnionego i pewnego siebie. Tymczasem były to tylko pozory. Obracając się w środowisku teatralnym, gdzie na codzień miał do czynienia z homoseksualistami, Paulo zaczął mieć wątpliwości co do swej orientacji seksualnej. Były to sprawy tak intymne, że nie wspominał o nich nawet w dzienniku. Czyżby matka miała rację, kiedy przed laty mówiła o „problemach seksualnych" syna, czyli – mówiąc wprost – o jego homoseksualnych skłonnościach? Miał niespełna dwadzieścia lat, a świat gejów nadal pozostawał dla niego tajemniczy i niezrozumiały. Pierwsze doświadczenia erotyczne przeżył z dojrzałą kobietą, w odróżnieniu od większości młodych Brazylijczyków zdanych na własne środowisko i inicjację seksualną z kimś z grona rówieśników. Obserwując rozmawiających przed spektaklem zaprzyjaźnionych homoseksualistów, często zadawał sobie pytanie: „A jeśli to oni mają rację? Jeśli ich wybór jest lepszy od mojego?".

Doświadczenie go nauczyło, że lepiej skrócić cierpienia bez namysłu skacząc z mostu do lodowatej wody. Zamiast więc zadręczać się wątpliwościami, postanowił sam się przekonać. U Karola Marksa wyczytał, że najważniejsza jest praktyka, i potraktował tę myśl dosłownie. Pewnej nocy, kiedy jeszcze mieszkał w kawalerce dziadka, zebrał się na odwagę i ruszył na poszukiwanie partnera do eksperymentu. Długo szwendał się po gejowskich dyskotekach i klubach w Copacabanie. Wreszcie po wypiciu kilku szklaneczek whisky zebrał się na odwagę i ruszył do ataku. Podszedł do chłopaka w swoim wieku, który najwyraźniej trudnił się prostytucją.

– Jak leci? Chciałbym pójść z tobą do łóżka – zagadnął.

– Nie chcę iść z tobą do łóżka!

Paulo nie był przygotowany na taką odpowiedź. Poczuł się, jakby dostał w twarz. Jak to nie? Przecież miał pieniądze. Chłopak odwrócił się i odszedł bez słowa. Kiedy to samo powtórzyło się w innej dyskotece, załamany Paulo postanowił zakończyć eksperyment. Przez kilka następnych tygodni był tak pochłonięty teatrem, że zapomniał o całej sprawie. O ile jego kariera pisarska mocno kulała, o tyle na scenie święcił triumfy. Pierwszym krokiem do sławy była sztuka oparta na klasyce kina dziecięcego, *Czarnoksiężniku z krainy Oz*. Paulo przygotował adaptację tekstu Lymana Franka Bauma, wyreżyserował sztukę i zagrał w niej rolę Lwa. Ponieważ na drogie kostiumy nie było pieniędzy, przed spektaklem malował na twarzy wąsy, dopinał pluszowe uszy i ogon, którego koniec zawijał figlarnie wokół wskazującego palca. Z oryginału wykorzystał jedynie piosenkę *Over the Rainbow*, a oprawę muzyczną powierzył Antônio Carlosowi Diasowi, zwanemu Kakikiem, aktorowi i kompozytorowi w jednej osobie – w sztuce *Kapitanowie piasku* Paulo dzielił z nim garderobę. Jakież było zdziwienie trupy, kiedy *Czarnoksiężnik z krainy Oz* nie tylko zarobił na pokrycie kosztów wynajmu sali, ale i na pensje dla aktorów i obsługi. Nadwyżkę Paulo zachował na następną produkcję teatralną. Jeśli sukces mierzyć wielkością czcionki, którą zapisane jest nazwisko artysty, to Paulo niewątpliwie odniósł zwycięstwo. Jednego dnia 1967 roku pojawiło się ono w trzech różnych gazetach. W teatrze Arena był autorem i reżyserem *Skarbu kapitana Berengunda*, w teatrze Santa Terezinha wystawiał *Lampę Aladyna*, a w teatrze Carioca *Onça de Asas [Skrzydlatą panterę]* Walmira Ayali.

Spektakle dla dzieci przynosiły niezły dochód, ale sławę i prestiż, na których Paulowi zależało, zapewniały jedynie przedstawienia dla dorosłych. Poważne propozycje pojawiły się dopiero po wystawieniu *Kapitanów piasku*. W marcu zaproszono Paula do udziału w musicalu *Opera za trzy grosze* Bertolta Brechta i Kurta Weilla. Przekładu tekstu podjął się Raimundo Magalhães Júnior, a reżyserii José Renato. Spektakl cieszył się ogromnym powodzeniem w São Paulo. Wystąpili w nim sławni aktorzy, między innymi Leilah Assumpção, Maria Alice Vergueiro, Ruth Escobar i Sílvio de Abreu.

Podobnie było w Rio, gdzie na scenie pojawili się: Dulcina de Moraes, Fregolente, Marília Pêra, Francisco Milani, José Wilker, Denoy de Oliveira, a w roli starego Peachuma sędziwy Bororó, dawny kompan Mistrza Tuki. Choreografią zajął się słynny tancerz Klauss Vianna. Premierą musicalu zainaugurowano działalność teatru im. Cecílii Meirelles na Lapie. Paulo grał ślepego żebraka, więc nie miał szerokiego pola do popisu, ale liczyło się to, że jego nazwisko pojawiło się obok sławnych artystów. Po wielu tygodniach prób wszystko było gotowe do premiery. Kilka dni wcześniej aktorów zaproszono do studia TV Rio – najważniejszej stacji telewizyjnej w mieście – żeby na żywo zaprezentowali wybraną scenę. W ostatniej chwili zabrakło aktora Oswalda Loureiro, który śpiewał główny temat muzyczny. Paulo jako jedyny znał na pamięć słowa songu „Mack the Knife", w związku z czym przypadła mu najważniejsza rola w programie. Spory sukces *Opery za trzy grosze* sprawił, że jego pozycja w zawodzie umocniła się.

Kiedy Paulo zamieszkał u rodziców i grał w musicalu, znów dały o sobie znać homoseksualne fantazje. Tym razem inicjatywa należała do trzydziestoletniego aktora, który brał udział w tym samym przedstawieniu. Wymienili z Paulem kilka słów i znaczących spojrzeń, w końcu po którymś przedstawieniu aktor zapytał wprost:

– Pójdziesz ze mną łóżka?

– Chętnie! – niewiele myśląc odpowiedział zaskoczony propozycją Paulo.

Spędzili razem noc. Po latach pisarz wspominał, że poczuł się poniżony w nowej roli – kochanka wymieniającego pieszczoty z mężczyzną – ale się nie wycofał. Następnego dnia po powrocie do domu miał mętlik w głowie. Czuł się nieswojo i nadal nie wiedział, czy jest homoseksualistą. Kilka miesięcy później powtórzył doświadczenie z innym kolegą z teatru. Poszli do mieszkania aktora, małej klitki w Copacabanie. Zaproszenie do wspólnej kąpieli go zażenowało, a uczucie skrępowania towarzyszyło mu przez całą noc. Odbyli stosunek dopiero nad ranem, kiedy do małego pokoju wdarły się pierwsze promienie słońca. Paulo Coelho przekonał się raz na zawsze, że nie jest homoseksualistą.

Jak na osobę o tak niskim poczuciu wartości, Paulo robił oszałamiającą karierę wśród kobiet. Zrezygnował z Márcii, zerwał z Renatą, ale kontynuował nieformalny związek z Fabiolą, która z dnia na dzień pięknaiała. Mając skłonności do bigamii, wkrótce zakochał się w pochodzącej z Sergipe Genivaldzie, niezbyt ładnej, za to wyjątkowo błyskotliwej, której z otwartymi ustami słuchali bywalcy Paissandu i baru Zeppellin. Po tygodniach bezowocnych umizgów Paulowi wreszcie udało się wywieźć Geni na weekend do wuja José w Araruamie. Jakież było jego zdziwienie, kiedy pierwszej nocy ta brylująca w towarzystwie kobieta, która zdawała się wszystko wiedzieć, poprosiła go szeptem, by się nie spieszył, gdyż robi to pierwszy raz w życiu. Początki romansu były trudne – młodzi nie mieli gdzie się spotykać – ale okazały się brzemienne w skutki. Na początku czerwca Geni telefonicznie poinformowała Paula, że jest z nim w ciąży. Paulo ucieszył się, że zostanie ojcem, ale zanim zdążył coś powiedzieć, Geni obwieściła, że zamierza ciążę usunąć. Paulo zaproponował spotkanie, żeby spokojnie porozmawiać, ale dziewczyna była nieugięta: podjęła decyzję i chciała zakończyć znajomość. Odłożyła słuchawkę i wszelki ślad po niej zaginął.

Paulo przeżywał ciężkie chwile. Był zdenerwowany nagłym zniknięciem Geni. Rozpoczął poszukiwania. Ostatecznie odkrył, że wróciła do Aracaju, swego rodzinnego miasta. Na podróż pieniędzy nie miał, a miejscowość była oddalona od Rio o dwa tysiące kilometrów. Wpadł w depresję, od czasu do czasu przerywaną krótkimi okresami euforii. Podczas bezsennych nocy dawał upust rozpaczy, zapisując niezliczone kartki dziennika.

Oddycham samotnością, widzę samotność, wydalam samotność. To koniec. Jeszcze nigdy nie czułem się tak samotny, nawet w gorzkich i trudnych czasach dorastania. Samotność nie jest dla mnie niczym nowym, ale zaczyna mi ciążyć. Niedługo zrobię coś szalonego i wszystkich wprawię w osłupienie.

Chcę pisać, ale po co? Dla kogo? Kiedy jestem sam, w głowie kłębią mi się egzystencjalne myśli. Z tego ciągłego szmeru wyłapuję jedno przesłanie – chcę umrzeć.

W stanach euforii również nie stronił od dramatycznej nuty. Radość przychodziła nagle i trwała krótko, a Paulo bez skrępowania dawał wyraz swemu optymizmowi.

Nadchodzi chwila moich powtórnych narodzin, którą przeczuwałem jeszcze w szpitalu. Przychodzę na świat z nadejściem pierwszych promieni słońca. Oto chwila, by pokazać wszystkim, kim jestem.

Tyle że w połowie 1967 roku mało kto wiedział, kim jest Paulo Coelho, a co więcej – istniała możliwość, że świat nigdy się tego nie dowie. Pogrążając się w rozpaczy coraz częściej mówił o śmierci i samobójstwie. Pewnej bezsennej nocy pod koniec czerwca wpadł w furię. Schował dziennik do szuflady, przekręcił klucz w drzwiach, sprawdził, czy są zamknięte i zaczął wszystko demolować. Najpierw o kant biurka roztrzaskał gitarę. Rozległ się huk, jakby ktoś zdetonował bombę. Była środa, szósta rano, kiedy sąsiedzi jeszcze spali, ale hałas dobiegający z domu państwa Coelho postawił wszystkich na nogi. Kikutem, który pozostał z gitary, rozwalił czerwony plastikowy adapter i małe radio, po czym zaczął niszczyć wszystko, co mu wpadło w ręce. Po meblach przyszła kolej na serię książek o Sherlocku Holmesie, które porwał na strzępy, a potem zabrał się za półkę z utworami autorów brazylijskich: prozę, poezję, dzieła filozoficzne. Zostawił na podłodze w pokoju stertę podartych książek, udał się do łazienki i gryfem gitary rozbił lustro w wiszącej szafce. Kiedy na chwilę przestawał siać spustoszenie, słyszał jak ojciec wali pięściami w drzwi i każe mu otworzyć. Nie zważając na krzyki, zerwał przyklejoną do drzwi modlitwę św. Franciszka z Asyżu i wiersz „Barbara" Jacquesa Préverta, po czym je podarł. Ten sam los spotkał plakaty i reprodukcje obrazów: *Maję nagą* Goi, *Ogród rozkoszy* Boscha, *Ukrzyżowanie* Rubensa. Ciężko dysząc rozejrzał się po pokoju i zobaczył, że został jeszcze biały fotel, na którym zwykł „płakać i podziwiać rozgwieżdżone niebo", jak napisał kiedyś w pamiętniku. Nie miał pod ręką nic, czym by mógł go połamać, więc otworzył okno i bez wahania wyrzucił fotel do ogrodu. Kiedy w pokoju nie było już nic do zniszczenia, otworzył drzwi. Obok Pedra stali dwaj pielęgniarze, którzy szybko obezwładnili Paula. Jeden z nich zrobił mu w ramię zastrzyk ze środkiem uspokajającym.

Kiedy Paulo otworzył oczy, rozpoznał łuszczącą się farbę na suficie. Znów leżał w łóżku na dziewiątym piętrze kliniki im. Dra Eirasa. Widząc, że odzyskał przytomność, pielęgniarze zaprowadzili go do człowieka pilnującego windy.

– Ten pacjent uciekł od nas w zeszłym roku. Zapamiętaj jego twarz. Trzeba na niego uważać.

W szpitalu nic się nie zmieniło. Pacjenci byli ci sami, poza siostrzeńcem ministra, Fláviem, tym, który próbował popełnić samobójstwo wypijając mieszaninę perfum i whisky. Wrócił też jąkający się, fałszywy niemowa Luís Carlos, który towarzyszył Paulowi podczas ucieczki. Nie zmieniły się również tortury, którym poddawano pacjentów. Już pierwszego dnia Paulowi zaaplikowano tak silną dawkę elektrowstrząsów, że kiedy przyszła Fabiola wciąż był nieprzytomny, a twarz zniekształcał mu nienaturalny grymas. Tym razem poza rodzicami piękna dziewczyna była jedyną osobą, która go odwiedzała. Pomimo jej czułości i oddania, Paulo wciąż myślał o Geni i dziecku.

W ciągu siedmiu dni miał trzy sesje elektrowstrząsów i zaczął poważnie myśleć o ucieczce. Znowu chciał mu towarzyszyć Luís Carlos, który też miał dość szpitalnej rutyny. Szansa pojawiła się w dniu, gdy kolega doktora Gomesa, sprawdzając uzębienie Paula, odkrył, że rośnie mu ząb mądrości. Lekarz zareagował, jakby odkrył Amerykę.

– Już wiem, w czym rzecz. Rosnący z tyłu ząb mądrości naciska na nerwy. Przez to jesteś niespokojny i masz napady furii. Poproszę naszego dentystę, żeby ci go wyrwał i będzie po kłopocie!

Lekarz poszedł po pielęgniarza, by ten zaprowadził go do stomatologa, a tymczasem Paulo obwieścił Luísowi Carlosowi:

– Biorą mnie do dentysty. Spróbuję uciec! Jeśli i tobie się uda, spotkamy się za godzinę w kawiarni koło kliniki.

Wraz z pielęgniarzem pomaszerował alejką dzielącą dwa budynki szpitalne. Weszli do przychodni i stanęli przed gabinetem dentystycznym. Pielęgniarz spojrzał na zegarek: wyrwanie zęba nie potrwa krócej niż pół godziny – dość czasu, żeby pójść do łazienki, wrócić i poczekać na pacjenta. Jednak wizyta trwała zaledwie pięć minut. Dentysta włożył Paulowi lusterko do ust, obejrzał zęby, postukał, popukał i stwierdził, że nie ma nic do roboty.

– Kto to wymyślił takie bzdury! Odkąd ząb mądrości rzuca się na mózg?! Proszę poczekać przed gabinetem na pielęgniarza. Zaprowadzi pana na oddział.

Nadeszła wyczekiwana chwila. Paulo niepostrzeżenie wymknął się z budynku, przeszedł przez park i wmieszał w tłum odwiedzających oraz personelu szpitala, przechodzący obok portiera. Po kilku minutach był wolny. Pobiegł do kawiarni na rogu i ku swemu zaskoczeniu zastał tam Luísa Carlosa, który siedział nad kuflem piwa, bo tylko na tyle było go stać. Opili ucieczkę i postanowili jak najszybciej ruszyć w drogę, nim lekarze zauważą ich nieobecność. Jak się później okazało, z powodu bałaganu dopiero po dwóch dniach personel połapał się, że brakuje dwóch pacjentów. Przed wyjściem Paulo zdołał jeszcze sprzedać barmanowi swój zegarek. Na targi nie było czasu, więc wziął 300 cruzeiros, czyli mniej niż połowę wartości. Uciekinierzy minęli kilka przecznic, aż doszli do nasypu, gdzie rozsiedli się i w milczeniu przez kilka godzin kontemplowali cudowny widok pięknej plaży rozciągającej się u stóp góry Urca z Głową Cukrową w tle. Ten sam widok mogli podzi-

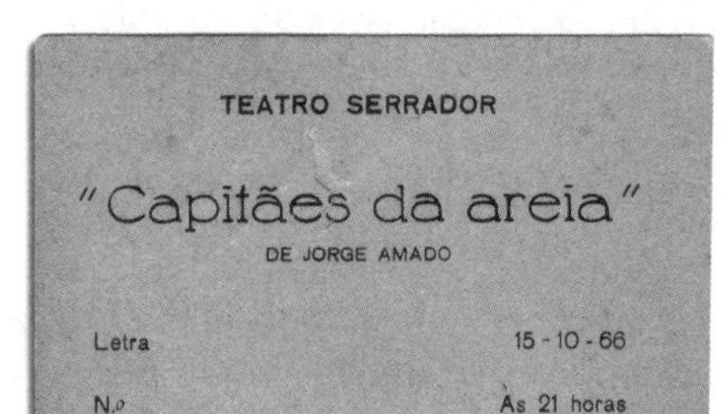
TEATRO SERRADOR

"Capitães da areia"

DE JORGE AMADO

Letra 15-10-66

N.º Às 21 horas

Po premierze sztuki *Kapitanowie piasku* w Teatrze Serrador; problemy z cenzurą i pochwały Jorge Amado. Paulo gra homoseksualistę Almira, który pod koniec sztuki umiera.

wiać z okien szpitala, ale tu nie przysłaniały go kraty. Paulo zwierzył się Luísowi Carlosowi ze swych planów:

– Na dworcu autobusowym kupię bilet do Aracaju. Muszę jak najszybciej odnaleźć moją dziewczynę. Będziemy mieli dziecko. Jeśli chcesz, możesz jechać ze mną. Pieniądze za zegarek starczą na dwa bilety.

Chłopak bał się dalekiej podróży, ale nie miał dokąd pójść, wobec czego przystał na propozycję. Ekspresowy autobus do stolicy stanu Sergipe odjeżdżał dopiero o ósmej rano następnego dnia, zatem uciekinierzy spędzili noc na dworcowej ławce. Bilety kosztowały 80 cruzeiros, więc starczyło im również na jedzenie. Luís Carlos dopytywał się o plany po dotarciu do celu. Paulo go uspokajał, mówiąc, że „na miejscu się zastanowią". Trasa wiodła przez stany Rio de Janeiro, Minas Gerais i Bahía, z przystankami w piętnastu miastach. 9 lipca 1967 roku, dwa dni po ucieczce, dotarli do Aracaju. Luís Carlos wreszcie się dowiedział, że Paulo nie ma ani adresu, ani numeru telefonu dziewczyny, a do tego żadnych wskazówek, które pomogłyby mu odnaleźć Genivaldę w mieście liczącym ponad 170 tysięcy mieszkańców. Znał jedynie nazwisko młodego poety działającego w nielegalnej Brazylijskiej Partii Komunistycznej. Był to Mário Jorge Vieira, z którym miała go skontaktować studentka medycyny Ilma Fontes.

Paulo zmyślił jakąś historyjkę i następnego dnia wraz z przyjacielem zainstalował się w wygodnym mieszkaniu dziennikarza Marcosa Muttiego. Luísa Carlosa przedstawiał jako swego „niemego sekretarza". Wkrótce zaczął pojawiać się w kronikach towarzyskich lokalnej prasy. Występował w nich jako „student i aktor", „młody dramaturg z Rio". Opowiadał o sobie niestworzone historie.

> *W kręgach artystycznych pojawił się aktor teatralny Paulo Coelho. Przyjechał z Rio, gdzie wraz z Paulem Autranem występuje w sztuce* Król Edyp. *Wygląda na to, że Coelho zatrzyma się na dłużej w naszym zielonym mieście i wniesie świeży powiew do zaściankowego życia teatralnego.*

Po tygodniu Paulo ostatecznie stracił nadzieję, że uda mu się odnaleźć Geni. Miał o niej usłyszeć dopiero po wielu latach: rzeczywiście usunęła ciążę, a kilka lat później zginęła potrącona przez samochód. Nie osiągnął celu swej podróży i przygnębiony zastanawiał się nad powrotem do Rio. Po namyśle jednak postanowił zostać, bo przyjmowano go gościnnie, traktowano jak gwiazdę. Udzielił nawet wywiadu dla „Gazeta de Sergipe", gdzie we wstępie czytamy:

9. tego miesiąca przyjechał do nas tajemniczy gość. Długie włosy, kilkudniowy zarost, szczupła sylwetka, niepokojące spojrzenie. Człowiek kipiący energią, pełen pomysłów i woli szerzenia sztuki w najdalszych zakątkach Brazylii. Słowem – artysta. Dwudziestolatek, który z miłości do sztuki opuścił swój dom i jedną z najznamienitszych rodzin w Rio de Janeiro. Człowiek o umyśle humanisty.

Paulo czuł się bezkarny, bo od rodzinnych stron dzieliły go tysiące kilometrów. W jego zachowaniu dawało się zauważyć brak samokrytycyzmu, cechę przypisywaną szaleńcom, dzieciom i Indianom. Był tak pewny siebie, że na łamach gazety wystąpił z krytyką reżimu wojskowego, a ściślej, prezydenta Artura da Costy e Silvy. „Nie będę milczeć tylko dlatego, że jakiś marszałek w piżamie złapał strzelbę i wykrzykuje, że broni praw i wolności obywateli, którzy nawet nie wiedzą, co ta wolność znaczy", powiedział buńczucznie. Wywiad stał się manifestem politycznym. „Nie przejechałem tysięcy kilometrów, by siedzieć cicho. Nie będę kłamał ani przed sobą, ani przed ludźmi z mojego otoczenia". Jego wypowiedź zrobiła takie wrażenie, że zaproponowano mu napisanie artykułu o tematyce politycznej do sobotniego wydania „Gazeta de Sergipe".

W piątek Paulo dowiedział się, że po mieście krąży dwóch ludzi, którzy wypytują o „faceta z Rio" i chcą go zabić. Był pewien, że to krewni Geni w obronie jej honoru zamierzają załatwić z nim rodzinne porachunki. Nagle odeszła mu ochota do walki z dyktaturą. Spakował manatki i chciał uciekać, tylko sekretarz jąkała przypomniał mu o artykule. Wobec tego ze skórzanej torby przewieszonej przez ramię Paulo wyjął artykulik z gazety znalezionej na dworcowej ławce w mieście Vitória da Conquista w Bahía, podczas jednego z piętnastu postojów w drodze do Aracaju. Pożyczył od właścicieli mieszkania maszynę do pisania i słowo w słowo przepisał cały tekst, w którym krytykowano reżim za łamanie demokracji w Brazylii. Zostawił ten sam tytuł, ale zamiast nazwiska dziennikarza podpisał: „Paulo Coelho de Souza".

Powlókł za sobą Luísa Carlosa i za ostatnie pieniądze kupił dwa bilety do Salvadoru, bo tylko na taką podróż było go stać. Wiele lat później, kiedy wyszło na jaw oszustwo, którego się dopuścił, oburzeni mieszkańcy Aracaju przedstawili publicznie swoją wersję wydarzeń. „Coelho i jego sekretarz od siedmiu boleści nie myli się przez dwa tygodnie i całymi dniami palili marihuanę", wspominała Ilma Fontes. „Marcos Mutti wyrzucił ich z domu, bo palili na osiedlowej ławce i miał z tego powodu kłopoty". Dwa tygodnie bez mycia nie były dla Paula niczym nowym, ale w lipcu 1967 roku marihuany jeszcze nie znał.

Paulo i Luís wysiedli na dworcu w Salvadorze bez grosza przy duszy. Przewędrowali pieszo dziesięć kilometrów do domu opieki siostry Dulce, jednej z najbardziej znanych instytucji charytatywnych w Brazylii. Ustawili się w długiej kolejce żebraków, którzy z blaszanymi menażkami czekali na swoją porcję zupy. Przy stole, za którym stała zakonnica, Paulo pozwolił sobie na niemal bluźnierczy żart, nazywając ją „Słodką Irmą" [irmã, po portugalsku: siostra], czyniąc aluzję do imienia prostytutki z filmu Billy'ego Wildera, którą grała Shirley MacLaine. Paulo wytłumaczył wątłej zakonnicy o smutnym spojrzeniu, że potrzebują pieniędzy na dwa bilety do Rio. Wyglądali tak żałośnie, że siostra bez wahania zapisała adres, pod który mieli się udać, a u dołu kartki dodała kilka słów:

Ci dwaj chłopcy proszą o darmowy przejazd do Rio.
Siostra Dulce, 21 lipca 1967

Teraz wystarczyło podejść do okienka, pokazać karteczkę, wziąć bilety i wsiąść do autobusu. W stanie Bahía każdy świstek papieru podpisany przez zakonnicę był traktowany jak świętość. Na jego podstawie można było dostać miskę zupy, dach nad głową albo – jak w przypadku Paula – bilety autobusowe. Przez czterdzieści godzin podróży z Salvadoru do Rio de Janeiro Paulo obmyślał fabułę książki, w której zamierzał opisać ucieczkę ze szpitala i wyjazd na północ. Właściwie nie chodziło o jedną książkę – zawsze miał skłonności do megalomanii – a o dziewięć tomów, z których każdy składałby się z dwunastu rozdziałów. Do końca podróży zdołał nadać tytuły wszystkim częściom (między innymi: *Plan ucieczki, Towarzysze podróży, Syn generała, Moje gęste włosy i miałkie ludzkie myśli, Pistolet Pedra, czyli jak wypiąłem się na ludzi z Bahii, Jak spałem w beczkach po nafcie w temperaturze* 7° C...). Na piętnastu kartkach dziennika Paulo sporządził konspekt dzieła, które ostatecznie nigdy nie powstało. Na dworcu autobusowym w Rio towarzysze podróży ze wzruszeniem padli sobie w objęcia. Paulo pojechał do domu, a jąkała do szpitala, gdzie zamierzał odbyć resztę zesłania jako fałszywy wariat do czasu zdobycia upragnionej renty. Brakowało mu kilku miesięcy, więc obaj dobrze wiedzieli, że się już nie spotkają.

Gdyby to jednak zależało od Paula, zobaczyliby się niebawem. Nim minął rok od ostatniego pobytu w szpitalu, Paulo znów popadł w depresję i w akcie furii zdemolował swój pokój, niemal dokładnie tak samo, jak poprzednio, tyle że tym razem inny był koniec. Zamiast dwóch pielęgniarzy ze strzykawkami i kaftanem bezpieczeństwa w progu swego pokoju zobaczył młodego, sympatycznego lekarza, który grzecznie spytał:

– Mogę wejść?

Był to psychiatra Antônio Ovídio Clement Fajardo z kliniki Dra Eirasa. Słysząc łoskot w pokoju syna Lygia i Pedro zadzwonili po doktora Gomesa, którego nikt nie mógł znaleźć. Sprawa była pilna, wobec czego zostali skierowani do doktora Fajardo. W telefonicznej rozmowie z Pedrem lekarz zebrał wywiad na temat pacjenta.

– Jest uzbrojony?

– Nie.

– Jest alkoholikiem?

– Nie.

– Narkomanem?

– Nie.

Sprawa była więc prosta.

– Mogę wejść? – Fajardo powtórzył pytanie.

Paulo stał nieruchomo, zdziwiony nieoczekiwaną wizytą.

– Jak to? Nie zabierze mnie pan do szpitala?

– Tylko jeśli panu na tym zależy – odparł lekarz z uśmiechem. – Ale nie odpowiedział pan na moje pytanie: mogę wejść?

Lekarz wszedł, usiadł na łóżku i rozejrzał się dookoła szacując straty, po czym jak gdyby nigdy nic zauważył:

– Wszystko doszczętnie połamane. Świetnie!

Paulo nic nie rozumiał.

– Zniszczył pan swoją przeszłość – kontynuował lekarz. – To bardzo dobrze! Teraz, gdy jej nie ma, można pomyśleć o przyszłości, prawda? Proponuję, żeby przychodził pan do mnie dwa razy w tygodniu. Porozmawiamy o pańskiej przyszłości.

Paulo stał oniemiały.

– Ależ panie doktorze! Miałem atak furii. Nie zabierze mnie pan do szpitala?

– Każdy ma w sobie coś z wariata – odparł lekarz ze stoickim spokojem. – Ja też. Co nie znaczy, że trzeba wszystkich od razu zamykać w szpitalu. Pan nie jest chory psychicznie.

Od tej chwili w domu państwa Coelho zapanował spokój.

– Wydaje mi się, że rodzice uważali mnie za beznadziejny przypadek. Pogodzili się z myślą, że muszą mieć mnie na oku i łożyć na mnie do końca życia – wspominał po latach Paulo. – Wiedzieli, że nadal będę ciągnął do „złego towarzystwa”, ale tym razem nie zamierzali zamykać mnie w klinice.

Problem polegał na tym, że nie mógł dłużej znieść ojcowskiej kontroli. Żeby się spod niej wyzwolić, był gotów zrobić wszystko, nawet wrócić do ponurej kawalerki w centrum miasta. Z pomocą znów przyszli dziadkowie. Mistrz Tuca i babcia Lilisa od kilku lat mieli dom w tej samej dzielnicy, a nad garażem dobudowane pomieszczenia z pokojem, łazienką i oddzielnym wejściem. Lokum było do dyspozycji wnuka, pod warunkiem, że Pedro wyrazi zgodę.

Paulo tak bardzo pragnął się wynieść, że nim ojciec zdążył cokolwiek powiedzieć, pozbierał z pokoju resztki swoich rzeczy i przeniósł się pod nowy adres. Jego skromny dobytek stanowiło łóżko, biurko, kilka ubrań i maszyna do pisania, którą oszczędził podczas czerwcowego ataku furii. Szybko poczuł się jak w raju. Dziadkowie byli bardzo wyrozumiali. Mógł wychodzić i przychodzić, kiedy mu się podobało, przyjmować, kogo chciał i kiedy chciał. W ostatniej sprawie liczono oczywiście na jego rozsądek. Tolerancja dziadków była tak wielka, że, jak Paulo przyznał po latach, tam po raz pierwszy spróbował marihuany.

Kiedy przez kilka następnych miesięcy dziadkowie ani razu nie poskarżyli się na wnuka, Pedro zaproponował lepsze rozwiązanie – zamiast gnieździć się w klitce nad garażem u Mistrza Tuki, Paulo może się przeprowadzić do nowego, ładnego mieszkania, które inżynier Coelho dostał jako wynagrodzenie za budowę domu przy ulicy Raimunda Correi w Copacabanie. Za tak szczodrą propozycją musiało się coś kryć. I rzeczywiście. Pedro chciał się pozbyć zalegającego z czynszem lokatora, a zgodnie z prawem mógł unieważnić umowę najmu tylko w przypadku, kiedy na miejsce lokatora wprowadziłby się ktoś z najbliższej rodziny. Przeprowadzka była korzystna zarówno dla ojca, jak i syna. Jednak, jak to zwykle bywało z propozycjami Pedra, układ miał swoje wady. Paulo mógł korzystać tylko z jednej z trzech sypialni, pozostałe zamknięto na klucz. Ojciec zabrał też klucze do głównych drzwi i kazał synowi wchodzić do mieszkania wejściem dla służby. Po starym lokatorze została Paulowi lodówka, której dotknięcie groziło porażeniem prądem, a poza tym wszystko działało bez zarzutu. Wystarczyło tylko kupić w komisie lampy, łóżko i regał na książki.

O ile warunki nad garażem były opłakane, o tyle z mieszkania przy ulicy Raimunda Correi Paulo wyniósł miłe wspomnienia. Zmieniał dziewczyny jak rękawiczki, tylko Fabiola pozostała mu wierna, choć zżerała ją zazdrość i często była wściekła.

– Kręciły się koło niego różne Renaty, Genivaldy i Márcie, ale w trudnych chwilach tylko na mnie mógł liczyć. Robiłam to bezinteresownie i z miłości. Naprawdę!

Po latach, jako sławny pisarz, Paulo z rozrzewnieniem wspominał tamte czasy.

To był szczęśliwy okres. Wreszcie byłem naprawdę wolny i żyłem tak, jak chciałem, czyli jak prawdziwy „artysta". Zarzuciłem naukę i całkowicie poświęciłem się teatrowi. Chodziłem do barów, gdzie przesiadywali intelektualiści. Przez rok robiłem to, na co miałem ochotę. Wtedy znów zacząłem spotykać się z Fabiolą.

Jak przystało na człowieka teatru, Paulo zamienił salon w salę prób, pracownię kostiumów i garderobę. Sąsiedzi zastanawiali się, co znaczy umieszczony nad wejściem napis po włosku, cytat z *Boskiej Komedii* Dantego: *Lasciate ogni speranza, voi che entrate* [Porzućcie wszelką nadzieję wy, którzy tu wstępujecie]. Paulo tłumaczył sztuki, pracował jako aktor i reżyser. Sukcesy równoważyły porażki i zaczął zarabiać na życie. Powoli przestawał być całkowicie zależny od rodziców.

Kiedy brakowało mu pieniędzy, próbował szczęścia w pokera i bilard. Czasem obstawiał gonitwy w Jockey Clubie. W liceum Guanabara skończył naukę w klasie o profilu ścisłym. Pod koniec 1968 roku postanowił sprawdzić się jako producent. Była to jedyna dziedzina teatru, w której jeszcze nie miał doświadczenia. Przygotował adaptację *Piotrusia Pana* z zamiarem wyreżyserowania jej i zagrania jednej z głównych ról. Na pokrycie kosztów nie znalazł jednak pieniędzy. W zasadzie porzucił już nadzieję na zrealizowanie projektu, kiedy pewnego wieczora zjawiła się Fabiola. Otworzyła torbę i wysypała na łóżko banknoty w małych paczuszkach – było tego w sumie 5 tysięcy nowych cruzeiros (dziś około 11 tysięcy dolarów).

– To prezent ode mnie – wyjaśniła. – Możesz wystawić *Piotrusia Pana*.

Skąd Fabiola miała pieniądze? Otóż zbliżały się jej osiemnaste urodziny. Zamiast ubrań, perfum i innych prezentów poprosiła matkę, babcię, kuzynów i znajomych o pieniądze. Dołożyli się też dawno zapomniani wujkowie i bogate klientki matki, aż udało się uzbierać pokaźną sumę – może nie wielką fortunę, ale dość na wystawienie sztuki. Paulo jak zwykle uderzył w podniosły ton.

– Kiedyś dziewczyna rzuciła mnie dla dwóch sukienek – powiedział wzruszony. – A ty dla mnie rezygnujesz z mnóstwa nowych ubrań i prezentów. Odzyskałem wiarę w kobiety!

Fabiola zamieściła kilka płatnych reklam w programie sztuki. Ubiła także interes z restauracjami w pobliżu teatru Santa Terezinha i Ogrodu Botanicznego. W zamian za umieszczenie nazw lokali na łamach programu, właściciele zgodzili się karmić aktorów za darmo. Paulo odwdzięczył się Fabioli za jej zaangażowanie i powierzył jedną z głównych ról – rolę Kapitana Haka. Muzykę do spektaklu skomponował Kakiko. Sukces był tak wielki, że grana przy pełnej widowni sztuka długo nie schodziła z afisza. Zwróciło się wszystko, co zainwestowano w produkcję. Co więcej, wbrew regule, że sukces u widzów oznacza klapę u krytyków, inscenizacja zdobyła nagrodę na Pierwszym Festiwalu Teatrów Dziecięcych Stanu Guanabara. Paulo wciąż marzył o karierze literackiej, ale musiał pogodzić się z faktem, że jeszcze przez jakiś czas będzie żył z teatru. Sukcesy w tej dziedzinie zachęciły go do zalegalizowania działalności. Wkrótce z dumą pokazywał przyjaciołom legitymację członka Brazylijskiego Stowarzyszenia Autorów Teatralnych, z podpisem prezesa Raimunda Magalhãesa Júniora, autora przekładu *Opery za trzy grosze*, w której niegdyś zagrał młody Coelho.

W 1969 roku Paulo dostał propozycję roli w sztuce Nelsona Rodriguesa *Viúva porém Honesta* [Wdowa, lecz uczciwa]. Któregoś dnia, w przerwie między próbami, popijał piwo w barze obok teatru Sérgio Porto, kiedy zauważył, że z barowego stołka obserwuje go piękna blondynka. Udawał, że tego nie widzi. Gdy po pewnym czasie znów odwrócił się w jej stronę, nadal siedziała, przyglądając mu się z dyskretnym uśmiechem. Cała scena trwała najwyżej dziesięć minut, ale nieznajoma zrobiła na nim duże wrażenie. Wieczorem zanotował w dzienniku:

> *Nie wiem, jak to się stało. Po prostu wyrosła spod ziemi. Kiedy wszedłem do baru, od razu poczułem jej obecność. W środku było kilkanaście osób, ale wiedziałem, że to ona na mnie patrzy. Nie miałem odwagi podnieść oczu. Nigdy przedtem jej nie widziałem, ale gdy poczułem na sobie jej spojrzenie, zrozumiałem, że coś się zaczyna. Że to początek miłosnej historii.*

Starsza od Paula o jedenaście lat, piękna i tajemnicza blondynka Vera Prnjatović Richter była w separacji z mężem, bogatym przemysłowcem, z którym związana była przez piętnaście lat.

Świetnie się ubierała, jeździła samochodem – w owych czasach rzadkość wśród kobiet – i miała duże mieszkanie w Leblonie przy alei Delfim Moreira, jednej z najdroższych w Brazylii. Z punktu widzenia Paula miała tylko jeden mankament: spotykała się z brodatym przystojniakiem, aktorem Paulem Elísiem, który słynął z braku poczucia humoru i czarnego pasa karate. Z notatek w dzienniku wyraźnie wynika, że uczucie wzięło górę nad obawami, ponieważ dwa tygodnie później Vera Richter i Paulo Coelho zostali parą.

Kakiko, Paulo, Vera i Arnold podczas postoju w mieście Registro.
Jeszcze nie wiedzą, że podążają śladem partyzantów.

10.

Major grozi, że jeśli Paulo nadal będzie kłamał, wydłubie mu oko i rozgniecie je na miazgę

Rok 1968 rozpoczął najbardziej brutalny okres dyktatury w Brazylii. 13 grudnia prezydent kraju, Artur da Costa e Silva („marszałek w piżamie", jak go nazwał Paulo w swym wywiadzie) ogłosił Akt Instytucjonalny nr 5, który likwidował ostatnie przejawy wolności po przewrocie z 1964 roku. Akt podpisał prezydent oraz wszyscy ministrowie, w tym minister zdrowia doktor Leonel Miranda, właściciel szpitala im. Dra Eirasa. Ustawa pozwalała na dławienie siłą wszelkich przejawów swobód obywatelskich, znosiła prawo zabraniające aresztowania bez nakazu sądowego, wprowadzała cenzurę prasy, teatru i książek oraz umożliwiała rozwiązanie parlamentu. Nie tylko Brazylia stanęła na skraju wojny domowej.

Szósty rok trwał konflikt w Wietnamie, dokąd wysłano ponad 500 tysięcy amerykańskich żołnierzy. Prezydentem Stanów Zjednoczonych został „jastrząb" Richard Nixon. W kwietniu zginął murzyński przywódca Martin Luther King, a niecałe sześćdziesiąt dni później zastrzelono zwolennika przemian, senatora Roberta Kennedy'ego. Symbolem kontrkultury był wystawiany w Nowym Jorku musical *Hair*, w którym w jednej ze scen aktorzy pojawiali się nago. W maju francuscy studenci zajęli Sorbonę i zamienili Paryż w pole bitwy. Generał Charles de Gaulle musiał spotykać się z wojskowym sztabem francuskim w niemieckim kurorcie Baden-Baden. Zamieszki rozpętały się również w krajach za żelazną kurtyną. W Czechosłowacji wybuchła praska wiosna. Przywódca czeskiej Partii Komunistycznej Alexander Dubček poparł program reform, ale w sierpniu do Czechosłowacji wkroczyły wojska Układu Warszawskiego.

W Brazylii powoli odradzała się opozycja. W początkowej fazie protesty przyjmowały formę pokojowych marszów studenckich. Paulo rzadko brał w nich udział, a gdy przyłączał się do manifestacji, to tylko dla zabawy i emocji związanych ze „spotkaniem z policją". Nie kierowały nim względy ideologiczne. Atmosferę polityczną podgrzewały wybuchające raz po raz strajki robotników w São Paulo i w stanie Minas Gerais. Sytuacja się zaostrzyła, kiedy służby wywiadowcze odkryły zalążki partyzantki, przez rząd określanej jako „terroryści". Pod koniec roku istniały przynajmniej cztery organizacje zbrojne działające jako miejska partyzantka: Vanguarda Armada Revolucionária – VAR-Palmares [Ludowa Awangarda Zbrojna], Ação Libertadora Nacional – ALN [Akcja Narodowowyzwoleńcza], Vanguarda Popular Revolucionária – VPR [Ludowa Awangarda Rewolucyjna] i Comando de Libertação Nacional „Colina" (Oddział Walki Wyzwolenia Narodowego). Z inspiracji Chińczyków Brazylijska Partia Komunistyczna rozmieściła w Xambioá na północy stanu Goiás (dziś na granicy stanu Tocantins) pierwszych partyzantów, którzy mieli stworzyć ośrodek walki zbrojnej w rejonie rzeki Araguaia, na skraju puszczy amazońskiej. Skrajnie lewicowe ugrupowania zaczęły napadać na banki i wysadzać w powietrze koszary, zaś radykalna prawica przypuściła atak na najaktywniejsze środowisko antyrządowe – na teatr.

Prawicowe bojówki zaatakowały teatr São Paulo i wysadziły w powietrze jeden z teatrów w Rio. Policja prowadziła masowe aresztowania wśród demonstrujących studentów. Do więzienia trafiło wiele znanych postaci, między innymi były gubernator stanu Guanabara oraz cywilny przywódca przewrotu w 1964 roku, Carlos Lacerda, kompozytorzy Caetano Veloso i Gilberto Gil oraz dziennikarz Carlos Heitor Cony, ten sam, którego artykuł Paulo skopiował na potrzeby lokalnej prasy w Aracaju.

Paulo mówił o sobie, że jest „jednym z komunistów". Chcąc nie chcąc, stał się świadkiem przemocy władz w swoim środowisku zawodowym (był przecież aktorem), mimo to pozostawał obojętny na polityczne burze, które przetaczały się przez jego kraj. Zamach stanu oraz wprowadzenie Aktu Instytucjonalnego były dla niego czystą abstrakcją i nie zasługiwały nawet na jedno słowo w jego skrzętnie prowadzonym dzienniku. Pierwsze zdanie zapisane w 1969 roku mówi o tym, jak zamierzał spożytkować swoją młodzieńczą energię:

Dziś jest Nowy Rok. Spędziłem noc z cudzołożnicami, homoseksualistami, lesbijkami i rogaczami.

W 1964 roku brak zainteresowania polityką można było złożyć na karb młodego wieku, ale teraz Paulo miał prawie 22 lata i był równolatkiem tych, którzy angażowali się w sprawy polityczne kraju. Tymczasem zmiany w jego życiu osobistym nie miały nic wspólnego z wrzawą polityczną, lecz z jego nową miłością – Verą Richter.

Piękna, młoda i elegancka dziewczyna przyszła na świat w 1936 roku w Belgradzie, stolicy ówczesnej Jugosławii. Córka bogatych ziemian, do dwudziestego roku życia prowadziła życie typowe dla swej klasy. Studiowała wiedzę o teatrze, uczęszczała na seminaria z prawa. Dopiero na pierwszym roku studiów dowiedziała się, co naprawdę dzieje się w Europie Środkowej. Po śmierci Stalina nastąpiło zbliżenie między Moskwą a jugosłowiańskim przywódcą Josipem Broz Tito, który twardą ręką scalił kraj, skolektywizował rolnictwo i z byłych posiadłości ziemskich stworzył gospodarstwa rolne, zarządzane przez rady robotnicze. Bogaci właściciele ziemscy musieli odejść. Rodzina Prnjatoviców, czyli Vera, jej owdowiała matka i starsza siostra, postanowiły wyjechać do Rio de Janeiro, by tam rozpocząć nowe życie. Trwała zimna wojna, granice były zamknięte. Ucieczka z kraju wymagała zachowania wszelkich środków ostrożności. Najpierw wyjechała matka i jej najstarsza córka, które znalazłszy mieszkanie w Copacabanie po kilku miesiącach sprowadziły Verę. Dziewczyna mówiła tylko po angielsku i po serbsko-chorwacku. W Brazylii czuła się więc obco. Wkrótce za namową rodziny wyszła za mąż za starszego o osiemnaście lat rodaka-milionera. Jak po latach wspominała, tworzyli tak dziwną parę, że ludzie oglądali się za nimi na ulicy. Jak większość osiemnastoletnich dziewcząt, Vera lubiła się bawić, tańczyć, śpiewać i uprawiać sporty. Natomiast jej mąż był człowiekiem zamkniętym w sobie i po pracy (zajmował się handlem zagranicznym) czytał książki albo słuchał muzyki poważnej.

Kiedy Vera po raz pierwszy ujrzała Paula w barze koło teatru, jej małżeństwo istniało już tylko na papierze. Małżonkowie mieszkali pod wspólnym dachem, ale nic ich nie łączyło. Verę zwabiła do teatru Carioca wiadomość, że młody reżyser z Bahii, Álvaro Guimarães, organizuje kurs aktorski. Czterdzieści lat później Vera wspominała, że w pierwszej chwili Paulo wcale jej się nie spodobał.

– Przypominał profesora Abronsiusa, zwariowanego naukowca z filmu Romana Polańskiego *Nieustraszeni pogromcy wampirów*. Przy mikrej posturze miał wielką głowę. Był brzydki, kościsty, miał mięsiste wargi, opadające kąciki ust, wyłupiaste oczy... Nie był wcale przystojny.

Miał jednak coś, co od razu przyciągało uwagę kobiet.

– Paulo był jak Don Kichot. Miał natchniony wyraz twarzy. Dla niego wszystko było łatwe i proste. Chodził z głową w chmurach, rzadko stąpał po ziemi. Jednocześnie wciąż przeżywał frustrację z jednego powodu – chciał być kimś. Był gotów zrobić wszystko, żeby osiągnąć swój cel. Taki był.

Wraz z pojawieniem się Very związek z Fabiolą skazany był na klęskę. W owym czasie długoletnia narzeczona podejrzewała Paula o romans z holenderską aktorką, która pojawiała się na próbach. Postanowiła wyjaśnić sprawę i którejś nocy zaczaiła się przed domem Paula na ulicy Raimunda Correi, czekając do rana, aż wyjdzie z kochanką na ulicę. Zawiodła się na człowieku, któremu dała tyle dowodów miłości, i natychmiast zerwała znajomość. Przez lata związku z Paulem zaprzyjaźniła się z państwem Coelho, których kilka miesięcy później niemile zaskoczyła, pokazując się nago na okładce satyrycznego pisma „Pasquim".

Paulo przyznał po latach, że dopiero doświadczona Vera nauczyła go kochać się, mówić po angielsku i dobrze się ubierać. Nie potrafiła jednak przełamać jego lęków z czasów Araruamy – Paulo wpadał w panikę na samą myśl, że mógłby prowadzić samochód. Związek z Verą nie tylko zmienił jego gusty. Wpłynął również na rozwój Paula w sferze zawodowej. Pieniądze Very pozwoliły mu całkowicie poświęcić się teatrowi. Coraz częściej nocował w jej luksusowym apartamencie w Leblonie, coraz rzadziej bywał w swoim mieszkaniu w Copacabanie. Po kilku tygodniach spędzonych nad maszyną do pisania, z dumą oznajmił, że napisał pierwszą sztukę dla dorosłych, zatytułowaną *Apokalipsa*. Nowy związek zdawał się przynosić korzyści obu stronom (cud, który zdarza się niewielu ludziom na świecie). Vera zrozumiała przesłanie autora, a do tego dramat tak się jej spodobał, że postanowiła go wystawić jako producentka, pod warunkiem, że Paulo zajmie się reżyserią. Przygotowania przebiegały pomyślnie i pod koniec kwietnia 1969 roku krytycy i wydawcy czasopism kulturalnych otrzymali zaproszenia na premierę prasową. Rozesłano też informację o obsadzie, gdzie na pierwszym miejscu błyszczała gwiazda Very. Fabioli Fracarolli powierzono drugoplanową rolę, co dobitnie wskazywało,

Paulo i jego nowa miłość Vera Richter podczas spektaklu w Canecão. Tymczasem jego poprzednia dziewczyna, Fabíola pozuje nago dla tygodnika *Pasquim*, wywołując oburzenie w rodzinie Coelhów.

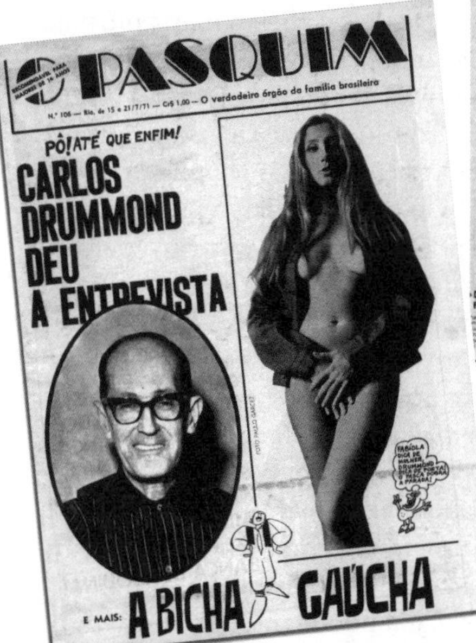

jak zmienił się do niej stosunek autora i reżysera sztuki. Paulo zaprosił do współpracy swojego przyjaciela Kakika, który skomponował muzykę do spektaklu. Kompozytor był świeżo upieczonym absolwentem stomatologii i dzielił czas między gabinet dentystyczny a muzykę.

Do programu dołączony został krótki tekst o sztuce. Napisany pretensjonalnym i hermetycznym językiem, dawał mimo wszystko ogólne pojęcie o *Apokalipsie*. „Sztuka pokazuje aktualną sytuację, głęboki kryzys ludzkości, która traci wszystkie wyróżniające ją cechy – szczególnie zaś indywidualizm – na rzecz wygodnej anonimowości. Dzieje się tak dlatego, że podlega ona ideologicznej indoktrynacji", dowodził autor tekstu. I dalej w tym samym górnolotnym stylu. Spektakl zaczynał się od projekcji filmu dokumentalnego z lotu na księżyc statku kosmicznego Apollo 8. Potem był układ choreograficzny – „taniec ludów pierwotnych z elementami orientalnymi". Jeden po drugim aktorzy wchodzili na scenę, deklamując fragmenty *Prometeusza skowanego* Ajschylosa, *Juliusza Cezara* Szekspira i Ewangelii, po czym każdy artysta odgrywał najbardziej traumatyczną scenę zapamiętaną z własnego dzieciństwa. Na koniec aktorzy obrzucali widzów inwektywami.

Za sprawą *Apokalipsy* Paulo po raz pierwszy w życiu na własnej skórze odczuł razy zjadliwej krytyki. Sztukę bezlitośnie wyszydziły wszystkie gazety. Recenzenci nie pozostawili na autorze suchej nitki, wyśmiewali reżyserię, scenografię, kostiumy, tekst, aktorstwo, dosłownie wszystko. *Apokalipsa* okazała się wielką klapą nie tylko w oczach krytyki, ale i widzów. Sztuka przetrwała na afiszu zaledwie kilka tygodni, przynosząc Paulowi i Verze spore straty. Mimo to pani sponsor bez słowa pokryła wszystkie koszty teatralnej klęski.

Wystawienie *Apokalipsy* zbiegło się z ważnymi zmianami w życiu pary. Choć małżeństwo Very było fikcją, nadal mieszkała z mężem pod jednym dachem. Teraz postanowiła się wyprowadzić. Jej nowe miejsce zamieszkania wkrótce stało się mekką bohemy i ludzi kontrkultury, w latach 60. przez mieszkańców Rio nazywanej *desbunde* [czyli: wariactwo, szaleństwo]. Zamieszkała w Solar Santa Terezinha, znanym częściej jako Solar da Fossa, obiekcie niegdyś należącym do kościoła, służącym dawniej jako noclegownia dla żebraków. Wzniesiony na planie prostokąta, miał w środku dziedziniec, a wokół niego pokoje. Budynek był dogodnie położony przy ulicy Laura Mullera, w połowie drogi między Copacabaną a Botafogo, tuż obok nowo otwartego teatru Canecão. Stary, wielki dom w stylu kolonialnym przyciągał młodą inteligencję bez grosza przy duszy. Czasy świetności miał już za sobą, ale uchodził za miejsce kultowe. Czynsz za pokój z łazienką wynosił 200 cruzeiros (dziś około 200 dolarów).

Paulo i Vera mieszkali w Solar da Fossa już jakiś czas, kiedy pod koniec lipca 1969 roku przyszedł im do głowy pewien pomysł. W połowie sierpnia w Asunción narodowa reprezentacja Brazylii w piłce nożnej miała rozegrać z drużyną Paragwaju eliminacyjny mecz do mistrzostw świata w Meksyku w 1970 roku. Paulo nie interesował się piłką nożną. Raz tylko zabrał Verę na mecz, by zobaczyła jak wygląda zapełniony do ostatniego miejsca stadion Maracanã. Była zachwycona widowiskiem i odtąd stała się kibicem futbolu. To ona zaproponowała wyjazd na mecz do Paragwaju. Paulo nie wiedział, że będzie grać drużyna Brazylii, ale jak zwykle zapalił się do nowego pomysłu i całym sercem zaangażował w planowanie podróży. Nadal bał się prowadzić samochód, co oznaczało, że jedynym kierowcą na trasie liczącej dwa tysiące kilometrów miała być Vera. Wobec groźby, że w razie wypadku czy awarii utkną gdzieś na odludziu, Paulo zaprosił dwóch kompanów: muzyka-dentystę Kakikę oraz Arnolda Bruvera Júniora, znajomego z teatru. Kakiko miał prawo jazdy, a do tego w Asunción mieszkała narzeczona jego ojca, oferująca nocleg. Bruver, jak większość ludzi z otoczenia Paula, był szalenie barwną postacią. Jego ojciec pochodził z Łotwy, matka z Galicii. Miał 33 lata, był tancerzem, muzykiem, aktorem i śpiewakiem operowym w jednej osobie. Wcześniej służył w marynarce, ale oskarżony o działanie na szkodę państwa, po przesłuchaniu przez żandarmerię wojskową (reaktywowaną po 1964 roku) został z wojska wyrzucony. Paulo pożyczył od Mistrza Tuki mapy, których dziadek używał przed laty podczas podróży z babcią Lilisą do wodospadów Iguaçu na granicy z Paragwajem. Poprosił go też o zaznaczenie miejsc, gdzie tankowali samochód, jedli i spali.

W pogodny, lecz chłodny sierpniowy poranek 1969 roku biały volkswagen Very z trzema pasażerami wyruszył spod Solar da Fossa. Podróż odbywała się bez przeszkód. Kierowcy, Vera i Kakiko, zmieniali się co sto pięćdziesiąt kilometrów. Do małego hotelu w Registro dotarli w środku nocy, ledwo żywi, ale szczęśliwi. W dwanaście godzin przejechali 600 kilometrów, niemal jedną trzecią całej trasy. Miejscowi patrzyli na gości z uzasadnioną podejrzliwością. Kilka miesięcy wcześniej funkcjonariusze Departamentu do spraw Porządku Politycznego i Społecznego (Departamento de Ordem Política e Social) rozpędzili uczestników kongresu Narodowego Związku Studentów w oddalonej o sto kilometrów Ibiúnie. W związku z sytuacją polityczną zaczęli się tu pojawiać podejrzani ludzie. Trudno było im ocenić, czy są to agenci tajnej policji, czy opozycjoniści. Podróżni byli jednak tak zmęczeni, że nie przedstawiwszy się nikomu poszli spać.

Następnego dnia w piątek wstali wcześnie rano. Czekał ich najdłuższy odcinek trasy – 750 kilometrów do Cascavel w zachodniej części stanu Paraná, dokąd planowali dotrzeć wieczorem. Miał to być ich ostatni przystanek przed Asunción. Niestety zaczęły się problemy. Na drodze pojawiło się mnóstwo ciężarówek, trzeba było zwolnić tempo. O 10 wieczorem od Cascavel dzieliło ich jeszcze 200 kilometrów. Samochodem lekko zarzucało. Vera zatrzymała się na poboczu i poprosiła Kakikę, żeby sprawdził opony.

Kakiko nie odkrył nic niepokojącego. Przyjaciele uznali, że powodem jest mokra i śliska z powodu mgły jezdnia. Kakiko zaproponował Verze, żeby przespała się na tylnym siedzeniu, a sam usiadł za kierownicą. Po godzinie jazdy zatrzymał się na stacji benzynowej. Kosztami benzyny dzielili się po równo. Vera długo szukała swojej torby, ale jej nie znalazła. W torbie miała wszystkie pieniądze oraz dokumenty, łącznie z prawem jazdy i dowodem rejestracyjnym wozu. Podejrzewała, że zgubiła ją podczas poprzedniego postoju. Nie było więc innego wyjścia, jak wrócić i odnaleźć torbę. Trzygodzinne poszukiwania skończyły się niepowodzeniem. Przy włączonych światłach szukali wszędzie, ale torby nigdzie nie było. Pytali też w przydrożnych barach i restauracjach, gdzie się zatrzymywali, bez rezultatu. Paulo uznał to za zły znak i zaproponował powrót do Rio – w końcu żadne z nich nie było zagorzałym kibicem futbolu. Jednak przyjaciele nie zgodzili się i w sobotę o świcie dojechali do Cascavel, gdzie wysiadło sprzęgło.

Z powodu meczu z udziałem reprezentacji Brazylii w Cascavel pozamykane było wszystko, również warsztaty samochodowe. Zdecydowali więc, że resztę drogi do Asunción pokonają autobusem. Kupili bilety do Foz do Iguaçu. Ponieważ Vera nie miała dokumentów, na moście granicznym między Brazylią a Paragwajem wmieszali się w tłum turystów. Po przekroczeniu granicy wsiedli do autobusu i dojechali do stolicy. Odnaleźli dom, gdzie mieli się zatrzymać, ale jak się okazało bilety na mecz były już dawno wyprzedane. Nie zrażeni niepowodzeniami, zwiedzili wioskę Indian Guarani na obrzeżach miasta, zrobili sobie również wycieczkę statkiem po rzece Paragwaj. W poniedziałek rano trzeba było się zająć pozostawionym w Cascavel samochodem. Vera nie miała dokumentów, więc należało zachować ostrożność na granicy i w drodze powrotnej, bo w razie wypadku nie mogli okazać dowodu rejestracyjnego. Wydatki związane z naprawą sprzęgła podzielili na trzy osoby, co oznaczało konieczność żywienia się w tańszych barach i nocowania w obskurnych hotelach. Postanowili zboczyć z trasy zalecanej przez Mistrza Tukę i zatrzymać się w Kurytybie, gdzie mieli nadzieję uzyskać duplikat dowodu rejestracyjnego i prawa jazdy Very.

Wspominając tę podróż po latach, nikt z nich nie pamiętał, kiedy dokładnie postanowili się zatrzymać, żeby coś zjeść. Była noc, do Kurytyby mieli jeszcze kawał drogi, za sobą 400 kilometrów. Stanęli przed jakimś barem na przedmieściach Ponta Grossa. Żeby zaoszczędzić, powtórzyli wypróbowany już wcześniej fortel: Paulo z Verą usiedli przy stoliku i zamówili jedzenie dla dwóch osób, a kiedy podano do stołu, dosiedli się do nich Kakiko i Arnold. Po kolacji zamierzali wsiąść do samochodu i jechać dalej, ale do restauracji wkroczyli uzbrojeni żandarmi. Dowódca grupy podszedł do nich i zapytał:

– Czy ten biały samochód z tablicą rejestracyjną z Guanabary jest wasz?

– Tak jest – odparł Kakiko, jedyny posiadacz prawa jazdy.

Na żądanie okazania dokumentów wozu Kakiko zaczął wyjaśniać, dlaczego ich nie ma. Opowiedział ze spokojem, jak to Vera zgubiła torbę i że jechali do Kurytyby po duplikat dokumentów. Resztę towarzystwa ogarniał coraz większy strach, a żandarm słuchał z niedowierzaniem.

– Wyjaśnimy to na policji – rzucił. – Idziemy!

Całą czwórkę zawieziono na miejscowy posterunek i zamknięto w areszcie. Noc spędzili na pryczy w lodowatej celi. O szóstej rano zjawił się policjant opatulony szalikami i z zarzuconym na mundur ciepłym ponczo.

– Jesteście oskarżeni o terroryzm i napad na bank. Przekazuję was władzom wojskowym – oznajmił.

Nikogo z całej czwórki nie interesowała polityka, ale wszyscy zdawali sobie sprawę, że sytuacja w kraju stawała się coraz bardziej napięta. Od grudnia 1968 roku, to znaczy od ogłoszenia Aktu Instytucjonalnego, aresztowano ponad 200 profesorów uniwersyteckich. Naukowców zamykano, wysyłano na przymusową emeryturę lub zmuszano do emigracji. W Kongresie Narodowym cofnięto mandaty poselskie 110 deputowanym i czterem senatorom. We władzach administracji stanowej i miejskiej usunięto ze stanowisk około 500 osób, zarzucając im działania na szkodę państwa. Do dramatycz-

Kilka godzin przed początkiem koszmaru przyjaciele zwiedzają Asunción w Paragwaju i Foz do Iguaçu.

nej sytuacji doszło po tym, jak pozbawiono stanowisk trzech członków Najwyższego Sądu Federalnego. W styczniu kapitan Carlos Lamarca zdezerterował z koszar w Quitaúnie, dzielnicy miasta Osasco w stanie São Paulo. Uciekł furgonem należącym do oddziału miejskiej partyzantki, wywożąc 63 pistolety, trzy ręczne karabiny maszynowe i sporą ilość amunicji. Gubernator São Paulo Abreu Sodré utworzył tzw. Operację Bandeirantes (OBAN), której celem było zwalczanie opozycji. W jej skład wchodzili policjanci i żołnierze różnych jednostek. Wkrótce siedziba tej instytucji zmieniła się w miejsce kaźni przeciwników reżimu.

Dwa dni przed uwięzieniem Paula i jego przyjaciół czterech uzbrojonych bojowników, w tym jedna kobieta o blond włosach, napadło na bank i sklep w Jandaia do Sul, sto kilometrów na północ od Ponta Grossa. Podróżowali białym volkswagenem z tablicami rejestracyjnymi Guanabary. Żandarmi uznali, że udało im się złapać sprawców. Trzęsących się z zimna młodych ludzi przewieziono wojskowym gazikiem do koszar 13. Batalionu Piechoty Zmechanizowanej w dzielnicy Uvaranas na drugi kraniec miasta. Gdyby przesądny Paulo przeczytał napis nad bramą wjazdową do jednostki, wiedziałby, że wyjdą z opresji bez szwanku. Na murze widniał napis: „Batalion im. Tristão de Alencara Araripe", zacnego i wielce zasłużonego doradcy kolonialnego w czasach Imperium, a jednocześnie pradziadka Mistrza Tuki. Młody Coelho ten szczegół przeoczył i był załamany. Brudni i zziębnięci wyszli na wielki dziedziniec, gdzie tysiąc rekrutów odbywało musztrę. Żeby napędzić młodym strachu, eskortujący ich żołnierze rytmicznie uderzali pałkami w dłonie. Nikomu nie trzeba było tłumaczyć tego gestu. Paulo był pewien, że są zgubieni.

Umieszczono ich w oddzielnych celach, kazano zmienić ubrania i pół godziny później rozpoczęto przesłuchania. Na pierwszy ogień poszedł Kakik. Zaprowadzono go do pomieszczenia, gdzie znajdowały się dwa krzesła i stół. Za stołem siedział wysoki, dobrze zbudowany, ciemny mężczyzna w mundurze. Na klapie miał wyszyte: „Maj. Índio". Major Índio kazał Kakice usiąść naprzeciwko. Uniósł dwa palce prawej ręki, wskazujący i serdeczny, wycelował nimi w twarz zatrzymanemu i po dłuższej chwili wycedził słowa, które Kakiko zapamiętał na całe życie:

– Do tej pory nikt was nie tknął, ale zapamiętaj, co teraz powiem. Jeżeli choć jedna informacja, którą mi przekażesz, będzie fałszywa, osobiście wsadzę ci te dwa palce w oko, wydłubię je i rozgniotę na miazgę. Prawe oko zostawię, byś mógł na wszystko patrzeć. Zrozumiałeś?

Do przestępstwa, o które oskarżano Paula i jego przyjaciół, doszło kilka dni wcześniej. Napad na sklep w Jandaia do Sul nie przyniósł ofiar, ale w trakcie kradzieży pieniędzy z oddziału banku zastrzelono dyrektora. Schwytana czwórka odpowiadała opisowi naocznych świadków, a więc podejrzliwość władz wojskowych z Ponta Grossa była uzasadniona. Napastnicy mieli na głowach nylonowe pończochy, ale z całą pewnością chodziło o trzech mężczyzn i jedną kobietę, blondynkę. Uciekli białym volkswagenem z numerami rejestracyjnymi Guanabary, czyli takim samym, jakim podróżował Paulo z przyjaciółmi. Równie podejrzana wydała się żandarmom mapa znaleziona przy młodym Coelho. Nie chcieli uwierzyć, że narysował ją staruszek dla swego wnuka hipisa. Trasa, jaką wyznaczyli sobie młodzi, także dawała pole do rozmaitych domysłów. Zgodnie z ustaleniami wywiadu, grupa kapitana Carlosa Lamarki zamierzała stworzyć ośrodek szkoleniowy dla partyzantów w dolinie Ribeiry, czyli w regionie, przez który młodzi przejeżdżali. Dokumenty dotyczące zatrzymanych osób wkrótce wysłano do centrali w Brasílii oraz do Rio i São Paulo.

Czwórkę przyjaciół przetrzymywano w więzieniu bezprawnie. Mimo szykan, na razie nie stosowano wobec nich przemocy fizycznej. Tylko Major Índio powtarzał swą groźbę każdemu z przesłuchiwanych i dawał do zrozumienia, że za jego słowami wkrótce pójdą czyny.

– Jak dotąd palcem was nie tknąłem. Dostajecie jedzenie i koce, bo zakładamy, że jesteście niewinni. Ale niech no tylko znajdę w waszych zeznaniach choćby cień kłamstwa, dotrzymam obietnicy. Rozprawiałem się tak wcześniej z innym terrorystami i teraz też się nie zawaham!

Robiło się coraz groźniej. We wtorek przed południem do koszar 13. Batalionu na identyfikację podejrzanych przywieziono kilku pracowników okradzionego sklepu. Paula i Verę pokazano im przez wizjer w celi, żeby uwięzieni nie domyślili się, że są obserwowani. Arnolda i Kakikę oglądali przy drzwiach otwartych. Świadkowie byli równie wystraszeni jak podejrzani. Mimo że w chwili napadu partyzanci byli zamaskowani, a w celach panował półmrok, pracownicy sklepu byli jednomyślni: to ta czwórka napadła na sklep. Przesłuchania stały się intensywniejsze, a groźby coraz bardziej zatrważające. Te same pytania padały cztery, pięć, dziesięć razy. Vera i Arnold tłumaczyli cywilom i wojskowym, którzy przewijali się przez ich cele, co dziewczyna z Jugosławii i wyrzucony z marynarki porucznik robili na granicy z Paragwajem. Paulo do znudzenia wyjaśniał, dlaczego po tak długiej podróży nie poszli kibicować drużynie brazylijskiej i postanowili wrócić do kraju, i w jakim celu na mapie zaznaczyli tyle różnych hoteli i stacji benzynowych. Kilkakrotnie Paulo trafił do jednej celi z Arnoldem, któremu skarżył się, że ich sytuacja przypomina koszmar rodem z Kafki. Nawet lek w sprayu, który miał zapobiec atakom astmy, wzbudził podejrzenia śledczych i Paulo musiał dokładnie tłumaczyć, do czego służy.

Koszmar trwał pięć dni. W sobotę rano do cel wpadli uzbrojeni żołnierze. Kazali więźniom zabrać rzeczy, bo czeka ich „przeprowadzka". Stłoczeni z tyłu wojskowego samochodu, którym przyjechali do koszar, byli przekonani, że jadą na egzekucję. Wóz stanął po kilku minutach. Więźniowie wyszli na zewnątrz i ze zdziwieniem znaleźli się przed zadbanym, parterowym domem otoczonym różami. Na schodach stał uśmiechnięty człowiek w mundurze, a w ręku trzymał bukiet kwiatów. Był to pułkownik Ivan Lobo Mazza, lat 49, komendant 13. Batalionu, a zarazem bohater walk we Włoszech podczas II wojny światowej. Wyjaśnił zaskoczonym więźniom, że zaszła pomyłka i całą czwórkę uznano za niewinnych. W ramach przeprosin pułkownik wręczył Verze własnoręcznie zebrane kwiaty. Potem wyjaśnił, dlaczego tak długo ich trzymano. W kraju trwały walki, żołnierzy zmyliło duże podobieństwo podróżujących do poszukiwanych terrorystów, a ich trasa pokrywała się z terenem, na którym spodziewano się walk zbrojnych. Mazza spytał także, czy nie stosowano wobec nich przemocy fizycznej. Widząc żałosny stan swych gości, zaproponował, by doprowadzili się do porządku w jego łazience, a potem poczęstował przekąskami i whisky. Ich samochód został naprawiony przez wojskowego mechanika. Żeby zapewnić im spokojny powrót do domu, pułkownik wypisał specjalną przepustkę. Podróż dobiegła końca.

Paulo i Vera w ruinach Machu Picchu w Peru. Narkotyki, wycieczki i codzienne wizyty u fryzjera.

11.

Narkotyki są dla mnie tym, czym karabin maszynowy dla komunisty czy partyzanta

Po powrocie do domu Paulo rozpoczął nową przygodę. Siłą napędową jego działań stała się marihuana. Przez całą dekadę lat 70. eksperymentował z różnymi narkotykami, ale zaczynał od trawki. Oboje z Verą nie mieli wcześniej doświadczeń z marihuaną, jednak wkrótce zaczęli palić ją regularnie. Nie wiedząc, jak zareaguje ich organizm, chowali do szafy wszystkie znajdujące się w domu noże i ostre przedmioty, by „zapobiec nieszczęściu", jak mówiła Vera. Palili całymi dniami i pod byle pretekstem – wieczorem, żeby lepiej przeżyć zachód słońca nad Leblonem, w nocy, żeby wytrzymać huk samolotów, lądujących na pobliskim lotnisku. Kiedy nie było powodu, palili dla zabicia nudy. Paulo wspominał po latach, że potrafił palić bez przerwy przez kilka dni z rzędu.

Pozbawiony kontroli rodziców stał się stuprocentowym hipisem. Ubierał się i myślał jak hipis. Przestał być komunistą (choć w rzeczywistości nigdy nim nie był), kiedy pewien członek Brazylijskiej Partii Komunistycznej skrytykował go publicznie za zachwyty nad filmem *Parasolki z Cherbourga* z Catherine Deneuve w roli głównej. Z takim samym zapałem, z jakim rzucał katolicyzm na rzecz marksizmu, teraz zaangażował się w hipisowską rewolucję. „To będzie ostatnia rewolucja ludzkości", pisał w dzienniku. „Komunizm się skończył, rodzi się nowa społeczność braci i sióstr, mistyczne przeżywanie sztuki, narkotyki jako główny pokarm. Gdy

Chrystus błogosławił wino, uświęcił też narkotyki. To one staną się naszym winem".

Po kilku miesiącach w Solar da Fossa Paulo i Vera wynajęli na spółkę z przyjacielem mieszkanie z dwiema sypialniami w dzielnicy artystycznej Santa Teresa, leżącej na wzniesieniu, w pobliżu Lapy. Była to urocza część Rio, gdzie stromymi uliczkami jeździły głośne tramwaje. Zanim wprowadzili się do nowego mieszkania, na kilka tygodni zatrzymali się u byłego męża Very, który nadal mieszkał w tym samym miejscu.

Specjaliści twierdzą, że palenie marihuany wprowadza człowieka w stan długotrwałego odrętwienia. Jednak w przypadku Paula efekt był odwrotny. W pierwszych miesiącach 1970 roku wykazywał niezwykłą aktywność. Najpierw na potrzeby teatru przygotował adaptację *Wojny światów* H. G. Wellsa, potem wraz z dramatopisarzem Amirem Haddadem zorganizował warsztaty teatralne. Wysłał też teksty na dwa konkursy: na najlepsze opowiadanie, zorganizowany przez władze Parany, oraz o nagrodę Esso de Literatura (zdobył wyróżnienie). Napisał też trzy sztuki: *Os Caminhos do Misticismo* [Drogi mistycyzmu], o cudotwórcy z północy, ojcu Cícero Romão Batiście; *A Revolta da Chibata: História à Beira de um Cais* [Bunt przeciw chłoście – historia z pewnego portu], o buncie marynarzy w 1910 roku w Rio de Janeiro; wreszcie *Limites da Resistência* [Granice oporu]. W związku z ostatnim utworem ubiegał się o fundusze z Narodowego Instytutu Książki, instytucji działającej przy rządzie federalnym, ale nie udało mu się przebrnąć przez komisję kwalifikacyjną. Jego sztuka trafiła w ręce krytyka i powieściopisarza Octavia de Farii, który docenił walory dzieła, ale przesłał je do archiwum, dołączając następującą opinię:

> *Nie będę ukrywał, że ta dziwna książka wprawiła mnie w zakłopotanie. Po przeczytaniu* Granic oporu *nie potrafię stwierdzić, jaki gatunek literacki reprezentuje. Na okładce widnieje napis:* „Granice oporu, *utwór składający się z Jedenastu Podstawowych Różnic", a pod spodem motto z Henry'ego Millera. Utwór pretenduje do roli „poradnika" w sprawach życia. Dywagacje, surrealistyczne konstrukcje, psychodeliczne wizje, różnego rodzaju gry i zabawy. Całość rzeczywiście jest stworzona z „Podstawowych Różnic", z pewnością dobrze napisana, ale nie pasuje do ustalonych przez nas kryteriów oceny. Tym utworem zainteresowałoby się „awangardowe" wydawnictwo, z nadzieją na odkrycie „geniusza". Jednak nie spełnia on założeń Narodowego Instytutu Książki, niezależnie od tego, jak świetlana przyszłość czeka pana Paula Coelho de Souzę.*

Pocieszające było to, że Paulo znalazł się w doborowym towarzystwie. Ta sama komisja odrzuciła dwa utwory autorów, którzy z czasem dołączyli do grona klasyków literatury brazylijskiej. Jednym był João Ubaldo Ribeiro, który w Brazylii i w Stanach wydał książkę *Sierżant Getúlio*, drugim Clarice Lispector, której dzieło pod roboczym tytułem *Objeto Gritante* [Krzyczący przedmiot] ukazało się jako *Água Viva* [Żywa woda]. O ile ciężko było Paulowi zyskać sławę pisarską, o tyle jego twórczość teatralna przynosiła mu liczne sukcesy. Włożył wiele serca w dramat o ojcu Cícero, z nadzieją, że sztuka rozsławi jego imię. Tymczasem popularność zyskał tylko dramat *Bunt przeciw chłoście*. Paulo długo zbierał materiały na temat buntu marynarzy pod wodzą Murzyna João Cândida. Sztukę wysłał na prestiżowy konkurs organizowany przez teatr Opinião, najsłynniejszy zespół awangardowy w Brazylii. Zrobił to raczej z rozpędu, nie żywiąc nadziei na zakwalifikowanie się do finału. Nagrodą dla zwycięzcy było wystawienie sztuki, co przedstawiało wartość większą niż pieniądze. Któregoś dnia Vera odebrała telefon z wiadomością, że Paulo zdobył drugie miejsce.

– Tylko drugie? Co za pech! Widać taki mój los! – skomentował ze wzgardą młody Coelho.

Pierwsza nagroda przypadła komedii kryminalnej *Os Dentes do Tigre* [Tygrysie zęby] autorstwa debiutantki z Minas Gerais, Marii Heleny Kühner. Sam Paulo też nie miał powodów do narzekań, o jego sztuce pisano we wszystkich gazetach. Wypowiadali się na jej temat znani krytycy João das Neves i José Arrabal. Plasując się na drugim miejscu, sztuka Paula została włączona do popularnego, otwartego dla publiczności cyklu Prób Czytanych Teatru Opinião. Spotkania odbywały się raz w tygodniu. Choć Paulo udawał obojętność, przed premierowym czytaniem swej sztuki był bardzo zdenerwowany. Nie potrafił o niczym innym myśleć. Kiedyś podczas jakiejś imprezy chodził dumny jak paw, gdy okazało się, że fragment jego sztuki czyta właśnie wielka aktorka Maria Pompeu.

Współpraca z Teatrem Opinião pozwoliła Paulowi przyjrzeć się z bliska ówczesnemu symbolowi kontrkultury, sławnej trupie teatralnej The Living Theatre, odbywającej tournée po Brazylii. Grupa powstała w Nowym Jorku w 1947 roku, a jej założycielami było małżeństwo Julian Beck i Judith Malina. Tę ostatnią szersza publiczność poznała dopiero po latach w roli strasznej babuni w filmie *Rodzina Adamsów*. The Living Theatre realizował hasła rewolucji estetycznej, która wywarła wpływ na teatr i kino lat 60. i 70.

Rok przed wizytą teatru w Brazylii w Miami aresztowano Jima Morrisona za obnażenie się przed dziesięciotysięczną widownią. Policji artysta tłumaczył, że jego ekshibicjonizm jest świadomym działaniem dramaturgicznym propagowanym na kursie aktorskim The Living Theatre. Zdobycie biletów na spektakl zespołu wprawiło Paula w stan takiej euforii, jakby „stał przed podjęciem ważnej decyzji życiowej". W obawie, że w przerwie ktoś zapyta go o zdanie na temat spektaklu, na wszelki wypadek przewertował Nietzschego, „żeby wiedzieć, co mówić". Na Verze i Paulu przedstawienie wywarło ogromne wrażenie. Po spektaklu wkręcili się na przyjęcie do domu, gdzie zatrzymali się amerykańscy aktorzy. W nocy całe towarzystwo poszło zwiedzić pobliskie fawele. Z notatki Paula wynika, że spotkanie go rozczarowało.

Spotkanie z Living Theatre. Poszliśmy do domu, gdzie byli Julian Beck i Judith Malina. Nikt z nami nie rozmawiał. Przykre i upokarzające. Poszliśmy razem do faweli. Byłem tam pierwszy raz. To zupełnie inny świat.

Następnego dnia Paulo zjadł z nimi obiad i przyglądał się próbom, ale Amerykanie nadal go ignorowali. „Julian Beck i Judith Malina wciąż traktują nas z lodowatą obojętnością", pisał. „Nie oceniam ich. Wiem, jak trudno było im dojść do pozycji, którą dziś zajmują". Ponownie o trupie Paulo usłyszał dopiero po kilku miesiącach, kiedy jadąc taksówką dowiedział się z radia, że w Ouro Preto w stanie Minas Gerais aktorów aresztowano za posiadanie marihuany. Amerykanie wynajęli wielki dom w zabytkowej części miasta i zorganizowali tam laboratorium teatralne. Prowadzili eksperymentalne warsztaty z aktorami, którzy ściągali z różnych stron Brazylii. Po kilku tygodniach, 1 lipca 1970 roku, policja zamknęła dom, a osiemnastu członków zespołu przewiozła do aresztu Wydziału do Spraw Porządku Politycznego w Belo Horizonte.

Na całym świecie odezwały się głosy oburzenia. Protestowali Jean-Paul Sartre, Michel Foucault, Pier Paolo Pasolini, Jean-Luc Godard, Umberto Eco i wielu innych. Bez skutku. Reżim wojskowy nie ugiął się. Aktorów trzymano w areszcie przez szesnaście dni, po czym wydalono ich z Brazylii pod zarzutem „handlu narkotykami i działania na szkodę państwa".

Paulo i Vera już od kilku miesięcy eksperymentowali z marihuaną, kiedy ich przyjaciel, artysta Jorge Mourão, przyniósł im pudełko ciemnych, przypominających wosk grudek. Haszysz. Pozyskiwany z tej samej rośliny co marihuana, działał o wiele silniej.

Cieszył się większą popularnością w Europie i Afryce Północnej niż w Ameryce Południowej, a w Brazylii uchodził wówczas za nowość. Paulo, zawsze metodycznie podchodzący do tego, co robi, postanowił na bieżąco komentować reakcje organizmu na narkotyk, mierzyć czas i nagrywać wszystko na magnetofon. Potem swoje obserwacje spisał i wkleił do zeszytu.

ZAPISKI Z DOŚWIADCZEŃ Z HASZYSZEM

Edgarowi Allanowi Poe

Zaczęliśmy palić w moim pokoju, o 22.40. Ja, Vera i Mourão. Haszysz był zmieszany z tytoniem w stosunku jeden do siedmiu. Tą mieszanką nabija się specjalną, srebrną fajkę, w której dym przechodzi przez zimną wodę, zapewniającą doskonałe filtrowanie. Wystarczy zaciągnąć się trzy razy. Vera nie uczestniczy w eksperymencie. Czeka ją niedługo nagranie i sesja fotograficzna. Doświadczony w tych sprawach Mourão mówił, co mam robić.

Po 3 minutach: Uczucie euforii i lekkości. Niepohamowana radość, wewnętrzne pobudzenie. Chodzę po pokoju, jakbym był pijany.

Po 6 minutach: Ociężałe powieki. Kręci mi się w głowie, jestem senny. Mam wrażenie, jakby głowa mi spuchła do zastraszających rozmiarów. Lekko zniekształcony obraz, zaokrąglone kontury przedmiotów. W tej fazie eksperymentu pojawiły się zahamowania (natury moralnej). Ważne: na reakcję mogło wpłynąć duże zdenerwowanie.

Po 10 minutach: Senność nie do opanowania. Całkowite odprężenie, kładę się na podłodze. Zaczynam się pocić, bardziej z nerwów niż z powodu gorąca. Nie mam na nic ochoty. Gdyby wybuchł pożar, wolałbym umrzeć niż się ruszyć.

Po 20 minutach: Jestem przytomny, przestaję słyszeć dźwięki. Miłe uczucie, pozwalające na całkowite odprężenie.

Po 28 minutach: Poczucie względności czasu jest czymś niesamowitym. Pewnie tak Einstein wymyślił swoją teorię.

Po 30 minutach: Nagle całkowicie tracę poczucie rzeczywistości. Próbuję pisać, ale zdaję sobie sprawę, że jest to jedynie moje życzenie. Zaczynam tańczyć jak szalony. Muzyka dochodzi do mnie jakby z innej planety i nabiera nowego wymiaru.

Po 33 minutach: Czas stanął w miejscu. Nie mam odwagi spróbować LSD...

Po 45 minutach: Boję się, że wyskoczę przez okno, więc wstaję z łóżka i kładę się na ziemi, daleko od okna. Moje ciało nie odczuwa niewygody. Mogę długo leżeć nie zmieniając pozycji.

Po godzinie: Patrzę na zegarek i przestaję rozumieć, po co to wszystko nagrywam. Czas odczuwam jako wieczność, z której nigdy się nie wydostanę.

Po godzinie i 15 minutach: Nagle mam wielką potrzebę wybudzenia się z transu. Jest środek zimy, a mimo to biorę lodowaty prysznic. Nie czuję wody. Jestem nagi. Nie mogę wyjść z transu. Boję się, że tak już zostanie. Przez łazienkę przechodzą książki o schizofrenii, które kiedyś czytałem. Chcę wyjść, chcę wyjść!

Po półtorej godziny: Jestem sztywny, pocę się ze strachu.

Po dwóch godzinach: Przejście z transu do normalnego stanu następuje niepostrzeżenie. Nie jest mi niedobrze, nie odczuwam senności ani zmęczenia. Strasznie mi się chce jeść. Idę do restauracji za rogiem. Krok po kroku, noga za nogą.

Paulowi nie wystarczył zapis doznań pod wpływem haszyszu i posunął się do czegoś, co dawniej zakończyłoby się elektrowstrząsami w szpitalu psychiatrycznym. Dał swoje „Zapiski" do przeczytania rodzicom, przyprawiając ich niemal o atak serca. Być może nie była to z jego strony zwykła prowokacja. Choć w dzienniku pisał, że „odkrył inny wymiar" i że „narkotyki to najwspanialsza rzecz na świecie", nie uważał się za zwykłego narkomana, lecz za „ideologa i aktywistę ruchu hipisowskiego". Często chwalił się znajomym, że dla niego „narkotyk jest tym, czym karabin maszynowy dla komunisty czy partyzanta".

Poza marihuaną i haszyszem Paulo z Verą próbowali również narkotyków syntetycznych, masowo produkowanych w laboratoriach. Od czasu pobytu w szpitalu Paulo dostawał na receptę działające uspokajająco walium, które miało uśmierzyć jego niepokój. Nie zastanawiał się, czy ta mieszanka wybuchowa nie dokona spustoszeń w jego organizmie. Wraz z Verą eksperymentował też z różnymi środkami, jak mandrix, artane, dexamil, pervitin. Obecna w tych lekach amfetamina działała na centralny układ nerwowy, wpływała niekorzystnie na pracę serca i podnosiła ciśnienie, ale początkowo powodowała miłe uczucie rozluźnienia, po którym następowała euforia, utrzymująca się do czternastu godzin. Kiedy przychodziło zmęczenie, Paulo i Vera brali silne środki nasenne, po czym padali na łóżko jak kłody. Leki stosowane przy padaczce i Parkinsonie gwarantowały im długie „odloty", czasem trwające kilka dni. Kiedyś Paulo pojechał na weekend do domu Kakika w Friburgo sto kilometrów od Rio, gdzie przeprowadził „test wytrzymałościowy". Chciał przekonać się, ile czasu pod wpływem narkotyków wytrzyma bez spania. Spędził dwadzieścia cztery bezsenne godziny „naćpany". W jego ryzykownym „odlocie" liczyły się tylko narkotyki. „Jedzenie przestało nas obchodzić", pisał.

„Trudno powiedzieć, kiedy ostatnio jadłem, a mimo to nie odczuwam głodu".

Jedyną myślą łączącą go z rzeczywistością było stałe marzenie, żeby zostać pisarzem. Postanowił zamknąć się na jakiś czas w domu wuja José w Araruamie i „pisać, pisać, i jeszcze raz pisać". Vera całym sercem poparła jego pomysł, ale zaproponowała, by najpierw pojechali na krótki wypoczynek. W kwietniu 1970 roku postanowili odwiedzić mekkę ruchu hipisowskiego – Machu Picchu, święte miasto Inków położone 2400 metrów nad poziomem morza. Mając w pamięci pechową podróż do Paragwaju, Paulo bał się, że i tym razem coś im się przydarzy po wyjeździe z Brazylii. Spędził więc długie godziny nad mapami i po żmudnych przygotowaniach wyruszyli w podróż. Inspiracją był dla nich film *Easy Rider* z Peterem Fondą i Dennisem Hopperem, który od jego sukcesu w 1969 roku stał się obrazem kultowym dla pokolenia dzieci kwiatów. Podobnie jak jego bohaterowie, Paulo i Vera nie wyznaczyli sobie konkretnego celu podróży ani daty powrotu. Pierwszego maja wsiedli do samolotu boliwijskich linii lotniczych Lloyd Aéreo do La Paz. Czekało ich wiele niespodzianek. Pierwszą był śnieg, który spadł w boliwijskiej stolicy. Zachwycony widokiem zaśnieżonej płyty lotniska Paulo położył się na ziemi i zaczął jeść biały puch. Zapowiadał się miesiąc słodkiego lenistwa. Verę zwaliło z nóg rozrzedzone powietrze na wysokości prawie 4000 metrów, natomiast Paulo poszedł zwiedzać miasto. Przyzwyczajony do brutalności brazylijskiej policji, był zaskoczony widokiem robotników manifestujących z okazji Święta Pracy. Wieczorem, po powrocie do hotelu, zwierzył się Verze:

– Niesamowite! Uliczne manifestacje i wiece z okazji Pierwszego Maja! Mam wrażenie, że lada dzień nastąpi tu przewrót.

Paulo nie interesował się polityką, ale tym razem się nie mylił – cztery miesiące później upadł rząd generała Alfreda Ovanda Candii, który rok wcześniej, we wrześniu, po raz trzeci objął urząd prezydenta. Korzystając z tego, że życie w Boliwii było bardzo tanie, Paulo i Vera wypożyczyli samochód, zatrzymali się w dobrym hotelu, chodzili do eleganckich restauracji, a Vera znajdowała czas na fryzjera, podczas gdy Paulo włóczył się po wąskich, stromych uliczkach La Paz. W boliwijskiej stolicy zaczęła się ich przygoda z nowym narkotykiem, jak dotąd niedostępnym w Brazylii. *Mescalito*, znane też jako pejotl lub meskalina, to środek stosowany pod postacią naparu z soku kaktusa *lophophora williamsi*. Paulo i Vera byli zachwyceni błogostanem odczuwanym po wypiciu napoju. Całymi godzinami poddawali się halucynacjom i synestezji, zjawisku, które polega na pomieszaniu zmysłów – człowiek przeżywający taki stan wącha kolory i i słyszy smaki.

W La Paz spędzili pięć dni. Pili *mescalito*, odwiedzali *peas*, żeby posłuchać miejscowej muzyki i *diabladas*, żeby obejrzeć scenki odgrywane przez aktora przebranego za Supaya, demona z inkaskich wierzeń. Szóstego dnia czekali na pociąg, który miał ich zawieźć nad jezioro Titicaca, kiedy Paulo przypomniał sobie, że zostawił w hotelu bokserki. Znowu odezwało się jego skąpstwo: stracił czterdzieści minut, krążąc taksówką po zatłoczonych ulicach La Paz, żeby odzyskać swoją własność. Na pociąg zdążył w ostatniej chwili i pojechali nad jezioro Titicaca, najwyżej położony zamknięty akwen na świecie. Następnie udali się do Cuzco i Machu Picchu, a potem samolotem do Limy.

Stamtąd wynajętym samochodem ruszyli do Santiago de Chile przez Arequipę, Antofagastę i Arikę. Zamierzali dłużej zatrzymać się w tej części kraju, ale zniechęciły ich kiepskie hotele. Nie spodobała im się też stolica Chile („miasto jak każde inne"), ale przynajmniej zobaczyli słynny film *Z* greckiego reżysera Costy-Gavrasa, opowiadający o dyktaturze wojskowej, w Grecji i w Brazylii zakazany. Przez cały czas byli na haju po *mescalito*. W drodze do Buenos Aires, trzy tygodnie po rozpoczęciu podróży, zatrzymali się w argentyńskim mieście Mendoza. Paulo szalał z zazdrości, jako że Verę wciąż otaczał wianuszek adoratorów. Był wściekły, że nie rozumie, o czym mówią, bo towarzystwo rozmawiało głównie po angielsku. Stolica Boliwii zaskoczyła ich śniegiem, a w Buenos Aires po raz pierwszy jechali metrem. Przyzwyczajeni, że wszystko jest tanie, bez wahania poszli do restauracji Michelangelo zwanej „świątynią tanga", gdzie wysłuchali koncertu klasyka gatunku, pieśniarza Roberta „Polaco" Goyeneche. Na widok rachunku opiewającego na 20 dolarów (dziś równowartość około 120 dolarów) Paulo niemal spadł z krzesła. Okazało się, że zafundowali sobie kolację w jednej z najdroższych restauracji w mieście.

Dopóki podróżowali przez góry Paulo nie miał kłopotów z astmą, która na nowo dała o sobie znać w Buenos Aires, w estuarium rzeki La Plata. Powalony dusznościami i gorączką sięgającą 39°C spędził trzy dni w łóżku. Doszedł do siebie dopiero 1 czerwca w Montevideo, tuż przed powrotem do Brazylii. Mieli lecieć liniami Lloyd Aéreo Boliviano, ale na jego prośbę zrezygnowali. Decyzja ta nie miała związku z przesądami ani z koniecznością przesiadki w La Paz, lecz z odlanym z brązu posągiem pilota, który Paulo zobaczył na lotnisku w La Paz. Na cokole widniał napis: „Bohaterskim pilotom LAB, którzy zginęli na służbie".

– Tylko szaleniec wsiada do samolotu linii, która stawia pomniki pilotom poległym w katastrofach lotniczych. Ciekawe, może nasz pilot też marzy o pomniku na swoją cześć?

3 czerwca wrócili do Rio samolotem Air France. Zdążyli na transmisję meczu z mistrzostw świata w Meksyku. Drużyna brazylijska pokonała reprezentację Czechosłowacji 4: 1.

Sen o pisarskiej sławie wciąż zdawał się nierealny. Żaden z tekstów Paula nie został zakwalifikowany do konkursu. „Z ciężkim sercem przyjąłem wiadomość o nagrodzie Esso", pisał w dzienniku. „Kolejne niepowodzenie w konkursie literackim. Nawet nie dali mi wyróżnienia". Mimo to nie poddawał się i skrzętnie zapisywał tematy, które zamierzał wykorzystać w przyszłości: „latające talerze", „Jezus", „yeti", „żywe trupy", „telepatia". Ponieważ perspektywa nagrody zdawała się wciąż oddalać, użalał się nad sobą:

Święty Józefie, mój patronie! Widzisz, jak bardzo się w tym roku staram, a mimo to przegrałem we wszystkich konkursach. Wczoraj klęska w konkursie na sztukę dla dzieci. Vera mówi, że jak raz szczęście się do mnie uśmiechnie, to już mnie nie opuści. Czyżby? Pożyjemy, zobaczymy.

24 sierpnia, w dniu dwudziestych trzecich urodzin Paula, Vera podarowała mu nowoczesny mikroskop. Cieszyła się patrząc, jak ukochany godzinami siedzi z okiem przyklejonym do okularu, ogląda preparaty na szklanych płytkach i robi notatki. Zaciekawiona, przeczytała, co napisał.

Urodziłem się 23 lata temu. Byłem kiedyś tym, co teraz oglądam pod mikroskopem. Poczęty i pchnięty w wir życia, nieskończenie mały, ale stanowiący sumę wszystkich odziedziczonych cech. Zaprogramowano moje ręce, nogi i mózg. Powstałem ze spermy, a moje komórki zaczęły się nieustannie dzielić. I tak oto jestem tu dziś – dwudziestotrzyletni człowiek.

Dopiero po chwili zrozumiała, że Paulo obserwował pod mikroskopem własne plemniki. Dalej pisał:

Widzę przyszłego inżyniera. Ten z przodu, który przed chwilą zmarł, pewnie miał być lekarzem. Naukowiec, który mógł zbawić świat, też już nie żyje. Obserwuję to wszystko chłodnym okiem przez obiektyw mikroskopu. Widzę, jak moje plemniki miotają się, próbując dotrzeć do komórki jajowej, w szaleńczej pogoni za wiecznością.

Vera była doskonałym kompanem, ale gdy trzeba, potrafiła ściągnąć Paula na ziemię. Zrozumiała, że z własnej woli Paulo nigdy nie pójdzie na studia i zadowoli się maturą. Zmusiła go więc, by zaczął się przygotowywać do egzaminów wstępnych na uczelnię, którą sam sobie wybierze. Jej determinacja przyniosła zdumiewające efekty. Pod koniec roku Paulo dostał się na trzy kierunki: prawo na uniwersytecie im. Cândia Mendesa, reżyserię teatralną w Wyższej Szkole Teatralnej i na wydział komunikacji społecznej na Papieskim Uniwersytecie Katolickim w Rio. Sukces zawdzięczał nie tylko Verze. Wprawdzie skończył jedną z gorszych szkół w mieście, ale był wyjątkowo oczytany. Odkąd cztery lata wcześniej zaczął pisać recenzje z lektur, przeczytał ponad 300 książek. Czytał 75 książek rocznie, co było liczbą astronomiczną w porównaniu ze średnią, która przypadała na głowę Brazylijczyka – jedna książka rocznie. Interesowało go wszystko, od Cervantesa po Kafkę, od Jorge Amado po Scotta Fitzgeralda, od Ajschylosa po Aldousa Huxleya. Znał dzieła rosyjskiego dysydenta Aleksandra Sołżenicyna i zwalczanego przez władze satyryka Stanislawa Ponte Prety. Czytał, potem pisał krótki komentarz i zgodnie z własnym widzimisię przyznawał gwiazdki – mimo że sam wściekał się, gdy robili to zawodowi recenzenci. Cztery gwiazdki dawał bardzo rzadko. Przywilej ten spotkał tylko Henry'ego Millera, Borgesa i Hemingwaya. Bezceremonialnie wrzucił do jednego worka *Amerykańskie marzenie* Normana Mailera, *Rewolucję w rewolucji* Régisa Debraya, należącą do klasyki literatury brazylijskiej *Os Sertões* [Ostępy] Euclidesa da Cunhy oraz *Historię ekonomii Brazylii* Caio Prado Jr. i nie przyznał im ani jednej gwiazdki.

Wśród wielu stylów, okresów literackich i autorów uwagę Paula przykuły trzy tematy: okultyzm, czarna magia i satanizm. Po lekturze *Alquimia Secreta dos Homens* [Tajemnej alchemii ludzkości] hiszpańskiego okultysty José Ramona Molinero, zaczął pochłaniać wszystko, co opisywało świat niedostępny dla ludzkich zmysłów. Przeczytał *Poranek magów*, bestseller Louisa Pauwelsa i Francuza ukraińskiego pochodzenia, Jacquesa Bergiera, utwór wpisujący się w nurt realizmu magicznego. Odniósł wrażenie, jakby ta książka była pisana dla niego. „Czuję się jak mag czekający na przebudzenie", zanotował w dzienniku. Do końca 1970 roku przeczytał około 50 pozycji na ten temat, między innymi sześć utworów Hermanna Hessego, które ukazały się w Brazylii i którym przyznał po kilka gwiazdek. Znalazła się wśród nich słynna powieść *Gra szklanych paciorków*, za którą w 1946 roku autor dostał literacką

Eksperymenty z narkotykami w domu Kakika:
dwadzieścia cztery godziny pod wpływem marihuany.

Nagrodę Nobla. Przeczytał także bestsellery Ericha von Dänikena (*Wspomnienia z przyszłości* i *Z powrotem do gwiazd*), a także wiele innych książek, poczynając od *Fausta* Goethego (któremu dał trzy gwiazdki), skończywszy na pokątnie wydanych książeczkach *Czarna i biała magia* autorstwa V. S. Foldeja (nie doczekała się żadnej oceny).

Jednym z najsławniejszych autorów nowej fali, której przedstawiciele zajmowali się okultyzmem i tworzyli wokół siebie aurę tajemniczości, był Carlos Castaneda. Urodził się w 1925 roku w Peru (według innych źródeł w 1935 roku w Brazylii). Ukończył antropologię na Uniwersytecie Kalifornijskim w Los Angeles. Pracując nad doktoratem, postanowił spisać swoje doświadczenia z pobytu w Meksyku, gdzie prowadził badania nad roślinnymi substancjami halucynogennymi (pejotl, grzyby halucynogenne, bieluń dziędzierzawa zwany „diabelskim ziołem") stosowanymi w indiańskich obrzędach. Zdobył rozgłos, kiedy jego zdjęcie pojawiło się na okładce tygodnika „Time". Na pustynię Sonora w Arizonie, przy granicy z Meksykiem, gdzie Castaneda prowadził badania, zaczęły ściągać tłumy hipisów w poszukiwaniu ziemi obiecanej.

Paulo nie wierzył w przypadek. Kiedy matka w prezencie kupiła mu bilet do Stanów, uznał, że to „znak". Babcia Lilisa i Mistrz Tuka wybierali się do Waszyngtonu w odwiedziny do córki Lúcii, żony dyplomaty Sérgia Weguelina. Paulo miał im towarzyszyć do stolicy, by potem udać się w dalszą podróż z młodszym o kilka lat kuzynem Serginhem. Był w siódmym niebie. Liczył na spotkanie ze słynnymi szamanami Castanedy, a poza tym chciał się oderwać od spraw osobistych. Wszystko wskazywało na to, że jego związek z Verą ma się ku końcowi. „Nasze życie się skomplikowało", pisał w dzienniku. „Nie śpimy ze sobą, ciągle się awanturujemy. Zostało tylko przyzwyczajenie". Wkrótce zamieszkali osobno. Vera wróciła do Leblonu, zaś Paulo do klitki u dziadków, gdzie mieszkał przed przeprowadzką do Copacabany. W dzienniku odnotował także, że „prawie się ożenił" z Christiną Scardini, młodą aktorką, którą poznał w szkole teatralnej. Zaklinał się, że jest w niej szaleńczo zakochany, ale uczucie nie przetrwało próby czasu, chociaż podczas sześciotygodniowej podróży po Stanach wysłał jej 44 listy.

Rodzice Paula wydali na cześć syna pożegnalną kolację, na którą zaproszono jego przyjaciół. Na początku maja Paulo wsiadł z dziadkami do samolotu linii Varig do Nowego Jorku, gdzie mieli się przesiąść na samolot do Waszyngtonu. Na lotnisku Kennedy'ego Paula i babcię Lilisę zdumiało zachowanie Mistrza Tuki

– upierał się, że muszą zdążyć na lot o jedenastej rano, choć samolot już prawie startował. Tłumaczyli, że nie ma pośpiechu, że za pół godziny jest następny lot do Waszyngtonu, wszystko na nic. Mistrz Tuca się uparł i postawił na swoim. Przebiegli prawie całe lotnisko i w ostatniej chwili wpadli na pokład samolotu. Dziadek uspokoił się dopiero, kiedy usiadł w fotelu i zapiął pasy. Z wieczornych wiadomości w domu wuja dowiedzieli się, że Mistrzem Tuką musiała pokierować ręka boska. Późniejszy samolot, ten którym mieli lecieć, dwusilnikowy Convair linii Allegheny, niedługo po starcie próbował awaryjnie lądować 70 kilometrów od Nowego Jorku, ale spadł na ziemię. Zginęli wszyscy pasażerowie i załoga, w sumie 30 osób.

Wuj dyplomata mieszkał w Bethesda w stanie Maryland, pół godziny drogi od Waszyngtonu. Zamiast w dzienniku, Paulo zapisywał wrażenia z podróży w codziennych listach do Christiny. Opowiadał, co widział, a dziwiło go wszystko. Potrafił kilka minut stać przed automatem sprzedającym znaczki, gazety albo schłodzone napoje. Godzinami chodził po supermarkecie, niczego nie kupując, tylko chłonąc otaczające go bogactwo. W pierwszym liście do Christiny żałował, że nie przywiózł z Rio „worka pieniędzy", bo wszystkie automaty przyjmują brazylijskie monety o nominale 20 centavos, tak jak amerykańskie 25-centówki – dolar był wtedy wart pięć cruzeiros. „Gdybym przywiózł trochę bilonu, zrobiłbym dobry interes", zwierzał się Christinie. „Płacę 25 centów za znaczek na list do Brazylii albo za wstęp do sex shopu, gdzie puszczają filmy pornograficzne". Wszystko było dla niego nowe i pasjonujące, od sklepowych półek, uginających się pod ciężarem produktów, po dzieła sztuki w National Gallery, gdzie rozpłakał się, dotykając płótna Hieronima Boscha *Śmierć i skąpiec*. Wiedział, że dotykanie dzieł sztuki w muzeum jest zabronione, ale pozwolił sobie na ten wybryk przy kilku obrazach. Najpierw zatrzymywał się na kilka minut, rozglądał na wszystkie strony, a kiedy miał pewność, że nikt nie patrzy, bez wyrzutów sumienia kładł obie dłonie na płótnie. „Dotykałem Van Gogha, Gauguina, Degasa i czułem, jakby coś we mnie rosło", pisał do dziewczyny. „Czuję, że dojrzewam, dużo się uczę".

Jednak nic nie zrobiło na nim takiego wrażenia, jak wizyta w muzeum wojskowym i w muzeum FBI. W pierwszym oglądał liczne eksponaty ukazujące udział Stanów Zjednoczonych w obu wojnach światowych i doszedł do wniosku, że „dzieci uczą się tam nienawiści do wrogów Stanów Zjednoczonych". Sądząc po jego reakcji, dorośli także ulegali ogólnej atmosferze. Paulo przeszedł całe muzeum, obejrzał samoloty, rakiety i filmy, ukazujące militarną potęgę Ameryki i wyszedł „przepełniony nienawiścią do Rosjan, żądny krwi i odwetu". Po muzeum FBI oprowadzał go agent służb federalnych. Zaprowadził go do działu poświęconego mafii amerykańskiej, z oryginalnymi strojami i bronią używaną przez sławnych gangsterów: Dillingera, „Baby Face", „Machine Gun Kelly'ego" i innych. Zobaczył również autentyczne listy ofiar słynnych porwań. W ciemnym kącie jednej z sal zauważył pulsujące światełko, a nad nim napis: „Za każdym razem, gdy zapala się ta lampka, w Stanach Zjednoczonych popełniane jest przestępstwo (morderstwo, porwanie, gwałt)". Światełko zapalało się co trzy sekundy. Przy gablocie z bronią agent FBI chwalił się, że pracownicy „firmy" strzelają zawsze po to, by zabić. Wieczorem, w liście pełnym wykrzykników, Paulo tak podsumował emocjonujący dzień:

> *Oni nigdy nie pudłują! Kiedy używają pistoletu albo karabinu maszynowego, celują w głowę! Nigdzie indziej! A dzieci? Jak to wszystko przyjmują dzieci, kiedy opowiada im się takie rzeczy? Przychodzą tu całe szkoły, zatrzymują się przed gablotą i dowiadują, jak agenci FBI chronią ich kraj! Koszmar! Agent, który mnie oprowadzał, powiedział, jakie wymagania stawia się kandydatom do FBI: przynajmniej 180 centymetrów wzrostu, celność w strzelaniu i nieskazitelna przeszłość. Tylko tyle. Żadnego testu na inteligencję, tylko pewna ręka i dobre oko. Jestem w najnowocześniejszym kraju na świecie, kraju wszelkich udogodnień i w najwyższym stopniu rozwiniętych form życia społecznego. Dlaczego więc dzieją się tu takie rzeczy?*

W trosce o własny wizerunek prosił Christinę o nie pokazywanie nikomu jego listów. Mogła o nich opowiadać, ale nie pokazywać. „To są bardzo intymne zwierzenia. Nie troszczę się o styl", tłumaczył. „Możesz mówić, o czym piszę, ale nikomu tego nie pokazuj". Po tygodniowym maratonie zwiedzania Paulo kupił bilet kolejowy do Nowego Jorku, gdzie miał podjąć decyzję, co do dalszego pobytu. Rozsiadł się wygodnie w czerwono-niebieskim wagonie drugiej klasy. Na widok betonowych bunkrów w okolicach dworca kolejowego po plecach przebiegły mu ciarki. Na ścianie widniał namalowany żółtą farbą napis: „Schron przeciwatomowy". Wszystko przygotowano na wypadek wybuchu jądrowego. Na pierwszym postoju w Elisabeth w stanie New Jersey poczuł czyjś dotyk na ramieniu. Był to konduktor w niebieskim mundurze, ze skórzaną torbą przytroczoną do paska.

– *Hi, guy! Can you show me your ticket?*

Paulo nie zrozumiał pytania i wystraszony spytał po portugalsku:

– Słucham?

– *Don't you understand?* – Konduktor wyraźnie się spieszył i był w złym humorze. – *I asked for your ticket! Without a ticket nobody travels in my train.*

Paulo zrozumiał, że wysiłki Very, żeby zrobić z niego poliglotę, poszły na marne. Czytał książki po angielsku w miarę swobodnie, korzystając z pomocy Very i słowników, ale rozumienie i mówienie w obcym języku było czymś zupełnie innym. Poczuł się bezradny i z przerażenia nie mógł wykrztusić słowa po angielsku.

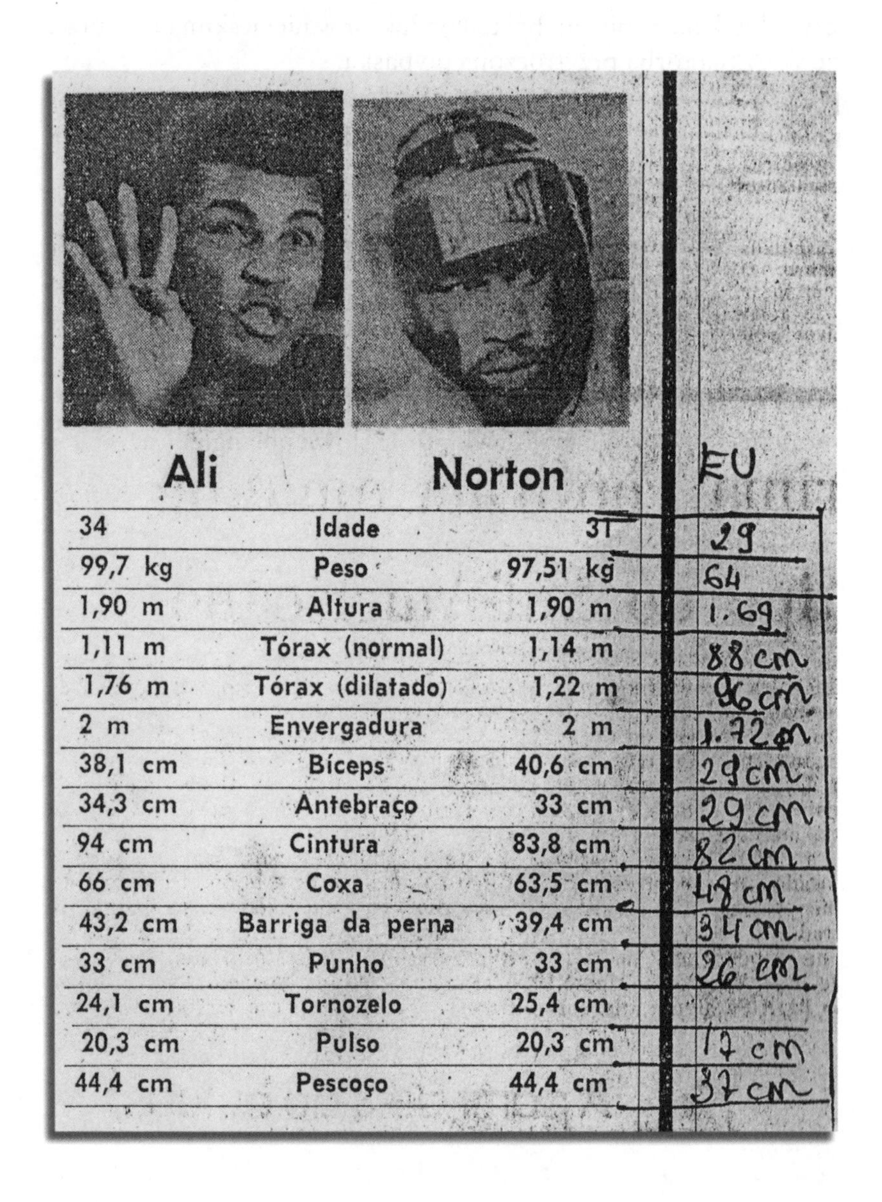

Ali		Norton	EU
34	Idade	31	29
99,7 kg	Peso	97,51 kg	64
1,90 m	Altura	1,90 m	1.69
1,11 m	Tórax (normal)	1,14 m	88 cm
1,76 m	Tórax (dilatado)	1,22 m	96 cm
2 m	Envergadura	2 m	1.72 m
38,1 cm	Bíceps	40,6 cm	29 cm
34,3 cm	Antebraço	33 cm	29 cm
94 cm	Cintura	83,8 cm	82 cm
66 cm	Coxa	63,5 cm	48 cm
43,2 cm	Barriga da perna	39,4 cm	34 cm
33 cm	Punho	33 cm	26 cm
24,1 cm	Tornozelo	25,4 cm	
20,3 cm	Pulso	20,3 cm	17 cm
44,4 cm	Pescoço	44,4 cm	37 cm

Paulo porównuje swoją muskulaturę z mistrzami wagi ciężkiej,
Muhammedem Alim i Kenem Nortonem.

12.

W Nowym Jorku zaskoczona Amerykanka mówi: „Paulo, ty masz kwadratowego penisa!”

Na początku Nowy Jork zrobił na nim przygnębiające wrażenie. To, co widział z okien pociągu, w niczym nie przypominało schludnych, kolorowych ulic z filmów i książek, a jadąc metrem z Brooklynu na Manhattan zobaczył mnóstwo żebraków i oberwańców. Niewiele sobie z tego robił, bo w mieście zamierzał zatrzymać się tylko kilka dni, po czym ruszyć do prawdziwego celu podróży – do Wielkiego Kanionu Kolorado. Miał jeszcze w planach wyjazd na rozsławioną przez Castanedę magiczną pustynię na pograniczu Meksyku. Pierwszych wskazówek, jak przetrwać w amerykańskiej dżungli, udzielił Paulowi hiszpańskojęzyczny pasażer pociągu – to on wyciągnął go z opresji, kiedy Brazylijczyk nie mógł porozumieć się z konduktorem. Paulo miał przy sobie trzysta dolarów (dziś około 1500 dolarów), z którymi zamierzał „przemierzyć Stany wzdłuż i wszerz”. Jednak musiał zmienić środek lokomocji, najlepiej na autobus linii Greyhound. Przypomniał sobie, że wielokrotnie widział w kinie takie autobusy, mknące autostradami przez pustkowia z charakterystyczną sylwetką charta wymalowaną na boku. Jeden bilet za 99 dolarów upoważniał do 45 dni podróży na dowolnych trasach do jednego z 2000 miast w Stanach, Meksyku i Kanadzie, do których docierały greyhoundy. Paulo zamierzał jeździć po kraju przez dwa miesiące, więc stać go było jedynie na noclegi w schroniskach należących do YMCA, gdzie za sześć dolarów otrzymywało się nocleg i śniadanie lub kolację.

Nim minęły dwa dni, rozwiało się początkowe złe wrażenie, także za sprawą schroniska YMCA, gdzie pokoje były wprawdzie małe (dwa razy mniejsze od kawalerki u dziadków), ale miały klimatyzację i lśniły czystością. Pościel zmieniano codziennie, obsługa była miła, a jedzenie podawane na tacach skromne, ale smaczne. Gdyby nie to, że łazienkę musiał dzielić z innymi gośćmi z piętra, Paulo mógłby zamieszkać tu na zawsze. Wciąż miał problemy z językiem. Codziennie rano zamawiając śniadanie przeżywał katusze. Mając za sobą kolejkę zniecierpliwionych głodomorów, zaczynał się denerwować i nie potrafił poprawnie wymówić nazw zamawianych dań. Szczególne trudności miał ze słowami *hamburger*, które brzmiało jak „ramberger" („Ramberger! Ramberger!" wrzeszczał zza lady kucharz), a także *vegetable* [jarzyny] i *lettuce* [sałata], które wymawiał jak „wedżtabol" i „letius". Odetchnął, kiedy znalazł w jadłospisie pyszne danie z fasoli zwane *poroto*. Wreszcie znalazł słowo, które wypowiadał bez trudu i tak skończyły się jego problemy. Nim nauczył się amerykańskiej wymowy, żywił się wyłącznie fasolą i był zachwycony.

Poza przyjazną atmosferą schroniska, nastrój Paula poprawił panujący w mieście duch tolerancji i wolność obyczajów. Młody Coelho szybko odkrył, że seks, marihuana i haszysz są dostępne na każdym rogu ulicy, szczególnie w okolicach Washington Square. Tam zbierali się hipisi z różnych zakątków kraju, całymi dniami brzdąkali na gitarach i wylegiwali się w wiosennym słońcu. Któregoś wieczora Paulo wrócił do schroniska pięć minut przed zamknięciem stołówki. Choć na sali było wiele wolnych stolików, przysiadł się do młodej, samotnej dziewczyny. Wyglądała na jakieś dwadzieścia lat, była bardzo szczupła, miała długie, chude ręce, a na sobie typowy strój hipiski – sięgającą do ziemi sukienkę w hinduskie wzory.

Podniosła piegowatą twarz i uśmiechnęła się do Paula, który z galanterią zagadnął po angielsku:

– *Excuse me?*

Dziewczyna spojrzała zdziwiona.

– *What?*

Paulo zrozumiał, że nie jest w stanie poprawnie wypowiedzieć najprostszej kwestii, co go bardzo ubawiło. Dobry nastrój ułatwił im porozumienie. O jedenastej wieczorem poszli na spacer po mieście. Paulo dopytywał się, czym zajmuje się Amerykanka, ale jej odpowiedź nic mu nie mówiła. Wciąż słyszał jedno, tajemnicze słowo „balej". „Studiuję «balej» na uniwersytecie", tłumaczyła Janet. Co to mogło znaczyć? Wreszcie dziewczyna stanęła przed nim, z gracją uniosła ramiona, zrobiła piruet i kilka razy podskoczyła na czubkach palców, zwracając na siebie uwagę przechodniów. Na koniec podeszła do Paula i złożyła mu głęboki ukłon. A więc była baletnicą! Chodziło jej o balet! Przed świtem ruszyli w stronę schroniska, gdzie kobiety i mężczyźni spali w oddzielnych budynkach. Zatrzymali się w jakimś zaułku przy Madison Square Garden i zaczęli się całować. Wśród uścisków i pocałunków Janet wsunęła rękę do jego spodni. Nagle zamarła i z przerażeniem wyszeptała:

– *Wow!* Spałam już z paroma facetami, ale ty masz ... kwadratowego penisa!

Paulo wybuchnął śmiechem i wytłumaczył nieporozumienie. Nie chciał zostawiać dokumentów w schronisku, dlatego przed wyjściem wkładał je do torebki i wsuwał w najbezpieczniejsze – jak mu się wydawało – miejsce, czyli pod bieliznę. Wkrótce umiejętności Janet zapewniły mu nie tylko rozkosze ciała – kochali się regularnie po parkach i zakątkach Nowego Jorku – ale pozwoliły poznać nieznane mu wcześniej wcielenie tego szalonego miasta z początku lat 70. Chodził z Janet na manifestacje przeciw wojnie w Wietnamie i na koncerty muzyki barokowej w Central Parku. Podczas jednego ze spacerów podziwiał iluminację Pensylvania Station. „Ten dworzec jest większy nawet od Central do Brasil w Rio", pisał zachwycony w liście do Christiny. „Jest tylko jedna różnica – zbudowano go pod ziemią". Przeżywał wizytę w Madison Square Garden. „Trzy miesiące temu Joe Frazier pokonał tu Cassiusa Claya". Jego podziw dla boksera, który przyjął imię Muhammad Ali, był tak wielki, że oglądał wszystkie jego walki. Paulo nie wyznaczył sobie daty powrotu do domu, ale czas biegł nieubłaganie, a Nowy Jork oferował nieprzebrane atrakcje. Przybyły z policyjnego kraju młody człowiek był oczarowany – jak często mawiał „otumaniony" – Nowym Jorkiem, starał się zobaczyć wszystko, co leżało w zasięgu jego możliwości. Był na koncercie jednej z najsławniejszych w tym czasie grup rockowych, Credence Clearwater Revival, obejrzał thriller *Nędzne psy* w reżyserii Sama Peckinpaha, z młodym Dustinem Hoffmanem, chodził na przedstawienia teatralne, gdzie aktorzy kochali się na scenie. Zachwycił się filmem dokumentalnym *Gimme Shelter*, który obejrzał w Greenwich Village, artystycznej dzielnicy Nowego Jorku. Była to relacja z koncertu zespołu The Rolling Stones, który odbył się kilka miesięcy wcześniej na festiwalu w kalifornijskim Altamont. Film pokazywał między innymi śmierć ciemnoskórego Mereditha Huntera, zasztyletowanego przy pracujących kamerach przez członków gangu Hells Angels, którzy podczas koncertu byli ochroniarzami angielskich muzyków. Kiedy Paulo miał więcej czasu, starał się w listach oddać stan euforii, w jakim się znajdował.

> *Są dzielnice, gdzie wszystko – książki, gazety, ogłoszenia – jest po chińsku, po hiszpańsku albo po włosku. W moim hotelu zatrzymują się najróżniejsi ludzie, mężczyźni w turbanach, bojownicy Czarnych Panter, Hinduski w długich szatach. Wszystko się tu może zdarzyć. Wczoraj wieczorem, kiedy wychodziłem z pokoju, musiałem rozdzielić dwóch bijących się staruszków, którzy mieli dobrze po sześćdziesiątce! Bili się, żeby pokazać, kto jest silniejszy! Nie pisałem Ci jeszcze o Harlemie, dzielnicy czarnych. To niesamowite miejsce. Czym jest Nowy Jork? To prostytutki pracujące w biały dzień w Central Parku, to wieżowiec, w którym kręcono* Dziecko Rosemary, *to miasto, gdzie toczy się akcja* West Side Story.

Przed zaklejeniem koperty Paulo dorzucał jeszcze parę czułych słów, które miały zmiękczyć serce wybranki („kochana", „cudowna", „wspaniała", „zadzwonię, nawet gdybym miał nie jeść potem cały dzień, by choć przez minutę posłuchać twego głosu"). Były też drobne kłamstwa („nie myśl, że cię zdradzam", „możesz mi bezgranicznie ufać"). Po dwóch szalonych tygodniach spędzonych w Nowym Jorku Paulo uznał, że zarówno jego angielski, jak i zasoby finansowe nie pozwalają na samotną, dwumiesięczną podróż po Stanach. Idąc za radą Janet, mógł oszczędzić na hotelach, przemieszczając się greyhoundem w nocy na trasach ponad sześciogodzinnych. Dzięki temu noclegi nic go nie kosztowały. Jednak kwestia językowa była o wiele poważniejsza. Nikła znajomość angielskiego starczała, żeby znaleźć hotel i zamówić coś do jedzenia, ale Paulo zdawał sobie sprawę, że skorzystałby bardziej, gdyby rozumiał, co się do niego mówi. Miał do wyboru – powrót do Brazylii lub znalezienie sobie kompana. Na koszt ciotki zadzwonił do Waszyngtonu i poprosił Sérgia, który biegle władał angielskim, by mu towarzyszył. Dwa dni później obaj jechali z plecakami do Chicago. Stamtąd zamierzali udać się do Wielkiego Kanionu Kolorado w sercu Arizony. Kanion znajdował się 4000 kilometrów od Manhattanu, a różnica czasu wynosiła dwie godziny.

Jedynym źródłem informacji na temat tej podróży są listy do Christiny. Zastanawia w nich brak jakiejkolwiek wzmianki o towarzyszu podróży, którego Paulo jakby nie było zaprosił. Tymczasem ignorował Serginha do tego stopnia, że z listów do Christiny odnosi się wrażenie, że podróżował sam. „Na czas podróży zostawię aparat fotograficzny u dziadka. Nie będę sam sobie robił zdjęć,

Podróż przez Stany w stylu *Easy Ridera*. U góry: Paulo i Janet: „Masz kwadratowego penisa!”

a nie chce mi się pstrykać widoczków, kiedy mogę kupić pocztówkę", pisał. Może zależało mu, by jego podróż wyglądała na wymagającą odwagi, niebezpieczną eskapadę. Niezależnie od tego, jaki był prawdziwy powód „zniknięcia" kuzyna, Serginho ani razu nie pojawił się w listach. Jedynym ich bohaterem był Paulo.

Z pieniędzmi było krucho, więc Coelho notował wszystkie wydatki, zapisywane w dolarach albo w walucie brazylijskiej, na przykład: paczka papierosów 60 centów (3 cruzeiros), hamburger 80 centów, bilet do metra 30 centów, kino 2 dolary. Jeśli nie udawało im się złapać nocnego autobusu, wydawali siedem dolarów na najskromniejszy hotel przy autostradzie. Szok cywilizacyjny oraz swoboda obyczajowa Nowego Jorku wprawiły go w stan podobny do „upojenia alkoholowego" (jego własne słowa), w związku z czym tym trudniej było mu przywyknąć do konserwatyzmu Środkowego Zachodu. „W porównaniu z Nowym Jorkiem, nie ma o czym opowiadać", żalił się Christinie w jednym z listów pisanych na kolanie w autobusie. „Piszę, bo tęsknię za moją kobietą", dodawał. Większość miast wymieniał tylko z nazwy, nie poświęcając im większej uwagi. Chicago uznał za „najzimniejsze miasto" podczas całej swej podróży. „Ludzie zachowują się, jakby byli chorzy psychicznie, są agresywni i nieopanowani. Wszyscy tu ciężko pracują".

Po pięciu dniach podróży twarz Paula ożywiła się na widok zakurzonej tablicy z napisem „Cheyenne – 100 mil". Miasto leżało w stanie Wyoming, na granicy z Kolorado, w sercu Dzikiego Zachodu. Paulo znał je od dziecka. Przeczytał tyle książek, obejrzał tyle westernów kręconych w Cheyenne, że był w stanie odtworzyć z pamięci nazwy ulic, hoteli i barów, miejsc, gdzie kowboje staczali bitwy z czerwonoskórymi. Drogowskaz go zdziwił, bo nie sądził, że miasto naprawdę istnieje. Uważał je za wytwór imaginacji pisarzy i filmowców, twórców legendy Dzikiego Zachodu, która tak silnie działała na wyobraźnię dziecka. Jednak rzeczywistość go rozczarowała. Współcześni kowboje chodzili wprawdzie w wysokich butach, nosili kapelusze i skórzane pasy z metalowymi klamrami ozdobionymi podobizną byka, ale z wierzchowców przesiedli się do cadillaców z opuszczanymi dachami. Jedynym śladem po dawnym Cheyenne były stare bryczki amiszów – Paulo widział takie w filmie *Jesień Czejenów* Johna Forda – chrześcijańskiej wspólnoty protestanckiej, której wyznawcy, żyjący dziś w Kanadzie i Stanach Zjednoczonych, nie uznają nowoczesnych wynalazków, takich jak winda, telefon czy samochód. Największe rozczarowanie Paulo przeżył odkrywszy, że stara, zakurzona Pioneer Street, ulubione miejsce kowbojskich pojedynków o zachodzie słońca, stała się ruchliwą, wyasfaltowaną ulicą z czterema pasmami ruchu i sklepami ze sprzętem elektronicznym. Nim Paulo wsiadł do autobusu, który miał go zawieźć do Wielkiego Kanionu, kupił sobie jedyną pamiątkę, na jaką było go stać – list gończy legendarnego rewolwerowca Jesse Jamesa.

Do Wielkiego Kanionu jechało się tysiąc kilometrów na południowy zachód przez Kolorado, kawałek Nowego Meksyku, do Arizony. Jednak podróżnicy zapragnęli odwiedzić Park Narodowy Yellowstone i udali się w kierunku przeciwnym – na północ. Greyhound docierał do miasta Idaho Falls, skąd było jeszcze trzysta kilometrów do parku. Paulo zaszalał i za całe trzydzieści dolarów wynajął samochód. Ponieważ do tej pory nie pozbył się traumy z czasów Araruamy i nie miał prawa jazdy, w biurze pokazał legitymację członkowską Związku Aktorów Rio de Janeiro. Wiedział, że za oszustwo grozi mu więzienie, ale usiadł za kierownicą i przez cały dzień prowadził. Po drodze mijali lodowce, gejzery tryskające na śnieg gorącą wodą nasyconą siarką, a nawet niedźwiedzie przechodzące przez jezdnię. Wieczorem wrócili do Idaho Falls i wsiedli do greyhounda, gdzie jak sądzili wreszcie się ogrzeją, bo mimo pełni lata, przemarzli na kość. Niestety, ogrzewanie w autobusie nie działało jak należy, a ciepłych ubrań ze sobą nie zabrali. Po przyjeździe do Boise, stolicy Idaho, czym prędzej pobiegli do kasy dowiedzieć się o najbliższy nocny autobus. Na pytanie, dokąd chcą jechać, odparli: gdziekolwiek, byle było ciepło. Wolne miejsca były już tylko w autobusie do San Francisco w Kalifornii.

Nocny autobus przejeżdżał przez pustynię Nevada, a Paulo pisał list do Christiny. Chwalił się swoim oszustwem w wypożyczalni samochodów, narzekał na własną lekkomyślność, ponieważ wydał za dużo i „poważnie nadwyrężył budżet”. Dodał, że wreszcie znalazł odpowiedź na pytanie, dlaczego w greyhoundach czuje się ostry zapach whisky. „Tutaj wszyscy podróżują z piersiówką. W Stanach dużo się pije”. Przerwał w połowie listu i wrócił do pisania po kilku godzinach.

Miałem jechać bezpośrednio do San Francisco, ale powiedziano mi, że w Nevadzie mogę zagrać za darmo w kasynie, więc spróbowałem. Z nikim się nie zaprzyjaźniłem, ludzie myślą tam tylko o hazardzie. Straciłem pięć dolarów na jackbox, automat do gry – pociąga się za wajchę i wyskakują wyniki. Wiesz, o czym mówię? Obok mnie siedzi facet w wysokich butach, kapeluszu i z chustką na szyi, zupełnie jak z filmu. Cały autobus jest pełen kowbojów. Teraz jestem na Dalekim Zachodzie, a do San Franci-

sco dojadę około jedenastej wieczorem. Za siedem godzin będę na drugim końcu Ameryki. Niewielu może się poszczycić takim osiągnięciem.

Do San Francisco dojechali wyczerpani po 22 dniach podróży. Pierwsze kroki skierowali do schroniska YMCA, gdzie spali cały dzień, odrabiając zaległości po kilku nocach spędzonych w autobusie. W San Francisco, kolebce ruchu hipisowskiego, w 1968 roku odbyło się wiele burzliwych manifestacji. Miasto zrobiło na Brazylijczyku większe wrażenie niż Nowy Jork. „Panuje tu zdecydowanie większa wolność niż w Nowym Jorku. Poszedłem do ekskluzywnego klubu i widziałem, jak nagie kobiety kochają się na scenie z mężczyznami, wszystko na oczach bogatych Amerykanów i ich żon", opowiadał podekscytowany, jednocześnie żałując, że nie zobaczył wszystkiego. „Wszedłem w połowie i widziałem tylko kawałek. Nie miałem pieniędzy na miejsce siedzące, więc szybko mnie wyrzucili". Był zaszokowany widząc, jak w biały dzień wśród młodzieży rozprowadza się i zażywa LSD. Odwiedził dzielnicę hipisów, kupił haszysz i większość wypalił na ulicy, nie zwracając niczyjej uwagi. Wziął udział w antywojennym marszu i przyglądał się manifestacji pacyfistycznej mnichów buddyjskich, którą pałkami rozpędził gang młodych Murzynów. „Na ulicach czuje się szaleństwo", pisał w liście do Christiny. Po pięciu dniach „całkowitego odprężenia" w tym „alternatywnym Disneylandzie", którym było wówczas San Francisco, wsiedli do greyhounda i ruszyli do Wielkiego Kanionu, ale w połowie drogi wysiedli w Los Angeles. Trafili tam 4 lipca, w Dniu Niepodległości, więc miasto było wymarłe. „Wszystko pozamykane. Z trudem znalazłem miejsce, by wypić kawę", narzekał. „Słynny Hollywood Boulevard wyludniony. Na ulicach pusto, ale mogłem sobie pooglądać sklepy i restauracje, wszystkie bardzo luksusowe, nawet przydrożne bary". Kiedy się przekonali, że Los Angeles to miasto nie dla biednych turystów z plecakami, po dwudziestu czterech godzinach od opuszczenia San Francisco wyruszyli do Flagstaff, końcowego przystanku na drodze do Wielkiego Kanionu.

Wrażenie na nich zrobił i wspaniały przełom płynącej rwącym nurtem rzeki Kolorado, i ceny w hotelach i restauracjach, porównywalne z cenami w największych miastach amerykańskich. Nie znaleźli schroniska YMCA, wobec czego nadwątlili i tak już skąpy budżet kupując za 19 dolarów nylonowy namiot. Pierwszą noc spędzili na polu namiotowym dla hipisów, gdzie mieli nieograniczony dostęp do haszyszu. O wschodzie słońca zwinęli namiot, zapakowali do plecaków butelki z wodą oraz jedzenie w puszkach i poszli w stronę kanionu. Po całym dniu marszu w pełnym słońcu, wyczerpani i głodni zrobili postój, jak się okazało w najszerszym i najgłębszym miejscu doliny – 20 kilometrów wszerz i 1800 metrów głębokości. Rozbili namiot, rozpalili ognisko, żeby podgrzać zupę z puszki, po czym zmęczeni zasnęli. Obudzili się następnego dnia o świcie.

Serginho proponował zejście do rzeki. Paulo się przestraszył – wokół pustkowie, nikłe szanse na spotkanie innych turystów, znikąd pomocy. Kuzyn się jednak uparł i oświadczył, że idzie sam, skoro Paulo odmawia. Spakował plecak, zarzucił na plecy i zaczął schodzić w dół, nie zważając na krzyki i protesty Paula.

– Serginho! Nie chodzi o zejście w dół, ale o powrót! Będziemy wracać w upale. Kanion ma wysokość stupiętrowego wieżowca! W tym skwarze nie damy rady!

Serginho nawet się nie odwrócił. Nie było więc innego wyjścia jak wziąć plecak i pójść za nim. Wkrótce bajeczny widok kazał Paulowi zapomnieć o obawach. Wielki Kanion wyglądał jak ogromna, licząca 450 kilometrów szczelina, przecinająca czerwoną pustynię. Płynąca dołem rzeka z tej wysokości przypominała strużkę wody. Potężna Kolorado wypływa z Gór Skalistych i po 2300 kilometrach wpada do Zatoki Kalifornijskiej w Meksyku, po drodze przecinając sześć stanów (Arizonę, Kalifornię, Nevadę, Utah, Nowy Meksyk i Wyoming). Po pięciu godzinach wyczerpany Paulo zatrzymał się i zaproponował powrót.

– Wczoraj wieczorem prawie nic nie zjedliśmy, jesteśmy bez śniadania, bez szansy na obiad. Spójrz w górę. Popatrz, ile mamy do przejścia.

Jednak Serginho nie dawał za wygraną.

– W takim razie, poczekaj na mnie, bo ja schodzę do rzeki – odparł i ruszył dalej.

Paulo usiadł w cieniu, zapalił papierosa i w absolutnej ciszy podziwiał wspaniałą panoramę. Zerknął na zegarek, dochodziło południe. Zszedł kilka metrów, rozejrzał się za Serginho, ale jak wzrokiem sięgnąć żywej duszy, żadnego turysty, tubylca, nikogo. Pomyślał, że z leżącej niżej kamiennej półki będzie miał lepszy widok. Ale i stamtąd nie dostrzegł kuzyna. Przykładając dłonie do ust zaczął wołać jego imię, lecz nikt mu nie odpowiadał, tylko jego głos odbijał się echem od czerwonych skał. Był wściekły, że wybrali tę niebezpieczną, nieuczęszczaną drogę. Ogarnął go strach. Bezbronny, sam jak palec, utknął gdzieś na końcu świata. Był pewien, że czeka go śmierć.

– Umrę tu, umrę! – powtarzał w kółko. – Nie wydostanę się stąd, skonam wśród tych pięknych gór!

Wiedział, że w letnie dni temperatura w Wielkim Kanionie dochodzi do 50°C. Skończyła mu się woda, o kawie w tej głuszy nie miał co marzyć. Tyle dróżek prowadziło w górę i w dół, że stracił orientację. Zaczął wzywać pomocy, ale nikt się nie pojawił. Słyszał tylko echo własnego głosu. Dochodziła czwarta po południu. Zrozpaczony, postanowił szukać kuzyna bliżej koryta rzeki. Szedł coraz szybciej, wreszcie zaczął biec, choć wiedział, że każdy krok w dół oznaczał potem morderczy marsz pod górę. Twarz paliła go od słońca. Wreszcie natknął się na pierwszy ślad cywilizacji – przymocowaną do skały żelazną tabliczkę z czerwonym guzikiem i wytłoczonym napisem: „Jeśli się zgubiłeś, naciśnij guzik. Zabierze cię helikopter lub przewodnik z mułami. Zapłacisz karę w wysokości 500 dolarów". Zostało mu w kieszeni 80 dolarów, Serginho miał przy sobie drugie tyle. Ale tabliczka oznaczała, że nie byli pierwszymi turystami, którzy popełnili błąd i ryzykując życie wybrali tę samą drogę. Warto było nacisnąć guzik, nawet gdyby mieli przesiedzieć kilka dni w areszcie, czekając, aż rodzice prześlą pieniądze. Przede wszystkim trzeba było jednak odnaleźć Serginha. Paulo zszedł w dół jeszcze kilkanaście metrów, nie tracąc z oczu czerwonego guzika, jedynego punktu odniesienia. Za zakrętem, na malowniczym tarasie widokowym, zobaczył metalową lunetę, uruchamianą przez wrzucenie monety. Wcisnął w szparę 25 centów i przez obiektyw dokładnie obejrzał brzeg rzeki w poszukiwaniu towarzysza podróży. Wreszcie go znalazł. Serginho spokojnie sobie spał w cieniu głazu. Do Flagstaff dotarli w środku nocy. Byli wyczerpani, poparzeni słońcem, ale żywi. Na myśl, że po tylu przejściach mają spędzić kolejną noc na polu namiotowym, Paulo nieśmiało zaproponował:

– Zasłużyliśmy na porządną kolację i nocleg w hotelu.

Znaleźli w miarę tani i wygodny motel, zostawili w pokoju plecaki i poszli do restauracji. Zamówili dwa porządne steki wielkości talerza, każdy za 10 dolarów, równowartość tego, co wydawali dziennie na osobę. Po całym dniu spędzonym na słońcu z wycieńczenia nie byli w stanie wziąć do rąk sztućców. Głód jednak okazał się silniejszy od zmęczenia. Szybko, połykając duże kęsy spałaszowali kotlety, a pięć minut później obaj gwałtownie wymiotowali w toalecie. Wrócili do pokoju i padli na łóżka. To była ich ostatnia wspólna noc. Następnego dnia Serginho wracał do rodziców w Waszyngtonie, a Paulo jechał do Meksyku.

Podróż po Stanach, zakończona bez większego uszczerbku na zdrowiu, przypominała Paulowi wyjazd sprzed dwóch lat do Paragwaju z Verą, Kakikiem i Arnoldem. Podczas pierwszej eskapady przejechał 2000 kilometrów, żeby zobaczyć mecz Brazylia – Paragwaj, i nie stracił humoru, kiedy w Asunción okazało się, że nie ma biletów. Tym razem chciał podążyć śladami Castanedy i marzył o podróży przez tajemnicze pustkowia na południu, tyle że oczarowany wielkimi miastami zapomniał o celu podróży. Po przygodzie w Wielkim Kanionie miał obolałe mięśnie, poparzenia słoneczne i niemal puste kieszenie. Kusiło go, by wcześniej wrócić do Brazylii. Tymczasem wykupiony bilet autobusowy był ważny jeszcze kilka dni, wobec czego Paulo postanowił dojechać do celu, który sobie wyznaczył. Zdążył już nawyknąć do amerykańskiego bogactwa, dlatego wstrząsem było dla niego pięć dni oglądania meksykańskiej biedy, przypominającej mu ojczyznę. Mimo to próbował różnych naparów oraz wywarów z halucynogennych grzybów i kaktusów. Kiedy nie miał już grosza przy duszy, wsiadł do greyhounda i po trzech dniach dojechał do Nowego Jorku, skąd wrócił do Brazylii.

Piękna Gisa wkracza w życie Paula niczym huragan.
Po miesiącu mieszkają razem.

13.

Rząd torturuje ludzi, a ja boję się tortur, boję się bólu. Serce bije mi coraz szybciej

Tydzień po powrocie Paulo wciąż nie miał pojęcia, co zrobić ze swym życiem. Wiedział tylko, że nie wróci na prawo, które rzucił w połowie semestru. Nadal chodził na zajęcia z reżyserii na wydziale filozoficznym Uniwersytetu Stanowego Guanabara, później przekształconego w Uniwersytet Rio de Janeiro. Jednocześnie wysyłał swoje teksty do gazet. Na podstawie własnych doświadczeń napisał artykuł o wolności zażywania narkotyków, którą upajał się w Stanach. Liczył na jego publikację w najpopularniejszym wówczas tygodniku satyrycznym „Pasquim", który z czasem stał się pismem opozycyjnym. Obiecał św. Józefowi, że w razie ukazania się artykułu, zapali mu piętnaście świec. W każdą środę jako pierwszy klient przychodził do kiosku, niecierpliwie przeglądał tygodnik, po czym przygnębiony odkładał go na miejsce. Dopiero po trzech tygodniach zrozumiał, że artykuł został odrzucony. Każde takie doświadczenie odbierał jako bolesny policzek, ale nie porzucał nadziei, że kiedyś zostanie pisarzem. Zrozumiał, że milczenie „Pasquima" oznacza kategoryczne „nie". Żalił się w swoim dzienniku: „Rozmyślałem nad kwestią sławy i doszedłem do wniosku, że nie mam szczęścia". Zaraz jednak dodawał: „Ale to dobrze, że mi nie wyszło. Kiedy wreszcie mi się powiedzie, sukces będzie ogromny". Sęk w tym, że do tego czasu trzeba było z czegoś żyć. Pieniądze z teatru przychodziły regularnie, ale dochód z biletów często nie pokrywał nawet kosztów wystawienia spektaklu. Zgodził się więc poprowadzić prywatny kurs przygotowujący kandydatów na wydział teatralny na Uniwersytecie Stanowym. Praca nie miała nic wspólnego z jego planami na przyszłość, ale gwarantowała pensję w wysokości 1600 cruzeiros (dziś około 330 dolarów).

W piątek, 13 sierpnia 1971 roku, ponad miesiąc po powrocie ze Stanów, Paulo otrzymał z Waszyngtonu tragiczną wiadomość: Mistrz Tuca spadł ze schodów w domu córki w Bethesdzie, doznał urazu głowy i zmarł. To było jak grom z jasnego nieba. Przez kilka minut Paulo siedział bez ruchu, próbując pozbierać myśli. Wciąż pamiętał uśmiechniętego dziadka w berecie na głowie, maszerującego po lotnisku w Waszyngtonie. Nie mógł uwierzyć, że Mistrz Tuca nie żyje. Miał wrażenie, że gdyby wyszedł na taras, zastałby go z gazetą w ręku, drzemiącego w fotelu. Przypomniał sobie, jak dziadek lubił prowokować go swymi konserwatywnymi poglądami. Pelégo nazywał „Murzynem z buszu", a Roberta Carlosa „histerycznym wyjcem". Zaciekle bronił prawicowych dyktatorów, Salazara i Franco. Podczas rozmów z wnukiem hipisem często wpadał w szał. Wrzeszczał wniebogłosy, że każdy analfabeta potrafi malować jak Picasso, czy grać na gitarze jak Jimi Hendrix. Paulo skręcał się ze śmiechu, słuchając gniewnych tyrad uparciucha. Mimo swego konserwatyzmu, a może dlatego, że miał dość burzliwą młodość, jako jedyny w rodzinie dziadek akceptował i rozumiał dziwnych przyjaciół Paula. Spędzali ze sobą dużo czasu, szczególnie w ostatnich latach, kiedy wnuk zamieszkał nad garażem w domu Mistrza Tuki. Paulo traktował go jak swego drugiego ojca. W odróżnieniu od inżyniera Pedra dziadek był hojny i tolerancyjny, dlatego Paulo tak boleśnie odczuł jego nagłą śmierć, a rana po jego odejściu goiła się długie lata.

Paulo prowadził kurs przygotowawczy, a jednocześnie sam chodził na zajęcia z reżyserii, z których nie bardzo był zadowolony. „Na pierwszym roku uczą nas jak oszukiwać i robić na innych wrażenie", pisał w dzienniku. „Na drugim roku student powoli traci zdolności organizacyjne, które posiadał wcześniej, a na trzecim roku staje się gejem". Jego powszechnie znana mania prześladowcza przybrała na sile na wieść o tym, że podejrzewany o członkostwo w Szwadronie Śmierci detektyw Nelson Duarte łazi po szkole teatralnej w poszukiwaniu „narkomanów i komunistów". Kiedyś policjant natknął się na profesor fonoaudiologii, Glórię Beutenmüller. Grożąc mu palcem, nieustraszona pani profesor powiedziała:

– Moi studenci będą mieć takie włosy, jak im się podoba. A jeśli zechcecie kogoś aresztować, będziecie musieli wyciągnąć go siłą!

W zaciszu swego pokoju Paulo buntował się przeciw jawnej niesprawiedliwości:

Nelson Duarte znów groził studentom oraz wykładowcom, którzy noszą długie włosy. Szkoła musiała zabronić wstępu długowłosym. Dziś nie poszedłem na zajęcia, bo wciąż nie wiem, czy się ostrzyc. Ta sytuacja bardzo mnie przygnębia. Każą obciąć włosy, zdjąć z szyi ozdoby, przestać ubierać się jak hipis... Nie do wiary! Mam wrażenie, jakby ten dziennik był jakimś tajnym zapisem obecnych czasów. Kiedyś go wydam albo schowam do urny odpornej na promieniowanie, z łatwym kodem dostępu, aby ktoś mógł go w przyszłości przeczytać. Zaczynam się zastanawiać, czy w ogóle powinienem go trzymać w domu.

Paulo wielokrotnie wspominał, że nie zgadza się z opiniami swych lewicowych przyjaciół z opozycji. Jego dziennik roi się od takich stwierdzeń: „Niedługo dyktatura się skończy i nastanie komunizm, a to wszystko jedno gówno" albo „Chwycenie za broń niczego nie rozwiąże". Przez kraj przechodziła fala krwawych represji wobec przeciwników dyktatury. Do więzień trafiali zwykli sympatycy lewicy i ich przyjaciele. Pomimo cenzury do społeczeństwa docierały informacje o przemocy stosowanej przez rząd wobec opozycjonistów. Niemal każdy czuł na karku oddech tajnej policji. Znajomy Paula został zatrzymany tylko dlatego, że próbował przedłużyć ważność paszportu na wyjazd do Chile, gdzie rządził Salvador Allende. Rok wcześniej Paulo ze zgrozą wyczytał, że jego dawną dziewczynę, piękną Nancy Unger, postrzelono w Copacabanie, kiedy stawiała opór podczas aresztowania. Po roku okazało się, że wraz z 69 innymi więźniami politycznymi została wymieniona za ambasadora Szwajcarii Enrico Giovanniego Buchera, porwanego przez partyzantów z komunistycznej Ludowej Awangardy Rewolucyjnej. Represje dotknęły też ludzi spoza opozycji. Kompozytora Chico Buarque zmuszono do wyjazdu do Włoch, a pochodzących z Bahii Gilberta Gila i Caetana Veloso zamknięto w koszarach w Rio, gdzie ogolono im głowy, po czym wysłano samolotem do Londynu. Paulo darzył dyktaturę coraz większą nienawiścią, ale nie miał odwagi głośno protestować. Świadomość, że nie potrafi nic zrobić, podczas gdy reżim torturuje i zabija ludzi, wywołała nawrót depresji.

We wrześniu 1971 roku wojsko zrobiło obławę na kryjówkę partyzantów w lasach Bahii. Zginął kapitan Carlos Lamarka. Paulo przeczytał publikowane w prasie fragmenty dziennika kapitana, po czym swą niemoc, gorycz i wewnętrzne rozdarcie wyraził na kartkach pamiętnika. Było jasne, dlaczego starannie unika roztrząsania kwestii politycznych. Po prostu się bał, choć nie miał niczego konkretnego na sumieniu. „Ja widzę to zupełnie inaczej", pisał. „Polityka i partyzantka to jedno i to samo". Chodził na manifestacje z nudów, a nie z pobudek ideologicznych. Dyktatury nienawidził, ale i o komunizmie nie chciał słyszeć. „Gdyby do władzy doszli komuniści, założyliby nam taki sam kaganiec". Z drugiej strony, jak można było nie protestować przeciw temu, co się wokół działo? Czuł, że znalazł się między młotem a kowadłem i rozpaczał w zaciszu swego pokoju.

Żyję w strasznych czasach, strasznych! Nie mogę już znieść tych rozmów o więzieniach i torturach. Nie ma wolności w Brazylii. Stale cenzuruję własne myśli, prostytuuję się.

Czytałem dziennik Lamarki. Podziwiam go za to, że walczył w obronie ideałów. Po przeczytaniu ohydnych komentarzy w prasie chciało mi się wyć. Byłem wściekły. Odkryłem w jego pamiętniku wielką miłość do drugiej osoby, pełne poezji, żywe uczucie, a w gazecie nazwano je „uzależnieniem terrorysty od kochanki". Odkryłem człowieka krytycznego wobec siebie i szczerego do bólu. Mimo to wciąż uważam, że walczył o złą sprawę.

Rząd torturuje ludzi, a ja boję się tortur, boję się bólu. Serce bije mi coraz szybciej, bo zbliżam się do granicy tego, co dozwolone. Ale muszę przecież pisać! To straszne. Tylu wokół mnie aresztowanych albo prześladowanych, chociaż nie mieli z opozycją nic wspólnego.

Czasem myślę, że znów dostanę napadu furii, zdemoluję pokój, zniszczę ten zeszyt, ale św. Józef czuwa. Napisałem te słowa i wiem, że odtąd będę żył w ciągłym strachu, ale nie mogłem inaczej, musiałem to z siebie wyrzucić. Od dziś zacznę pisać na maszynie, będzie szybciej. Wszystko muszę robić zdecydowanie szybciej. Powinienem jak najprędzej pozbyć się zeszytu. Boję się fizycznego bólu, boję się, że znów mnie zamkną. Nie chcę, by to się kiedykolwiek powtórzyło, więc nawet zabraniam sobie myśleć o polityce. Tym razem bym tego nie przetrwał, choć teraz czuję, że mnie na to stać. Do dzisiejszego dnia, czyli do 21 września 1971 roku, odczuwałem strach, ale nastąpił przełom. A może to tylko kilka ulotnych chwil? Wyswobodziłem się z kajdanków, które pod wpływem manipulacji sobie założyłem.

Niełatwo mi było napisać te słowa. Powtarzam je, bym za trzydzieści lat, czytając ten fragment dziennika gdzieś w bezpiecznym miejscu, nie miał złudzeń co do czasów, w których przyszło mi żyć. A więc stało się, kości zostały rzucone.

Paulo doskonale wiedział, że kreślone przez niego słowa na temat reżimu nigdy nie trafią do szerszej publiczności. Ta świadomość pogłębiała jego depresję i samotność. Całymi dniami siedział zamknięty w swej klitce nad garażem. Palił marihuanę i próbował zacząć swą pierwszą, wymarzoną powieść. Właściwie mógł napisać cokolwiek – sztukę, esej. Miał mnóstwo pomysłów, ale wciąż mu czegoś brakowało. Może chodziło o nastrój albo o natchnienie? Mijały dni, a on nie napisał nawet jednej linijki. Trzy godziny dziennie prowadził zajęcia, potem szedł na swój wydział. Spotykał znajomych, rozmawiał i czuł, że coraz bardziej go to wszystko nudzi. Zachodził do baru na rogu, samotnie pił kawę, palił papierosa za papierosem i zapisywał kolejne kartki zeszytu. Któregoś wieczora w barze pojawiła się dziewczyna w spódniczce mini i botkach. Miała czarne, długie włosy do ramion. Usiadła obok niego przy barze, zamówiła kawę i zagadała. Nazywała się Adalgisa Eliana Rios de Magalhães, pochodziła z Alfenas w stanie Minas Gerais i była świeżo upieczoną absolwentką architektury. Gisa była o dwa lata starsza od Paula. Przyjechała do Rio na studia, a po ich ukończeniu robiła projekty dla Banco Nacional da Habitação, ale najbardziej lubiła rysować komiksy. Chuda niczym modelka, miała egzotyczną urodę, smutne, czarne oczy i duże, zmysłowe usta. Po krótkiej rozmowie wymienili się numerami telefonów i każde poszło w swoją stronę. Paulo wrócił do domu i w kilku słowach szorstko podsumował Gisę: „Brzydka i pozbawiona wdzięku". Nic nie wskazywało na to, że ich znajomość się rozwinie.

Paulo nie wiedział (i nigdy się nie dowiedział), że Gisa była aktywną opozycjonistką. Nie brała udziału w akcjach zbrojnych – w terminologii dyktatury prowadziła działalność *wywrotową*, ale nie *terrorystyczną*. Od 1965 roku, czyli od pierwszego roku studiów na architekturze, przeszła przez różne tajne komórki opozycyjnych organizacji lewicowych, działających w środowisku studenckim. Najpierw trafiła do Komunistycznej Partii Brazylii i na studenckie zebrania przemycała egzemplarze pisemka „Voz Operária" [Głos Robotniczy]. Następnie opuściła szeregi partii i przyłączyła się do Dysydentów z Guanabary, która to organizacja w 1969 roku zmieniła nazwę na Movimento Revolucionário 8 de Outubro [Ruch Rewolucyjny 8 Października], w skrócie MR-8; jej członkowie brali udział w porwaniu ambasadora Stanów Zjednoczonych Charlesa Elbricka. Gisa nie pełniła ważnej funkcji, ale bardzo angażowała się w pracę organizacyjną. Kiedy poznała Paula Coelho, spotykała się z młodym architektem Marcosem Paraguassu de Arrudą Câmarą. Marcos był synem Diogenesa de Arrudy Câmary, twardego stalinisty i ważnej postaci Komunistycznej Partii Brazylii, od 1968 roku więzionego w koszarach 2. Batalionu Kawalerii w Rio.

Pomimo niezbyt pochlebnych uwag po pierwszym spotkaniu Paulo i Gisa zaczęli się umawiać co wieczór w barze obok szkoły teatralnej. Tydzień później Paulo odprowadził ją pod dom, gdzie mieszkała razem z bratem, blisko plaży Flamengo. Dziewczyna zaprosiła go na górę. Spędzili wieczór, słuchając muzyki i paląc marihuanę. Kiedy brat Gisy wrócił o drugiej nad ranem, zastał ich nagich na dywanie. Nim minął miesiąc, Gisa zerwała z Marcosem. Paulo i Gisa postanowili razem zamieszkać. Trzeba było tylko znaleźć lokum dla brata. Po trzech tygodniach, podczas pierwszej nocy pod wspólnym dachem Paulo zaproponował Gisie małżeństwo. Mieli się pobrać w Wigilię Bożego Narodzenia, czyli za sześć tygodni. Gisa zgodziła się, choć była nieco zaskoczona pośpiechem, z jakim narzeczony spakował walizki i przeniósł się do jej mieszkania. Nie mogła się też nadziwić, że wciąż chodzi nago po mieszkaniu.

Lygia powitała nową narzeczoną Paula bardzo serdecznie. Być może miała nadzieję, że dzięki małżeństwu syn się ustatkuje. Wyraziła radość, że będzie mieć synową, choć po prawdzie mówiła to samo każdej dziewczynie Paula. Zaproponowała pomoc w wyborze kościoła i księdza, który udzieli im ślubu. Trzy miesiące po pierwszym spotkaniu, pod datą 22 listopada, Paulo zanotował: „Gisa jest w ciąży. Będziemy mieli dziecko". Był zachwycony myślą o ojcostwie. Gwiazdy mówiły, że to będzie chłopiec, który urodzi się pod znakiem Lwa. „Wraz z pojawieniem się dziecka odzyskam siły", pisał uradowany. „Przez najbliższe osiem miesięcy będę starał się wspiąć jeszcze wyżej".

Euforia nie trwała długo. Po tygodniu pojawiły się wątpliwości, a kiedy dobrze się nad wszystkim zastanowił, wpadł w panikę. Dziecko w tych warunkach było szaleństwem. Nie miał stałej pracy, zawodu ani środków na utrzymanie rodziny. Pierwszą osobą, z którą podzielił się swoimi rozterkami, nie była Gisa, lecz matka. Lygia, uważająca się za konserwatywną katoliczkę, bynajmniej się nie oburzyła, że syn zamierza skłonić narzeczoną do aborcji. Podobnie jak Paulo uznała, że to nieodpowiednia pora na zakładanie rodziny.

Na zmianę planów Gisa najpierw zaprotestowała, ale ostatecznie uległa. Zgodziła się, że urodzenie dziecka byłoby w ich sytuacji brakiem odpowiedzialności. Przyjaciele pomogli im znaleźć klinikę aborcyjną. Wszystko potajemnie, ponieważ przerywanie ciąży było nielegalne. Zabieg miał się odbyć w piątek, 9 grudnia 1971 roku.

W noc poprzedzającą wizytę w klinice oboje nie zmrużyli oka. Wstali o świcie, w milczeniu wzięli kąpiel i poszli po taksówkę. Punktualnie o siódmej rano stawili się w klinice. W środku ze zdziwieniem zobaczyli w poczekalni około trzydziestu kobiet, w większości bardzo młodych, wszystkie przerażone. Po kolei podchodziły do pielęgniarki, podawały swoje imię i nazwisko, kładły na stole plik pieniędzy (nie przyjmowano czeków) i czekały na swoją kolej. Po pięciu minutach pielęgniarka zaprowadziła Gisę schodami na drugie piętro. Dziewczyna odeszła ze spuszczoną głową, bez pożegnania. Po krótkim czasie z korytarza zniknęły wszystkie kobiety, zostało tylko kilku mężczyzn. Paulo usiadł na krześle, wyjął zeszyt i zaczął coś notować – małymi literami, żeby siedzący obok nie mogli odcyfrować jego pisma. Każdy z mężczyzn starał się ukryć zdenerwowanie: Paulo szybko mrugał oczami, jego sąsiad nerwowo strząsał do popielniczki popiół z niezapalonego papierosa; inny niewidzącym wzrokiem wpatrywał się w gazetę. Z dwóch głośników w korytarzu sączyła się cicha melodia. Nikt nie był w nastroju do słuchania muzyki, ale każdy poddawał się jej, wystukując rytm butem o posadzkę. Paulo obserwował ruch na korytarzu. „Każdy stara się jakoś zająć ręce – pisał – podświadomość podpowiada, by za wszelką cenę nie myśleć o tym, co się tu dzieje". Co chwilę ktoś zerkał na zegarek, a gdy słychać było czyjeś kroki, głowy jednocześnie zwracały się w ich stronę. Czasem któryś z czekających nieśmiało narzekał, że czas się wlecze. Kilku mężczyzn próbowało rozproszyć złe myśli, prowadząc dyskusję o piłce nożnej. Paulo obserwował i pisał:

> *Chłopak obok mnie narzeka, że to trwa za długo i że nie zdąży odebrać samochodu z warsztatu. Ale ja wiem, że kłamie. Wcale nie myśli o samochodzie, chce zrobić na mnie wrażenie, że taki niby z niego twardziel. Uśmiecham się i prześwietlam go wzrokiem. W jego głowie widzę kobietę z rozłożonymi nogami, widzę lekarza, jak wkłada jej kleszcze, tnie, szarpie, a potem zatyka otwór watą. Facet wie, że ja to wiem. Odwraca się, milknie, spuszcza wzrok, oddycha na tyle, żeby się nie udusić.*

O 8.30 połowa kobiet już wyszła, a Gisy wciąż nie było. Paulo poszedł do sąsiedniej kawiarni, zamówił kawę, zapalił papierosa. Uśmiechnął się niepewnie, jak chłopak, którego dziewczyna spóźnia się na randkę. Wrócił do poczekalni i do swoich notatek. Minęła godzina i wciąż żadnej wiadomości. O 9.30 wyjął z kieszeni długopis i napisał:

Czuję, że to było teraz. Mojego syna pochłonęła wieczność, z której nigdy nie wyszedł. Mija czas, a ja nie wiem, co powiedzieć.

Nagle, nie wiedzieć skąd, dał się słyszeć głos, którego nikt się tu nie spodziewał – przenikliwy, mocny krzyk niemowlęcia, po którym niemal od razu nastąpił okrzyk zdumienia w poczekalni:

– Urodził się!

Przez sekundę wszyscy mężczyźni uwolnili się od bólu, smutku i strachu, który połączył ich w tym ponurym miejscu. Jak jeden mąż wybuchnęli niekontrolowanym, dzikim śmiechem. Gdy wrzawa ucichła, na schodach pojawiła się Gisa. Wyszła z sali zabiegowej po trzech godzinach. Była blada jak nigdy, miała czerwone, podkrążone oczy, lekko się zataczała – pewnie wciąż działały środki znieczulające. W drodze do domu Paulo poprosił taksówkarza, żeby jechał wolno, bo „przyjaciółka zraniła się w nogę i bardzo ją boli".

Gisa przespała całe popołudnie, a gdy się obudziła zaczęła płakać. Szlochając, opowiedziała Paulowi, że tuż przed podaniem narkozy, chciała wstać i uciec.

– Lekarz coś mi tam włożył i wyciągnął dziecko. A przecież mogło urodzić się doskonałe. Teraz gnije gdzieś, gdzieś... Och, Paulo!

Tej nocy oboje nie mogli zasnąć. Nad ranem Gisa podeszła do biurka, przy którym Paulo pisał coś w zeszycie.

– Tak mi wstyd, ale muszę cię o coś prosić. Trzeba zmienić opatrunek. Chyba mi się uda, ale gdyby bardzo bolało, pomożesz?

Paulo przytaknął, ale gdy drzwi od łazienki się za nią zamknęły, zaczął błagać św. Józefa, żeby zwolnił go z tego obowiązku. „Święty Józefie! Wybacz mi tchórzostwo!", szeptał z oczami wlepionymi w sufit. „Nie dam rady tego zrobić! Nie potrafię!". Na szczęście kilka minut później Gisa wyszła z łazienki i wróciła do łóżka. Od opuszczenia kliniki wciąż płakała, nie licząc krótkich chwil, kiedy zapadała w niespokojny sen.

W sobotę korzystając z tego, że poczuła się lepiej, Paulo poszedł na zajęcia. Wracając wieczorem zobaczył Gisę na przystanku autobusowym przed domem. Gdy wrócili do mieszkania, długo ją prosił, by wyjaśniła, co robiła na ulicy.

– Wyszłam z domu, żeby umrzeć – wyznała wreszcie.

Odpowiedź Paula była zaskakująca. Z całą powagą, odparł:

– Przykro mi, że ci przeszkodziłem w tak ważnym dziele. Skoro chcesz umrzeć, to idź i się zabij!

Jednak Gisę opuściła odwaga. Minęła trzecia bezsenna noc. Kiedy dziewczyna znów zaczęła płakać, Paulo bez wahania powtórzył wcześniejszą radę.

– Nie ma wyjścia – wyjaśniał. – Wezwałaś na ziemię Anioła Śmierci, który nie odejdzie, zanim nie zabierze czyjejś duszy. Nie wolno mu niczego odmawiać, bo się zdenerwuje i będzie cię prześladować do końca życia. Jeśli nie zechcesz umrzeć, Anioł sam cię zabije, na przykład powodując wypadek.

Paulo opowiedział jej, jak będąc nastolatkiem sam stanął oko w oko z Aniołem Śmierci i musiał zabić kozę, żeby ocalić życie. Jedyne wyjście to stawić czoło Aniołowi.

– Musisz go wyzwać na pojedynek. Zrób to. Targnij się na życie, ale tak, żeby nic ci się nie stało.

Kiedy Gisa zmęczona usnęła, Paulo szybko zanotował wszystko, co jej powiedział.

Wiem, że Gisa nie umrze, choć ona sama jeszcze tego nie wie. Nie może żyć w niepewności i musi dać Aniołowi odpowiedź. Kilka dni temu nasza przyjaciółka pocięła się żyletką, ale w ostatniej chwili ją odratowano. Wielu próbuje popełnić samobójstwo, na szczęście nielicznym się to udaje. Pozostali uchodzą z życiem, zabijając w sobie osobę, której nienawidzili.

Ta makabryczna teoria nie była owocem chorej wyobraźni Paula, lecz stanowiskiem pewnego psychiatry, którego nazywał w dzienniku „Doktorem Cieniem". U podstaw terapii Dra Cienia leżało przekonanie – podzielane przez Paula – o potrzebie wzmacniania napięcia emocjonalnego u pacjenta. Metody konwencjonalne się nie sprawdzają, twierdził psychiatra, „jeśli więc czujesz się zagubiony i uważasz, że świat cię przytłacza, pozostaje ci samobójstwo". Paulo uważał, że właśnie w tej myśli tkwi prawdziwy geniusz lekarza.

– Człowiek wychodzi z gabinetu całkowicie załamany. Uznaje, że nie ma nic do stracenia i zaczyna robić rzeczy, na które w innych okolicznościach nie miałby odwagi. Dlatego metoda Dra Cienia jest niezawodna. To leczenie poprzez rozpacz.

Następnego dnia była piękna, słoneczna niedziela. Paulo nie tracił energii na przekonywanie Gisy do samobójstwa. Patrzył, jak dziewczyna wkłada kostium kąpielowy i bierze z apteczki buteleczkę z tabletkami uspokajającymi. Zdawało mu się, że był to środek o nazwie orap, którego używał od czasu pierwszego pobytu w szpitalu. Połknęła całą zawartość flakonika i popiła szklanką wody. Potem udali się na plażę. Gisa szła chwiejnym krokiem. Paulo usiadł na brzegu, a dziewczyna weszła do wody i zaczęła płynąć w morze. Paulo zdawał sobie sprawę, że po zażyciu tylu tabletek Gisie może być trudno wrócić o własnych siłach. Mimo to wstał i spokojnie przyglądał się jak odpływa, a wreszcie staje się czarnym punktem wśród migocących fal, niemal niewidoczną kropką. „Poczułem strach. Miałem ochotę krzyczeć, żeby wracała”, napisał później. „Ale wiedziałem, że Gisa nie umrze”. Dwaj mężczyźni, którzy ćwiczyli na plaży jogę, zaniepokoili się jej zniknięciem.

– Lepiej zawołać ratownika. Woda jest zimna. Jeśli złapie ją kurcz, nie da rady wrócić.

Paulo uśmiechnął się uspokajająco.

– Nie ma obawy! Jest zawodową pływaczką – skłamał.

Pół godziny później na chodniku stała już spora grupa ludzi, niespokojnie obserwujących horyzont w oczekiwaniu na tragedię. Wtedy Gisa zawróciła. Wyszła z wody przeraźliwie blada i zaczęła gwałtownie wymiotować, co prawdopodobnie uratowało jej życie, bo pozbyła się z organizmu trucizny. Mięśnie twarzy i ramion miała naprężone do ostatnich granic z powodu lodowatej wody i działania leku. Paulo zaprowadził ją do domu, a w dzienniku zapisał, że „leczenie poprzez rozpacz” przyniosło rezultaty.

Trzymam Gisę w ramionach i zastanawiam się, kim zadowoli się dziś Anioł Śmierci. Długo płakała i jest bardzo zmęczona. To zrozumiałe, w końcu połknęła osiem tabletek. Kiedy przyszliśmy do domu, położyła się na dywanie i zasnęła. Obudziła się odmieniona, z błyskiem w oku. Przez jakiś czas nie wychodziliśmy z domu w obawie przed epidemią. Samobójcza choroba krąży po mieście, jak nigdy dotąd.

Gdybyśmy przekartkowali zapiski Paula poprzedzające próbę samobójczą Gisy, nie zdziwiłaby nas jego przerażająca postawa. Po przeczytaniu książki Molinera zaczął interesować się okultyzmem i magią. Najpierw odwiedzał cygańskie wróżki, potem czarowników, kabalarki, szczególnie te od tarota. Wreszcie uznał, że okultyzm jest jego „jedyną szansą i ucieczką”. Zapomniał o swoim wielkim marzeniu, by zostać pisarzem, i całą energię skoncentrował na „zgłębianiu Magii, ostatniej deski ratunku, która może uchronić mnie przed rozpaczą”. Pochłaniał wszystko, co dotyczyło znachorów, czarownic i mocy tajemnych. W mieszkaniu Gisy na półce z książkami miejsce dzieł Borgesa i Henry'ego Millera zajęły *O Dom da Profecia* [Dar przepowiadania przyszłości], *Livro do Juízo Final* [Księga Sądu Ostatecznego] oraz *Lewitacja* i *O Poder Secreto da Mente* [Sekretna moc umysłu]. Paulo często jeździł do Ibiapas położonego sto kilometrów od Rio, gdzie brał oczyszczające kąpiele błotne w substancji zwanej „Pajé Katunda”. Podczas jednej z tych podróży po raz pierwszy uwierzył, że ma moc wpływania na zjawiska przyrody. „Prosiłem o burzę", pisał „i po chwili rozszalała się burza, jakiej dotąd nie widziałem". Jednak siły natury nie zawsze były mu posłuszne. „Dziś bez powodzenia próbowałem rozpętać wiatr", notował innym razem. „Wróciłem do domu przygnębiony". Nie udało mu się również siłą własnej woli niczego zniszczyć.

Wczoraj z Gisą próbowaliśmy siłą naszej woli roztrzaskać popielniczkę, ale nie udało się. Po jakimś czasie, kiedy jedliśmy obiad, przyszła sprzątaczka i powiedziała, że zbiła popielniczkę. Niesamowite.

Kolejną *idée fixe* Paula stały się sekty. Dzieci Boga, Hare Kriszna, wyznawcy Diabelskiej Biblii czy wierni kościoła satanistycznego, których poznał w Stanach – wszystkie budziły jego ciekawość. Interesował się także zjawiskami nadprzyrodzonymi i latającymi spodkami. Ze względu na jego zaangażowanie w sprawy ezoteryczne, poproszono go o napisanie artykułu dla popularnego czasopisma okultystycznego „A Pomba", wydawanego przez niedużą oficynę PosterGraph, która zajmowała się kulturą drugiego obiegu i drukowała plakaty polityczne. W kręgu zainteresowań „A Pomba" były wszystkie tematy popularne wśród hipisów: narkotyki, rock, halucynacje i zjawiska paranormalne. Każdy czarnobiały numer zamieszczał fotografie nagiej kobiety, tak jak w czasopismach dla panów, z tą różnicą, że do zdjęć pozowały panie pracujące w redakcji. Podobnie jak wiele tego typu wydawnictw, gazetka nie podbiła rynku, ale miała swoje grono wielbicieli, dzięki którym przetrwała siedem miesięcy. Za połowę wynagrodzenia, jakie otrzymywał za prowadzenie kursu, Paulo zgodził się na rolę chłopca do wszystkiego – załatwiał sprawy, przeprowadzał wywiady, pisał teksty. Wizualną stroną pisma, szatą graficzną, ilustracjami i fotografiami, zajęła się Gisa. Najwyraźniej praca tandemu spodobała się, ponieważ po ukazaniu się dwóch numerów pod ich szyldem Eduardo Prado, właściciel PosterGraph, zgodził się wydawać równolegle nowe pisemko pod tytułem „2001". Jako redaktor dwóch periodyków, Coelho dostawał podwójną pensję, ale musiał zrezygnować z prowadzenia kursu.

Pewnego razu zbierając materiały do artykułu o Apokalipsie Paulo dostał namiary na człowieka, który określał siebie mianem „Spadkobiercy Bestii w Brazylii", a faktycznie nazywał się Marcelo Ramos Motta. Paulo nawykł już do fantastycznych strojów osób związanych z ezoteryką, wróżbitów przyjmujących klientów w turbanach, wśród płonących świec albo w arabskim namiocie. Zdziwił się więc, gdy wszedł do zwykłego, skromnego mieszkania, normalnie umeblowanego i pełnego książek. Dziwne było tylko to, że wszystkie książki miały taką samą czarną oprawę, bez tytułu, za to z małym numerem u dołu grzbietu. Zaskoczył go również wygląd Motty: zamiast czarnej peleryny i trójzębu w ręku, elegancki granatowy garnitur, biała koszula z jedwabnym krawatem i czarne lakierki. Był starszy od Paula o szesnaście lat, wysoki i chudy. Bujna, czarna broda zakrywała mu pół twarzy. Co najbardziej uderzało w nim, to jego przenikliwe spojrzenie i głęboki głos, jakby próbował kogoś naśladować. Bez cienia uśmiechu Motta wskazał gościowi miejsce, a sam usiadł naprzeciwko. Paulo wyjął notes i dla rozładowania atmosfery zapytał:

– Dlaczego wszystkie te książki mają czarne okładki?

– Nie pańska sprawa – mruknął jego rozmówca z ponurą miną.

Paulo nie spodziewał się tak nieuprzejmej odpowiedzi.

– Przepraszam, nie chciałem pana urazić. Spytałem przez ciekawość – wyjaśnił z uśmiechem.

– To nie są sprawy dla dzieci – padła odpowiedź.

Paulo przeprowadził wywiad i go opublikował, ale tajemnicza postać oraz dziwna biblioteka z czarnymi okładkami nie dawały mu spokoju. Kilka razy bezskutecznie prosił Mottę o spotkanie, aż wreszcie mu się udało przekonać go, żeby więcej opowiedział na swój temat.

– Jestem przewodniczącym międzynarodowego stowarzyszenia o nazwie A. A., czyli Astrum Argentum.

Wstał, wziął z półki płytę Beatlesów *Sgt. Pepper's Lonely Hearts Club Band* i palcem wskazał jedną z postaci na wielkim kolażu. Był to starszy, łysy mężczyzna, stojący obok hinduskiego guru.

– Ten człowiek to Aleister Crowley, a my propagujemy jego idee. Proszę poczytać na jego temat, potem wrócimy do rozmowy.

Paulo przewertował książki w bibliotekach i antykwariatach, ale niewiele znalazł informacji o starszym mężczyźnie, który widniał na okładce płyty Beatlesów, między Mae West, Mahatmą Gandhim, Jezusem i Elvisem Presleyem. Przygotowując się do rozmowy z tajemniczym Mottą, jednocześnie zajmował się redagowaniem dwóch pisemek. Budżet był tak ograniczony, że nie starczało pieniędzy na opłacenie autorów z zewnątrz, sam więc pisał niemal wszystkie teksty. Żeby czytelnicy się nie połapali w kiepskiej sytuacji redakcji, poza własnym nazwiskiem używał kilku pseudonimów.

Któregoś dnia na początku 1972 roku w skromnej redakcji na dziesiątym piętrze wieżowca w centrum Rio pojawił się tajemniczy człowiek. Miał na sobie garnitur z lśniącego, niegniotącego materiału, elegancki krawat, pod pachą aktówkę. Chciał rozmawiać z „redaktorem Augustem Figueiredo". W pierwszej chwili Paulo nie skojarzył człowieka z osobą, która dzwoniła do niego kilka dni wcześniej, pytając o nieistniejącego redaktora. Podejrzewał, że mężczyzna jest z policji. Może ktoś doniósł, że Paulo bierze narkotyki? Sytuacja była niezręczna, bo „Augusto Figueiredo" był jednym z pseudonimów Paula. Przerażony, starał się zachować zimną krew i jak najszybciej spławić intruza.

– Augusta nie ma. Chce pan zostawić wiadomość?

– Nie, to sprawa osobista. Mogę poczekać?

Paulo skinął przyzwalająco głową, więc mężczyzna zasiadł przy stole, wziął stary numer „A Pomba", zapalił papierosa i zaczął czytać. Wyglądało na to, że ma dużo czasu. Minęła godzina, a on wciąż siedział. Przeczytał wszystkie stare numery czasopisma, ale najwyraźniej nie miał zamiaru się wynieść. Paulo przypomniał sobie lekcję z dzieciństwa, kiedy to czekał w kolejce, by skoczyć z mostu: najlepszym sposobem na cierpienie jest zdusić je w zarodku. Postanowił opowiedzieć prawdę policjantowi, bo wciąż był przekonany, że ma do czynienia z tajnym agentem. Najpierw przeszukał półki, sprawdzając, czy nie zawieruszył się tam jakiś skręt. Potem zebrał się na odwagę i mrugając ze zdenerwowania oczami przyznał, że okłamał gościa.

– Bardzo pana przepraszam, ale człowiek o nazwisku Augusto Figueiredo nie istnieje. To ja napisałem ten artykuł. Nazywam się Paulo Coelho. W czym mogę pomóc?

Mężczyzna uśmiechnął się przyjaźnie i wyciągnął obie ręce, jakby chciał go uściskać.

– A więc to pan! – powiedział z mocnym akcentem mieszkańca Bahii. – Raul Seixas, bardzo mi miło.

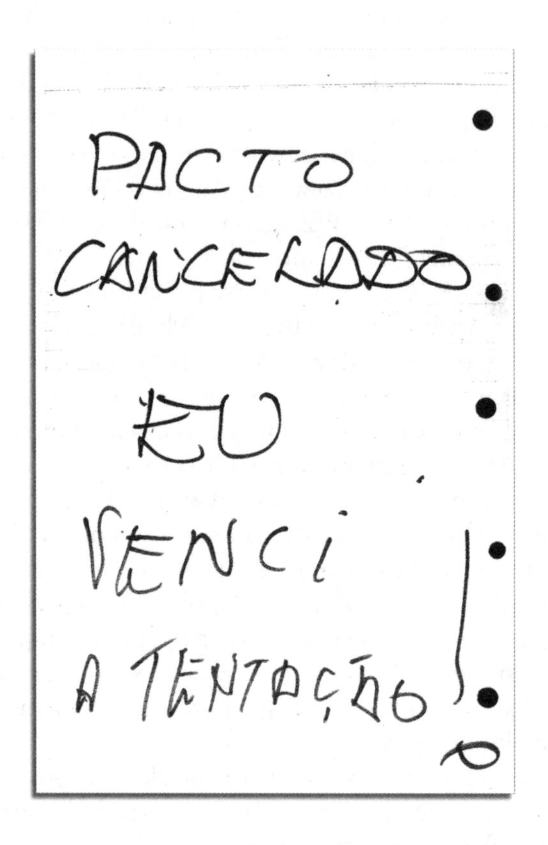

Powyżej: przerażony Paulo zrywa pakt z Diabłem.
Poniżej: komiks o Wampirku z tekstem Paula i ilustracjami Gisy.

14.

Paulo obiecuje Szatanowi, że przez sześć miesięcy nie wymówi imienia świętego ani się nie pomodli

Na pierwszy rzut oka Raula Seixasa i Paula Coelho łączyła jedynie wiara w latające spodki i niechęć do szkoły. Raul był producentem międzynarodowej firmy fonograficznej CBS. Miał krótko przystrzyżone włosy, chodził w garniturze, krawacie i z aktówką pod pachą. Nie brał narkotyków, nigdy nie próbował nawet marihuany. Paulo z kolei miał długie włosy, nosił zsuwające się na biodrach dżinsy, sandały, okulary z fioletowymi szkłami i koraliki na szyi, a do tego zwykle był na haju. Raul miał stały adres, był głową rodziny, ojcem dwuletniej Simone. Paulo prowadził koczownicze życie i obracał się w dziwnym towarzystwie. Jego rodziną były aktualnie Gisa i Stella Paula, piękna hipiska z Ipanemy, zafascynowana okultyzm i zjawiskami paranormalnymi. Pod względem intelektualnym mężczyźni różnili się jeszcze bardziej. Dwudziestopięcioletni Paulo zdążył przeczytać i zrecenzować pięćset książek, do tego był sprawny w rzemiośle pisarskim. Raul spędził dzieciństwo wśród książek z biblioteczki ojca kolejarza, domorosłego poety, ale o literaturze miał kiepskie pojęcie.

Jednak była pewna data, która w życiorysach przyszłych przyjaciół miała odegrać ważną rolę. Dnia 28 czerwca 1967 roku oszołomiony lekarstwami Paulo po raz trzeci trafił na dziewiąte piętro kliniki psychiatrycznej. Tego samego dnia dwudziestodwuletni Raul żenił się z amerykańską studentką Edith Wisner. Ślub odbył się w Salvadorze, stolicy Bahii, skąd pochodził Seixas. Obaj mężczyźni wierzyli w astrologię i gdyby już wtedy porównali swe horoskopy, dostrzegliby w nich zapowiedź wspólnego sukcesu w każdej dziedzinie, którą by się zajęli.

Kiedy Raul Seixas pojawił się w życiu Paula, ten tkwił po uszy w hermetycznym, niebezpiecznym świecie satanizmu. Regularnie spotykał się z Marcelem Ramosem Mottą, zgłębiał tajemnice pentagramu, kabały oraz różnych systemów magicznych i astrologii, by zrozumieć dzieło łysiejącego mężczyzny z okładki płyty Beatlesów. Aleister Crowley urodził się 12 października 1875 roku w angielskim mieście Leamington. Kiedy miał dwadzieścia trzy lata, obwieścił światu, że w Kairze doznał objawienia, a jego owocem jest *Liber AL vel Legis*, czyli *Księga Prawa*, zwana też *Liber Oz*. Było to jego najważniejsze dzieło mistyczne.

W *Księdze Prawa* Crowley głosił nadejście nowej epoki, w której człowiek zrealizuje wszystkie swoje pragnienia zgodnie z dewizą: „Czyń swoją Wolę będzie całym Prawem" – którą naśladowcy Crowleya potraktowali jako myśl przewodnią a osiągnięcie tego celu stanie się możliwe dzięki wyzwoleniu seksualnemu, narkotykom i czerpaniu z mądrości Wschodu. W 1912 roku Crowley wstąpił do sekty Ordo Templi Orientis (OTO), organizacji kojarzonej z masonerią, mistycyzmem i magią. Już wkrótce awansował na jej przywódcę i głównego teoretyka. Nazwał siebie Bestią i w Cefalu na Sycylii wybudował świątynię, skąd w 1923 roku wyrzucono go z rozkazu Mussoliniego pod zarzutem urządzania orgii. Jego zwolennikiem był portugalski poeta Fernando Pessoa, również adept astrologii. Obaj panowie wymienili się listownie horoskopami, a potem spotkali, kiedy Crowley zatrzymał się w Lizbonie. Podczas II wojny światowej Ian Fleming, twórca Jamesa Bonda oraz agent wywiadu brytyjskiej marynarki wojennej, poprosił Crowleya o przeprowadzenie wśród Anglików szkolenia na temat znaczenia mistyki w szeregach nazistów. Wiedza ta miała być wykorzystana przez aliantów. Twierdzi się, że za pośrednictwem Fleminga Aleister Crowley zasugerował Winstonowi Churchillowi użycie litery V jako symbolu zwycięstwa. Podobno kojarzyła się z Apofisem, demonem zniszczenia i ciemności, który jako jedyny zdolny był przeciwstawić się sile nazistowskiej swastyki.

W świecie muzyki Beatlesi nie byli jedynymi, których zafascynowali thelemici, jak z czasem zaczęto nazywać zwolenników Crowleya. Jego satanistyczne teorie uwiodły grupy rockowe: Black Sabbath, The Clash, Iron Maiden, a także Ozzy'ego Osbourne'a (autora uznawanego dziś za klasykę utworu *Mr. Crowley*).

Słynny Boleskine House, gdzie mieszkał Crowley, był przez ponad 10 lat własnością Jimmy'ego Page'a, gitarzysty zespołu Led Zeppelin. Idee angielskiej Bestii stały się przyczyną wielu tragedii. W sierpniu 1969 roku jego żarliwy wyznawca Charles Manson kierował masowym mordem, kiedy to od kul, noży i pałek zginęły cztery osoby. Do dramatu doszło w Malibu w Kaliforni, a wśród ofiar była dwudziestosześcioletnia aktorka Sharon Tate, żona reżysera Romana Polańskiego, która oczekiwała dziecka.

Paula do tego stopnia pochłonęły lektury na temat zjawisk paranormalnych, że zbrodnie, jakich dopuszczali się ludzie pokroju Mansona, umykały jego uwadze. Sędzia, który skazał Mansona na karę śmierci (później zamienioną na dożywotnie więzienie), nazwał zbrodniarza „najbardziej zepsutym i złym człowiekiem, jaki stąpał po ziemi". Po przeczytaniu tej informacji w gazecie, Paulo zanotował w dzienniku:

Bronią we współczesnej wojnie są najdziwniejsze rzeczy. Narkotyki, religia, moda... Trudno z nimi walczyć. W tym aspekcie Charles Manson jest ukrzyżowanym męczennikiem.

Przed spotkaniem z przyszłym wspólnikiem Raul nie słyszał o Crowley'u, ani nie znał słownictwa, jakim posługiwali się ludzie z tego kręgu. Pojęcia Astrum Argentum, OTO czy *Liber Oz* nic mu nie mówiły. Lubił czytać książki o latających talerzach, ale interesował się głównie muzyką, a ściślej mówiąc rock'n'rollem, o którym z kolei Paulo wiedział niewiele. Lubił Elvisa Presleya i parę znanych zespołów, ale nic poza tym. Przez miłość do muzyki Raul Seixas trzy razy powtarzał drugą klasę w gimnazjum św. Benedykta w Salvadorze. W wieku osiemnastu lat grał w zespole Os Panteras, który odnosił sukcesy w jego rodzinnym stanie Bahía. Jego przyszły teść, amerykański pastor, zażądał, by porzucił artystyczne życie i kontynuował naukę. Raul nadrobił zaległości, skończył szkołę wieczorową, złożył papiery na prawo i śpiewająco zdał egzaminy wstępne. Po latach mówił, że chciał pokazać rodzinie, „jak łatwo zdać na studia. Tyle że dla mnie nie miało to żadnego znaczenia". Po ślubie zarabiał na dom lekcjami gry na gitarze i angielskiego, którym władał biegle.

Po trzech miesiącach małżeństwa Raul stanął wobec nieodpartej pokusy. W październiku 1967 roku do Salvadoru przyjechał piosenkarz Jerry Adriani. Miał zagrać koncert na zamkniętej imprezie w elitarnym klubie tenisowym, Clube Bahiano, gdzie spodziewano się również muzy bossa novy, Nary Leão, oraz komika Chico Anysio. Adrianiego traktowano jak wielką gwiazdę. Był bardzo popularny wśród młodzieży, choć słuchacze o bardziej wyrobionym guście uważali jego muzykę za kiczowatą. W dniu koncertu do piosenkarza zgłosili się szefowie klubu, informując, że impreza zostaje odwołana z powodu, który wprawił piosenkarza w osłupienie.

– Pański zespół składa się w dużej części z czarnych muzyków, a Murzyni nie mają prawa wstępu do klubu.

Adriani nie wierzył własnym uszom. Od 1951 roku obowiązywała w Brazylii ustawa Afonsa Arinosa, zgodnie z którą dyskryminacja rasowa była przestępstwem. Mimo to „Czarny nie mógł wejść do klubu nawet przez kuchenne drzwi", jak śpiewał później w piosence *Tradição* inny sławny mieszkaniec Bahii, Caetano Veloso. Uprzedzenia rasowe nabierały szczególnej wymowy w stanie, gdzie ponad 70% ludności stanowili Czarni i Mulaci. Zamiast zgłosić sprawę policji organizator imprezy postanowił wynająć innych muzyków, między innymi zespół Raula Seixasa, który kilka miesięcy wcześniej zmienił nazwę na The Panthers. Kiedy organizator zapukał do drzwi Raula, ten akurat ucinał sobie drzemkę. Był zachwycony pomysłem i gorączkowo zaczął szukać po mieście kolegów z zespołu. Wszyscy byli biali – basista Mariano Lanat, gitarzysta Perinho Albuquerque i perkusista Antônio Carlos Castro, zwany Carleba. Improwizacja zakończyła się sukcesem i The Panthers schodzili ze sceny przy owacjach publiczności. Po koncercie Nara Leão szepnęła Jerry'emu Adrianiemu:

– Są wspaniali! Weź ich do zespołu.

Propozycja tournée po północnych stanach była nader kusząca. Trasa koncertowa z gwiazdą, jaką niewątpliwie był Jerry Adriani, mogła się stać darem od losu, który zdarza się tylko raz. Z drugiej strony Seixas wiedział, że przyjęcie propozycji Adrianiego może mieć zły wpływ na jego związek z Edith, a to byłoby zbyt wielkim poświęceniem. Z bólem serca odmówił.

– Trasa z takim artystą to dla mnie zaszczyt, ale jeśli teraz wyjadę z domu, moje małżeństwo się rozpadnie.

Jerry'emu tak bardzo zależało na towarzystwie Raula, że bez wahania zaproponował:

– Jeśli z tego powodu masz mieć kłopoty, zabierz żonę ze sobą.

Szczęście znów się do Raula uśmiechnęło. Pod szyldem Raulzito i Pantery wyjechał w trasę po Brazylii. Tournée okazało się dla niego i Edith spóźnioną, ale pełną wrażeń podróżą poślubną. Jerry Adriani, zadowolony ze współpracy z muzykami, przekonał ich do przeprowadzki do Rio i rozpoczęcia profesjonalnej kariery.

Na początku 1968 roku wszyscy mieszkali już w Copacabanie, pełni nadziei na przygodę życia, która niestety nie zakończyła się szczęśliwie. Wytwórnia Odeon wydała wprawdzie ich płytę *Raulzito e os Panteras*, ale dalej szło jak po grudzie. W ciągu dwóch lat muzycy tylko raz zagrali z Adrianim. Zdarzało się, że Raul musiał prosić ojca o pieniądze na opłacenie czynszu za dom, w którym mieszkał z Edith i kolegami z zespołu. Powrót do rodzinnego miasta na tarczy był dla muzyków wielkim upokorzeniem, szczególnie dla Raula, lidera grupy. Seixas znów zaczął uczyć angielskiego i pogrzebał nadzieje na karierę muzyczną. Niespodziewanie szef CBS Evandro Ribeiro zaproponował Raulowi objęcie posady producenta w Rio. Jego kandydaturę wysunął sam Jerry Adriano, któremu zależało na współpracy z przyjacielem. Od tej pory Seixas krążył między Rio a São Paulo, gdzie miały siedzibę najważniejsze wytwórnie fonograficzne. Marzył o wyrównaniu rachunków z miastem, które wcześniej rzuciło go na kolana, nie wahał się więc ani chwili. Poprosił Edith o zajęcie się przeprowadzką, a sam po kilku dniach, wbity w garnitur, po raz pierwszy poszedł do pracy w zadymionym centrum starego Rio, gdzie znajdowało się biuro CBS. Wkrótce został producentem wielu znanych muzyków, w tym Adrianiego.

Tego dnia, pod koniec maja 1972 roku, Raul nie przeszedł kilku przecznic miasta, które dzieliły biuro CBS i miejsce pracy Augusta Figueiredo, tylko po to, by pochwalić jego artykuł. W teczce miał własny tekst o UFO i chciał go opublikować. Paulo przyjął Seixasa uprzejmie, zapewniając, że artykuł wydrukuje. Zaczęli rozmawiać o latających spodkach i życiu pozaziemskim. Coelho miał nadzieję, że pozyska kogoś do współpracy, liczył też, że ubije interes z tak ważną figurą z CBS i skłoni Raula do zamieszczenia reklamy wytwórni w „A Pomba". Po krótkiej rozmowie Raul zaprosił Paula do siebie na kolację. Umówili się na czwartek. W tym czasie przyszły pisarz nie zaglądał jeszcze do *I Ching*, słynnej *Księgi Przemian*, która pomagała w podejmowaniu decyzji, ale musiał poradzić się „rodziny", czyli Gisy i Stelli Pauli. Tę prostą zdawałoby się decyzję poddano głosowaniu.

– W naszej małej komunie odbyła się burzliwa dyskusja ideologiczna, czy należy tam iść – wspominał po latach.

Zdawał sobie sprawę, że poza wiarą w UFO z Raulem Seixasem nic go nie łączy. Jednak liczył, że uda mu się pozyskać płatne ogłoszenia CBS dla gazety, więc zagłosował za. Tego samego zdania była Gisa. Jedynie Stella Paula głosowała przeciw i nie poszła na spotkanie. W czwartek wieczorem po drodze do Seixasa Paulo i Gisa wstąpili do sklepu muzycznego i kupili *Preludia organowe* Bacha. Potem wsiedli do autobusu we Flamengo i pojechali do Jardim de Alah, eleganckiej dzielnicy w południowej części miasta, między Ipanemą a Leblonem. W pewnej chwili autobus znalazł się w samym środku policyjnej obławy – od czasu zaostrzenia reżimu w grudniu 1968 roku takie akcje w brazylijskich miastach były na porządku dziennym. Widząc, że policjanci wchodzą do autobusów i legitymują pasażerów, Gisa chciała wracać, ale Paulo zmusił ją do dalszej podróży i o ósmej stanęli przed domem Raula. Spotkanie trwało trzy godziny. Obsesyjnie skrupulatny Paulo pilnował, by nic nie umknęło jego uwadze. Po wyjściu od Seixasa zatrzymali się w pierwszym napotkanym barze i na obwolucie płyty z muzyką Bacha Paulo szczegółowo opisał wizytę u Raula, którego nazywał „facetem". Drobnym maczkiem zapełnił wszystkie wolne miejsca na białej okładce.

Przyjęła nas jego żona Edith wraz z córeczką, która ma najwyżej trzy lata. Było grzecznie i wytwornie. Podano orzeszki w miseczkach. Od lat nie byłem w domu, gdzie podaje się orzeszki w miseczkach. Co za koszmar!
Wreszcie pojawił się facet.
– Może whisky?– zaproponował.
Oczywiście, że chcieliśmy whisky, czemu nie? Ledwo skończyliśmy jeść, a już mieliśmy z Gisą ochotę uciec gdzie pieprz rośnie. Wtedy Raul spytał:
– Macie ochotę posłuchać mojej muzyki?
Kurwa mać, mamy jeszcze słuchać jego brzdąkania? Ale musiałem dobić z nim targu co do ogłoszeń. Poszliśmy więc do pokoju służącej. Raul wziął gitarę i zagrał kilka cudownych kawałków. Potem powiedział:
– Napisałeś tyle o latających spodkach. Chcę wrócić do śpiewania. Może napiszesz coś dla mnie?
Pomyślałem: „Pisać teksty dla faceta, który nigdy w życiu nie był naćpany, nie wziął do ust marihuany, nie zapalił papierosa?". Musieliśmy już iść, a nie zdążyłem porozmawiać z nim o ogłoszeniach. Zebrałem się na odwagę i spytałem:
– Jeśli opublikuję ten artykuł, zamieścicie u nas reklamę CBS?
Jakież było moje zdziwienie, kiedy facet oznajmił, że właśnie złożył wymówienie.
– Idę do Philipsa, bo chcę spełnić swoje marzenia. Nie urodziłem się po to, żeby siedzieć za biurkiem. Chcę śpiewać.
Dopiero wtedy zrozumiałem. Ten facet to ja. Zasługuje na podziw i szacunek. Rzuca pracę, która mu zapewnia byt, zostawia dzieciaka, żonkę, służącą i orzeszki! Wyszedłem poruszony.
25 maja 1972

Gisa miała złe przeczucia, które sprawdziły się, choć nie wtedy, kiedy przewidywała. Pomyliła rok, ale trafnie określiła datę. Dzień 25 maja wyznaczył początek drogi Paula ku sławie, a jednocześnie był cezurą dzieląca jego życie na „przed" i „po". Kilka lat później tego właśnie dnia Paulo miał spotkać się z Diabłem. Do tej ceremonii zaczął przygotowywać się w czasie, kiedy poznał Raula Seixasa. Pod bacznym okiem Marcela Ramosa Motty sposobił się na wyznawcę Bestii. Był zdecydowany zaprzedać duszę złym mocom, które opanowały serca między innymi Johna Lennona czy Charlesa Mansona. Rozpoczął przygotowania, by przystąpić do OTO jako probant – pierwszy szczebel wtajemniczenia w hierarchicznej strukturze zakonu. Szczęśliwie jego przewodnikiem nie został Motta, lecz inny członek sekty, Euclydes Lacerda de Almeida, który przybrał zakonne imię Frater Zaratustra (lub Frater Z.). Mieszkał w Paraíba do Sul, 150 kilometrów od Rio. „Znów otrzymałem od Marcela nieuprzejmy list", pisał Paulo do Z. na wiadomość o rozpoczęciu procedury wtajemniczenia. „Mam się z nim nie kontaktować, chyba że za Pańskim pośrednictwem". Coelho cieszył się, że ma za mentora człowieka dobrze wychowanego, a nie gburowatego Marcela Mottę, który wszystkich zajmujących niższą od siebie pozycję w hierarchii traktował jak śmieci. Fragmenty listów Parsifala XI, jak nazywał siebie Motta, świadczą o tym, że Paulo i tak wyrażał się o nim bardzo oględnie.

[…] Nie pisz do mnie więcej. Jeśli musisz, dołącz zaadresowaną kopertę ze znaczkiem. Inaczej nie odpiszę.

[…] Zajmujesz pozycję na niższym szczeblu rozwoju, małpo!

[…] Jeśli nie potrafisz stanąć na swych drewnianych nogach i o własnych siłach odnaleźć Drogę, to pozostań na czterech łapach i szczekaj jak pies, którym w istocie jesteś.

[…] Jesteś gównem na małpim tyłku.

[…] Jeśli ty albo twoje dziecko zachorujecie na nieuleczalną chorobę, która wymagać będzie drogiej operacji i zechcesz skorzystać z pieniędzy Zakonu, lepiej, żebyście umarli. Nie wolno ruszać tych pieniędzy pod żadnym pozorem.

[…] Nic jeszcze nie wiesz. Poczekaj, aż ogłoszą, że przystąpiłeś do OTO. Wtedy zaczną cię nachodzić osoby udające początkujących członków Zakonu. Będą to ludzie z wywiadu wojskowego, CIA, Szin-Bet [wywiad izraelski], Rosjanie, Chińczycy i niezliczone zastępy katolickich księży.

W korespondencji Parsifala XI z Euclydesem imię Paula pojawiło się przynajmniej dwa razy. Za pierwszym razem chodziło prawdopodobnie o pośrednictwo Paula w wydaniu *Księgi Prawa, czyli Równonoc Bogów* Crowleya, w tłumaczeniu Marcela Motty. Książka miała się ukazać nakładem wydawnictwa z São Paulo.

[...] Nawiązałem bezpośredni kontakt z oficyną Editora Três poprzez jej przedstawiciela w Rio. Niebawem zobaczymy, czy uda się wydać Księgę Prawa. *Paulo Coelho jest młodym entuzjastą i ma wiele pomysłów. Mimo to za wcześnie na podjęcie ostatecznej decyzji, kto wyda książkę.*

W drugim liście Motta gani Euclydesa za pochopne wtajemniczenie nowicjusza w sprawy dotyczące rzeczywistej władzy Parsifala XI.

[...] Paulo Coelho powiedział mi, że podobno zniszczyłem masonerię w Brazylii. Za dużo mu Pan opowiada. Nawet jeśli to prawda, Paulo Coelho nie jest jeszcze na tyle dojrzały, by zrozumieć, na czym to wszystko polega i dlatego wyciąga nieodpowiednie wnioski.

W tym okresie Paulo na własną rękę przeprowadził kilka eksperymentów, by zbliżyć się do Szatana. Zanim poznał Mottę i OTO, przechodził okres załamania i rozpaczy. Wylewał łzy, wynajdywał różne usprawiedliwienia, ale przed okrutną prawdą uciec się nie dało – miał dwadzieścia pięć lat i nadal był nikim. Szansa zostania sławnym pisarzem coraz bardziej się oddalała. Czuł, że znalazł się w sytuacji bez wyjścia, a ból był tym razem tak dotkliwy, że zamiast zwrócić się o pomoc do Najświętszej Panienki albo do św. Józefa, wzywał Księcia Ciemności i obiecywał duszę w zamian za pomoc w realizacji marzeń. „Jestem człowiekiem wykształconym i oczytanym. Znam podstawy filozofii i zasady rządzące światem, ludzkością i Kosmosem", pisał w pamiętniku. „Dlatego wiem, że Diabeł nie oznacza Zła. Jest jednym z biegunów, na których opiera się ludzkość". Używając czerwonego atramentu („to kolor istoty, o której mówię"), zabrał się za spisywanie paktu w formie listu. Już z pierwszych słów widać, że sam zamierza stawiać warunki i nie potrzebuje pośredników:

Przyznaj się, chciałeś tego od bardzo dawna. Czułem, że zaciskasz na mojej szyi pętlę i jesteś silniejszy ode mnie. Jednak tobie zależy bardziej na tym, by posiąść moją duszę niż mnie, by ją sprzedać. Chcę wiedzieć, ile mi zapłacisz. Dlatego od dziś, czyli od 11 listopada 1971 roku, do 18 listopada będę rozmawiał z Tobą bez pośredników, o Władco Drugiego Bieguna!

Żeby nadać chwili odpowiednią oprawę, wyjął z wazonu kwiat i zmiażdżył go pod szkłem przykrywającym blat biurka, proponując Szatanowi swoisty test.

Zniszczę i zjem ten żółty kwiat. Od tego momentu przez siedem dni będę robił, co mi się żywnie podoba i wszystko będzie mi się udawało, bo Ty będziesz spełniał moje życzenia. Jeśli Ci się to spodoba, staniesz się panem mojej duszy. W razie konieczności, nie zawaham się poddać rytuałowi.

Zapewniając o swych szczerych intencjach, Paulo obiecał Szatanowi, że w ciągu tych siedmiu dni nie będzie się modlił ani nie wymówi imion świętych Kościoła. Jednocześnie podkreślił, że to tylko próba, a nie pakt na wieczność. „Zachowuję sobie prawo wycofania się z umowy", pisał dalej czerwonym atramentem. „Chcę, aby było jasne, że robię to wszystko z rozpaczy". Pakt nie przetrwał nawet godziny: Paulo zamknął zeszyt, zapalił papierosa, poszedł na plażę, a gdy wrócił do domu blady jak ściana, zrozumiał, że popełnił szaleństwo. Znów otworzył dziennik i wielkimi literami napisał:

Pakt zerwany! Nie dałem się skusić!

Poczuł się zwycięzcą w walce z Diabłem, nabrał odwagi i chciał pokazać, na co go stać. Choć do spotkania w cztery oczy z Szatanem nie doszło, uznał za swój obowiązek propagowanie ducha Zła w reportażach i artykułach dla „A Pomba". Wpadł na pomysł komiksu. Sprawna ręka Gisy stworzyła plejadę pozaziemskich istot, a Paulo opatrzył rysunki tekstami. *Miłośnicy wampirów*, komiks opowiadający o perypetiach samotnego wampira pacyfisty, został tak dobrze przyjęty, że Gisa wysłała dziełko do King Features, potężnego amerykańskiego wydawnictwa specjalizującego się w tego typu publikacjach, ale nie otrzymała od nich odpowiedzi. Udało się za to umieścić komiks w dwóch najważniejszych gazetach wychodzących w Rio: „O Jornal" i „Jornal do Brasil". Historia dla dzieci o małym wampirze ukazywała się w każdą niedzielę. Gisa i Paulo stworzyli też bardzo popularną postać Curingão, którą umieszczano na losach loteryjnych. Komiksy autorstwa Paula i Gisy drukowano nawet w tygodniku „Pasquim", czytywanym przez inteligencję Rio. Redagowana przez Paula „A Pomba" przetrwała długi czas mimo braku dochodu z reklam, a w pewnym okresie rozchodziła się w 20 tysiącach egzemplarzy – zjawisko rzadkie wśród czasopism niszowych – ale w połowie 1972 roku ugięła się pod ciężarem długów. Plajta groziła też pisemku „2001". Kiedy wydawca Eduardo Prado postanowił zamknąć oba pisma, Paulo i Gisa przenieśli się do „Tribuna da Imprensa", gdzie otrzymali całą stronę, która wychodziła co sobotę jako dodatek „2001" (nazwa odziedziczona po zamkniętym pisemku).

Mieli nadzieję, że zmieniając redakcję spopularyzują swą twórczość, znaną dotąd jedynie wąskiemu gronu odbiorców. Z tematyką UFO, elfów i czarownic chcieli dotrzeć do szerszej publiczności. „Tribuna" nie miała wprawdzie takiego nakładu jak wielkie gazety w Rio, ale ze względu na zaangażowanie polityczne cieszyła się sporą renomą. Powstała w 1949 roku z inicjatywy dziennikarza Carlosa Lacerdy, stała się orężem w walce z ideami i polityką rządu Getúlia Vargasa w okresie od 1951 do 1954 roku. W latach 70., kiedy jej redaktorem naczelnym był Hélio Fernandes, gazetę poddawano ostrej cenzurze. Paulo i Gisa przyszli do starego budynku redakcji, mieszczącego się w dzielnicy Lapa, w okresie szczególnie ostrych rygorów wprowadzonych przez dyktaturę, co nie pozostawało bez wpływu na codzienną pracę dziennikarzy. Od trzech lat w redakcji „Tribuny" co wieczór przesiadywali wojskowi cenzorzy, którzy czytali wszystkie materiały przed oddaniem ich do drukarni. Według Hélia Fernandesa jedna piąta tekstów za sprawą cenzorów lądowała w koszu. Redaktor naczelny sam padł ofiarą reżimu – od 1964 roku był aresztowany aż 27 razy, w tym dwa razy skazany na dłuższy pobyt w więzieniu. Na szczęście wojskowi cenzorzy nie interesowali się zjawiskami nadprzyrodzonymi, więc dodatkowi Paula i Gisy nic nie groziło. Zachęceni sukcesem, zaproponowali koncernowi naftowemu Petrobrás stworzenie komiksu dla dzieci, który rozdawano by na firmowych stacjach benzynowych. Urzędnik, który przyjął Paula, zaaprobował pomysł, a Coelho, by dowieść, że sprawę traktuje z największą powagą, w dobrej wierze powiedział:

– Żeby zminimalizować państwa ryzyko, możemy sami przez miesiąc za darmo rozdawać książeczki na stacjach.

– Za darmo? – Mężczyzna spojrzał na niego zaskoczony. – Ale z pana amator! Tu nikt niczego nie robi za darmo. Proszę jeszcze nad sobą popracować, a kiedy już zostanie pan profesjonalistą, niech pan wróci z projektem.

Paulo poczuł się tak, jakby wylano mu kubeł zimnej wody na głowę. W sierpniu przyjął zaproszenie Lygii, by wraz z nią i jej matką pojechać na trzy tygodnie do Europy. Miał mnóstwo pracy w redakcji i przez pewien czas się wahał, ale nie codziennie dostaje się propozycję wyjazdu za ocean, i to za darmo. Wcześniej przygotował teksty, do których Gisa miała sama stworzyć rysunki. Zaproszenie Lygii dotyczyło bowiem wyłącznie syna. Przez 21 dni Paulo zwiedzał muzea, ruiny i katedry. Trasa podróży wiodła przez Niceę i południe Francji, Rzym, Mediolan, Amsterdam, Londyn do Paryża. Głównym celem, który przyświecał Lygii, było odciągnąć syna od codziennego zażywania narkotyków, mimo to w Amsterdamie Paulowi udało się parę razy wyrwać spod kurateli matki i popalić haszysz.

Od dziecka przyzwyczajony do dyscypliny i porządku, Paulo był wściekły, kiedy po powrocie zastał mieszkanie w opłakanym stanie. Co więcej, żaden z komiksów nie został dostarczony „Tribunie" na czas.

Mieszkanie wygląda jak chlew. Wyprowadziło mnie to z równowagi. Na podłodze śmietnik, rachunki za światło i czynsz nie popłacone. Komiks dla „Tribuny" wciąż leży niedokończony. To całkowity brak odpowiedzialności. Jestem tak wściekły, że nie chce mi się nawet pisać.

Po powrocie do kraju czekały na niego również dobre wieści. Pod jego nieobecność przyszło zaproszenie do współpracy od Glórii Albues z ministerstwa edukacji w Mato Grosso. Znajoma Paula zdołała wprowadzić w życie stary projekt, który wymyślili wspólnie kilka lat wcześniej. Paulo miał spędzić trzy tygodnie kolejno w trzech miastach: Campo Grande, Três Lagoas i Cuiabá, prowadząc w państwowych szkołach kursy dla nauczycieli i uczniów. Projekt nosił nazwę „Teatr a edukacja". Pensja była zachęcająca – 1500 cruzeiros (dziś około 310 dolarów), czyli praktycznie tyle, ile zarabiał łącznie w „A Pomba" i „2001". Paulo długo się nie wahał. Zamienił wygodne życie w Rio na tułaczkę po Mato Grosso także z innego powodu. Kiedy zrodził się pomysł zorganizowania kursu, nie był jeszcze członkiem OTO. Teraz zależało mu na propagowaniu idei Crowleya i postanowił zamienić spotkania o teatrze w warsztaty czarnej magii.

Paulo podczas zdjęć do komedii erotycznej *Os Mansos*.
Po lewej: aktor Ari Fontoura, po prawej: Felipe Carone.

15.

Nie ma już Paula Coelho. Od dziś jest Wieczne Światło, magiczne imię, które Paulo przyjmuje jako czciciel Szatana

W czasie swej przygody z satanizmem Paulo – sam lub w towarzystwie Gisy – poddawał się różnym magicznym ćwiczeniom i praktykom. Do jednego z często odprawianych rytuałów potrzebowali rośliny sansewieria, inaczej wężownicy (*Sansevieria trifasciata)*, o mięsistych, szablowatych liściach. Podczas obrzędu w szerszym gronie nowicjusz mógł się narazić na śmieszność, ponieważ trzymając liść jak szpadę przechodził dziesięć kroków, składał ukłon czterem stronom świata, wznosił „szpadę" w górę i głośno krzyczał:

– Siła jest na Zachodzie!

Potem robił krok w lewo i wznosząc oczy ku niebu, beczał jak owca, a wreszcie wołał:

– Mądrość jest na Południu, Opieka na Wschodzie, a Zwycięstwo na Północy!

Następnie wężownicę zabierało się do domu i nożem – uprzednio wbitym w ziemię, opalonym nad ogniem i obmytym w morskiej wodzie – kroiło na jedenaście kawałków (według thelemitów „11" to magiczna liczba). Z kawałków liścia układano na stole znak Marsa – koło przecięte krótką strzałą, symbol mężczyzny. W tym samym czasie do gotującej się wody wrzucano kawałki wężownicy oraz posiekanych płatków dwóch róż herbacianych, gotowano na gęstą i lepką miksturę, która musiała być gotowa na godzinę jedenastą w nocy, zgodnie z *Księgą Prawa* – godziną

Słońca. Następnie miksturę należało zmieszać z wodą w wannie i w tak przygotowanej kąpieli leżeć do północy, czyli do godziny Wenus. Po jednym z takich obrzędów Paulo wytarł się ręcznikiem, zapalił świecę i napisał w zeszycie:

Zdaję sobie sprawę, że ten rytuał może się wydawać śmieszny. Trwał dwie godziny, ale z pełną odpowiedzialnością mogę stwierdzić, że znalazłem się w innym wymiarze, gdzie wszystko powiązane jest Prawami. Czuję ten mechanizm, lecz jeszcze nie pojmuję sposobu jego działania. Mam wrażenie, że moja intuicja zbliża się ku racjonalnemu myśleniu i obie te sfery niemal się przenikają. Jakaś tajemnicza siła sprawia, że zaczynam wierzyć w Diabła.

Innym, często powtarzanym obrzędem był tzw. „mniejszy rytuał Pentagramu". Na podłodze Paulo rozkładał białe prześcieradło i zieloną farbą malował na nim pięcioramienną gwiazdę. Wokół niej układał sznur nasączony siarką, którą wcześniej rysował symbol Marsa. Wszystko odbywało się przy zgaszonym świetle, tylko nad pentagramem należało powiesić lampę, rzucającą na symbol snop światła. Paulo stał nagi na rozpostartym prześcieradle, trzymał w ręku szpadę, a twarz miał zwróconą na południe. Potem przyjmował pozycję asany, w której przykucał na ziemi jak żaba i unosił się w górę wydając okrzyki przyzywające Diabła. W pamiętniku Paulo opisał jedną z takich sesji, która miała nietypowe zakończenie.

Pod koniec pierwszej godziny moje problemy osobiste zaczęły mi przeszkadzać w koncentracji. Poczułem, że tracę dużo energii. Zmieniłem asanę smoka na asanę ibisa, kucnąłem na prześcieradle w centrum świetlistego kręgu i zacząłem potrząsać ciałem. To mnie tak podnieciło, że zacząłem się onanizować, nie myśląc o konkretnej kobiecie, tylko wpatrując się w snop światła. Owładnięte rozkoszą ciało poruszało się rytmicznie. Poczułem się tak, jakbym wreszcie dotarł do tajemnicy. Oczywiście pojawiło się poczucie winy, ale szybko zniknęło, pozwalając mi trwać w błogiej ekstazie.

W czasie, kiedy Paulo próbował zbliżyć się do Szatana, przygotowywał się jednocześnie do szkolenia w Mato Grosso. Napisał wszystkie teksty do „Tribuny" i innych czasopism, z którymi współpracował, po czym zaczął planować zajęcia, w których osoba postronna nie dopatrzyłaby się niczego podejrzanego.

– Świadomie użyłem wybiegu, by nikt się nie zorientował – przyznał po latach. – Wiedziałem, że zachowuję się nieodpowiedzialnie, wykorzystując techniki i rytuały magiczne do zajęć z nauczycielami i uczniami. Używałem tych metod po kryjomu, a więc stosowałem czarną magię. Przeprowadzałem eksperymenty na ludziach bez ich zgody i wiedzy.

Przed wyjazdem Paulo poprosił Fratra Zaratustrę o pozwolenie na wykorzystanie *Tabula Smaragdina* – Szmaragdowej Tablicy Hermesa Trismegistosa, tekstu zawierającego trzynaście przykazań, napisanego językiem przypominającym dzieło Crowleya. Były tam między innymi takie zdania: „Dzięki swym talentom posiądziesz chwałę całego świata", „Dlatego odstąpi od ciebie wszelka ciemność", „Twa moc przewyższa wszelkie inne siły". Uczniowie z Mato Grosso przyjęli te rewelacje z entuzjazmem, nie zdając sobie sprawy, że są ofiarami eksperymentu członka sekty satanistycznej. Pojawieniu się Paula w miastach uczestniczących w projekcie towarzyszyły entuzjastyczne artykuły, czasem brzmiące groteskowo. Ktoś porównał Paula z Plíniem Marcosem i Nelsonem Rodriguesem, największymi brazylijskimi dramaturgami. W gazecie „Diário da Serra", ukazującej się w Campo Grande, dziękowano gubernatorowi za ściągnięcie pana Coelho do prowadzenia kursu, który już „zakończył się sukcesem w Rio de Janeiro, Belém, Pará i w Brasílii". Jeszcze większe peany na cześć Paula zamieścił „Jornal do Povo" wydawany w Três Lagoas.

Przyszła kolej na Três Lagoas. Mamy okazję poznać utalentowanego artystę naszego rodzimego teatru – Paula Coelho. W zasadzie jego nazwisko niewiele nam mówi. A jednak Paulo Coelho jest wielki! Artysta wpisuje się w nurt konkretyzmu, gdzie wszystko jest mocne, przemyślane i inspirujące. Ma tak zniewalającą osobowość, że trudno przejść obok niego obojętnie. Coelho posiada wielką charyzmę. Nie chcę grzeszyć zbytnią przesadą, lecz można go porównać do Chrystusa, który też przybył, by tworzyć.

Od czasu plagiatu artykułu Carlosa Heitora Cony'ego w Aracaju Paulo nie otrzymał tylu czołobitnych pochwał. Swoje posłannictwo realizował 24 godziny na dobę, wykorzystując każdą wolną chwilę i możliwość, by pogłębiać wiedzę mistyczną. W Três Lagoas poznał Tybetańczyka, „który pełnił tam misję". Dzięki niemu odwiedził siedzibę Brazylijskiego Stowarzyszenia Eubiozy, którego członkowie propagowali życie w zgodzie z naturą, a także lożę masońską. Kiedy dowiedział się, że na przedmieściach miasta znajduje się wioska na wpół ucywilizowanych Indian, pojechał tam, by podpatrzyć ich rytuały. Pakując walizki po trzytygodniowym pobycie w Campo Grande, tak podsumował swoje doświadczenia:

Początkowo praca nad Tabula Smaragdina *przyniosła rozczarowanie. Nikt nie rozumiał, o co w tym wszystkim chodzi (ja sam też nie rozumiałem, mimo długich przygotowań i licznych lektur). Jednak ziarno padło na podatny grunt i wielu uczniów przestawiło się na inny tor myślenia. Podczas lekcji jedna uczennica wpadła w trans. Większość zareagowała negatywnie i praca przyniosła efekty dopiero ostatniego dnia, kiedy udało mi się przełamać ich blokadę emocjonalną. Oczywiście, mówię tu tylko o pracy na poziomie dramaturgicznym w odniesieniu do* Tabuli. *Być może gdyby ostatni dzień zajęć był pierwszym dniem nowego kursu, osiągnąłbym z nimi interesujące rezultaty.*

Zanim zapomnę! Parę dni temu poszedłem na spacer, żeby poszukać roślin (przeczytałem Paracelsusa i chciałem przeprowadzić pewien eksperyment). Natknąłem się na konopie indyjskie przed gmachem Banco do Brasil. Niesamowite!

Po powrocie do Rio Paulo dowiedział się od kolegi z „Tribuny", że „O Globo" poszukuje ludzi do pracy. Pokusa pisania dla „największego dziennika w kraju" była wielka. Umówił się na rozmowę z Iranem Frejatem, srogim redaktorem naczelnym gazety należącej do rodziny Marinho. Gdyby dostał pracę, miałby w ręku instrument pozwalający na szerzenie idei OTO. W korespondencji z Fratrem Zaratustrą często proponował sekcie umieszczanie artykułów w cotygodniowym dodatku do „Tribuny", ale nigdy z tego nie skorzystano. Raul Seixas, kiedy dowiedział się o jego planach zatrudnienia się w „O Globo", odradzał mu, po raz kolejny proponując współpracę w tandemie muzycznym.

– Daj spokój! Po co ci praca w gazecie? Możemy razem pisać muzykę. Telewizja Globo będzie kręcić nową wersję *Beto Rockefellera* [telenowela, która w latach 1968-69 odniosła wielki sukces w nieistniejącej już TV Tupi]. Prosili mnie o napisanie ścieżki dźwiękowej. Możemy to zrobić razem. Ja napiszę muzykę, a ty słowa.

Paulo bił się z myślami, rozdarty między pragnieniem zgłębiania magii a koniecznością zarabiania na życie, a Raul rozwijał swoją piosenkarską karierę i całkowicie poświęcił się muzyce. Wydał płytę *Sociedade de Grã Ordem Kavernista*, którą nagrał na wpół legalnie w studiu CBS na kilka tygodni przed złożeniem wymówienia. Szykował się do występu na VII Międzynarodowym Festiwalu Piosenki organizowanym przez TV Globo. Dla Paula współpraca z Raulem oznaczała powrót do słowa rymowanego i złamanie przysięgi, że kończy na zawsze z poezją. Praca w „O Globo" była na wyciągnięcie ręki, postanowił więc najpierw spróbować szczęścia w gazecie. Na spotkanie z Frejatem w siedzibie gazety przy ulicy Irineu Marinho Paulo stawił się punktualnie. Przedstawił się szefowi działu reportażu, który tego dnia był w paskudnym nastroju, po czym usiadł w kącie i czekał, aż zostanie wezwany. Miał ze sobą zbiór poezji św. Jana od Krzyża, by umilić sobie oczekiwanie. Dochodziła druga po południu. Paulo czekał już ponad godzinę, ale Frejat nawet nie zaszczycił go spojrzeniem, mimo że kilkakrotnie przechodził obok, rozdzielając zadania i roznosząc materiały. Paulo wstał, poczęstował się kawą, zapalił papierosa i wrócił na swoje miejsce. Wskazówki zegara pokazały trzecią, kiedy wreszcie stracił cierpliwość. Wyrwał z książki kilka stron, podarł je na strzępy, zgarnął do ręki, a następnie wstał, podszedł do Frejata i rzucił mu je na biurko.

Zaskoczony dziennikarz zaśmiał się nerwowo.

– Zwariowałeś? O co chodzi, chłopcze?

– Czekam tu od dwóch godzin – odparł spokojnie Paulo. – Nie zauważył pan? Czy to dlatego, że przyszedłem prosić o pracę? To brak szacunku!

Odpowiedź Frejata go zaskoczyła.

– Święta racja, przepraszam! Szuka pan pracy? Dobrze, dam panu zadanie. Jeśli sobie pan poradzi, ma pan robotę. Zaczynamy od razu. Proszę pojechać do szpitala Santa Casa de Misericórdia i zrobić listę zmarłych.

Listę zmarłych? Okazało się, że to miało być jego głównym zajęciem. Odwiedzał największe szpitale w mieście i sporządzał listy zmarłych, których nazwiska pojawiały się w gazecie następnego dnia. Na nic się nie zdało doświadczenie zdobyte w „Diário de Notícias" i „Tribunie". Miał znów zaczynać jako tzw. „foka", pracować siedem godzin dziennie jako skromny reporter drugiej kategorii z prawem do tygodniowego urlopu raz w roku, a wszystko za marne 1200 cruzeiros miesięcznie (dziś około 390 dolarów). Pierwsze tygodnie spędził, pisząc „o martwej naturze" lub „manifestacjach pacyfistycznych", bo tak nazywał swoje wizyty w miejskich kostnicach. Znanymi nieboszczykami zajmowali się doświadczeni dziennikarze, którzy pisali o zmarłych wspomnienia i redagowali nekrologi. Ilekroć Paulo wcześniej kończył swój posępny obchód, szedł do Mangue, dzielnicy domów publicznych, by pogawędzić z prostytutkami.

Nie był formalnie zatrudniony, bo taki panował zwyczaj w stosunku do wszystkich początkujących dziennikarzy. Oznaczało to brak ubezpieczenia zdrowotnego i socjalnego. Miał za to prawo do stołowania się w taniej stołówce firmowej. Za sześć cruzeiros (dziś około półtora dolara) mógł zjeść obiad lub kolację. W kolejce po posiłek często spotykał właściciela „O Globo", Roberta Marinho, który jak inni śmiertelnicy brał tacę, sztućce i serwetki. Pracodawca też go musiał dostrzec, bo pewnego dnia Frejat ostrzegł Paula, że „doktor Roberto" każe mu wybierać – albo długie włosy (Coelho wyhodował sobie imponującą czuprynę), albo praca w redakcji. Ponieważ bardziej mu zależało na posadzie, Paulo bez wahania ściął włosy. W tym czasie surowych redaktorów w garniturach i krawatach powoli wypierała pstrokato ubrana młodzież, budząca oburzenie starszych kolegów. Jeden z najbardziej znanych współpracowników „O Globo", dramaturg Nelson Rodrigues, opisał tę niepokojącą inwazję w swoim artykule zatytułowanym „Hipisi inteligenci".

Któregoś dnia mój przyjaciel odwiedził redakcję jednego z największych dzienników w kraju. Był przerażony widokiem samych hipisów. Nie dawałem mu wiary. „Naprawdę chodzili boso?". Zaklinał się, że tak. „Niech mnie piorun trzaśnie, jeśli kłamię!". Jakiś młodzieniec siedział przy biurku z małpą na ramieniu. Kilku pracowników z wyglądu przypominało psychopatycznego zabójcę pięknej Sharon Tate. W rogu pokoju młoda stażystka zaplatała swemu towarzyszowi warkoczyki. Nagle przez salę przebiegł szczur i zatrzymał się, przepuszczając dziennikarza, za którym ciągnął się odór gorszy od zapachu na zaśmieconej plaży. Między biurkami przechadzały się zwiewne niczym nimfy praktykantki.

Kilka razy Paulo musiał zastąpić innego dziennikarza. W ten sposób dowiódł przełożonym, że młody człowiek o dużych, podkrążonych oczach potrafi pisać, a do tego doskonale przeprowadza wywiady. Dotąd nie opublikowano jego tekstu na pierwszej stronie, ale nad innymi reporterami miał tę przewagę, że nigdy nie wracał z pustymi rękami. Szefom redakcji nawet przez myśl nie przeszło, że nie znalazłszy rozmówcy, sam go sobie wymyślał: wszystkie informacje, odpowiedzi, postacie były wytworem jego wyobraźni. Pewnego razu miał zrobić reportaż o osobach pracujących przy organizacji karnawału. Spędził cały dzień na ulicy, pod wieczór wrócił do redakcji, a przed północą wręczył tekst redaktorowi wydania, którym tego dnia był Henrique Caban. Było tego pięć stron maszynopisu, między innymi rozmowy z „policjantem Joaquimem de Souzą", „kelnerką Alice Pereirą" oraz „właścicielem baru Adilsonem de Barroso". Artykuł zamykała „analiza zachowań mieszkańców Rio podczas karnawału" autorstwa budzącego podejrzenia „psychologa Adolfa Rabbita". Paulo przyniósł do domu kopię reportażu, na której napisał to, czego nikt w redakcji nie wiedział: „Tekst od początku do końca zmyślony".

Pomijając te godne potępienia praktyki, praca w gazecie szła mu dobrze. Nie minęły jeszcze dwa miesiące, a na pierwszej stronie „O Globo" ukazał się wywiad Paula z Luísem Seixasem, prezesem Instituto Nacional de Previdência Social [Narodowy Zakład Ubezpieczeń Społecznych], zatytułowany „Porady za darmo w Zakładzie Ubezpieczeń". Wkrótce zaproponowano mu o połowę wyższe wynagrodzenie, o ile zgodzi się pracować na nocnej zmianie – od drugiej w nocy do dziewiątej rano, co odstręczało większość kandydatów, ale dla Paula nie stanowiło żadnego problemu, bo nie potrzebował wiele snu i mógł pracować zarówno w dzień, jak i w nocy. Jako redaktor wydania musiał przejrzeć wszystkie gazety, które miały się ukazać następnego ranka, a można je było kupić w centrum miasta już przed północą. Porównywał je z tym, co miało trafić do najnowszego numeru „O Globo" i notował tematy, na które należało zwrócić uwagę. Potem słuchał wiadomości w radiu, by wyłowić co ciekawsze informacje warte rozwinięcia w gazecie. Listę o świcie przekazywał dziennikarzom. Do jego obowiązków należało również podejmowanie decyzji, gdzie warto wysłać reportera lub fotografa. Pierwszej nocy miał nadzieję, że wydarzy się coś ważnego. „Na pewno stanie się coś niesamowitego i będę musiał to opisać. Umocni się moja pozycja", zanotował w pamiętniku. „Wolałbym pracować na dziennej zmianie. Wszystko byłoby dobrze, gdyby nie ten skurwysyn Frejat, który wciąż mnie zatrzymuje w redakcji po godzinach". Podczas sześciu miesięcy pracy na tym stanowisku tylko raz musiał zmobilizować cały sztab reporterów i fotografów: zamordowano Almira Albuquerque, zwanego „Pernambuquinho", napastnika drużyny Flamengo. Piłkarz został zastrzelony przez turystów portugalskich podczas bijatyki w restauracji Río Jerez w południowej części miasta. Jednak zwykle dyżuru nie zakłócały ważne wydarzenia, co dawało Paulowi czas na zapisywanie swych myśli, potem przenoszonych na kartki dziennika.

[...] Zdaje mi się, że szef Frejat mnie nie lubi. Powiedział komuś, że jestem „półgłówkiem".

[...] Powiedziałem Gisie, że w dziennikarstwie podoba mi się tempo wydarzeń. Ludzie padają i po chwili się podnoszą. Co do Frejata, jego dni w redakcji są policzone. Wszyscy naciskają na jego odejście. W dziennikarstwie nie ma dobrych ludzi. Kto ma miękkie serce, jest zgubiony.

[...] Przeczytałem w gazecie, że facet zabił nożem kobietę, bo nie zwracała na niego uwagi. Wytnę ten artykuł i dam Gisie do przeczytania. Mam nadzieję, że zrozumie aluzję.

[...] Adalgisa pojechała do Minas, zostawiając mieszkanie w opłakanym stanie. Nie oddała materiału do „Tribuny", nie zapłaciła za światło i nie zrobiła prania. Zaczyna mnie to męczyć. Najwyraźniej nie ma pojęcia, co znaczy żyć w stałym związku. Teraz nie mam pieniędzy na rachunek i niedługo będę siedział w domu po ciemku. Do tego jeszcze opłaty za telefon. Twierdzi, że „jest zawalona pracą", ale ja tego nie widzę. Co za brak odpowiedzialności!

Paulo podpisał umowę na prowadzenie kursu w Mato Grosso, zanim najął się do pracy w „O Globo". Pod koniec 1972 roku po wielu prośbach dostał bezpłatny trzytygodniowy urlop na poprowadzenie warsztatów teatralnych. Na początku następnego roku problem się powtórzył. „Jestem w potrzasku – między kursem w Mato Grosso a pracą w największej krajowej gazecie", napisał w dzienniku. „Caban nie zgadza się na mój wyjazd. Mówi, że z czegoś muszę zrezygnować". Do tego Raul wciąż nalegał na współpracę. Żeby zachęcić Paula i pozyskać go jako tekściarza, jedną ze swoich piosenek, „Caroço de Manga" (Pestka manga), podpisał swoim i Paula nazwiskiem. Miała posłużyć jako ścieżka dźwiękowa w nowej wersji telenoweli *Beto Rockefeller*. Takie gesty nie były powszechne w świecie muzycznym, bo oznaczały współudział w zyskach tytułem praw autorskich. Postać Raula Seixasa powoli zaczęła zajmować ważne miejsce w życiu przyszłego pisarza.

[...] w nocy można spokojnie pracować. Nawet się dziś nie umyłem. Spałem od dziewiątej rano do siódmej wieczór. Wstałem. Gisa nie poszła do pracy. Zadzwoniliśmy do Raula, odwołując dzisiejsze spotkanie.

[...] Jestem zmęczony. Przez cały dzień pisałem na maszynie. Zapomniałem o tekście, który obiecałem Raulowi.

[...] Raul ma skrupuły i nie chce komponować muzyki komercyjnej. Nie rozumie, że im częściej jest się w mediach, tym większej wagi nabiera to, co się robi.

Zgodnie z przypuszczeniami w kwietniu 1973 roku Paulo musiał zdecydować, czy chce nadal pracować w gazecie. We wszystkich kwestiach życiowych, ważnych i błahych, zwracał się teraz po radę do *Księgi Przemian – I Ching*. Siedząc sam w domu, koncentrował się i rzucał na stół trzy monety używane w chińskiej wróżbie. Potem napisał w pamiętniku, że wyrocznia *I Ching* kazała mu zrezygnować z pracy w gazecie, ostrzegając, że pozostanie w redakcji

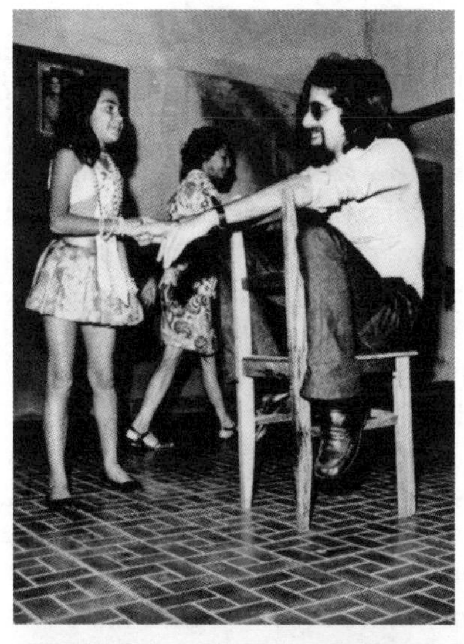

Podczas zajęć teatralnych z młodzieżą w Mato Grosso. Paulo posługuje się technikami i rytuałami zaczerpniętymi z czarnej magii.

doprowadziłoby go do „powolnego upadku i zubożenia". Nie namyślając się długo, następnego dnia złożył wymówienie w „O Globo", tym samym zamykając rozdział dziennikarski. Wyszedł na tym całkiem dobrze, również pod względem finansowym. Pieniędzy ze sprzedaży komiksów, z warsztatów teatralnych w Mato Grosso, ze współpracy z „Tribuną" i „O Globo" wystarczyło na utrzymanie, a nawet zainwestowanie skromnej sumy na giełdzie. „Straciłem pieniądze ulokowane w akcjach Banco do Brasil. Jestem spłukany!", napisał kiedyś, ale wkrótce humor mu się poprawił. „Akcje Petrobrásu podskoczyły z 25 do 300".

Po odejściu z „O Globo" i przed rozpoczęciem współpracy z Raulem Seixasem Paulo imał się różnych zajęć, a było ich wiele. Wrócił do prowadzenia kursu przygotowującego kandydatów na studia, zajął się konferansjerką podczas występów przyjaciela. Wystąpił też w filmie *Os Mansos*, zaliczanym do gatunku *pornochanchada*s – komedii erotycznej. Grał w nim obok takich gwiazd, jak José Lewgoy, Sandra Bréa i Heloisa Mafalda. Przypadła mu rola syna włoskich emigrantów, którego zdradziła kobieta. Nie musiał już zarywać nocy w redakcji i odsypiać w dzień, co zaowocowało częstszymi spotkaniami z Raulem. Wreszcie mogli razem tworzyć. Perspektywa współpracy z Seixasem była kusząca, ponieważ piosenka „Caroço de Manga" przyniosła spory dochód, co znalazło odbicie w stanie konta Paula. Miał przedsmak tego, co będzie, kiedy ich wspólna płyta odniesie sukces. Raul, pomny hipisowskich ideałów przyjaciela, nie rozmawiał na razie o pieniądzach, za to starał się kierować nim w inny sposób.

– Nie możesz zachowywać się jak odrzucony, niezrozumiany artysta. Jeśli chcesz coś osiągnąć, musisz mówić tak, by ludzie cię rozumieli.

Najwidoczniej argumenty Raula skutecznie przełamały niechęć Paula do rymowania. W krótkim czasie, bez żadnego doświadczenia, napisał słowa do 80 piosenek różnych wykonawców.

– Nie musisz używać skomplikowanego języka, żeby opowiadać o ważnych sprawach – powtarzał mu Raul podczas niekończących się dyskusji. – Im prostszy język, tym mocniejsze przesłanie.

Często uderzał w ton dydaktyczny, niemal profesorski, przekonując Paula, że nie trzeba pisać trudnym językiem.

– Dobry tekst w dwudziestu wersach opowiada historię, której daje się słuchać bez znudzenia dziesięć razy. Jeśli ci się to uda, odniesiesz sukces, wzniesiesz się na wyżyny prawdziwej sztuki, którą wszyscy rozumieją.

Tak zaczęła się ich współpraca. Wkrótce połączyło ich coś więcej niż twórczość. Zostali przyjaciółmi lub – jak sami powtarzali w wywiadach – „bliskimi nieprzyjaciółmi". Często się odwiedzali lub razem wychodzili na miasto. Niebawem Raul i Edith dali się wciągnąć w zwodniczy świat narkotyków i czarnej magii. W tym czasie w życiu Paula narkotyki zajmowały drugorzędne miejsce, ustępując fascynacji Fratrem Zaratustrą i zakonem OTO. Określenie „bliscy nieprzyjaciele" nie było tylko grą słów, lecz dobrze opisywało ich relacje. Raul otworzył Paulowi drzwi do sławy i pieniędzy, a ten odwdzięczył się, wprowadzając go w świat niedostępny dla zwykłych śmiertelników. Życie pokazało, że te wzajemne przysługi w rzeczywistości były czymś więcej – na pierwszy rzut oka niezbyt oczywistą grą dwóch silnych osobowości. Każdy wykładał na stół swoje karty: Raul znał sposób, jak osiągnąć sławę, Paulo znał drogę do Szatana.

Pierwsze owoce ich współpracy pojawiły się w 1973 roku. Longplay *Krig-Ha, Bandolo!* (tytuł nawiązujący do okrzyku Tarzana, bohatera powieści Edgara Rice'a Burroughsa oraz licznych filmów i komiksów). Paulo napisał słowa do pięciu piosenek, ale tylko jedna, zatytułowana „Al Capone", stała się przebojem śpiewanym na ulicach. Płyta *Krig-Ha* ukazała również nową twarz Raula jako świetnego tekściarza. Przynajmniej trzy utwory, które skomponował i do których napisał słowa: „Mosca na Sopa" [Mucha w zupie], „Metamorfose Ambulante" [Nieustająca przemiana] i „Ouro de Tolo" [Złoto głupca], nadawano w radiu jeszcze przez wiele lat po śmierci Seixasa. Chociaż płyta nie była wielkim hitem, pozwoliła Paulowi wreszcie poznać smak pieniędzy. Kilka tygodni po ukazaniu się *Krig--Ha* Coelho poprosił o wyciąg z konta w Banco do Brasil i własnym oczom nie mógł uwierzyć: firmująca płytę wytwórnia Philips przelała na jego konto 240 milionów cruzeiros (dziś około 220 tysięcy dolarów). Nigdy wcześniej nie widział takich pieniędzy.

Po tym sukcesie Paulo, Gisa, Raul i Edith rozpoczęli wielkie świętowanie. Najpierw polecieli do Disneylandu na Florydzie, gdzie bawili się jak dzieci. Stamtąd pojechali do Memphis w stanie Tennessee, rodzinnego miasta Elvisa Presleya. Wreszcie zatrzymali się na miesiąc w Nowym Jorku. Pewnego dnia zapukali do Dakota Building, szarego, ponurego nowojorskiego budynku w stylu neogotyckim z widokiem na Central Park. Budynek był sławny: mieszkał tam John Lennon oraz kręcono w nim sceny do klasycznego dzieła filmowego, satanistycznego *Dziecka Rosemary* Romana Polańskiego. Paulo i Raul nieskromnie uwierzyli, że sukces płyty

Krig-Ha daje im prawo bratać się z wielkim autorem piosenki „Imagine". Po powrocie do Brazylii udzielili wielu wywiadów, również do pism zagranicznych, w których z detalami opowiadali o spotkaniu z Johnem Lennonem – podobno miał grypę, ale ich przyjął w obecności swej żony Yoko Ono, wymienili się partyturami, a nawet rozważali możliwość współpracy. Informację o spotkaniu spisali w postaci notatki prasowej i rozesłali do gazet.

> *[...] John Lennon pojawił się dzień przed naszym wyjazdem. Był z nami pewien dziennikarz z telewizji brazylijskiej. Kiedy usiedliśmy, dziennikarz natychmiast spytał o separację Johna i Yoko Ono. John bez ceregieli przegonił go, ponieważ nie zamierzał tracić czasu na plotki. Z powodu tego incydentu spotkanie zaczęło się w niemiłej atmosferze. John powiedział, że jeśli zechcemy wykorzystać go do promowania naszej działalności w Brazylii, zostanie to bardzo źle przyjęte. Na szczęście po kilku minutach nastrój się poprawił i przez pół godziny rozmawialiśmy o obecnej sytuacji i naszych planach. Informacje na ten temat będą udzielane zależnie od tego, jak rozwinie się nasza współpraca.*

Wszystko było czystą fantazją i wkrótce kłamstwo wyszło na jaw. Raul i Paulo nigdy nie byli w mieszkaniu Beatlesa i nie spotkali Yoko Ono. Udało im się jedynie porozmawiać z portierem Dakota Building, który ich poinformował przez domofon, że „pana Lennona nie ma w domu". Nieprawdą była również informacja, jakoby Lennon wyraził zainteresowanie projektem Sociedade Alternativa [Społeczeństwo Alternatywne], który Paulo i Raul zamierzali realizować w Brazylii.

Chodziło o stworzenie komuny na wzór opactwa Aleistera Crowleya z początku XX wieku w Cefalu na Sycylii. „Gwiezdne Miasto", jak je nazwał Raul, miało powstać w Paraíba do Sul, gdzie mieszkał członek bractwa Euclydes Lacerda, alias Frater Zaratustra. Muzyk z Bahii tak szybko zatracił się w świecie narkotyków i czarnej magii, że po roku znajomości z Paulem w niczym nie przypominał dyrektora w garniturze, który odwiedził redakcję „A Pomba", by porozmawiać o latających spodkach. Zapuścił brodę i wąsy, miał bujną czuprynę, ubierał się ekstrawagancko w opięte spodnie z rozszerzonymi, rozciętymi u dołu nogawkami, na gołe ciało zakładał kurtkę z błyszczącego skaju, spod której wyzierała jego blada, zapadnięta klatka piersiowa.

Po powrocie z Ameryki przyjaciele rozpoczęli pracę nad płytą, która okazała się ich największym sukcesem. Z jedenastu piosenek, które znalazły się na krążku *Gita*, do siedmiu tekst napisał

Paulo, z czego trzy stały się wkrótce znakiem rozpoznawczym artystycznego tandemu: „Medo da Chuva” [Strach przed deszczem], „Gita” i „Sociedade Alternativa”. W pierwszym utworze autor tekstu wyjawia swoje postępowe poglądy na temat małżeństwa (*Nie myśl, że jestem twym niewolnikiem / Nie mów, że jestem twoim mężem i nie mogę odejść / Tkwię przy tobie jak na plaży nieruchomy głaz / Przeszły obok miłości darowane mi przez życie…*). Słowa „Gity”, tytułowego utworu albumu, były niemal wiernym tłumaczeniem dialogu Kriszny i Ardżuny z Bhagawadgity, świętej księgi hinduizmu. Najciekawszy był utwór „Sociedade Alternativa”, a właściwie to, co kryło się pod pozornie niewinną, surrealistyczną zabawą z jedną, powtarzaną frazą.

Jeśli ja chcę i ty chcesz
Wykąpać się w kapeluszu
Czekać na Mikołaja
Albo wyśmiać Carlosa Gardela
Zróbmy to!

Klucz do zagadki tkwił w referenie, wykonywanym przez Raula na tle chórku:

Rób, co chcesz, bo wszystko jest prawem.
Niech żyje, niech żyje Społeczeństwo Alternatywne!

Autorzy najwidoczniej nie chcieli, żeby ktokolwiek miał wątpliwości co do ich intencji, bo przepisali słowo w słowo fragmenty z *Księgi Prawa*. W ten sposób przyznawali się otwarcie, komu służą. Podczas gdy Raul śpiewał refren, jego własny głos pobrzmiewał w tle:

Numer 666 to Aleister Crowley!
Niech żyje! Niech żyje!
Niech żyje Społeczeństwo Alternatywne!
Prawo Thelemy
Niech żyje! Niech żyje!
Niech żyje Społeczeństwo Alternatywne!
Prawo silniejszego
Oto nasze prawo i radość tego świata
Niech żyje! Niech żyje!
Niech żyje Nowy Eon!

Chociaż przesłanie rozumieli tylko ludzie wtajemniczeni w świat Crowleya, Paulo Coelho i Raul Seixas stali się rzecznikami idei OTO, a przez to samego Szatana. Wielu ludzi odczytywało te słowa jako sposób na obejście cenzury i odniesienie do społeczeństwa wolnego od dyktatury. Podobną opinię miał rząd, ponieważ po ukazaniu się singla *Sociedade Alternativa* cenzorzy zabronili Raulowi wykonywania tego utworu podczas występów. Poza nielicznymi utarczkami z cenzurą wszystko szło tak dobrze, że Paulo przestał obawiać się o swoją przyszłość materialną. Problemy emocjonalne też poszły w niepamięć. Pewnego wieczoru Paulo nagrał swoje zwierzenia na magnetofon i dopiero potem zapisał je w dzienniku. Mówił dramatycznym tonem, jakby występował na scenie.

Ja, Paulo Coelho, lat 26, w dniu 15 kwietnia 1974 roku zapłaciłem za wszystkie swoje grzechy. Dopiero w wieku 26 lat mam tego pełną świadomość. Teraz chcę zadośćuczynienia.

Chcę tego, co mi się należy.
Dług ma być spłacony na moich warunkach!
Chcę pieniędzy!
Chcę władzy!
Chcę sławy, nieśmiertelności i miłości!

Nie wszystkie życzenia się spełniły, ale mógł cieszyć się pieniędzmi, sławą i miłością. Na początku maja Raul zaproponował, by Paulo wraz z Gisą towarzyszyli mu w podróży do Brasílii, gdzie zaplanowano trzy koncerty podczas Święta Narodów od 10 do 12 maja. Tam Seixas zamierzał po raz pierwszy zaprezentować nowy album *Gita*, którego premiera na rynku miała się odbyć dopiero za kilka tygodni. Jako niewolnik *I Ching* Paulo kilka razy rzucał na stół trzy monety, by mieć pewność, że w stolicy nic mu nie grozi. Nocowali w jednym z najelegantszych hoteli w tamtym czasie – Hotelu Nacional. Przed pierwszym koncertem, w piątek po południu, zostali wezwani na policję. Poddano ich procedurze, która z czasem stała się rutynowym działaniem cenzury. Poinstruowano ich, co wolno, a czego nie wolno śpiewać w trakcie występów. Mężczyzna w stopniu pułkownika i jakiś urzędnik wyjaśnili, że nie mogą wykonywać tylko jednej piosenki – „Sociedade Alternativa". W wypełnionej po brzegi wielkiej hali widowiskowej pierwsze dwa występy przebiegły bez zakłóceń. W niedzielny wieczór miał się odbyć koncert Seixasa, który zamykał festiwal. Jednak Raul całe popołudnie palił marihuanę i okazało się, że – jak to sam ujął – ma „zaćmienie". Gdy wyszedł na scenę, nie był w stanie przypomnieć sobie słów żadnej piosenki. Podczas gdy muzycy rozgrzewali publiczność, Raul podszedł na brzeg sceny i zawołał przyjaciela, który siedział w pierwszym rzędzie:

– Dom Paulete! Błagam, ratuj! Chodź tu i zajmij publikę, bo muszę się oblać zimną wodą.

Raul przedstawił szalejącemu tłumowi Paula jako „drogiego wspólnika", po czym wcisnął mu do ręki mikrofon i zostawił samego na scenie. Ludzie bili brawa w rytm granej melodii, wykrzykując zabroniony refren. Paulo zaczął za nimi powtarzać:

Niech żyje! Niech żyje! Niech żyje Społeczeństwo Alternatywne!
Niech żyje! Niech żyje! Niech żyje Społeczeństwo Alternatywne!

Po powrocie z Brasílii Paulo spisał swoje wrażenia w kilku słowach:

Podróż była spokojna. W piątek złożyliśmy oficjalną wizytę u władz. Rozmawialiśmy z szefem cenzury i pułkownikiem policji. W niedzielę po raz pierwszy w życiu stanąłem przed tłumem ludzi. Byłem zupełnie nieprzygotowany. Zwykle opowiadam o Społeczeństwie Alternatywnym tylko podczas wywiadów.

W tym czasie Paulo podjął ważną decyzję. Uznał, że najwyższa pora sformalizować swoje związki z OTO, stać się probantem i ślubować, że „poświęci się bez reszty Wielkiemu Dziełu". Dnia 19 maja 1974 roku ery *vulgaris* Paulo Coelho de Souza zmienił imię ze „świeckiego" na „magiczne", które sam sobie wybrał. Od tej pory miał się nazywać *Lux Eterna,* czyli *Staars* lub po prostu *313*. Po wysłaniu pocztą ślubowania, napisał w dzienniku: „Wzywałem Go tyle razy, że pewnie jest blisko, ta ziejąca ogniem bestia". Rankiem 25 maja, sześć dni po wejściu w świat ciemności, Paulo doczekał się upragnionego spotkania z Szatanem.

Liberdade
Poder
Destino

Vida
Putrefação
Morte

A.·. A.·.

O JURAMENTO DE PROBACIONISTA

Eu, PAULO COELHO estando em gozo
(nome profano)
de saúde física e mental, neste 19 dia de MAIO
(nº) (mês)
An LXX ,Sol
(ano a partir de 1904, em algarismos romanos)
em TAURUS , de 1974 e.v. ,
(sígno zodiacal) (ano da era vulgar, e.v.)
na presença de T. ,
(inicial do moto do Neófito ou Neófita)
um(a) Neófito(a) da A.·. A.·., aquí me dedico a: Encetar a
Grande Obra, que é obter um conhecimento científico da natureza
e dos poderes de meu próprio sêr.

Que a A.·.A.·. corôe a Obra, empreste-me de Sua sabedoria
na Obra, me abilite a compreender a Obra!

Reverência, dever, simpatia, devoção, assiduidade, confian
ça eu trago à A.·.A.·.; e em um ano a partir desta data possa
eu ser admitido(a) ao conhecimento e conversação da A.·.A.·.!

Testemunhe minha mão [podpis]
(assinatura mundana)
Moto LUZ ETERNA
(313)

Amor
Paixão
Deboche

Luz
Percepção
Escuridão

Dnia 19 maja 1974 roku ery „vulgaris" Paulo Coelho zmienia swe „świeckie" imię na Lux Eterna [Wieczne Światło] lub po prostu 313.

16.

Paulo umyka Szatanowi i policji, za to trafia do miejsca gorszego niż piekło – do więzienia służb bezpieczeństwa

Ogromne kwoty, jakie firma Philips przelała w ciągu roku na konto Paula, były zaledwie przedsmakiem tego, co miało nastąpić w przyszłości. Na fali popularności płyty *Krig-Ha, Bandolo!* wytwórnia wypuściła krążek z dwoma utworami: „Gita" i „Não Pare na Pista" [Nie zatrzymuj się na drodze]. Ostatnia piosenka powstała podczas trasy koncertowej Paula i Raula po Bahii, kiedy mijali miejscowość Dias d'Ávila. Singel z dwoma przebojami stanowił próbkę tego, czego wielbiciele mogli się spodziewać po albumie, którego premierę zapowiedziano na czerwiec. W ciągu miesiąca album osiągnął rekordową sprzedaż 100 tysięcy egzemplarzy, co w tamtych czasach gwarantowało Złotą Płytę, nagrodę, którą utalentowani artyści zdobyli jeszcze pięciokrotnie. Ilekroć niczego nieświadome stacje radiowe nadawały utwór z przywołującym Szatana refrenem: „Niech żyje! Niech żyje! Niech żyje Społeczeństwo Alternatywne!", portfele Paula i Raula pęczniały. W kwietniu 1974 roku Paulo kupił mieszkanie, całe 150 metrów kwadratowych przy ulicy Voluntários da Pátria w Botafogo, niedaleko miejsca, gdzie się urodził i spędził dzieciństwo. Wkrótce wprowadził się do niego z Gisą.

W piątek 24 maja, dwa tygodnie po koncertach w Brasílii, zadzwonił Raul z wiadomością, że otrzymał wezwanie do Wydziału Spraw Porządku Politycznego w celu „złożenia wyjaśnień". Miał się tam stawić w poniedziałek. Jako częsty gość tej instytucji, gdzie załatwiał zezwolenia na wykonywanie utworów w studio i na koncertach, specjalnie się nie przeraził. Jakieś obawy jednak musiał mieć, bo poprosił wspólnika, by mu towarzyszył. Paulo natychmiast sprawdził w *I Ching*, czy nic im nie grozi. Odpowiedź była przecząca, a przynajmniej tak mu się zdawało – zgodnie z opinią znawców słowa wyroczni bywają wieloznaczne. Paulo więcej sobie sprawą głowy nie zaprzątał.

Po przebudzeniu w sobotę rano, na szafce obok łóżka znalazł kartkę od Gisy: „Musiałam wcześnie wyjść, ale niebawem wrócę". Przed drzwiami leżał nowy numer „Jornal do Brasil". Paulo spojrzał na datę na pierwszej stronie gazety: minęły dokładnie dwa lata od pierwszego spotkania z Raulem. Od tamtej pory jego życie całkowicie się zmieniło. Wypił kawę, zapalił papierosa i wyjrzał przez okno na słoneczną ulicę. Wrócił do pokoju i włożył bermudy, by jak co dzień pójść na godzinny spacer. Nagle poczuł zapach spalenizny, sprawdził w kuchni kurki od gazu, palniki i urządzenia kuchenne. Nie był to swąd przepalonych kabli, ale jakiś inny, znajomy zapach. Strach ścisnął mu gardło, taką samą woń czuł kilka lat temu, kiedy pracował w „O Globo" i przez wiele miesięcy, zbierając informacje o zmarłych, odwiedzał kostnicę szpitala Santa Casa de Misericórdia. Był to nieprzyjemny zapach palących się świec, które dzień i noc płonęły wokół rozkładających się zwłok. Tylko tym razem zapach zdawał się stokroć silniejszy, jakby pochodził od tysięcy zapalonych świec.

Kiedy Paulo schylił się, żeby zawiązać sznurowadła, zobaczył, jak posadzka unosi się w kierunku jego twarzy. Nogi się pod nim ugięły i poczuł tak gwałtowny zawrót głowy, że niewiele brakowało, a upadłby. Wciąż kręciło mu się w głowie. Gorączkowo zaczął się zastanawiać, czy przypadkiem nie zjadł czegoś, co mogło mu zaszkodzić. Jednak niczego takiego sobie nie przypomniał, nie miał mdłości, nie chciało mu się wymiotować. Czuł jedynie, że wszystko wokół wiruje. Coraz silniejszym zawrotom głowy towarzyszyło wrażenie, jakby mieszkanie zasnuło się gęstą, ciemną mgłą, zniknęło słońce, a przez okno wtargnęły do środka czarne chmury. Pomyślał, że pewnie dopadło go to, czego najbardziej się obawiał, jak każdy biorący narkotyki – *bad trip*, stan po przedawkowaniu LSD, który często kończy się zgonem. Jednak tę możliwość także wykluczył. Od dawna nie wziął do ust LSD, a nie słyszał, żeby kokaina lub marihuana działały podobnie.

Chciał otworzyć drzwi i wyjść na ulicę, lecz paraliżował go strach – na zewnątrz mogło być jeszcze gorzej. Poza zawrotami głowy i kłębami czarnej mgły, słyszał przerażające dźwięki, jakby ktoś łamał znajdujące się w mieszkaniu sprzęty, a przecież wszystko stało na swoim miejscu. Ogarniało go coraz większe przerażenie, ale nie miał siły, by cokolwiek zrobić. Nagle zadzwonił telefon, Paulo odetchnął z ulgą. Błagał Pana Boga, by to był Euclydes Lacerda, czyli Frater Zaratustra, który mógł położyć kres jego męczarniom. Podniósł słuchawkę i niemal natychmiast chciał ją rzucić, bo jak można wzywać imienia Pana Boga, szykując się do rozmowy z uczniem Diabła. Na szczęście nie był to Euclydes, lecz przyjaciółka Stella Paula, która również przygotowywała się do wstąpienia do OTO. Szlochając do słuchawki, dziewczyna błagała o pomoc: jej mieszkanie było pełne gęstego, ciemnego dymu, a towarzyszył temu obrzydliwy, duszący odór rozkładającej się materii. Dłużej Paulo nie był w stanie się opanować i wybuchnął płaczem. Odłożył słuchawkę, przypomniał sobie, co robił po zbyt dużej dawce marihuany lub kokainy. Wyjął z lodówki zimne mleko, wypił duszkiem kilka szklanek. Potem w łazience nachylił się nad wanną i polał sobie głowę lodowatą wodą. Tym razem wypróbowany sposób nie pomógł. Nadal czuł trupi zapach, dym i silne zawroty głowy, nie ustał też trzask łamanych mebli, tak głośny, że musiał zatkać uszy.

Dopiero po dłuższym czasie zrozumiał, co się dzieje, jakby wreszcie odczytał sens tajemniczego pisma. Całkowicie zerwał więzy łączące go z wiarą chrześcijańską. Ostatnie lata spędził na poszukiwaniu złej energii, by osiągnąć to, co nie udało się samemu Aleisterowi Crowleyowi – spotkać Szatana. W ten sobotni poranek zdarzyło się coś, co Frater Zaratustra nazywał „nawrotem magicznej energii". O spotkanie z Szatanem Paulo prosił od dawna, zażywał nawet w tym celu rytualnych kąpieli w wyciągu z wężownicy. Najwyraźniej jego prośby zostały wysłuchane. Stanął twarzą w twarz z Szatanem. Chciał wyskoczyć przez okno, ale skok z czwartego piętra na asfalt mógł oznaczać śmierć lub kalectwo i cierpienia do końca życia. Łkał niczym dziecko, zatykając rękami uszy, z głową ukrytą między kolanami. Przypomniały mu się groźby ojca Ruffiera. Oczami wyobraźni ujrzał jego pulchne, chłopskie ręce wzniesione ku niebu, wygrażające słuchaczom i usłyszał, jak z ambony w kaplicy gimnazjum św. Ignacego grzmi:

[...] Jestem w piekle! Płonie straszliwy ogień! Widać łzy i słychać pełne nienawiści zgrzytanie zębów!

[...] Kiedy płaczemy z bólu i rozpaczy, diabeł uśmiecha się do nas, potęgując naszą udrękę. Najgorszą karą jest jednak to, że nie mamy nadziei. Jesteśmy tu na zawsze!

[...] Diabeł mówi: „Mój drogi, twoja męka dopiero się zaczyna!

Paulo miał wrażenie, że jest w piekle – o wiele straszniejszym od wizji ojca Ruffiera, stokroć gorszym od tego, jakie sobie wyobrażał. Stracił rachubę czasu, nie wiedział, jak długo trwa w tym stanie. Dwie, trzy godziny? Gisy wciąż nie było. Może coś się jej stało? Żeby czymś się zająć, policzył wszystkie książki, wszystkie płyty, obrazy, noże, łyżki, widelce, talerze, skarpetki, majtki... Kiedy skończył, zaczął od nowa – książki, płyty... Gisa zastała go pochylonego nad zlewem, trzymającego w rękach sztućce. Była tak samo przerażona jak Paulo, cała drżała, szczękała zębami. Zapytała, co się dzieje. A kiedy Paulo odparł, że nie wie, zdenerwowana krzyknęła:

– Jak to? Przecież ty wszystko wiesz!

Uklękli i objęli się, szlochając. Gisa łkając powtarzała, że boi się śmierci. W głowie Paula znów pojawiły się wspomnienia ze szkoły św. Ignacego. „Boisz się umrzeć?!", wrzeszczał ojciec Ruffier przed całą klasą. „Ty się boisz umrzeć, a mnie jest wstyd, że jesteś takim tchórzem!". Gisie też było wstyd – że widzi w takim stanie mężczyznę, który dzień wcześniej wszystko wiedział i był twardzielem gotowym zmierzyć się z satanistami z OTO. Ale teraz Paula nie obchodziły opinie jezuity, Gisy ani rodziców. Najbardziej bał się śmierci i spotkania z Szatanem.

Zebrał się na odwagę i szepnął Gisie do ucha:

– Chodźmy do kościoła! Musimy jak najszybciej znaleźć kościół!

– Do kościoła? Czego mamy szukać w kościele? – Lewicowa działaczka spojrzała na narzeczonego z niedowierzaniem.

Boga. Chciał iść do kościoła, by błagać o przebaczenie, bo zwątpił w Jego istnienie. Chciał prosić, by uwolnił go od cierpienia.

Zaciągnął Gisę do łazienki i odkręcił prysznic. Stanęli w kabinie pod strumieniem zimnej wody. Ostry zapach i mgła nie ustępowały, a wokół nadal słychać było trzaski. Paulo zaczął się na głos modlić, przypominając sobie wszystkie znane modlitwy: „Zdrowaś Mario", „Ojcze nasz", „Pod Twą obronę", „Wierzę w Boga". Po chwili dołączyła do niego Gisa. Nie pamiętali, jak długo się modlili, ale kiedy Paulo zakręcał wodę, mieli sine z zimna ręce. Paulo pobiegł do pokoju i wziął z półki Biblię. Wrócił pod prysznic, znów odkręcił wodę i na głos zaczął czytać wybrany na chybił trafił fragment Pisma Świętego. Była to Ewangelia według Świętego Marka, rozdział dziewiąty, wers 24. Stojąc pod prysznicem powtarzali ten fragment jak mantrę.

Wierzę, zaradź memu niedowiarstwu!
Wierzę, zaradź memu niedowiarstwu!
Wierzę, zaradź memu niedowiarstwu!

Te cztery błagalne słowa wypowiedzieli setki razy. Paulo wyparł się wszelkich kontaktów z OTO, Crowleyem i demonami, które opanowały jego mieszkanie w ów sobotni poranek. Zapadał już zmierzch, kiedy wszystko się uspokoiło. Paulo czuł się jak strzęp człowieka, fizycznie i psychicznie.

Oboje byli tak przerażeni, że nie mieli odwagi nocować u siebie. Meble, książki i wszystko inne znajdowały się tam gdzie zwykle, jak gdyby nic się nie stało, ale woleli nie ryzykować i pojechali do rodziców Paula. Od początku znajomości z Paulem Gisa była serdecznie przyjmowana w domu państwa Coelho, szczególnie przez Lygię. Dla inżyniera Pedry Gisa była zbyt radykalna. Podczas niedzielnych obiadów w Gávei przy jednym stole zasiadali rodzice, wujowie, ciotki i dziadkowie Paula. Gisa wiedziała, że ma do czynienia z zagorzałymi zwolennikami Salazara, Franco i brazylijskiej dyktatury, ale odważnie broniła swoich ideałów. Prawdopodobnie w tym okresie nie działała już tak aktywnie w ruchu studenckim, ale poglądów nie zmieniła. Pierwszy mąż Sônii Marii, siostry Paula, wspomina, że Gisa czerpała wielką przyjemność z prowokowania szacownego grona.

Kiedy w poniedziałek rano opuszczali dom Coelhów, Lygia zaprosiła ich na kolację, którą wydawała na cześć swojej siostry Heloizy, „cioci Helói". Paulo nadal nie miał prawa jazdy, więc do mieszkania przy ulicy Voluntários da Pátria wrócili taksówką. Zniknął okropny zapach, nie było rozbitego szkła ani niczego, co przypominałoby o wydarzeniach sprzed dwóch dni, co bez wahania można było nazwać wojną Dobra ze Złem. Paulo otworzył szafę, żeby przebrać się po kąpieli. Uznał, że nie będzie już niewolnikiem dawnych przesądów i po raz pierwszy wyjął lnianą, niebieską koszulę z krótkim rękawem oraz kieszonkami stebnowanymi kolorową nitką – prezent od matki sprzed trzech lat. Niechęć do koszuli brała się stąd, że Lygia kupiła ją w Asunción, stolicy Paragwaju, które od czasu aresztowania w Ponta Grossa źle się Paulowi kojarzyło. Wkładając ją, chciał sobie udowodnić, że uwolnił się od ezoteryki i przesądów. O drugiej po południu zjadł obiad z Gisą i poszedł do Raula, z którym miał się udać na przesłuchanie.

W drodze z Jardim de Alah, gdzie mieszkał Raul, do siedziby służb bezpieczeństwa pół godziny stali w korku. Żywo dyskutowali o czekającej ich promocji albumu *Gita*. Rok wcześniej, z okazji ukazania się *Krig-Ha, Bandolo!*, zorganizowali „muzyczną paradę" w handlowej części starego Rio. Pomysł Paula okazał się wtedy strzałem w dziesiątkę: muzykom poświęcono kilka minut na antenie telewizji, stali się też bohaterami kilku reportaży w gazetach i kolorowych czasopismach. Promując *Gitę*, planowali zrobić coś na większą skalę. Spokój, z jakim jechali na przesłuchanie w czasach szalejącej dyktatury wojskowej, bez adwokata, bez przedstawiciela wytwórni, był całkowicie usprawiedliwiony. Jako znani artyści (przynajmniej Raul) nie mieli powodu do obaw. Poza epizodem Paula w Ponta Grossa w 1969 roku i potyczkami z cenzurą żaden nie mógł być posądzony o działalność wywrotową. Reżim już dawno zlikwidował działające na terenie kraju grupy rebeliantów. Sześć miesięcy wcześniej, pod koniec 1973 roku, armia zmasakrowała ostatnie oddziały partyzanckie Araguaia na południu stanu Pará. Zginęło wówczas 69 partyzantów związanych z Komunistyczną Partią Brazylii. Po rozgromieniu zbrojnej opozycji aparat represji powoli przestawał działać. Nadal wprawdzie popełniano okrutne zbrodnie, ale w maju 1974 roku nie było już żadnych przesłanek, by bać się wizyty w siedzibie Wydziału do Spraw Porządku Politycznego. Władze wiedziały, że oskarżenia o tortury i zabijanie więźniów obracają się przeciw służbom bezpieczeństwa, wojskom lądowym, marynarce i lotnictwu.

Gdy wysiedli przed stuletnim, trzypiętrowym budynkiem przy ulicy da Relação, dwie przecznice od siedziby wytwórni Philips, była trzecia po południu 27 maja. Paulo usiadł na ławce w korytarzu i otworzył gazetę. Raul okazał strażnikowi w okienku dokumenty i poszedł na spotkanie. Wyszedł pół godziny później, ale zamiast podejść do Paula, skierował się do budki telefonicznej przy wejściu. Udał, że wykręca jakiś numer i zaczął nucić po angielsku: *My dear partner, the men want to talk with you, not with me...* [Drogi kolego, oni chcą rozmawiać z tobą, a nie ze mną...].

Paulo nie zrozumiał ostrzeżenia. Bębniąc palcami w obudowę telefonu, Raul powtarzał jak refren te same słowa:

They want to talk with you, not with me...
They want to talk with you, not with me...

Do Paula wciąż nie docierało. Wstał z ławki i szykując się do wyjścia spytał z uśmiechem:

– Co to za żarty? Komponujesz nowy przebój?

Kiedy chciał podejść do przyjaciela, funkcjonariusz zagrodził mu drogę.

– Pan tu zostanie. Musi pan złożyć zeznania.

Przerażony Paulo zdołał jedynie powiedzieć do Raula:

Muzyczny korowód Paula i Raula na ulicach Rio.

– Zadzwoń do mojego ojca!

I po chwili zniknął za drzwiami. Poprowadzono go przez labirynt słabo oświetlonych korytarzy na wewnętrzny dziedziniec otoczony galeriami, gdzie znajdowały się zakratowane cele. Wydobywał się z nich odór moczu połączony z ostrym zapachem środków dezynfekujących. Większość pomieszczeń zdawała się pusta. Prowadzący go funkcjonariusz zatrzymał się przed jedną z cel, wepchnął go do środka i zaryglował drzwi. W środku było dwóch młodych mężczyzn. Paulo bez słowa usiadł na podłodze i zapalił papierosa. W panice zaczął się zastanawiać, co mogło być przyczyną aresztowania. Z ponurych myśli wyrwał go jeden z chłopaków, który nagle zapytał:

– Czy pan nazywa się Paulo Coelho?

– Tak, to ja, a bo co? – odparł nerwowo, coraz bardziej wystraszony.

– Jesteśmy Dziećmi Boga. Ja jestem mężem Tality, którą poznał pan w Amsterdamie.

Rzeczywiście, Paulo przypomniał sobie, że w Holandii zaczepiła go kiedyś jakaś Brazylijka, bo na jego dżinsowej kurtce zobaczyła wyszytą brazylijską flagę. Dwaj mężczyźni też nie wiedzieli, dlaczego ich zamknięto. Należeli do powstałej w Kalifornii sekty Dzieci Boga, która miała w Brazylii wielu zwolenników. Na jej adeptach ciążyło wiele zarzutów, między innymi o wykorzystywanie dzieci do praktyk seksualnych oraz o związki kazirodcze. Obecność tych trzech młodych ludzi w celi Wydziału do Spraw Porządku Politycznego świadczyła, że czas represji w Brazylii nie minął. Przerażająca i okrutna machina, uruchomiona przez dyktaturę do zwalczania opozycji, teraz obróciła się przeciw hipisom, narkomanom i członkom podejrzanych sekt. Dopiero około szóstej po południu zjawił się człowiek w cywilu, z pistoletem przytroczonym do paska spodni. Trzymał w ręku papierową teczkę.

Otworzył drzwi i zapytał:

– Który to Paulo Coelho de Souza?

Paulo wstał. Zaprowadzono go do pokoju na drugim piętrze, w którym stały dwa krzesła i stół. Policjant usiadł za stołem, Paulowi kazał zająć krzesło naprzeciwko. Wyjął z teczki małą, czterostronicową broszurkę dołączaną do każdego egzemplarza płyty *Krig-Ha, Bandolo!*. Zaczął się surrealistyczny dialog.

– Co to za gówno?

– Książeczka dołączona do płyty, którą nagrałem z Raulem Seixasem.

– Co znaczy *Krig-Ha, Bandolo!*?

– Uważaj na wroga!

– Na wroga? Jakiego wroga? Chodzi o rząd? Co to za język?

– Ależ skąd! To nie ma nic wspólnego z rządem. Wrogowie to afrykańskie lwy, a tego języka używano w królestwie Pal-ul-don.

Mężczyzna był przekonany, że długowłosy hipis stroi sobie z niego żarty. Przepytał go szczegółowo z historii Tarzana i innych filmowych bohaterów fikcyjnego królestwa afrykańskiego Pal-ul-don. Policjantowi te informacje nie wystarczały.

– Kto to zrobił? – spytał, wskazując na broszurkę.

– Ja i moja dziewczyna. Jest architektem i rysuje komiksy.

– Nazwisko? Chcę ją przesłuchać. Gdzie jest teraz?

Paulo przeraził się, że wciągnie Gisę w ten koszmar. Jednak wiedział, że nie warto kłamać, tym bardziej, że oboje byli niewinni. Spojrzał na zegarek. Dochodziła dwudziesta.

– Nazywa się Adalgisa Rios. Dziś zaprosili nas na kolację moi rodzice. Pewnie jest u nich w domu.

– Jedziemy do dziewczyny! – rzucił policjant, zebrał ze stołu papiery, wziął papierosy i zapalniczkę, po czym kazał przerażonemu Paulowi pójść za nim.

Na widok czarno-białego policyjnego wozu z napisem „Urząd Bezpieczeństwa Rio de Janeiro" Paulo odetchnął z ulgą. Oznaczało to, że został oficjalnie aresztowany i – przynajmniej teoretycznie – był pod kuratelą państwa. Gorzej, gdyby dostał się do więzienia znajdującego się w gestii tajnych służb, które poruszały się po mieście cywilnymi samochodami z fałszywymi tablicami rejestracyjnymi, zatrzymywały ludzi bez nakazu, a często i bez wiedzy oficjalnych władz. Tajna policja była odpowiedzialna za większość przypadków tortur i 117 zaginionych więźniów politycznych.

Rodzice Paula z niedowierzaniem patrzyli, jak ich syn wychodzi z radiowozu pod eskortą czterech uzbrojonych mężczyzn. Powiedzieli, że Gisa jeszcze nie dojechała i zażądali wyjaśnień. Paulo próbował ich uspokoić, mówiąc, że chodzi o płytę *Krig-Ha, Bandolo!* i że niebawem wszystko się wyjaśni. Obiecał, że niedługo przyjdą z Gisą na kolację.

– Właśnie! Niedługo wrócą – potwierdził skwapliwie jeden z policjantów.

Paula zaprowadzono z powrotem do wozu i posadzono z tyłu, między dwoma uzbrojonymi policjantami. Przed nim również siedziało dwóch ludzi pod bronią. Samochód ruszył do centrum. Po drodze Paulo spytał, czy może zadzwonić z budki telefonicznej, żeby poinformować wytwórnię o problemach z płytą. Policjant się nie zgodził, ale zapewnił, że za kilka godzin Paulo i jego przyjaciółka będą wolni. Podstęp się nie udał. Paulo chciał zatelefonować do domu i poprosić Gisę, by wyrzuciła marihuanę, którą trzymał w salonie. Siedział przerażony, nie odzywając się do końca podróży. Samochód stanął przed ich domem, kierowca został na dole, a trzej funkcjonariusze wraz z Paulem weszli do budynku. Stłoczeni w małej windzie wjechali na czwarte piętro. Paulowi zdawało się, że wjazd trwa całą wieczność. W mieszkaniu zastali Gisę. Miała na sobie wzorzyste sari i właśnie gasiła światło, szykując się do wyjścia.

– Kochanie, ci panowie chcą wyjaśnić parę spraw związanych z moją płytą i książeczką, którą zrobiliśmy dla Philipsa.

Gisa, choć przerażona, nie dała po sobie niczego poznać.

– Oczywiście, jestem do państwa dyspozycji – odparła spokojnie. – Co panowie chcą wiedzieć?

Usłyszała w odpowiedzi, że przesłuchanie nie może się odbyć w mieszkaniu.

– Możemy spisać zeznania tylko w siedzibie wydziału – oznajmił jeden z policjantów. – Pojedziemy tam razem.

– Jesteśmy aresztowani? – spytała Gisa.

– Nie. Jesteście zatrzymani w celu złożenia zeznań – odparł grzecznie policjant. – Ale najpierw przeszukamy mieszkanie. Pani pozwoli...

Paulo poczuł, że serce zaczyna mu bić tak szybko, jakby zaraz miał dostać zawału. Na pewno znajdą marihuanę. Stał na środku pokoju, obejmując ramieniem Gisę i patrzył, jak policjanci przeszukują wszystkie zakamarki. Jeden z nich znalazł paczkę około stu książeczek do albumu *Krig-Ha*, drugi grzebał w szafkach i na półkach, trzeci – prawdopodobnie przełożony – szperał wśród książek i płyt na regale. Uwagę jego zwróciło chińskie naczynie z laki, wziął je do ręki i podniósł wieczko. Było po brzegi wypełnione marihuaną. Powąchał, zamknął pojemnik i odłożył na miejsce. Paulo zrozumiał, że sytuacja jest o wiele poważniejsza, niż mu się zdawało. Skoro policjanta nie interesuje pudełko pełne marihuany, oznacza to, że podejrzewają go o coś dużo gorszego. Wróciły wspomnienia z Ponta Grossa. Czy i tym razem pomylono go z terrorystą albo bandytą napadającym na bank?

Dopiero w siedzibie wydziału do Paula i Gisy dotarło, że tego wieczora nie zjedzą kolacji u państwa Coelhów. Rozdzielono ich przy wejściu, kazano przebrać się w żółte drelichy z wyszytym na piersiach napisem „Więzień". O świcie 28 maja zrobiono im fotografie i założono kartotekę. Na policyjnych fiszkach zostawili swoje odciski palców. Paulo otrzymał numer 13720, a Gisa 13721.

Zaczęły się wielogodzinne przesłuchania. Ile to trwało, trudno powiedzieć, bo razem z ubraniami zabrano im także zegarki. Przebywali w zamkniętych pomieszczeniach bez okien, co jeszcze bardziej pogarszało ich samopoczucie. Nie stosowano tortur, a przesłuchania wciąż krążyły wokół sprawy broszurki dołączonej do płyty *Krig-Ha* i znaczenia słów „społeczeństwo alternatywne". Przedtem jednak przez wiele godzin opowiadali funkcjonariuszom, co robili do dnia aresztowania, dzień po dniu. Takie szczegółowe przesłuchania w żargonie policyjnym nazywano „kapibarą". Kiedy Paulo zeznał, że w maju 1970 roku był z Verą Richter w Santiago de Chile, policjanci zaczęli wypytywać go o mieszkających tam Brazylijczyków, ale żadnych rewelacji się nie dowiedzieli, bo nie utrzymywał kontaktów z rodakami w Chile ani w żadnym innym kraju. W tym czasie Gisa próbowała przekonać śledczych, że tytuł płyty *Krig-Ha, Bandolo!* powstał podczas „burzy mózgów" w wytwórni, kiedy Paulo wszedł na stół i wydawał okrzyki Tarzana w królestwie Pal-ul-don.

Tymczasem rodzice Paula spędzili bezsenną noc, szalejąc z niepokoju. Lygia zadzwoniła do przyjaciółki, która była sekretarką gubernatora stanu Guanabara, do dziennikarza i przedsiębiorcy Antônia de Páduy Chagasa Freitasa. Dowiedziała się, że syn rze-

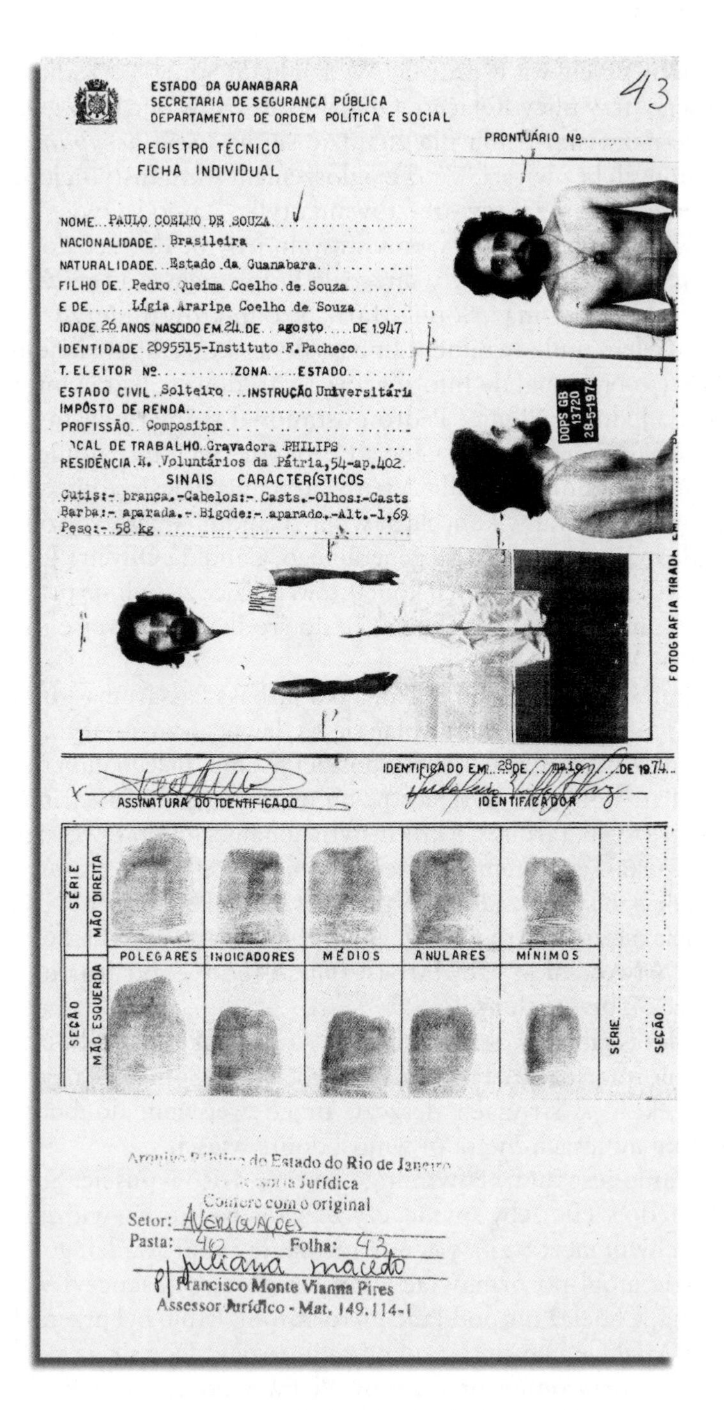

ESTADO DA GUANABARA
SECRETARIA DE SEGURANÇA PÚBLICA
DEPARTAMENTO DE ORDEM POLÍTICA E SOCIAL

43

PRONTUÁRIO Nº..........

REGISTRO TÉCNICO
FICHA INDIVIDUAL

NOME...PAULO COELHO DE SOUZA
NACIONALIDADE..Brasileira
NATURALIDADE..Estado da Guanabara
FILHO DE..Pedro Queima Coelho de Souza
E DE.....Lígia Araripe Coelho de Souza
IDADE 26 ANOS NASCIDO EM 24 DE agosto DE 1947
IDENTIDADE 2095515-Instituto F.Pacheco
T. ELEITOR Nº..........ZONA.....ESTADO........
ESTADO CIVIL..Solteiro...INSTRUÇÃO Universitári
IMPÔSTO DE RENDA..........
PROFISSÃO..Compositor
LOCAL DE TRABALHO..Gravadora PHILIPS
RESIDÊNCIA.R. Voluntários da Pátria,54-ap.402.

SINAIS CARACTERÍSTICOS

Cutis:- branca.-Cabelos:- Casts.-Olhos:-Casts
Barba:- aparada.-.Bigode:- aparado.-Alt.-1,69
Peso:-.58 kg

DOPS GB
13720
28-5-1974

FOTOGRAFIA TIRADA EM

PRESO

IDENTIFICADO EM 28 DE maio DE 1974

ASSINATURA DO IDENTIFICADO

IDENTIFICADOR

SÉRIE	MÃO DIREITA					
		POLEGARES	INDICADORES	MÉDIOS	ANULARES	MÍNIMOS
SEÇÃO	MÃO ESQUERDA					

SÉRIE..........
SEÇÃO..........

Arquivo Público do Estado do Rio de Janeiro
Assessoria Jurídica
Confere com o original
Setor: Averiguações
Pasta: 40 Folha: 43
juliana macedo
p/ Francisco Monte Vianna Pires
Assessor Jurídico - Mat. 149.114-1

Po aresztowaniu Paulo zakłada więzienny strój
i zostaje zaklasyfikowany jako „element wywrotowy".

czywiście przebywa w areszcie Wydziału do Spraw Porządku Politycznego przy ulicy Relação. Oficjalne aresztowanie było gwarancją, że nazwisko Paula nie znajdzie się na liście *desaparecidos*, zaginionych bez wieści. Wraz z ogłoszeniem Aktu Instytucjonalnego i zniesieniem zasady aresztowania tylko na podstawie nakazu sądowego, rodzinie ofiary pozostawało jedynie dotrzeć do wpływowych funkcjonariuszy w urzędzie bezpieczeństwa przez znajomości. Marcos, mąż Sônii Marii, skontaktował się ze swoim przyjacielem, pułkownikiem Imbassahym, który miał znajomości w Serviço Nacional de Informações [Narodowej Służbie Informacyjnej]. Jednak inżynier Pedro postanowił najpierw wstawić się za synem drogą oficjalną. Ciocia Helói poleciła mu znajomego adwokata, Antônia Cláudia Vieirę. Ten pięćdziesięciopięcioletni prawnik pracował w kancelarii wuja „Candinha", jak rodzina nazywała byłego prokuratora generalnego, Cândida Oliveirę Júniora. Po nawiązaniu niezbędnych kontaktów, rodzice zjawili się przed ponurym gmachem. Okazało się, że do środka może wejść jedynie mecenas Vieira.

– Jesteśmy znajomymi pułkownika Jarbasa Passarinha – inżynier Pedro próbował jeszcze powołać się na dawnego znajomego, a wtedy jedną z najbardziej znanych postaci reżimu, byłego gubernatora stanu Pará i ministra w trzech reżimowych rządach. Passarinho był jednym z sygnatariuszy Aktu Instytucjonalnego i po raz drugi wybrany został senatorem z ramienia wspierającej rząd partii Arena.

– Ale pan stoi przed Wydziałem Porządku Politycznego – na policjancie nie zrobiło to większego wrażenia – a tu ptaszki nie ćwierkają. Nawet takie jak Jarbas [*passarinho* – po portugalsku „ptaszek", przyp. tłum.].

Podczas gdy adwokat rozmawiał ze strażnikiem, próbując uzyskać informacje na temat Paula, Pedro, Lygia, Sônia i jej mąż Marcos czekali w strugach deszczu przed wejściem do budynku. Po kilku minutach Vieira przyniósł dobre wieści.

– Paulo jest tutaj. Powinni go jeszcze dziś wypuścić. Strażnik dzwoni do szefa, żeby spytać, czy zezwolą na krótkie widzenie.

Po chwili mężczyzna wezwał adwokata i zaprowadził go do sali, gdzie mógł porozmawiać z Paulem. Vieirę zaskoczył wygląd więźnia. Chociaż nie poddano go torturom, Paulo był przeraźliwie blady. Miał ciemne sińce pod oczami, rozlewające się aż po wąsy, wzrok nieprzytomny, przerażony. Vieira uspokoił go. Powiedział, że obiecano wypuścić go w ciągu kilku godzin. Potem adwokata wyproszono. Lygia chciała czekać na syna przed budynkiem, ale Vieira przekonał ją, że to nie ma sensu.

We wtorek około dziesiątej wieczór najsympatyczniejszy z policjantów, którzy zajmowali się Paulem, otworzył drzwi do celi i oddał mu ubranie oraz dokumenty. Oboje z Gisą byli wolni. Paulo szybko się przebrał. Na korytarzu czekała już Gisa. Funkcjonariusz zaprowadził ich do pobliskiej kawiarni. Tam usiedli we troje i wypalili papierosa. (Po wielu latach, kiedy Paulo był sławnym pisarzem, spotkał tego człowieka na ulicy w Mediolanie).

Paulo chciał jak najszybciej opuścić złowrogie miejsce. Wezwał taksówkę i wraz z Gisą udali się do rodziców. Kierowca jechał szeroką aleją Mem de Sá, potem skręcił w wysadzaną drzewami ulicę w nowoczesnej części Flamengo. Koło hotelu Glória taksówka skręciła. Nagle drogę zagrodziły im trzy lub cztery samochody, w tym dwa marki chevrolet veraneio, chętnie używanej przez tajną policję. Z wozów wyskoczyli ludzie w cywilnych ubraniach, otworzyli tylne drzwi żółtej taksówki i wywlekli ich na chodnik. Paula powalili na ziemię i skuli kajdankami. Kątem oka widział, jak Gisę wepchnięto do drugiego wozu, który odjechał z piskiem opon. Zanim na tylnym siedzeniu założyli mu na głowę czarny kaptur, ujrzał jeszcze pięknie oświetloną, elegancką fasadę hotelu Glória.

– Chcecie mnie zabić? – wyjąkał przerażony.

– Spokojnie! – odparł agent. – Nikt cię nie zabije. Chcemy cię tylko przesłuchać.

To go jednak nie uspokoiło. Trzęsąc się ze strachu, przełamał wstyd i zapytał:

– Mogę trzymać się twojej nogi?

Niespodziewana prośba rozbawiła mężczyznę.

– A trzymaj się, człowieku! I nie bój się, nikt cię nie zabije.

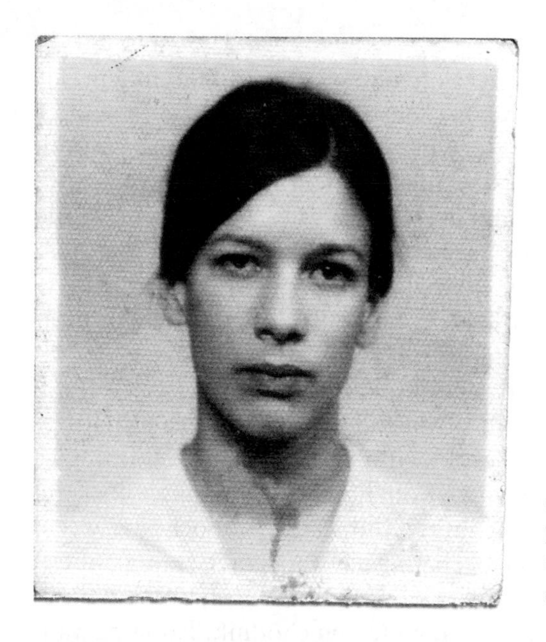

Gisa i jej ostatni list do Paula.
Przez własne tchórzostwo Paulo tra
Gisę, która odtąd we wspomnienia
staje się „kobietą bez imienia".

maio 74

Meu amor (hoje foi um lindo dia. Incrível!)

Está aqui a conta do material, você precisa comprar uma cesta de lixo para o banheiro, dobrar os panos de limpeza p/ a próxima semana e mandar consertar o vasamento dos canos. Deixe aquele vidro embaixo do aquecedor.

Acho que a empregada (o nome dela é Beth) é ótima. Veja como tudo está tão limpinho e gostoso.

Tenha juízo e procure não se expor a riscos inúteis.

Com muito amor e carinho Adalgisa.

P.S. (Como pode o sol e o céu serem tão lindos quando vai tempestade no meu coração?

17.

Paulo opuszcza więzienie z mocnym postanowieniem, by wiarą przezwyciężać strach, a miłością kruszyć nienawiść

Dopiero trzydzieści lat później, w demokratycznym już kraju, Paulo dowiedział się, że został porwany przez funkcjonariuszy z Ośrodka Operacyjnego Obrony Wewnętrznej (DOI-Codi). W tym czasie Pedro Queima Coelho czekał na syna w domu. Bał się, że więzienie może niekorzystnie wpłynąć na stan psychiczny Paula i chciał osobiście go przywitać. Spędził bezsenną noc przy telefonie, a o ósmej rano pojechał do wydziału śledczego, skąd poprzedniego wieczora wyszedł jego syn. Spytał strażnika o Paula.

– Razem z narzeczoną zostali wypuszczeni wczoraj o dziesiątej wieczór – usłyszał.

Inżynier Pedro patrzył na niego zdziwiony, niczego nie pojmując. Strażnik otworzył teczkę.

– To dowód zwolnienia pańskiego syna, a oto jego podpis – powiedział, wskazując na dokument z pieczątką. – Wypuściliśmy go. Jeśli nie pojawił się w domu, to znaczy, że przeszedł do opozycji – dodał z udawanym współczuciem.

Zaczął się koszmar, który dobrze znają rodziny większości opozycjonistów. O 22.00 Paulo i Gisa dołączyli do długiej listy *desaparecidos*. Oznaczało to, że cokolwiek im się stanie, rząd nie ponosi za to odpowiedzialności. Zostali wypuszczeni z więzienia cali i zdrowi, a przed wyjściem złożyli stosowne podpisy na oficjalnym dokumencie.

To, co zdarzyło się po porwaniu, do dziś owiane jest tajemnicą. W 2007 roku sześćdziesięcioletni pisarz wciąż miał w tej sprawie wiele pytań, na które nie uzyskał odpowiedzi. Dokumenty służb bezpieczeństwa potwierdzają, że 27 maja zatrzymano jedynie Paula i Gisę, zaś Raula wypuszczono do domu. Aresztowaną parę zidentyfikowano i przesłuchano rankiem 28 maja. Dokumenty wojskowe mówią natomiast, że po porwaniu przed hotelem Glória Paulo i Gisa zostali przewiezieni do koszar 1. Batalionu Żandarmerii Wojskowej przy ulicy Barão de Mesquita, w północnej części miasta, gdzie mieściła się filia Ośrodka Operacyjnego Codi. Nie ma żadnych informacji dotyczących okresu przetrzymywania porwanych. Członkowie ich rodzin twierdzą, że mogło to trwać „nawet kilkanaście dni". Jedno jest pewne, w piątek 31 czerwca Paulo był już w domu, gdyż pod tą datą zapisał w dzienniku pierwsze zdanie po uwolnieniu:

Jestem u rodziców. Boję się nawet pisać o tym, co mi się przytrafiło. Było to jedno z najgorszych doświadczeń w moim życiu. Po raz drugi zostałem bezprawnie aresztowany. Jednak wiem, że strach przezwyciężę wiarą, a nienawiść miłością. Ze zwątpienia zrodzi się odwaga.

W archiwach Brazylijskiej Agencji Wywiadowczej, którą powołano w miejsce Narodowej Służby Informacyjnej, odnalazł się zapis z przesłuchania Paula w areszcie Ośrodka Operacyjnego Codi, z dnia 14 czerwca o godzinie 23.00 i z 15 czerwca o godzinie 4.00. Sęk w tym, że Paulo zaprzecza, jakoby go tam przywieziono. Wątpliwości co do przesłuchań wyraża również mecenas Antônio Cláudio Vieira, który nigdy nie odwiedzał Paula w areszcie przy Barão de Mesquita i nie był w tej sprawie po raz drugi wzywany przez rodzinę poszkodowanego. Potwierdza to inżynier Pedro, Sônia Maria i jej były mąż Marcos, który był świadkiem niektórych z opisanych tu wydarzeń. Nasuwające się w pierwszej chwili przypuszczenie, że Paulo w śledztwie doniósł na przyjaciół lub obciążył kogoś swymi zeznaniami, również należy wykluczyć po lekturze stenogramu z przesłuchania, spisanego na papierze ze znakiem wodnym żandarmerii wojskowej. Ludzie z Codi, którzy tropili wrogów dyktatury, z pięciogodzinnego przesłuchania niewiele się dowiedzieli. Pierwsze cztery strony są powtórzeniem wcześniejszych zeznań Paula na temat tego, co robił przed zatrzymaniem i pokrywają się z zapisem śledztwa w siedzibie Wydziału Porządku Politycznego. Ten szczegółowy stenogram zawierał informacje dotyczące ukończonych szkół, pracy w teatrze, podróży, więzienia w stanie Paraná, pracy w „O Globo", kursu w Mato Grosso, pracy w redakcji „A Pomba" i współpracy z Raulem. Fragment dotyczący przystąpienia Paula i Raula do OTO okazał się dla funkcjonariuszy niezbyt zrozumiały, o czym świadczy często pojawiające się słówko „sic!", jakby chciano podkreślić niezwykłość wypowiedzi przesłuchiwanego.

W 1973 roku świadek oraz Raul Seixas doszli do wniosku, że „świat przeżywa okres wielkiej nudy" [sic!]. Zauważyli, że jeśli karierze piosenkarza nie towarzyszą działania promujące, szybko się ona kończy. Dlatego przesłuchiwany oraz Raul Seixas zdecydowali się „wykorzystać schyłek ruchu hipisowskiego i rodzące się w świecie zainteresowanie magią" [sic!]. Świadek zaczął czytać książki na temat społeczności ezoterycznej zwanej „OTO". Wraz z Raulem Seixasem postanowił stworzyć „Społeczeństwo Alternatywne" i oficjalnie je zarejestrować, by ich działalność nie została źle zinterpretowana [sic!]. Podczas pobytu w Brasílii świadek i Raul Seixas opowiedzieli przedstawicielom policji federalnej i cenzury o założeniach Społeczeństwa Alternatywnego. Twierdzili, że ich „intencją nie jest konfrontacja z rządem, ale rozbudzenie w młodych ludziach innych zainteresowań" [sic!].

Pytany o osoby związane z lewicą, Paulo przypomniał sobie dwie: człowieka z kręgów Paissandu, „którego wszyscy nazywali Filozofem", oraz byłego chłopaka Gisy, działacza ruchu studenckiego – nie pamiętał jego nazwiska, ale wydawało mu się, że zaczynało się na „H" lub „A". Wszyscy z jego otoczenia twierdzą zgodnie, że nie wrócił do aresztu Wydziału Porządku Politycznego, co jest zgodne z tym, co Paulo napisał w dzienniku, w którym nie ma żadnej wzmianki, by z 14 na 15 czerwca ponownie składał jakiekolwiek zeznania. Mało przekonująca jest również teza, że osoba spisująca zeznania pomyliła datę, ponieważ na każdej z siedmiu stron dokumentu widnieje ta sama – 14 czerwca. Jednak jest jeden szczegół, który mógłby świadczyć, że Paulo rzeczywiście był w więzieniu Codi. Dnia 27 maja, kilka godzin po pierwszym zatrzymaniu przez służby Wydziału Porządku Politycznego, zrobiono mu zdjęcie, na którym ma wąsy i bródkę. W rysopisie z dnia 14 czerwca jest „bez wąsów i brody".

Gisę po aresztowaniu przesłuchano dwa razy. Pierwsze przesłuchanie rozpoczęło się 29 maja o ósmej rano, a zakończyło o czwartej po południu. Drugie miało miejsce między ósmą a jedenastą rano następnego dnia, w czwartek. Oskarżono ją o przynależność do AP (Ação Popular) i Komunistycznej Partii Brazylii. Podobnie jak Paulo, Gisa niewiele wniosła do śledztwa. Choć przeszła przez kilka organizacji lewicowych, w ruchu studenckim zajmowała się działalnością na najniższym szczeblu.

Podczas pobytu Gisy i Paula w areszcie zdarzyło się coś, co ostatecznie zadecydowało o ich rozstaniu. Któregoś dnia Paulo w kapturze na głowie był prowadzony do łazienki. Przechodząc obok celi usłyszał płacz i wołanie:

– Paulo?! To ty?! Odezwij się!

To była Gisa, która prawdopodobnie też miała zasłonięte oczy i poznała go po głosie. Paulo przestraszył się, że wróci do „lodówki", karceru, gdzie niska temperatura w pełni usprawiedliwiała nadaną jej nazwę. Nie odpowiedział na wołanie.

– Paulo, kochany! Powiedz, że to ty! Powiedz, że tu jesteś! Tylko tyle! – błagała Gisa.

Cisza.

– Paulo, proszę! Powiedz im, że nie mam z tym nic wspólnego! – usłyszał znów jej łamiący się głos.

Po latach przyznał, że był to akt największego tchórzostwa w jego życiu. Nie odezwał się ani słowem. Któregoś popołudnia, prawdopodobnie w piątek 31 czerwca, w celi pojawił się strażnik z jego ubraniem. Kazał mu się przebrać i założyć na głowę kaptur. Wepchnięto go na tylne siedzenie samochodu, a po jakimś czasie wysadzono na skwerze w zamożnej dzielnicy Tijuca, dziesięć kilometrów od aresztu śledczego.

Przez pierwsze dni w domu rodziców Paulo żył w ciągłym strachu. Za każdym razem, gdy ktoś pukał do drzwi lub gdy dzwonił telefon, zamykał się w swoim pokoju na klucz. Bał się, że znów zgarnie go policja, żandarmeria lub tajne służby. Żeby uspokoić syna, inżynier Pedro musiał mu przysiąc, że nie pozwoli na kolejne aresztowanie, nawet gdyby to miało doprowadzić do tragedii.

– Jeśli pojawi się ktoś bez nakazu aresztowania, przywitam go ze strzelbą – zapewniał ojciec.

Minęły dwa tygodnie, zanim Paulo odważył się wyjść na ulicę. Zrobił to za dnia, by móc sprawdzić, czy nikt go nie śledzi. 13 czerwca 1974 roku w RFN rozpoczęły się mistrzostwa świata w piłce nożnej. Niemal wszyscy siedzieli przed telewizorami, śledząc poczynania reprezentacji Brazylii. Rio było zupełnie wymarłe. Paulo pojechał autobusem do Flamengo i po długich wahaniach wszedł do mieszkania, które dzielił z Gisą do pamiętnej soboty, kiedy – jak twierdził – spotkał Diabła. Mieszkanie było w stanie, w jakim zostawiła je policja. Paulo z ulgą wrócił do bezpiecznego domu rodziców. Zdążył na gwizdek sędziego kończący bezbramkowy mecz. Obiecał sobie, że nie będzie oglądał mistrzostw. Ta dobrowolna kara miała mu pomóc „jak najszybciej wrócić do normalności". Ostatecznie Brazylia zdobyła w rozgrywkach czwarte miejsce.

Najtrudniejszą sprawą okazało się odnalezienie Gisy. Od czasu feralnego wydarzenia na więziennym korytarzu nie miał od niej żadnych wieści. Jej szloch i wołanie: „Paulo, odezwij się!" wciąż brzmiały mu w uszach. Kiedy wreszcie dodzwonił się do jej dawnego mieszkania, dokąd wróciła po aresztowaniu, przypomniał sobie, że telefon może być na podsłuchu. Nie odważył się zapytać, czy była torturowana i kiedy ją wypuścili. Zaproponował spotkanie, żeby w spokoju porozmawiać o przyszłości, ale Gisa kategorycznie odmówiła.

– Nie chcę z tobą mieszkać, nie chcę z tobą rozmawiać i wolałabym, żebyś nigdy więcej nie wypowiadał mojego imienia.

Paulo był załamany. Rodzice wezwali na pomoc doktora Benjamima Gomesa, tego samego, który leczył go w klinice Dra Eirasa. Na szczęście tym razem psychiatra zastąpił elektrowstrząsy codzienną psychoanalizą. Początkowo spotykali się w domu rodziców. Za prywatne sesje lekarz zażyczył sobie niebagatelną kwotę 3 tysięcy cruzeiros (dziś około 2200 dolarów). Mania prześladowcza rozwinęła się u Paula do tego stopnia, że któregoś dnia zemdlał przed księgarnią przy Copacabanie. Z pomocą przyszli mu przechodnie. Był też bliski utraty przytomności, kiedy wytwórnia Philips przysłała mu do zatwierdzenia projekt okładki albumu *Gita*: na zdjęciu zobaczył Raula w berecie Che Guevary z czerwoną, pięcioramienną gwiazdą. Przerażony zadzwonił do Philipsa z ultimatum, że jeśli okładki nie zmienią, wycofa wszystkie piosenki swojego autorstwa. Na pytanie o powód decyzji, odpowiedział wolno, cedząc przez zęby każde słowo:

– Nie chcę trafić do więzienia, a przez to zdjęcie znów mnie zamkną. Naprawdę tego nie rozumiecie?

Po długich rozmowach zgodził się na Raula w berecie Che Guevary, pod warunkiem, że wytwórnia na piśmie weźmie na siebie pełną odpowiedzialność. Wszystkich pogodził grafik, który zasugerował wymazanie czerwonej gwiazdy. W ten sposób beret stał się zwyczajnym nakryciem głowy, bez komunistycznego podtekstu.

W stanie krańcowego wyczerpania Paulo znalazł się na kozetce u psychiatry. Podczas pierwszej sesji doktor Gomes uprzedził, że wprawdzie elektrowstrząsów nie będzie, ale sytuacja jest bardzo poważna.

– Kiedy Adalgisa błagała cię o pomoc, zachowałeś się jak najgorszy tchórz. Wystarczyło powiedzieć „tak, to ja", ale ty bałeś się o własną skórę i nie miałeś odwagi się odezwać.

Gisa przestała odbierać jego telefony, więc codziennie do niej pisał, błagając o przebaczenie. Prosił, by znów zamieszkali razem. Kilka razy zwierzał się jej z niepokojów, które przeżywał w czasie ich trzyletniej znajomości.

Nie rozumiałem, dlaczego przeprowadzając się do mnie, zabrałaś tylko najpotrzebniejsze ubrania i uparłaś się, by nadal wynajmować drugie mieszkanie. Kiedy mówiłem, że nie chcę płacić za puste mieszkanie, ty nie chciałaś mnie słuchać. Czułem się zagrożony, bo oznaczało to, że w każdej chwili możesz wyrwać się z moich objęć i odejść.

Choć jego listy pozostawały bez odpowiedzi, Paulo nie przestawał pisać. Któregoś dnia zakłopotany ojciec wziął go na stronę.

– Synu, Gisa dzwoniła do biura i prosiła, żebyś więcej do niej nie pisał – powiedział, kładąc mu rękę na ramieniu.

Paulo zignorował prośbę i dalej słał do niej listy.

Ojciec powiedział mi, że nie chcesz mnie więcej widzieć. Podobno pracujesz. To dobrze. Z jednej strony się ucieszyłem, z drugiej było mi straszliwie smutno. Słyszałem w radiu Gitę. *Ciekawe, czy ta piosenka przypomina ci o mnie. To chyba najpiękniejszy utwór, jaki napisałem. Tam jest wszystko, co czuję. Teraz nie czytam, nie piszę i nie mam już przyjaciół.*

Stwierdzenie, że opuścili go przyjaciele, było mocno przesadzone. Paulo uważał, że nie chcą się z nim widywać, bo boją się kontaktów z byłym więźniem tajnych służb. Trudno dziś dociec, jak było naprawdę. Podobno poza Raulem pomocną dłoń wyciągnęły do niego tylko dwie osoby: dziennikarka Hildegard Angel i Roberto Menescal, jeden z ojców bossa novy i ówczesny szef wytwórni Polygram, która razem z Phonogramem, Polydorem i Elenco należała do brazylijskiej filii międzynarodowego koncernu Philips. Jej największym konkurentem na rynku brazylijskim była CBS, finansowana przez amerykańską wytwórnię Columbia. Hilde była znajomą Paula i pozostała nią pomimo bolesnych doświadczeń. Miała powody, by unikać jakichkolwiek kontaktów z dyktaturą. Trzy lata wcześniej jej młodszy brat, Stuart Angel, członek partyzanckiego ugrupowania MR-8, został w bestialski sposób zamordowany na terenie koszar wojsk lotniczych. Przywiązano go do jadącego jeepa, a usta przytknięto do rury wydechowej, powodując śmierć przez uduszenie. Kilka miesięcy wcześniej, pod koniec 1973 roku, jego żonę, Sônię Moraes Angel, działaczkę ALN (Akcji Narodowowyzwoleńczej) zakatowano w areszcie śledczym Ośrodka Operacyjnego Codi w São Paulo. Jak gdyby tego było mało, w 1976 roku matka Hilde i Stuarta, projektantka Zuzu Angel, zginęła w wypadku samochodowym, który miał wszelkie znamiona zamachu. Historię przeniesiono zresztą w 2006 roku na ekran, a film w reżyserii Sérgio Rezende nosił tytuł *Zuzu Angel*.

Hilde namówiła Paula, by wrócił do życia publicznego. Zaprosiła go na dyskusję na temat „Kobieta a sposoby komunikacji", w której brała udział wraz z feministką Rose Marie Muraro. Spotkanie odbyło się w Muzeum Narodowym Sztuk Pięknych. Paulo umarłby ze strachu, gdyby wiedział, że wśród publiczności był tajny agent, Deuteronômio Rocha dos Santos, który po powrocie ze służby sporządził notatkę dla Sekcji do Zadań Specjalnych w Wydziale Porządku Politycznego. Nie omieszkał w niej wspomnieć, że „obecny był dziennikarz i pisarz Paulo Coelho, bliski znajomy Hildegard Angel".

Paulo ostatecznie odzyskał siły, otrząsnął się po trudnych przeżyciach i opanował strach przed porwaniem. Wtedy postanowił skontaktować się z OTO i porozmawiać z Fratrem Zaratustrą, a to z dwóch powodów. Po pierwsze, chciał zrozumieć, co wydarzyło się w jego mieszkaniu w feralną sobotę. Po drugie, zamierzał defi-

Obok Paula Hildegard Angel, jedna z niewielu osób, które pomogły mu po porwaniu i wyjściu z więzienia.

nitywnie zerwać z sektą. Ze strachu przed Diabłem poprosił Euclydesa Zaratustrę, by spotkanie odbyło się za dnia w domu państwa Coelho, w obecności Roberta Menescala. Ostrożność Paula okazała się uzasadniona: o umówionej godzinie w drzwiach stanął Parsifal XI we własnej osobie, samozwańczy przywódca sekty, ponury, gburowaty Marcelo Ramos Motta. Paulo od razu przeszedł do sedna sprawy. Opowiedział, co wydarzyło się w jego mieszkaniu oraz streścił przebieg obu aresztowań.

– Chciałbym wiedzieć, co się stało w sobotę u mnie i potem w ciągu następnych dni – zakończył.

Parsifal XI rzucił mu pogardliwe spojrzenie.

– Wiesz, że u nas rację ma zawsze silniejszy. Przecież cię tego uczyłem. Tam, gdzie obowiązuje prawo pięści, wygrywa ten, kto zadaje cios. Kto tego nie potrafi, musi tańczyć, jak mu zagrają. To proste, okazałeś słabość i musiałeś tańczyć.

Menescal, który przysłuchiwał się rozmowie, zdenerwował się i zagroził, że pobije gościa. Straty w zbiorach porcelany i kryształów państwa Coelho mogłyby okazać się znaczne, gdyż autor *Łódeczki* praktykował aikido, a uczeń Crowleya miał czarny pas jujitsu. Paulo powstrzymał przyjaciela i po raz pierwszy w życiu zwrócił się do swego mistrza po imieniu.

– Powiedz mi, Marcelo, czy naprawdę tylko o to chodzi w OTO? W sobotę w moim domu pojawia się Diabeł, w poniedziałek idę do więzienia, a we środę mnie porywają? Jeśli to ma być OTO, to ja dziękuję!

Zamykając za Mottą drzwi, poczuł, że kamień spadł mu z serca. Napisał na maszynie dokument, który miał świadczyć o jego definitywnym zerwaniu z tajemniczą organizacją Ordo Templi Orientis. Dramatyczna podróż Paula do królestwa ciemności trwała niecałe dwa miesiące.

Rio de Janeiro, 6 lipca 1974 roku

Ja, Paulo Coelho de Souza, podpisałem akt członkostwa jako Probant w roku LXX, dnia 19 maja, gdy słońce znajdowało się w znaku Byka, w roku 1974 ery vulgaris. Proszę o zwolnienie mnie z członkostwa w Zakonie, gdyż nie jestem w stanie sprostać zadaniom, jakie mi wyznaczono.

Oświadczam, że w chwili podejmowania tej decyzji jestem w pełni władz umysłowych i fizycznych.

93 93/93

Zaświadczam własnoręcznym podpisem,

Paulo Coelho

Wprawdzie pisząc oświadczenie zrywał wszelkie konszachty z Diabłem, ale wciąż się bał. Czuł się bezpiecznie jedynie w domu z rodzicami, przy drzwiach zamkniętych na wszystkie spusty. Wtedy narodził się pomysł, by Paulo wyjechał z Brazylii do czasu odzyskania równowagi psychicznej. Gisa odeszła, w kraju nic go nie trzymało. Sprzedaż *Gity* przeszła wszelkie oczekiwania i na jego konto wciąż wpływały pieniądze.

Spotkanie z Raulem zapoczątkowało nowy okres w życiu Paula i doprowadziło do przełomowego momentu, jakim było wydanie pierwszej książki. Co prawda nie była to wielka literatura, o jakiej marzył, ale nareszcie prawdziwa książka. Pod koniec 1973 roku wydawnictwo Forense, specjalizujące się w podręcznikach szkolnych, wydało jego *Teatr w edukacji*, gdzie rozwinął treść projektu realizowanego w szkołach państwowych w Mato Grosso. Jednak nawet pełen pochwał artykuł Gisy zamieszczony w „Tribunie" nie zwiększył na nią popytu. Z nakładu liczącego 3000 egzemplarzy udało się sprzedać jedynie 500. Że ze sprzedażą łatwo nie pójdzie, było do przewidzenia. Mimo to Paulo postanowił uczcić sam fakt ukazania się jego pierwszej książki. W dniu, kiedy jego dzieło trafiło do księgarń, wyjął z szafki butelkę benedyktyna, którą dostał na swoje piętnaste urodziny i obiecał sobie otworzyć z okazji opublikowania pierwszej książki. Kiedy Gisa przyszła do domu, na stole stały dwa kieliszki i butelka. Ani niepowodzenie pierwszej książki, ani kariera i pieniądze nie były w stanie odwieść Paula od tego, co sam nazywał swoją obsesją – zostania sławnym pisarzem.

Nawet kiedy zyskał rozgłos jako autor tekstów piosenek, w chwilach samotności z całą siłą powracało to jedno marzenie. Już pobieżna lektura jego dzienników pokazuje, że mimo sukcesu i uznania, nie zmienił swych planów. Zamierzał zostać pisarzem „znanym i cenionym na całym świecie". Rozpaczał, że w jego wieku Beatlesi „rządzili światem", ale „mimo całego marazmu" nie tracił nadziei, że zrealizuje swój sen. „Jestem jak wojownik, który czeka, aż wybije jego godzina i będzie mógł wejść na scenę", napisał. „Moim przeznaczeniem jest zwycięstwo, a talentem wola walki".

Raul bardzo przeżył uwięzienie przyjaciela, nie trzeba więc było długo go namawiać na wspólną podróż. Od chwili podjęcia decyzji o wyjeździe do opuszczenia Brazylii minęło zaledwie dziesięć dni. Paulo musiał jednak stawić się w siedzibie Wydziału Porządku Politycznego, by odebrać wizę zezwalającą na opuszczenie kraju – dyktatura wprowadziła ten obowiązek dla każdego obywatela, który chciał wyjechać za granicę. W dniu odebrania dokumentu

Paulo ze zdenerwowania dostał ataku astmy. 14 lipca 1974 roku, sześć tygodni po uprowadzeniu Paula, przyjaciele polecieli do Nowego Jorku, nie określając daty powrotu.

Każdy zabrał ze sobą nową dziewczynę. Raul, teraz w separacji z żoną Edith, matką jego córki Simone, związał się z inną Amerykanką, Glorią Vaquer, siostrą perkusisty Jaya Vaquera. Po odejściu Gisy Paulo zaczął spotykać się z piękną Marią do Rosário do Nascimento e Silva, dwudziestotrzyletnią, długonogą brunetką. Była aktorką, pisała scenariusze i zajmowała się

U GÓRY: Paulo i Rosário w restauracji.

PONIŻEJ: w Nowym Jorku para świętuje rezygnację Nixona z urzędu. Tego dnia, 8 sierpnia 1974 roku, Paulo po raz ostatni bierze kokainę.

produkcją filmową. Przede wszystkim jednak była córką prawnika z Minas Gerais, Luiza Gonzagi do Nascimento e Silva. Kilka tygodni przed ich podróżą prezydent republiki, generał Ernesto Geisel, mianował Silvę ministrem polityki społecznej. Mimo kariery politycznej ojca Rosário była działaczką lewicy i ukrywała prześladowanych przez reżim opozycjonistów. Była też więziona za film dokumentalny, w którym przeprowadzała wywiady z robotnikami na głównym dworcu kolejowym w Rio. Paula poznała przez dziennikarkę Hildegard Angel. Była świeżo po trzyletnim, burzliwym małżeństwie z Walterem Clarkiem, dyrektorem stacji telewizyjnej Rede Globo.

Cała czwórka dysponowała środkami, które pozwalały im zatrzymać się czy to w luksusowym Hotelu Plaza z widokiem na Central Park, czy to w cichym Algonquin, ulubionym hotelu gwiazd odwiedzających Nowy Jork. Jednak w latach 70. wypadało bywać przede wszystkim w miejscach, które budziły skrajne emocje. Dlatego Paulo, Rosário, Raul i Gloria zapukali do drzwi hotelu Marlton, a właściwie do krat zabezpieczających jego wejście przed atakami gangów z Greenwich Village. Hotel wybudowany w 1900 roku słynął z tego, że zbierało się tam podejrzane towarzystwo: alfonsi, prostytutki, handlarze narkotyków. Przyciągał też artystów filmowych, muzyków jazzowych i bitników. Większość ze 114 pokoi nie miała łazienek. Trzeba było korzystać z toalet na korytarzu. Mimo to przez hotel przewinęła się cała plejada sław: aktorzy John Barrymore, Geraldine Page i Claire Bloom, piosenkarze Harry Belafonte, Carmen McRea i Miriam Makeba, a także pisarz bitnik Jack Kerouac. W czerwcu 1968 roku w Marltonie zatrzymała się feministka Valerie Solanas. To właśnie z tego hotelu wyszła z rewolwerem w ręku z zamiarem zabicia artysty Andy'ego Warhola. Apartament Raula i Glorii składał się z salonu, sypialni i łazienki, a miesięczny pobyt kosztował wtedy 300 dolarów. Apartament Paula i Rosário, za 200 dolarów, miał tylko sypialnię i łazienkę. Żaden nie miał lodówki, dlatego coca-colę i whisky pili ciepłe. Alkohol popijali w przerwach, kiedy nie palili marihuany i nie wciągali kokainy, co było głównym zajęciem wesołej czwórki.

8 sierpnia 1974 roku oczy całego świata zwrócone były na Stany Zjednoczone. Po dwóch latach podsłuchiwania opozycji przez rząd wybuchł skandal, znany jako afera Watergate, a republikański gabinet Richarda Nixona znalazł się pod pręgierzem opinii publicznej. W Waszyngtonie zapadały poważne decyzje, ale to w Nowym Jorku biło serce Ameryki. Panował nastrój oczekiwa-

nia. W każdej chwili spodziewano się impeachmentu lub dymisji prezydenta. Po nocy spędzonej w modnej dyskotece Paulo i Rosário obudzili się o trzeciej po południu i poszli na obfite śniadanie do Childa, baru oddalonego o jedną przecznicę od hotelu. Po powrocie do apartamentu wzięli kilka działek kokainy i nim się spostrzegli, było już ciemno. Ze stojącego obok łóżka radia dobiegł głos spikera, który informował, że niebawem stacje radiowe i telewizyjne będą transmitować przemówienie prezydenta Nixona. Paulo podskoczył na łóżku.

– Rosário, wychodzimy! Będziemy na gorąco nagrywać rozmowy z ludźmi po ustąpieniu Nixona.

Narzucił dżinsową kurtkę, włożył kowbojskie buty, wziął magnetofon wielkości książki telefonicznej, wypchał kieszenie kasetami i zawiesił na szyi aparat fotograficzny.

– Szybko! – podekscytowany popędzał przyjaciółkę. – Nie możemy przegapić takiej okazji! To lepsze od finału mistrzostw świata w piłce nożnej!

Na ulicy włączył magnetofon i zaczął opisywać, co widzi, zupełnie jakby to była transmisja radiowa.

PAULO: *Mamy 8 sierpnia 1974 roku. Jestem na Ósmej Alei. Idę w kierunku restauracji Shakespeare. Za pięć minut prezydent Stanów Zjednoczonych poda się do dymisji. Jesteśmy na miejscu. Wchodzimy do restauracji. Telewizor jest włączony. Prezydent jeszcze nie złożył rezygnacji. Co mówisz?*

ROSÁRIO: *Mówię, że Amerykanie wcale nie są chłodnym narodem, wręcz przeciwnie!*

PAULO: *To jest jak transmisja meczu piłki nożnej. Telewizor jest włączony, chociaż przemówienie jeszcze się nie zaczęło. Ulice są pełne ludzi.*

ROSÁRIO: *Słyszysz, jak krzyczą?*

PAULO: *Słyszę!*

W zatłoczonej restauracji znaleźli miejsce blisko włączonego na cały regulator, wiszącego pod sufitem telewizora. Na ekranie pojawił się Nixon z chmurną miną, w granatowym garniturze i czerwonym krawacie. Nixon zaczyna czytać z kartki przemówienie, na sali zalega cisza. Nixon rezygnuje z najważniejszego stanowiska na świecie. Na sali nikt się nie odzywa, panuje kompletna cisza. Przez piętnaście minut prezydent wyjaśnia powody podjęcia dramatycznej decyzji. W zakończeniu pobrzmiewa melancholijna nuta:

Pełnić służbę na tym stanowisku to odczuwać silną więź z każdym bez wyjątku Amerykaninem. Opuszczając to miejsce pozostawiam modlitwę: Niech Opatrzność Boska nad wami czuwa po wsze czasy.

Po przemówieniu Paulo wyskoczył na ulicę, a za nim Maria Rosário. Szedł z mikrofonem przy ustach, niczym spiker radiowy.

PAULO: *O kurwa! Rosário, to robi wrażenie! Mam nadzieję, że jeśli kiedyś zrezygnuję ze stanowiska, to też będzie taka feta! Nixon ogłosił rezygnację, a na rogu ulicy tańczy jakiś facet!*

ROSÁRIO: *Tańczy i gra na banjo. Słowo daję, kraj wariatów!*

PAULO: *Trudno opisać, co czuję. Wciąż idziemy Ósmą Aleją.*

ROSÁRIO: *Ludzie wyglądają na szczęśliwych! To fan-ta-stycz-ne!*

PAULO: *Zachowują się jak pijani. Naprawdę! W telewizji pokazują dziennikarzy, którzy rozmawiają z przechodniami na ulicy. To historyczna chwila.*

ROSÁRIO: *Jakaś kobieta płacze... i dziewczynka. Widać, że wzruszona.*

PAULO: *To wszystko jest szalone, naprawdę szalone!*

Pełni wrażeń wrócili do hotelu. Rosário wysiadła z windy na trzecim piętrze, gdzie był ich pokój, a Paulo pojechał na siódme do apartamentu Raula. Chciał mu dać nagranie ze spaceru po Nowym Jorku. Otworzył drzwi bez pukania, tak jak się umówili. Zobaczył Raula śpiącego na kanapie z otwartymi ustami, na nocnej szafce przygotowaną działkę kokainy, do połowy opróżnioną butelkę whisky i pieniądze – około 5000 dolarów w banknotach studolarowych. Z ulicy kipiącej radością, gdzie na jego oczach tworzyła się historia, Paulo wszedł do pokoju, w którym zobaczył nieprzytomnego przyjaciela, odurzonego narkotykami i alkoholem. Poczuł się tak, jakby ktoś dał mu w twarz. Przeraził go stan Seixasa, choć sam wciągnął go w ten nałóg. Nagle zrozumiał, że kokaina zrobiła z nim to samo. Nikomu tego nie powiedział, ani nie napisał o tym w dzienniku, ale czuł, że zaczyna się uzależniać. Przerażony wrócił do swego pokoju. Wnętrze oświetlało wpadające z ulicy delikatne, niebieskie światło. Na łóżku leżała naga Rosário. Spała. Paulo usiadł przybity obok i pogładził ją po plecach.

– Dla mnie to też historyczny dzień – wyszeptał. – 8 sierpnia 1974 roku kończę z kokainą.

Affonso de La Rocque Mac Dowell
Patricia Fait Mac Dowell
Pedro Queima Coelho de Souza
Lygia Araripe Coelho de Souza

convidam para a cerimônia religiosa
do casamento de seus filhos

Cecilia

e

Paulo

a realizar-se às dezenove horas do dia
dois de julho de mil novecentos e seten-
ta e seis, na Igreja de São José, à
Avenida Presidente Antonio Carlos.

General Urquiza, 44/303 | Raimundo Correia, 27/703

Autor Paulo Teixeira de Souza
CANTADOR DO ASFALTO
DA ESCOLA J. B. SENA

Paulo e Cecilia em Cordel
UM AMOR POR ACASO

Zaproszenia na ślub

18.

Pani Coelho ustala nowe zasady – raz na jakiś czas marihuana, ale żadnych seksualnych wybryków

Plany pozostania w Nowym Jorku przez kilka miesięcy pokrzyżował wypadek Paula. Któregoś wieczora wypróbowując elektryczny otwieracz do konserw, poważnie zranił się jego ostrzem w rękę. Ręcznik, którym Rosário próbowała zatamować krwotok, w krótkim czasie przesiąknął krwią. W izbie przyjęć w Village, dokąd przywiozła Paula karetka, okazało się, że ostrze przecięło mu ścięgno serdecznego palca. Po szybkiej interwencji chirurg założył mu dziewięć szwów, a dłoń na kilka tygodni unieruchomił w metalowej szynie.

Kilka dni później Paulo i Rosário wrócili do Brazylii, a Raul i Gloria pojechali do Memphis. Paulo uznał, że na tyle odzyskał równowagę, by wrócić do mieszkania, które zajmował kiedyś z Gisą. Jednak odwaga szybko go opuściła. Po dwóch tygodniach, 10 września, znów mieszkał u rodziców. Marzył, żeby wyzwolić się ze wspomnień o demonach, więzieniu i porwaniu. Przed powrotem do rodziców sprzedał wszystkie swoje książki, płyty i obrazy. Na widok ogołoconego mieszkania, z pustymi ścianami i półkami, napisał w dzienniku: „Odciąłem się od przeszłości". Jednak nie było to takie proste. Nadal dręczyły go koszmary, lęki i kompleksy. Często przyznawał, że czuje się winny różnych występków, nawet tych z dzieciństwa, na przykład, że „włożył dziewczynce rękę między nogi" albo że śniły mu się „sprośności na temat mamy". W domu rodziców miał przynajmniej pewność, że nikt go nie porwie.

W czasach, kiedy permisywność nie kojarzyła się jeszcze z poważnym zagrożeniem, w swoim dzienniku Paulo wspomina o wielu partnerkach. Czasem rzuca uwagę na temat łóżkowych umiejętności tej czy innej kobiety, ale żadna nie wzbudziła w nim większego zainteresowania. Umawiał się też z byłymi dziewczynami, ale w głębi serca nadal kochał Gisę. Wciąż pisał do niej listy, na które nie odpowiadała. Na wieść o tym, że Vera Richter wróciła do byłego męża, napisał:

Dziś pojechałem do miasta załatwić skomplikowaną sprawę z akcjami Banco do Brasil. Pomyślałem sobie, że mógłbym je sprzedać, a pieniądze przekazać Máriowi za to, że przez rok miałem Verę. Tak naprawdę to Vera miała mnie, choć ja w swej pustej głowie ubzdurałem sobie, że było odwrotnie.

Praca z Raulem nadal przynosiła sukcesy, ale statek Społeczeństwa Alternatywnego powoli nabierał wody. Jeszcze przed „czarną nocą" i uwięzieniem Paula zaczęły się konflikty z wytwórnią Philips. Chodziło o subtelne różnice w pojmowaniu, czym w istocie jest Społeczeństwo Alternatywne. Wszystko wskazuje na to, że Raul rozumiał swoje powołanie jako tworzenie nowej społeczności, religijnej sekty, która szerzyłaby idee Aleistera Crowleya, Parsifala XI i Fratra Zaratustry. Natomiast dla szefów wytwórni było to tylko rozpoznawalne hasło, które zwiększało popyt. Za wzór służyli im długowłosi muzycy z grupy Jovem Guarda, znanej w latach 60. W kwietniu 1974 roku Paulo był świadkiem dyskusji na ten temat.

W owym czasie prezesem filii Philipsa był André Midani, naturalizowany w Brazylii Syryjczyk. Stworzył on nieformalną grupę, która miała pomagać firmie w promocji artystów. Kierowali nią Midani i kompozytor Roberto Menescal, a w jej skład wchodzili: znawca rynku Homero Icaza Sánchez, pisarz Rubem Fonseca oraz dziennikarze: Artur da Távola, Dorrit Harazim, Nelson Motta, Luis Carlos Maciel, João Luís de Albuquerque i Zuenir Ventura. Spotykali się raz w tygodniu w apartamencie luksusowego hotelu w Rio i cały dzień dyskutowali na temat wybranego artysty współpracującego z Philipsem. Pierwsze zebranie odbywało się w ścisłym gronie, a tydzień później z udziałem artysty. Wszyscy byli sowicie wynagradzani.

– Dostawałem cztery tysiące – wspomina Zuenir Ventura – a może cztery miliony, nie pamiętam. W każdym razie odpowiadało to mojej miesięcznej pensji jako naczelnego pisma „Visão".

Artyści różnie reagowali na nowy styl pracy. Buntownicza Rita Lee straciła cierpliwość do „bandy idiotów", którzy chcieli zmienić jej kolor włosów.

– Zastanówcie, czy mam włożyć perukę afro, a ja sobie pójdę do łazienki wziąć kwas – powiedziała kiedyś, zniecierpliwiona przeciągającą się dyskusją.

Kilka lat później nagrała piosenkę „Departamento de Criação" [Dział kreacji], której słowa z ironią opisywały metodę twórczą ludzi z Philipsa.

Kto żyje, by tak służyć / Nie zasługuje, by tu żyć / Mam robić to, czego wy nie umiecie? / Gdy zabraknie wyobraźni / Skończy się ten świat / O, nie! To mój jest dział kreacji! / Wy nie macie racji / O, nie! To mój jest dział kreacji!

Przyszła kolej na spotkanie z Paulem i Raulem. Seixas był już wtedy przekonany, że śledzi go agent tajnej policji. Zatrudnił nawet ochroniarza, detektywa Millena Yunesa, który pracował na posterunku w Leblonie, a po godzinach chodził za muzykiem krok w krok. Kiedy Paulo powiedział przyjacielowi, że Menescal zaprosił ich na spotkanie ze sztabem z Philipsa, Raul odpowiedział:

– Nie widzisz, że to sprawka glin? Chcą mieć na nas haka. Na pewno mają tam swoją wtyczkę i nagrają naszą rozmowę. Nie daj się nabrać, Dom Paulete! Powiedz Menescalowi, że nie idziemy.

Paulo zapewniał, że nic im nie grozi, że zna większość osób, które będą na spotkaniu. Był przekonany, że ani Midani, ani Menescal nie zrobiliby czegoś takiego. Jednak Raul nie dał się przekonać, więc Paulo musiał iść sam. Żeby rozwiać wątpliwości przyjaciela, wziął ze sobą magnetofon. Po spotkaniu zamierzał dać Raulowi kasetę z nagraniem. Przed dyskusją ktoś poprosił Paula, by w kilku słowach wyjaśnił, na czym polega Społeczeństwo Alternatywne. Wspominając ów moment trzydzieści lat później, Paulo zarzekał się, że tego dnia nie palił marihuany i był absolutnie trzeźwy, ale słuchając nagrania, trudno w to uwierzyć.

Społeczeństwo Alternatywne ma polityczny i społeczny wymiar. Jest nakierowane na warstwę społeczną wywodzącą się z ludu. Wyrażam się jasno? Bo właśnie ta warstwa społeczna, grupa intelektualistów, otrząsnęła się ze stanu samozadowolenia i zaczyna czegoś od siebie wymagać... Była taka dyskusja w São Paulo na temat czasopisma „Planeta". Moim zdaniem za rok „Planeta" zbankrutuje, bo ludzie, którzy ją czytają, zaczną się uczyć i z czasem stwierdzą, że to stek bzdur. Kiedy to samo czasopismo zbankrutowało we Francji, wymyślili „Le Nouveau Planète", potem „Le Nouveau Nouveau Planète". Rozumiecie, o co mi chodzi? W końcu musieli je zamknąć. Tak będzie ze wszystkim, zanim ludzie nie wyjdą z ciemnogrodu. Nie! Nie! Nie chodzi mi o proletariat, ale o klasę średnią, burżuazję, która nagle postanowiła rozwijać się intelektualnie. Oczywiście istnieje drugi aspekt sprawy, czyli wiara. Czy jesteśmy w stanie złożyć sobie obietnicę, zająć jakąś przestrzeń i coś zrobić. W każdym razie, jeśli chodzi o kulturę, nastąpi wielki przełom. Wyrażam się jasno? Ta zmiana jak zawsze przyjdzie z zewnątrz. I nie zostanie skażona przez jakiś brazylijski spirytualizm. No właśnie, zaczynamy teraz mówić o sprawach w kontekście duchowym, ale mam nadzieję, że w kontekście politycznym wszystko wyjaśniłem, prawda?

Paulo nie mówił zbyt składnie, ale najwyraźniej słuchacze nawykli do takich wystąpień, bo Paulo wziął głęboki oddech i ciągnął:

Jak już mówiłem... Nie chcę tu bronić którejś ze stron. O, nie! To znaczy, może nastąpić skażenie idei. Właściwie... moim zdaniem to nie jest skażenie. Prawda jest taka, że ludzie nie przestaną czcić Szatana, bo to ich fascynuje. „Diabeł? Ale fajnie!". To takie tabu jak... jak dziewictwo. Rozumiecie, o co mi chodzi? Kiedy zaczynamy mówić o Szatanie, nawet jeśli się go boimy i go nienawidzimy, chcemy się do niego zbliżyć. To jest agresja, system, który atakuje sam siebie. Agresja przez autodestrukcję. Rozumiecie? Pojawia się wiele rzeczy, które działają według tego schematu, a my je akceptujemy... Zainteresowanie Szatanem nie potrwa długo, ale jeszcze całkiem nie przeszło. To zjawisko jest wynikiem agresji, tak samo jak wolna miłość, czyli seksualne tabu przełamane przez hipisów.

[...] To, co tu powiedziałem, nie wyczerpuje tematu Społeczeństwa Alternatywnego. Poruszyłem kilka spraw, bo chciałem naszkicować ogólny obraz tego, co już zrobiliśmy. Wyrażam się jasno? A teraz jak się do tego ma Raul Seixas. Społeczeństwo Alternatywne służy mu ... No właśnie, to ważne, że on nie daje sobą manipulować. Rozmawialiśmy o tym całe dwa dni, o niczym innym, tylko o Społeczeństwie Alternatywnym... Rozumiecie, o co chodzi? No więc Społeczeństwo Alternatywne służy Raulowi Seixasowi w tym sensie, że Raul Seixas jest katalizatorem tego ruchu. Ogólnie uważa się, że Społeczeństwo Alternatywne to jakiś mit, bo nikt nie tłumaczy, czym naprawdę jest Społeczeństwo Alternatywne. Rozumiecie, prawda?

– Mniej więcej – skwitował dziennikarz Artur da Távola, choć nikt z obecnych nie zrozumiał z tego wywodu ani słowa.

Rodziło się pytanie: czy to jest wersja, jaką Paulo i Raul zamierzają przekazać prasie na temat Społeczeństwa Alternatywnego? Bo jeśli tak, media ich zmiażdżą w mgnieniu oka. Głos zabrała Dorrit Harazim, która szefowała działowi międzynarodowemu w piśmie „Veja": jeśli Paulo i Raul chcą przekonać ludzi, że Społeczeństwo Alternatywne to nie tylko chwyt marketingowy, ale ruch o charakterze religijnym lub politycznym, muszą przygotować bardziej obiektywne i zrozumiałe argumenty.

– Przede wszystkim musicie zdecydować, czy Społeczeństwo Alternatywne ma związek z polityką czy z metafizyką. Jeśli nadal będziecie używać takich argumentów, trudno będzie wytłumaczyć, czym według was jest Społeczeństwo Alternatywne.

Po raz pierwszy wszyscy zebrani byli jednomyślni, tylko jeden Artur da Távola ostrzegał, żeby nie wylewać dziecka z kąpielą.

– Musimy uważać, bo wytykamy błędy artystom, których płyty rozchodzą się w dziesiątkach tysięcy egzemplarzy. Nie zapominajmy, że Raul i Paulo odnieśli wielki sukces.

Była jeszcze jedna sprawa, która niepokoiła zebranych. Obaj artyści z pełną powagą nieraz powtarzali w wywiadach, że widzieli latające spodki. Sztab był zgodny co do tego, że takie wypowiedzi mogą zaszkodzić ich karierze. Paulo powinien wpłynąć na Raula, by przestał opowiadać głupstwa. Rzeczywiście były powody do niepokoju. Kilka miesięcy wcześniej dziennikarze pisma „Pasquim" przeprowadzili z Raulem wywiad. Jak łatwo było przewidzieć, poprosili go o wyjaśnienie pojęcia „społeczeństwo alternatywne" i ustosunkowanie się do kwestii latających talerzy. Według Raula taka społeczność nie powstaje w wyniku narzucenia jej idei, nie tworzy jej żaden przywódca, ale rodzi się ona spontanicznie „ze świadomości pojawienia się nowej taktyki i nowych możliwości". Dziennikarze nadal nie rozumieli, więc Raul rozwinął swą myśl.

– Społeczeństwo Alternatywne jest owocem swego własnego działania – wyjaśnił i dodał, że dzieło wyszło poza granice kraju. – Jesteśmy w stałym kontakcie z Johnem Lennonem i Yoko Ono, którzy też są członkami Społeczeństwa Alternatywnego.

Raul rozochocił się do tego stopnia, że zaczął wymyślać niestworzone historie, przeinaczając powszechnie znane fakty. Dotyczyło to również jego pierwszego spotkania z Paulem.

– Poznaliśmy się w dzielnicy Barra da Tijuca – opowiadał. – Była piąta po południu. Ja medytowałem, on też. Nie znałem wtedy jeszcze Paula. Tego dnia zobaczyliśmy UFO.

Jeden z dziennikarzy spytał, czy Raul mógłby opisać obiekt, który zobaczył.

– Był taki ...srebrny i otaczała go pomarańczowa łuna. Wisiał nieruchomo na niebie. Był ogromny. Podbiegł do mnie Paulo. Jeszcze się nie znaliśmy, ale zapytał, czy widzę to samo, co on. Usiedliśmy obok siebie, a talerz nakreślił na niebie kilka zygzaków i zniknął.

Takich ośmieszających wypowiedzi dyrektorzy wytwórni bali się jak ognia. Po długiej dyskusji Paulo zabrał nagrania i poszedł zdać relację ze spotkania Raulowi. Ponieważ większość opinii nie była zbyt pochlebna, uznał, że nie przekaże ich osobiście, ale sprawozdanie również nagra na taśmie.

Sztab najbardziej boi się, że pomysł ze Społeczeństwem Alternatywnym nie wypali i że Raul – chodzi oczywiście o Ciebie – nie poradzi sobie z tym wyzwaniem. Boją się, że gdy Społeczeństwo Alternatywne się rozwinie, Raul w wywiadach będzie mówił zbyt ogólnikowo o fundamentach Społeczeństwa Alternatywnego, zamiast to wyjaśnić. Tak twierdzi Artur da Távola. Prasa nie zostawi na nas suchej nitki i uzna, że to farsa, a kariera Raula legnie w gruzach. Głównym zmartwieniem Philipsa jest to, czy Raul poradzi sobie z tą sprawą. Spotkanie przebiegało w bardzo napiętej atmosferze. W pewnej chwili miałem wrażenie, że tracą dystans do całej sprawy, szczególnie kiedy podważali Twoje kompetencje, Raul. Usłyszysz to wszystko na kasetach, a ja mówię o tym dlatego, że było mi bardzo przykro.

Druga kwestia dotyczy latających spodków. Wszyscy uważają, że to błazenada. Powiedzieli, że jeśli nadal będziesz pojawiał się publicznie i opowiadał o UFO, prasa cię wyśmieje i nigdy ci tego nie zapomni. Wolałem tego nie komentować i nie oceniać. W każdym razie oni mówią, że trzeba dać sobie z tym spokój. Nie wypowiedziałem się na ten temat, ale dałem do zrozumienia, że w przyszłości możemy sprostować informacje o latających spodkach, przynajmniej w rozmowach z ludźmi ze sztabu.

Idea Społeczeństwa Alternatywnego nadal przyciągała do sklepów dziesiątki tysięcy fanów i bliżej nieokreśloną liczbę brazylijskich satanistów, ale czas pokazał, że sztab specjalistów miał rację. Nie był to ruch polityczny, a tym bardziej religijny, dlatego po latach określenie „Społeczeństwo Alternatywne" kojarzy się jedynie z refrenem popularnej piosenki z lat 70.

Kiedy Paulo wrócił z Nowego Jorku z ręką na temblaku, płyta *Gita* odnosiła wielkie sukcesy (promocja odbyła się podczas ich nieobecności). Wkrótce Menescal zaprosił Paula do udziału w zebraniach sztabu w roli konsultanta z równie wysokim wynagrodzeniem. To znaczyło, że co miesiąc na jego konto wpływało 11 tysięcy dolarów. Nagle okazało się, że Paulo ma mnóstwo pieniędzy. Po wpłynięciu pierwszej kwoty ze sprzedaży *Gity* zastanawiał się, czy lepiej zainwestować w akcje, czy kupić dom letniskowy w Araruamie. W końcu zdecydował się na apartament przy ruchliwej ulicy Barata Ribeiro w Copacabanie. Poza pracą z Raulem Paulo napisał też słowa do trzech piosenek Rity Lee: „Cartão Postal" [Pocztówka], „Esse Tal de Roque Enrow" [Ten Roque Enrow] i „O Toque" [Dotyk]. Utwory te znalazły się na płycie *Fruto Proibido* [Zakazany owoc], którą artystka wydała w 1975 roku. Napisał również kilka scenariuszy do filmów Marii do Rosário i zagrał w komedii erotycznej zatytułowanej *Tangarela, a Tanga de Cristal* [Tangarela, kryształowe stringi]. W grudniu 1974 roku wraz z rozwiązaniem sztabu wysechł strumień gotówki z wytwórni, ale niebawem, za namową Menescala, szef wytwórni André Midani zatrudnił Paula na stanowisku dyrektora działu kreacji.

Stabilizacja materialna i sukcesy zawodowe nie ukoiły jego umęczonej duszy. Strach przed prześladowaniem i poczucie odrzucenia dręczyły go na długo przed uwięzieniem w maju 1974, a teraz stały się nie do zniesienia. Przez dwanaście miesięcy od chwili uwolnienia Paulo zapisał sześćset stron dziennika, z których czterysta dotyczyło przeżyć z „czarnego tygodnia". W wybranym na chybił trafił sześćdziesięciokartkowym zeszycie słowo „strach" pojawia się 142 razy. Na drugim miejscu jest słowo „problem" (118 razy), następnie „samotność", „rozpacz", „paranoja" i „wyobcowanie". By wyrazić stan swej duszy, Paulo często odwoływał się do literatury. Zapiski z jednego dnia zamyka cytat z Guimarãesa Rosy: „Nie, to nie strach. Po prostu nie chce mi się już być odważnym". W maju 1975 roku, w pierwszą rocznicę wypuszczenia z więzienia, zamówił mszę dziękczynną w kościele św. Józefa, swego opiekuna.

Po wyjściu na wolność największym zaufaniem Paulo darzył adwokata Antônia Cláudia Vieirę, większym niż doktora Benjamima Gomesa, a nawet inżyniera Pedra. Po powrocie ze Stanów Zjednoczonych Paulo poprosił ojca, by umówił go na spotkanie z Vieirą. Chciał osobiście podziękować mu za pomoc. W luksusowym apartamencie w Morro da Viúva, skąd rozciągał się wspaniały widok na Flamengo, poznał córkę prawnika, Eneidę, która zrobiła na nim wielkie wrażenie. Piękna, elegancka, wysoka brunetka, na szyi miała złoty wisior w kształcie skorpiona. Tak jak ojciec była adwokatem i pracowała w rodzinnej kancelarii. Z rozwianym włosem jeździła po Rio modnym kabrioletem MG, sprowadzonym z Anglii. Pierwsze spotkanie miało charakter niewinnego flirtu, a czterdzieści siedem dni później Paulo poprosił ją o rękę i został przyjęty. Miał wszelkie dane, by uchodzić za dobrą partię. Zarabiał dość, żeby utrzymać żonę i dzieci. Pod koniec 1975 roku Raul wydał płytę *Novo Aeon* [Nowy Eon], na której cztery z trzynastu piosenek napisał z Paulem. Były to: „Rock do Diabo" [Szatański

Rock], „Caminhos I" [Drogi I], „Tu és o MDC da Minha Vida" [Jesteś moim lekarzem] i „A Verdade sobra a Nostalgia" [Prawda o tęsknocie]. Płyta ujawniła bliskie związki Raula z satanistami z OTO. Autorem słów do pięciu piosenek był gburowaty Marcelo Motta. Spod jego pióra wyszły: „Tente Outra Vez" [Spróbuj raz jeszcze], „A Maçã" [Jabłko], „Eu Sou Egoísta" [Jestem egoistą], „Peixuxa – o Amiguinho dos Peixes" [Peixuxa, przyjaciel ryb] i tytułowy „Novo Aeon". Według Raula i jego współpracowników płyta była świetna, mimo to *Novo Aeon* nie dorównał poprzednim albumom i rozszedł się zaledwie w 40 tysiącach egzemplarzy.

Paulo miał wszelkie warunki ku temu, by założyć rodzinę, ale jego pośpieszne oświadczyny były raczej wynikiem rozpalonych namiętności, jak się później okazało, nieodwzajemnionych. Z jego punktu widzenia sytuacja była korzystna. Znalazł za jednym zamachem kandydatkę na żonę i bezpieczną „kryjówkę" przed tajnymi służbami, co było jego marzeniem od wyjścia z więzienia. Do tego zyskiwał w jednej osobie teścia i przyjaciela, od którego mógł się spodziewać wsparcia. Wieczorem 16 czerwca 1975 roku Paulo wypalił dwa jointy i postanowił działać. Zadzwonił do Eneidy i poprosił, żeby swoim rodzicom przekazała nowinę o zaręczynach. Dodał, że niebawem u nich się zjawi, by prosić o jej rękę.

– Po drodze zabiorę moich rodziców – oznajmił.

Państwo Coelho smacznie spali, kiedy niespodziewanie syn wyciągnął ich z łóżka, bo nagle zapragnął się ożenić. Przy całej werwie, z jaką działał, kiedy stanął przed przyszłym teściem, poczuł w głowie pustkę – może przez marihuanę, a może dlatego, że po raz pierwszy przyszło mu odegrać tę rolę.

Pedro i Lygia z przerażeniem patrzyli na syna, na szczęście Vieira przytomnie uratował sytuację:

– Wiemy, co chcesz powiedzieć. Prosisz o rękę Eneidy, prawda? Masz naszą zgodę!

– Tak, właśnie to chciałem powiedzieć – wyjąkał Paulo.

Potem wzniesiono toast szampanem. Narzeczony wyjął z przewieszonej przez ramię skórzanej torby piękny pierścionek z brylantem, kupiony dla przyszłej żony. Następnego dnia Eneida zrewanżowała się narzeczonemu, wysyłając na jego adres maszynę do pisania Olivetti, w owym czasie szczyt marzeń każdego kto parał się pisaniem. Coelho używał jej do 1992 roku, kiedy to przerzucił się na komputer.

Nie minęły trzy tygodnie, a w dzienniku zaczęły pojawiać się zdania świadczące o rozterkach w związku z pochopnie podjętą decyzją.

Mamy poważne problemy z Eneidą. Wybrałem ją, bo uważałem, że zapewni mi spokój i emocjonalną stabilizację. Szukałem kogoś, kto zrównoważy moją zmienną naturę. Teraz widzę, jaką cenę przyjdzie mi za to zapłacić. Zostanę wykastrowany. Kastracja wszystkiego – zachowań, sposobu komunikowania się, moich szaleństw. Nie mogę się na to zgodzić.

Paulo nie mógł odwołać zaręczyn, bo straciłby adwokata, a zyskał wroga. Na samą myśl o tym robiło mu się słabo ze strachu. Szybko odkrył, że Eneidzie też nie brak słabostek. Nie protestowała, kiedy przyszły mąż palił trawkę, ale złościła się, kiedy ją do tego namawiał. Jeśli chodzi o praktyki seksualne, dała jasno do zrozumienia, że nie zgadza się na żadne trójkąty. Nie zamierzała zapraszać do wspólnego łoża młodych przyjaciółek przyszłego męża. Czterdzieści dni po zaręczynach Paulo napisał w pamiętniku, że wszystko skończone.

Eneida mnie zostawiła. To dla mnie dotkliwy cios. Oświadczyłem się jej, bo miałem nadzieję, że będzie dobrą żoną i towarzyszką, ale ona nie wytrzymała. Nagle zniknęła. Wiele razy próbowałem się dodzwonić do jej matki, ale rodzice Eneidy też się ode mnie odsunęli. Boję się, że opowiedziała im o moich upodobaniach seksualnych. Właściwie jestem pewien, że im powiedziała. To rozstanie było dla mnie cięższe niż przypuszczałem. Starzy będą zaskoczeni, kiedy im powiem o zerwaniu. Trudno będzie im przyzwyczaić się do innej kobiety. Wiem, ale co mogę na to poradzić? Wyruszam na poszukiwania nowej towarzyszki życia.

Paulowi wpadła w oko stażystka pracująca w dziale prasowym Philipsa, Cecília Mac Dowell, pieszczotliwie zwana Cissą. Zanim jednak na serio się nią zainteresował, przeżył namiętny romans z dziennikarką Elisabeth Romero, która przeprowadzała z nim wywiad dla czasopisma muzycznego. Zaczęli się spotykać, znajomość szybko nabrała rumieńców. Beth budziła duże zainteresowanie, gdyż jeździła po ulicach Rio potężnym motocyklem kawasaki 900. Wkrótce jako pasażer pojawił się za jej plecami Paulo. Choć romans trwał krótko, to właśnie wtedy doszło do zdarzenia, o którym później Paulo opowiadał wiele razy w wywiadach dla zagranicznej prasy: do „spotkania" z podziwianym przez niego Jorge Luísem Borgesem. Zbliżał się koniec roku i czas wakacji. Paulo zaproponował Beth wspólny wyjazd do Buenos Aires, połączony z wizytą u wielkiego argentyńskiego pisarza. Przez długi czas odkładał podróż z obawy, że kiedy zgłosi się po wizę w siedzibie Wydziału Porządku Politycznego, znów zostanie aresztowany.

Nadszedł dzień wyjazdu. Wsiedli do autobusu i po 48 godzinach dotarli do argentyńskiej stolicy. Paulo wiedział tylko, że Borges mieszka przy ulicy Maipu 900. Znaleźli hotel, zostawili bagaże i Paulo niezwłocznie udał się pod ten adres w centrum miasta. Portier poinformował go, że „don Jorge Luís" jest w kawiarni starego hotelu po drugiej stronie ulicy. Paulo stanął przed wejściem i przez szybę zobaczył charakterystyczną postać swego mistrza, autora *Alefa*. Borges miał wtedy 76 lat. Siedział samotnie przy stoliku i pił kawę z maleńkiej filiżanki. Paulo był tak wzruszony, że nie miał odwagi podejść. Wycofał się niepostrzeżenie, nie zamieniając z Borgesem ani słowa. Nie powiedział „dzień dobry" ani „bardzo mi miło". Nigdy nie mógł sobie tego darować.

Miał 28 lat i po raz pierwszy spędzał święta Bożego Narodzenia poza domem. Jako świeżo nawrócony katolik namawiał Beth na pójście na pasterkę do kościoła Najświętszej Marii Panny z Pilar, który znajdował się obok Casa Rosada, siedziby argentyńskiego rządu. Beth odmówiła, wolała się przejść po mieście. Zdumiony jej postawą Paulo z miejsca postanowił zakończyć znajomość. Pod pretekstem złożenia świątecznych życzeń zadzwonił do Cissy:

– Zakochałem się w tobie – powiedział. – Wracam za trzy dni. Obiecaj, że będziesz czekać na lotnisku, chciałbym być z tobą jak najszybciej.

Dziewiętnastoletnia Cecília Mac Dowell była drobna jak Paulo, miała brązowe oczy i lekko zadarty nos. Studiowała na wydziale komunikacji społecznej Papieskiego Uniwersytetu Katolickiego w Rio de Janeiro. Była córką Amerykanki Patrícii Fait i Afonsa Emília de la Rocque Mac Dowella, znanego specjalisty od chorób gruźliczych oraz właściciela dużej kliniki w Jacarepaguá. Cissa ukończyła konserwatywną szkołę Colégio Brasileiro de Almeida w Copacabanie, założoną przez Nilzę Jobim, matkę kompozytora Toma Jobima. Dom Mac Dowellów był dość konserwatywny. Ojciec pochodził z tradycyjnej rodziny z północno-wschodniej Brazylii, matka odebrała solidne wychowanie protestanckie. Obydwoje z otwartymi ramionami przyjęli chudego cudaka, który zakochał się w ich najmłodszej córce. Z czasem Patrícia i Afonso Emílio zaczęli przymykać oczy na to, że ich córka spędza weekendy z narzeczonym. Paulo wynajął swoje mieszkanie przy ulicy Voluntários da Pátria i zamieszkał w kawalerce przy ruchliwej ulicy Barata Ribeiro.

POWYŻEJ: młoda para z rodzicami po ślubie w kościele św. Józefa.

PONIŻEJ: Paulo i Cissa. Cissa wsiada do samochodu, który ma zawieźć młodą parę na weselny bankiet.

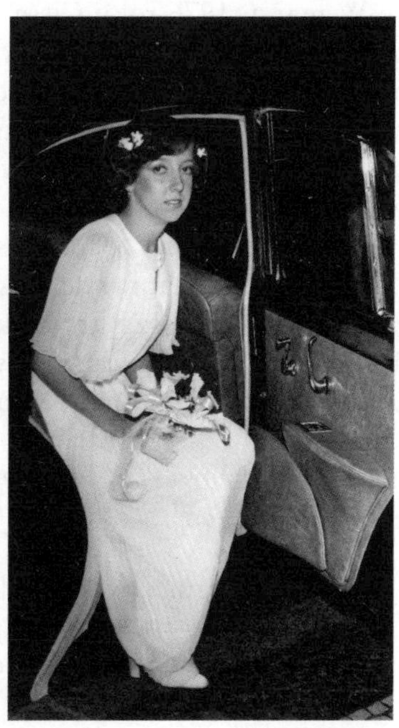

Trzydzieści lat później Cissa z sarkastycznym uśmiechem komentowała nadzwyczajną tolerancję swoich rodziców.

– Moje dwie starsze siostry nie wyszły za mąż, dlatego oczekiwania rodziców co do przyszłego zięcia stały się nieco skromniejsze. Nawet jeśli mieli wątpliwości, bali się wystraszyć kandydata.

Mac Dowellowie spędzali weekendy w Petrópolis, w letniskowej rodzinnej rezydencji, natomiast Cissa pakowała do torby swoje rzeczy i przenosiła się do kawalerki narzeczonego przy Barata Ribeiro. Wspomnienie nieszczęśliwie zakończonego narzeczeństwa z Eneidą nie dawało Paulowi spokoju. Panicznie bał się jakiejkolwiek wzmianki o małżeństwie. „Dziś wieczorem idę do Cissy i kiedy o tym pomyślę, zaczynam panikować", pisał przygnębiony. „To przypomina narzeczeństwo, a ja na razie nie jestem na to gotów". Podczas terapii Benjamim Gomes sugerował, że problemy Paula mogą mieć podłoże seksualne.

Mówi, że napięcie powoduje spadek zainteresowania seksem. To prawda, że Cissa jest trochę podobna do mnie i nie rzuca się na mnie jak lwica. Zdawałem sobie z tego sprawę, ale dotąd nie czułem się do niczego zobowiązany. Teraz zacząłem traktować seks jako sposób na rozładowanie stresu. Doktor Gomes mówi, że krzywa zapisu podczas elektrowstrząsów jest taka jak w czasie orgazmu lub ataku padaczki. Okazuje się, że seks może być terapią.

W marcu 1976 roku Cissa wróciła z trzytygodniowej podróży po Europie. Paulo wciąż przeżywał zerwane zaręczyny, mimo to poprosił ją o rękę. Przyjęła oświadczyny z radością, ale postawiła warunek: ślub ma być prawdziwy, w urzędzie stanu cywilnego i w kościele z księdzem, ona w białej sukni, on w garniturze i krawacie. Paulo roześmiał się.

– W imię miłości zgadzam się na wszystko – powiedział.

„Poza tym ja naprawdę muszę znaleźć jakieś schronienie, a małżeństwo to najlepsza kryjówka", pisał. Przed ceremonią ślubną jeszcze radził się *I Chingu*, czy na pewno podejmuje dobrą decyzję, a zapiski w dzienniku zdradzają jego rozterki.

Wczoraj pomyślałem o tym całym gównianym ślubie i przeraziłem się. Posprzeczaliśmy się i zrobiła się z tego wielka chryja.

Dwa dni później był już w lepszym nastroju.

Spałem poza domem, bo znów zacząłem się bać. Jestem przerażony, bo niedługo wprowadzi się do mnie Cissa. Kochamy się i rozu-

miemy, widzę, że jest osobą bezkonfliktową. Najpierw jednak musimy przebrnąć przez tę szopkę ze ślubem.

2 lipca Paulo z bijącym sercem zjawił się w kościele św. Józefa, wystrojony bardziej, niż tego oczekiwała panna młoda. Punktualnie o dziewiętnastej zabrzmiał *Nokturn* Chopina na skrzypce. Paulo wyszedł z zakrystii za księdzem i stanął po jego prawej stronie. W porównaniu ze zdjęciem z Nowego Jorku sprzed dwóch lat, które ukazywało odurzonego narkotykami Paula, człowiek przed ołtarzem wyglądał niczym książę. Miał krótkie włosy, przystrzyżone wąsy i bródkę, modnie skrojoną marynarkę, spodnie w kant, czarne lakierki, białą koszulę i połyskujący krawat. Podobny strój mieli ojciec i teść Paula, tylko drużbowie, Roberto Menescal i Raul Seixas, zostali zwolnieni z tego obowiązku. Lygia nie tylko osobiście wybrała imponujący kościół z wieżami na wysokość trzech pięter, ale ofiarowała parafii św. Józefa współczesny obraz.

W takt marsza Elgara *Pomp & Circumstance* pięć dziewcząt w jednakowych strojach ruszyło główną nawą, a za nimi prowadzona przez ojca panna młoda w długiej, białej sukni. W zatłoczonym kościele uwagę zebranych zwracał Raul Seixas. Choć był wieczór, nosił ciemne okulary, a do tego czerwoną muchę i marynarkę z ozdobnym, również czerwonym stebnowaniem. W chwili, gdy ksiądz błogosławił obrączki, w kościele zabrzmiały skrzypce, a na koniec *Adaggio* Albinioniego. Spod kościoła goście udali się do domu rodziców panny młodej w Leblonie. Tam odbył się ślub cywilny, a potem uroczysta kolacja.

Miesiąc miodowy był krótki, bo oboje musieli wracać do pracy. Spędzili tydzień w domku letniskowym rodziny Paula na wyspie Jaguanum niedaleko Rio de Janeiro. Niewiele zapamiętali z tego pobytu. W dzienniku Paula nie ma wzmianki o podróży poślubnej. We wspomnieniach Cissy pobyt nad morzem też nie brzmiał romantycznie.

Paulo nie był szczęśliwy. Myślę, że nie chciał tych wszystkich formalności... Zgodził się dlatego, że ja nalegałam. Nie był to typowy miesiąc miodowy. Jesteśmy zakochani, jest cudownie. Nie... Tego sobie nie przypominam. Pamiętam tylko, że tam byliśmy, nie wiem, ile dni, a potem wróciliśmy do Rio.

Zaczęła się proza życia i od razu doszło do konfliktu. Paulo był właścicielem dużego mieszkania przy ulicy Voluntários da Pátria, gdzie spędził trzy lata z Gisą, ale wolał je wynajmować i gnieździć się w klitce przy tętniącej życiem ulicy Barata Ribeiro. Gdyby chodziło o pieniądze, Cissa na pewno by to zrozumiała. Ale powód był podobno inny. Paulo chciał być bliżej rodziców, którzy po sprzedaży domu w Gávei kupili mieszkanie w Copacabanie, kilka przecznic dalej, przy ulicy Raimunda Correi. Cissa źle wspominała pierwsze miesiące małżeństwa.

To był koszmar. Jedyny pokój wychodził na ulicę Barata Ribeiro, gdzie dzień i noc panował straszny zgiełk. W tym czasie Paulo potrzebował macierzyńskich uczuć i chciał być blisko matki, która mieszkała parę przecznic dalej. Paulo miał drugie mieszkanie, ale wolał mieszkać blisko matki. Wychowano mnie w duchu protestanckim, więc uważałam, że muszę wszystko poświęcić w imię miłości małżeńskiej. Dlatego spałam w tym zgiełku. Pobraliśmy się w lipcu. Wydaje mi się, że mieszkaliśmy tam sześć miesięcy.

Nie był to obiecujący początek małżeństwa, lecz wszystkie pary przechodzą wzloty i upadki. Młodzi stawiali czoło codzienności, czasem głośno się kłócąc, jak 24 sierpnia o świcie, w dniu dwudziestych dziewiątych urodzin Paula. O drugiej nad ranem Cissę obudził przeraźliwy huk, jakby w domu wybuchła bomba. Zerwała się przerażona. Zobaczyła Paula stojącego na środku pokoju z dymiącą w ręku racą. Ku przerażeniu sąsiadów w ten sposób postanowił uczcić swoje urodziny. W wyśmienity nastrój wprowadziła go marihuana. Oczywiście całą akcję nagrał na taśmę magnetofonową dla potomności.

PAULO: *Jest godzina 1.59, 24 sierpnia 1976 roku. Kończę dwadzieścia dziewięć lat. Żeby uczcić, kim dziś jestem, odpalę racę i nagram huk. [Wybuch racy]. Ale odlot! Ludzie podbiegli do okien!*

CECÍLIA: *Paulo!*

PAULO: *O co chodzi? Wszyscy się obudzili, psy szczekają...*

CECÍLIA: *To jakiś absurd!*

PAULO: Co?

CECÍLIA: *Zwariowałeś?*

PAULO: *Ale huknęło! Echo poszło po całym mieście! Jestem mistrzem! [śmiech] Dobrze, że wtedy kupiłem to pudełko! Wspaniale! Kurde, ale odlot! [śmiech] Nie wytrzymam! Ale cyrk! Odpaliłem racę i wreszcie uwolniłem się od tego całego gówna!*

CECÍLIA: *Denerwuję się, połóż się koło mnie.*

PAULO: *Dlaczego? Masz złe przeczucia?*

CECÍLIA: *Nie, Paulo! Po prostu miałam stresujący dzień.*

PAULO: *To świetnie! Wiesz, jak to oczyszcza? Podpal racę i zoba-*

czysz, że od razu się uspokoisz. Podejdź do okna.

CECÍLIA: *Nie! Kiedy ktoś usłyszy, skąd dobiega hałas, od razu nas zobaczy! Daj spokój i chodź do łóżka.*

PAULO *[ze śmiechem]: Ale jest wspaniale! Druga nad ranem, jedna, dwie race z okazji moich urodzin, na niebie pełno gwiazd! Boże, jak cudownie! Dziękuję! Puszczę jeszcze kilka rac [w tle słychać kolejne wybuchy].*

CECÍLIA: *Paulo, wszyscy dozorcy z sąsiednich domów zaraz się zorientują, że to ty!*

Cissa, z natury łagodna, miała silną osobowość i nie lubiła być do niczego zmuszana. Podobnie jak Eneida godziła się na ekstrawagancje męża, czasem nawet wypaliła z nim jointa, ale kategorycznie odrzucała wszelkie „propozycje seksualne", jak to ujmował jej małżonek. Któregoś dnia Paulo obudził się przed południem. Cissa jak zwykle była już w pracy. Na nocnej szafce znalazł liścik, który wyprowadził go z równowagi. Dowodził niezbicie, że Paulo zmienił się tylko na zewnątrz, ale w środku pozostał taki sam.

DO WIADOMOŚCI OSÓB ZAINTERESOWANYCH:

Nie obchodzą mnie wszystkie te kobiety Paula, ponieważ żadna z nich nie stanowi dla mnie zagrożenia. Jednak zaczynam mieć wątpliwości co do naszego związku. Paulo na moich oczach podrywał sekretarkę, mówiąc, że złapie ją za pośladki. Dla mnie to zwyczajny brak klasy. Ale o wiele gorsza była jego propozycja, żeby zapłacić „jakimś ludziom" z Cinelândii [plac Praça Floriano Peixoto w centrum miasta z kinami i restauracjami, przyp. tłum.], *żeby urozmaicili nasze życie seksualne. Wiem, że robił to dawniej, ale nigdy nie przypuszczałam, że zaproponuje mi coś tak odrażającego. Dobrze mnie zna i wie, co o tym myślę. Dziś rano poczułam się potwornie samotna, bo wiem, że nikomu nie mogę się zwierzyć. Jestem głęboko przekonana, że powinnam jak najszybciej wystąpić o separację, tak szybko, jak na to pozwala nasza zakłamana obyczajowość. Wiem, że będzie to okropne przeżycie dla mnie i dla całej rodziny.*

Kilkumiesięczne małżeństwo Cissy i Paula nie dotrwało nawet do papierowych godów.

Miesiąc miodowy w Londynie:
Paulo w pubie i podczas lektury
brazylijskiej prasy; Cissa
w malutkim mieszkanku.

19.

W Londynie ostatecznie rozwiały się marzenia, że kiedyś zostanę sławnym pisarzem

Podczas gdy małżeństwo Paula przechodziło trudne chwile, jego życie zawodowe kwitło. W grudniu 1976 roku wytwórnia Philips wypuściła płytę Paula i Raula zatytułowaną *Há Dez Mil Anos Atrás* [Dziesięć tysięcy lat temu wcześniej], która wkrótce odniosła wielki sukces. Paulo napisał słowa do dziesięciu z jedenastu piosenek. Z płytą wiążą się dwie ciekawostki. Tytuł płyty jest pleonazmem, a tytułowy utwór to wersja popularnej amerykańskiej piosenki folkowej „I Was Born Ten Thousand Years Ago". Doczekała się ona wielu interpretacji, a najsłynniejszą z nich cztery lata wcześniej nagrał Elvis Presley. Drugą ciekawostką jest to, że po raz pierwszy Paulo zadedykował komuś swój utwór. Tym adresatem był Pedro Queima Coelho. Dziwny sposób złożenia hołdu ojcu: słowa piosenki wyraźnie nawiązują do nieporozumień między ojcem i synem oraz do apodyktycznego charakteru głowy rodziny. Autor przyznał się do tego wiele lat później, ale każdy, kto choć trochę znał historię rodu Coelhów, wiedział, że „Pedro" z ballady „Mój przyjaciel Pedro" (drugi utwór na płycie) to ojciec Paula. Wskazują na to fragmenty tekstu:

Kiedy czuję, że bliski jest raj / albo pali mnie piekielny żar / Myślę o tobie, mój biedny przyjacielu / Co dzień w tym samym ubraniu.

Pamiętam, Pedro, te dawne dni / Gdy nam obu świat się śnił / Teraz, Pedro, ja nazywam ciebie starym / a ty mówisz o mnie leń

Pedro, gdzie ty pójdziesz, tam i ja / Wszystko kończy się tam, gdzie swój początek ma

Nie mam Ci nic do powiedzenia / Za to kim jestem nie krytykuj mnie / Bo każdy z nas to inny świat/ Pedro, gdzie ty pójdziesz, tam i ja

Sukces albumu oznaczał przypływ gotówki, a Paulo uważał, że fortunę trzeba przekuć w coś bardziej konkretnego. Pod koniec 1976 roku kupił trzecie mieszkanie z dwiema sypialniami przy ulicy Paulina Fernandesa we Flamengo, parę kroków od miejsca, gdzie się urodził i wychował. Chociaż dobrze się czuł w roli posiadacza nieruchomości, jako człowiek zamożny zaczął się obawiać ludzkiej zawiści, szczególnie zaś komunistów. Trzeba przyznać, że w tej dziedzinie przeszedł metamorfozę. Długowłosy hipis, który do niedawna występował przeciwko konsumpcyjnemu społeczeństwu, a w swych piosenkach gardził dobrami materialnymi, teraz drżał o swoje oszczędności. „Dziś w kinie przeraziłem się nie na żarty, że komuniści wszystko mi zabiorą", wyznał w dzienniku, po czym bez owijania w bawełnę dorzucił: „Nigdy nie nadstawiłbym karku za lud. Może to okropne, co piszę, ale za nic bym tego nie zrobił. Walczę o wolność przekonań i może jeszcze o elitarną, żyjącą własnym życiem społeczność wybrańców".

Mimo stabilizacji materialnej, jaką zawdzięczał muzyce, Paulo nie zapominał o swoim największym marzeniu – by zostać wielkim pisarzem. W chwilach rozpaczy pisał „z coraz większą pewnością", że mu się to nie uda. Z przerażeniem myślał o zbliżających się trzydziestych urodzinach. Była to data, którą uznał za ostateczny termin realizacji swego marzenia o pisarskiej sławie. Zaczął wątpić, czy kiedykolwiek uda mu się osiągnąć sukces na gruncie literackim. Czasem podnosiły go na duchu wyczytane gdzieś informacje, jak choćby o Agacie Christie, która zarobiła na sprzedaży książek 18 milionów dolarów. Wtedy puszczał wodze fantazji:

Nie zamierzam wydawać moich powieści w Brazylii. Tutejszy rynek nie jest jeszcze na to gotowy. Jeśli w kraju książka sprzeda się w 3000 egzemplarzy, uznaje się to za sukces, a w Stanach Zjednoczonych za wielką klęskę. Tu nie ma przyszłości. Jeśli mam być pisarzem, muszę wyjechać.

Paulowi przyszło jeszcze długo czekać, aż los stanie się dla niego łaskawszy i otworzy mu drzwi do sławy. Na razie trzeba było podporządkować się rygorom pracy, zebraniom i podróżom służbowym do São Paulo, których wymagało jego stanowisko dyrektora. Wytwórnia fonograficzna Philips zdecydowała się przenieść wszystkie działy w jedno miejsce, do odległej, nowoczesnej i dynamicznie rozwijającej się części miasta, Barra da Tijuca. Paulo buntował się przeciw przeprowadzce, bo nowa siedziba była oddalona 40 kilometrów od jego domu, a to oznaczało, że musi się przemóc, zrobić prawo jazdy i kupić samochód. Innym powodem niechęci był fakt, że w nowym miejscu przydzielono mu bardzo mały pokój. Jednak swoje żale przelewał tylko na papier:

Siedzę w moim nowym gabinecie, o ile można tę klitkę nazwać gabinetem. Są tu jeszcze dwie sekretarki, asystentka i chłopak na posyłki. Razem zajmujemy pokój o powierzchni 30 metrów kwadratowych, co daje 6 metrów na osobę. To bardzo mało, zważywszy na fakt, że sporo miejsca zajmują liczne bezużyteczne meble.

Praca wiązała się nie tylko z męczącymi dojazdami. Szybko okazało się, że Paulo znalazł się w tyglu, gdzie ścierały się ludzka próżność, ambicje i walka o byt. Na tym istnym polu bitwy dochodziło do konfrontacji różnych osobowości, każdy pod każdym kopał dołki. Nie najlepsze miejsce dla człowieka targanego emocjami i dręczonego rozlicznymi paranojami. Wystarczyło, że w windzie któryś z szefów spojrzał na niego krzywo, a Paulo od razu czuł się zagrożony. Kiedy pominięto go przy rozdawaniu zaproszeń na koncert lub promocję albumu, nie spał kilka nocy z rzędu, żaląc się na kartkach dziennika. Wiadomość, że zebranie odbywa się bez jego udziału, mogła wywołać atak astmy. Brak poczucia własnej wartości przybierał absurdalne rozmiary. Jeśli wyczuł, że producent muzyczny zachowuje się nieszczerze, popadał w tak wielkie przygnębienie, że nie był w stanie pracować. Atakowany z kilku stron jednocześnie, przynajmniej we własnym przekonaniu, tracił grunt pod nogami.

Dziś jestem w podłym nastroju, dławi mnie strach. Zdaje mi się, że nikt mnie nie lubi, że nagle wykręcą mi jakiś paskudny numer i przestaną się ze mną liczyć tak jak dawniej.

Wszystko zaczęło się walić, kiedy wyrolowano mnie z jednego zebrania. Od razu pojawił się katar. A może moje przeziębienia mają podłoże emocjonalne? Szef wytwórni André Midani wchodzi do biura i traktuje mnie jak powietrze. Mój współpracownik jest w złym humorze, a ja od razu myślę, że knują przeciw mnie spisek. A do tego w artykule nie wymieniają mojego nazwiska, choć powinno tam się znaleźć.

Zwiększa to moje poczucie zagrożenia. Wszyscy widzą, że brak mi pewności siebie. Nie zaproszono mnie na promocję książki Nelsona Motty, który od dawna mnie lekceważy, chociaż przyznaję, że nigdy nie ukrywałem do niego niechęci.

Ludzie tolerują mnie chyba tylko dlatego, że jestem przyjacielem Menescala.

Paulo pełnił w wytwórni dwie funkcje – tekściarza i dyrektora działu, co również powodowało duży stres. Jako dyrektor pisał dla szefów Philipsa szczegółowe raporty, w których oceniał dokonania znanych artystów współpracujących z wytwórnią, w większości jego znajomych. Choć treść tych dokumentów była poufna i znali ją tylko Midani, Menescal, Armando Pittigliani i jeszcze jeden lub dwóch dyrektorów, Paulo truchlał na samą myśl, że jego opinie mogłyby się dostać w niepowołane ręce. Miał się czego obawiać, ponieważ krytykiem był surowym. Pomimo stresu, był bardzo oddany pracy, często zostawał w biurze do późna w nocy. Posada w Philipsie była jednym z trzech filarów, które pomagały mu zachować jako taką równowagę psychiczną. Drugim było małżeństwo, a trzecim nowa pasja, której się oddawał – joga. Kiedy rzeczywistość stawała się nie do zniesienia, szedł po poradę do doktora Benjamima Gomesa, a ten stawiał go na nogi, zapisując mu leki antydepresyjne.

W styczniu 1977 roku Paulo przekonał się, że Cissa różni się od jego poprzednich towarzyszek. „Ona jest taka, jaka jest i trudno będzie ją zmienić", zwierzał się w dzienniku. „Pracuję nad tym, ale chyba tracę czas. Widzę, że to bez sensu". Jedyne, co mu się udało, to przekonać żonę do narkotyków. Cissa nigdy nie wpadła w nałóg, ale to on jako pierwszy dał jej marihuanę, a potem LSD. Kilka lat wcześniej skłonił Verę Richter do spróbowania haszyszu, a teraz na Cissie przeprowadził eksperyment z kwasem lizergowym. 19 marca, w dniu św. Józefa, oboje ucałowali jego wizerunek i rozpoczęli „ceremonię". Włączyli magnetofon, Cissa położyła sobie na języku małą tabletkę LSD i zaczęła opisywać swoje doznania, od niepewności, poprzez senność i mrowienie aż po ekstazę. Słyszała „niesamowite" dźwięki, co jest typową reakcją na ten narkotyk. Łkając, nieudolnie próbowała opisać, co się z nią dzieje.

Nikt nie uwierzy, co teraz słyszę. Nigdy tego nie zapomnę. Spróbuję to opisać... Wiem, że słyszałeś to samo co ja. Patrzyłam na sufit naszego malutkiego mieszkania. I nagle... Chyba nie potrafię tego opisać, ale muszę spróbować... Paulo, to coś niesamowitego.

Mąż „czuwał" nad eksperymentem, zadbał nawet o ścieżkę dźwiękową. Najpierw w tle słychać początek dziennika telewizyjnego stacji Globo, a potem spiker donosi o wysokim wskaźniku wypadków drogowych w Rio. Następnie rozbrzmiewa *Tokata* i *fu-*

ga Bacha, a po niej *Marsz weselny* Wagnera. Paulo uspokajał żonę, że jeśli zdarzy jej się *bad trip*, szklanka soku z pomarańczy przerwie działanie kwasu.

Narkotyki pozwalały zapomnieć o problemach małżeńskich, ale ich nie rozwiązywały. Podczas jednej z sesji z LSD do pokoju Paula wtargnął Rocky Balboa z misją ocalenia młodego Brazylijczyka. Zdarzyło się to w marcowy poranek 1977 roku, kiedy Paulo wraz z Cissą oglądali w łóżku relację z wręczania Oscarów: *Rocky* dostał trzy statuetki – za najlepszy film, za reżyserię i za montaż. Tak jak bokser Balboa w chwale wrócił na ring, tak Paulo wierzył, że kiedyś zwycięży, wejdzie na podium i odbierze swoją nagrodę. Wciąż interesowało go jedno – kariera pisarza, którego książki będzie czytał cały świat. Wszystko miał już zaplanowane: wiedział, że pierwszym krokiem ku sławie będzie opuszczenie Brazylii, a debiutancka powieść powstanie za granicą. Następnego dnia odnalazł swego szefa Menescala, który ćwiczył aikido w fitness klubie, i oświadczył, że wyjeżdża. Chciał pojechać do Madrytu, ale przeważyła propozycja Cissy i w maju 1977 roku wylądowali na lotnisku Heathrow. Pierwsze dzieło Paula miało powstać w Londynie.

Wynajęli kawalerkę w trzypiętrowym domu przy Palace Street 7, w połowie drogi między stacją Victoria a Pałacem Buckingham. Miesięcznie płacili 186 funtów. Mieszkanie było ciasne, ale miało dobrą lokalizację i – co równie ważne – łazienkę. Otworzyli konto w filii Banco do Brasil z depozytem 5 tysięcy dolarów. Pieniądze nie były dla Paula problemem, ale jako człowiek zapobiegliwy liczył się z kłopotami natury prawnej. Obywatele Brazylii przebywający za granicą nie mogli jednorazowo przelewać na konto więcej niż trzysta dolarów. Żeby oszukać Bank Centralny pod koniec miesiąca dziadkowie, wujowie i kuzyni przesyłali z Rio po trzysta dolarów mieszkającym w Londynie brazylijskim przyjaciołom Paula i Cissy. Ci z kolei wpłacali te pieniądze na konto małżonków w Banco do Brasil. Dzięki tej sztuczce mieli co miesiąc nieopodatkowaną kwotę 1500 dolarów.

Poza dochodami z wynajmu mieszkań w Brazylii Paulo otrzymywał także wynagrodzenie za artykuły o muzyce pisane dla tygodnika „Amiga", należącego do nieistniejącego dziś koncernu Bloch. Cissa pracowała jako dziennikarka w brazylijskiej sekcji BBC i pisywała do „Jornal do Brasil". Prowadziła również dom, gdyż w tej dziedzinie zaangażowanie męża było zerowe. Prawdę mówiąc, było jeszcze gorzej, bo nie dość, że nie pomagał w domu, to odmówił jedzenia mrożonek. Grzecznie zasugerował żonie, by kupiła książkę kucharską. Okazało się, że tłumaczenie przepisów z *Basic Cookery* nastręczało wiele trudności. Paulo i Cissa godzinami próbowali zrozumieć, jak przygotować potrawę. W widocznym miejscu w kuchni pojawiło się menu rozpisane na siedem dni tygodnia, z wyszczególnieniem wszystkich potraw. Wynikało z niego, że mięso jedli raz w tygodniu, ale urozmaicali sobie jadłospis w pakistańskich lub tajskich restauracjach.

Flats Wanted

THE CITY UNIVERSITY
ALL SORTS AND TYPES OF ACCOMMODATION WANTED

With or without meals.
With or without cooking facilities.
Free letting service to landladies and students.
Telephone: 253 4399, ext 211 or write to:
Accommodation Officer,
The City University,
St John Street,
London. EC1V 4PB.

●GAY WOMAN and MAN urgently need two rooms. S/C or in non-sexist household. N. London. Marian. 359 0865.

●GRADUATE, 22, seeks own room in shared house/flat. Preferably Southwest London. Andrew: 994 0475 (evenings).

●RESPONSIBLE MALE, 32, URGENTLY REQUI[illegible] in Camden To[illegible]. Maximum £12. Teleph[illegible] on: 267 8146. After 6.00pm.

●YOUNG PROFESSIONAL COUPLE NEED FLAT FROM NOVEMBER 15th. LONDON AREA WITH TELEPHONE. £30 p.w. Write: Cecilia, 7 Palace Street, Flat 3, SW1.

●SUPPLY TEACHER (25) require[illegible] until January. N/NW [illegible]

●GRADUATE JOURNALIST MALE [illegible]

Młodzi szukają w Londynie nowego mieszkania do wynajęcia. W wolnych chwilach roznoszą ulotki nawołujące do legalizacji marihuany.

PETITION

I/We the undersigned demand the immediate legalisation o[f] cannabis.

Name ....

Address ....

....

....

Occupation ....

Please fill in this petition, and send it to the Home Secretary, your M.P., or the Party leader of your choice.

Pieniędzy nie brakowało. Starczało na pokrycie wszelkich wydatków, między innymi na zajęcia z jogi i kurs fotograficzny, na wykłady na temat wampiryzmu, wycieczki i liczne rozrywki kulturalne. Jako pierwsi ustawiali się w kolejce do kas, żeby zobaczyć filmy, które nie przeszły przez sito brazylijskiej cenzury. Tak było ze *Stanem oblężenia* Costy-Gavrasa, który oskarżał urugwajską dyktaturę o liczne zbrodnie. Po trzech długich miesiącach leniuchowania Paulo wreszcie zdał sobie sprawę, że pora otrząsnąć się z marazmu.

Ostatnio pracuję najwyżej dwa dni w tygodniu. Gdyby wyciągnąć średnią z tych trzech miesięcy w Europie, pracowałem zaledwie miesiąc. Jak na kogoś, kto zamierza podbić świat i przyjechał tu pełen nadziei, dwa dni pracy w tygodniu to bardzo mało.

Nic nie zapowiadało powstania wyczekiwanej, wspaniałej powieści, więc Paulo postanowił się czymś zająć. O ile kurs fotografii nie przyniósł Paulowi wymiernych korzyści, zajęcia z wampiryzmu zainspirowały go do napisania scenariusza filmowego zatytułowanego *The Vampire of London*. Wysłał tekst do największych producentów, którzy jak jeden mąż grzecznie mu odmówili – moda na wampiry w kinie już minęła. Jeden z nich zainteresował się projektem i wyraził chęć „obejrzenia ukończonego filmu", a wtedy zbada „szanse jego dystrybucji".

W lipcu Paulo i Cissa zrozumieli, że w Londynie trudno znaleźć przyjaciół. Ich samotność przerwała krótka wizyta państwa Coelho. Między Brazylią a Londynem zaczęły częściej krążyć przesyłki, zarówno w formie listów, jak i – jak wolał Paulo – nagrań, które przesyłał przez znajomych, gdy tylko nadarzała się okazja. W domu rodziców i u przyjaciół rosła sterta kaset. Szczególnie dużo miał ich nowy druh Paula, Roberto Menescal. Za jego pośrednictwem młody pisarz dowiedział się, że Rita Lee znalazła sobie nowego autora piosenek. Nadchodzące z kraju odmowne listy producentów i wydawców przelały kielich goryczy.

Osoba, z którą pracowałem, znalazła sobie kogoś innego. Zapomnieli o mnie szybciej, niż myślałem. Wystarczyły trzy miesiące, bym przestał cokolwiek znaczyć w życiu kulturalnym mojego kraju. Od wielu dni nikt nie pisze.

Co się stało? Dokąd prowadzi ta ścieżka, która mnie tu przywiodła? Co z marzeniem, które nie opuszcza mnie od dzieciństwa? Teraz, gdy wreszcie mogę je zrealizować, czuję, że nie jestem gotów.

Pod koniec 1977 roku mijał termin najmu. Postanowili opuścić kawalerkę przy Palace Street. Czynsz był wygórowany, do tego doszły ciągłe kłótnie z właścicielem i przeświadczenie Paula, że mieszkanie emanuje złą energią. Dali do londyńskiej gazety ogłoszenie następującej treści: „Młode małżeństwo poszukuje mieszkania z telefonem od 15 listopada". Dwa tygodnie później byli już w Notting Hill, w domu przy Bassett Road, blisko słynnego targu staroci przy Portobello. Tam trzydzieści lat później Paulo umieścił akcję książki *Czarownica z Portobello*. Dzielnica była skromniejsza, ale mieszkanie tańsze, większe i lepiej wyposażone.

Wykłady o wampiryzmie wprawdzie nie przyniosły Paulowi sławy scenarzysty filmowego, ale zaowocowały nową znajomością. Paulo poznał pełną wdzięku, dwudziestoczteroletnią japońską masażystkę Keiko Saito, również zafascynowaną mrocznym światem wampirów. Keiko towarzyszyła mu również podczas akcji rozdawania ulotek, w które Paulo często się angażował: to protestował przeciwko zbrodniom Pol Pota w Kambodży, to znów zbierał podpisy pod petycją w sprawie legalizacji marihuany w Wielkiej Brytanii. Nie minęło wiele czasu, a zakochał się w dziewczynie z Tokio, którą podobnie jak jego zachwycił „szalony" Londyn lat 70. Zrobił to, co zwykle, gdy w jego życiu pojawiała się nowa kobieta. Poszedł do Cissy i otwarcie opowiedział o swej nowej miłości.

– Zakochałem się w Keiko. Może się do nas wprowadzić?

Paulo publicznie wspomniał ten epizod tylko raz, gdy w październiku 1992 roku udzielił wywiadu W. F. Padovaniemu dla miesięcznika „Playboy". Powiedział, że żona przyjęła tę propozycję ze spokojem.

PLAYBOY: *A małżeństwo z Cecílią Mac Dowell?*

PAULO: *To był ślub kościelny.*

PLAYBOY: *Miał pan na sobie uroczysty strój?*

PAULO: *Owszem. Drużbą był Raul Seixas. Pojechaliśmy z Cecílią do Londynu, gdzie przez jakiś czas żyliśmy w trójkącie.*

PLAYBOY: *To znaczy?*

PAULO: *Chodziłem na wykłady o wampiryzmie i zakochałem się w jednej dziewczynie. Była Japonką i nazywała się Keiko. Ponieważ nadal kochałem Cecílię, postanowiłem zamieszkać z obiema.*

PLAYBOY: *Zgodziły się?*

PAULO: *Tak. Mieszkaliśmy razem przez rok.*

PLAYBOY: *Jak było w łóżku?*

PAULO: *Kochałem się z obydwiema naraz, ale one ze sobą tego nie robiły.*

Keiko i Paulo…

…Cissa i Peninha…

…cała „rodzina" w komplecie.

PLAYBOY: *Nie były o siebie zazdrosne?*

PAULO: *Nie, nigdy.*

PLAYBOY: *Nie zdarzało się, że chciał się pan kochać tylko z jedną?*

PAULO: *O ile pamiętam, nie. Całą naszą trójkę łączyło prawdziwe, intensywne uczucie.*

PLAYBOY: *Cecília i Keiko nie uprawiały ze sobą seksu, ale czy coś do siebie czuły?*

PAULO: *Miały dla siebie wiele czułości. Rozumiały, jak bardzo je obie kocham, a ja czułem ich miłość.*

Paulo poszedł w ślady chińskich i sowieckich przywódców komunistycznych, którzy kazali wymazywać ze zdjęć postaci towarzyszy, którzy wypadli z łask. W wywiadzie dla „Playboya" nie wspomniał o osobie, która odegrała ważną rolę w tej historii. Był to Brazylijczyk, długowłosy producent muzyczny znany jako Peninha, w tym czasie również mieszkający w Londynie. W wynajmowanej przez młodych kawalerce było tylko jedno łóżko. Cissa w mig zrozumiała, że proponując nowy układ, Paulo chce się poczuć jak szejk w haremie. Wprawdzie zawsze uważał żonę za „osobę bezkonfliktową", ale po roku wspólnego życia przekonał się, że to kobieta z charakterem.

Był zaskoczony, gdy ze słodkim uśmiechem odparła:

– Zgadzam się, żeby Keiko z nami zamieszkała, pod warunkiem, że będę mogła sprowadzić Peninhę. Ja też się zakochałam.

Chcąc nie chcąc Paulo musiał się zgodzić. Wkrótce zaczęli nazywać siebie „powiększoną rodziną" lub „Zgromadzeniem Ogólnym ONZ". Radosne stadło tworzyli: Paulo, Cissa, Keiko i Peninha. Ilekroć w Londynie pojawiał się ktoś z brazylijskiej rodziny, Keiko i Peninha znikali na jakiś czas z mieszkania. Tak było, kiedy przyjechała najstarsza siostra Cissy, Gail, która zatrzymała się u nich na tydzień. Jedynego sylwestra na angielskiej ziemi państwo Coelho spędzili wraz ze swą „powiększoną rodziną" w Edynburgu.

Jak zwykle pod koniec roku Paulo robił niekończące się podsumowania, kładąc na szali swe zwycięstwa i porażki. Oscarowa gala wciąż pozostawała w sferze marzeń, mimo że zainspirowały go do opuszczenia kraju. Mijały miesiące, a on nie napisał nawet jednej linijki swej wyśnionej książki, ale z poczucia klęski zwierzał się tylko na kartkach dziennika.

Ostatnie miesiące to pasmo niepowodzeń. Odrzucono wszystkie teksty, które wysłałem na konkursy. Dziś przyszła ostatnia, brakująca do kompletu odpowiedź. Żadna kobieta nie chce się ze mną spotykać. To nie przesada. Kiedy mówię „żadna", znaczy, że żadna bez wyjątku.

[...] Od dziecka marzyłem, by zostać pisarzem. Chciałem wyjechać za granicę, tam pisać książki i zyskać międzynarodową sławę. Wyjazd do Londynu był krokiem, o którym marzyłem od wielu lat... Jednak spodziewałem się innego rezultatu. Moim największym rozczarowaniem jestem ja sam. Od sześciu miesięcy żyję w miejscu, które dostarcza mi tylu inspiracji, a ja nie potrafię napisać jednego zdania.

Paulo robił dobrą minę do złej gry. Przedstawiał się jako znany autor tekstów, który w wolnym czasie pisze artykuły o Londynie do brazylijskich gazet. Jednak Menescal, z którym prowadził ożywioną korespondencję, zaczął podejrzewać, że z przyjacielem dzieje się coś złego. Postanowił ściągnąć go z powrotem do Brazylii. Paulo przystał na pomysł, ale nie zamierzał wracać na tarczy. Zgodził się na powrót pod warunkiem, że wytwórnia sama go o to poprosi. Szef firmy osobiście przyjechał do Londynu w towarzystwie ważnej pani dyrektor, Heleny Oliveiry. Paulo wrócił do Philipsa dopiero w marcu 1978 roku, ale w rzeczywistości zależało mu na samym zaproszeniu, a nie na pracy. Przed wyjazdem schował do koperty kilka tekstów, które napisał podczas mało twórczego okresu w Londynie. Na kopercie umieścił swoje nazwisko i adres. Potem poszedł na spotkanie z Menescalem do pubu przy Portobello. Położył kopertę na kontuarze baru i wychodząc „zapomniał" ją zabrać. W przeddzień wyjazd z Londynu wyjaśnił przyczyny takiego postępowania:

Wszystko, co w tym roku napisałem, zostawiłem w barze. To moja ostatnia szansa, by ktoś mnie odkrył i powiedział: „Ten facet jest genialny!". Jeśli zechce, zawsze mnie odnajdzie.

Koperta musiała zaginąć, a może znalazca nie odkrył w Paulu iskry geniuszu. Młodzi wrócili do Brazylii w lutym 1978 roku w towarzystwie przyjaciela, mecenasa Menescala. Podczas lotu Cissa zalewała się łzami, zapewne przeczuwając kres małżeństwa, na co się zanosiło od września poprzedniego roku. Natomiast Paulo streścił swoje londyńskie doświadczenia w kilku lakonicznych słowach:

W Londynie ostatecznie rozwiały się marzenia, że kiedyś zostanę sławnym pisarzem.

Po latach bohaterowie jego powieści często powtarzają: to tylko zwykłe niepowodzenia, a nie życiowe klęski. Paulo nie napisał upragnionej książki, stracił współpracowników, nie miał pracy i skurczył się krąg jego przyjaciół. Nie mógł też cieszyć się anonimowością, która w Londynie umożliwiała mu związki pozamałżeńskie. Wrócili z Cissą do mieszkanka przy ulicy Barata Ribeiro, rozpakowali walizki. Paulo przeczuwał rychły koniec małżeństwa.

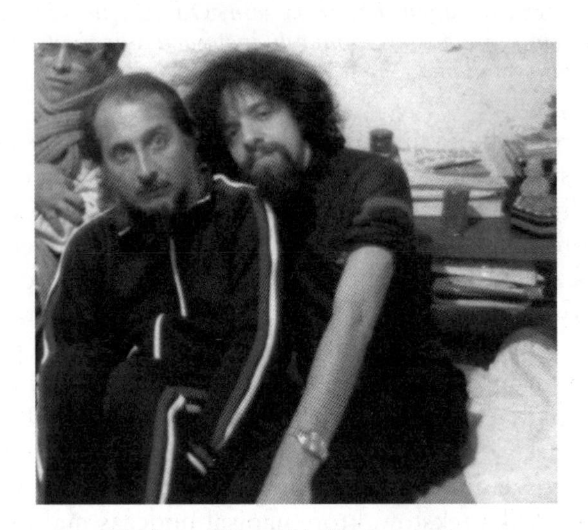

Roberto Menescal jedzie do Londynu
i ściąga przyjaciela do kraju.
Angielskie wakacje dobiegają końca.

Związek z Cissą ma szansę na przetrwanie jedynie przy zachowaniu emocjonalnej otwartości, jaka istniała w Londynie. Zaszliśmy już tak daleko, że nie możemy się wycofać. W przeciwnym razie nie widzę szans, a rozstanie to tylko kwestia czasu. Mam nadzieję, że wszystko dobrze się ułoży. Jednocześnie zdaję sobie sprawę, że powrót do Brazylii prędzej nas rozdzieli niż zbliży. Tutaj jesteśmy wobec siebie mniej tolerancyjni.

Kilka miesięcy później przeprowadzili się do czwartego mieszkania, które kupił Paulo. Zwiększył swój stan posiadania dzięki honorariom, które wpłynęły na konto podczas jego nieobecności. Wygodny apartament w dzielnicy Flamengo, przy ulicy Senador Euzébio, miał trzy sypialnie. Znajdował się dwie przecznice od kina Paissandu, trzy od domu Eneidy, byłej narzeczonej, oraz kilka kroków od Raula Seixasa. Część ściany młodzi ozdobili zdjęciami i pamiątkami z Londynu. Z jednej strony przypominały o miłych chwilach tam spędzonych, z drugiej o klęsce Paula, którego plany napisania książki spełzły na niczym.

W marcu Coelho objął funkcję producenta artystycznego w Philipsie. W przeciągu kilku miesięcy wrócił też do obowiązków dyrektora działu. Nie lubił wstawać rano, więc często około dziesiątej zrywał go z łóżka telefon sekretarki, która zawiadamiała, że ktoś na niego czeka. Jechał swym skromnym fordem corcel do Barry da Tijuca, a potem spędzał dzień na niekończących się zebraniach, często poza siedzibą firmy. Spotykał się z artystami, dyrektorami wytwórni i dziennikarzami muzycznymi. W biurze zajmował się dosłownie wszystkim – wykonywał dziesiątki telefonów, załatwiał sprawy papierkowe, zatwierdzał okładki, w imieniu sławnych artystów odpisywał na listy fanów.

Choć mieszkał teraz blisko Raula Seixasa, nie spowodowało to ocieplenia stosunków. Pod koniec roku WEA, nowa wytwórnia Raula, przekonała „bliskich nieprzyjaciół", by dołączyli do studia i wskrzesili duet, który kiedyś podbił Brazylię. Nie udało się. Płyta *Mata Virgem* [Dziewicza dżungla] wyszła na początku 1979 roku i zawierała pięć tekstów Paula: „Judas" [Judasz], „As Profecias" [Przepowiednie], „Tá na Hora" [Już czas], „Conserve seu Medo" [Zachowaj swój strach] i „Magia de Amor" [Magia miłości]. Liczba sprzedanych egzemplarzy nie przekroczyła jednej dziesiątej sprzedaży albumów *Gita* czy *Há Dez Mil Anos Atrás*.

Bezpowrotnie minęła sława, jaką cieszyli się między 1973 a 1975 rokiem. Paulo zrobił wielkie postępy i nauczył się od Raula jednej rzeczy – „pisać dobre teksty, czyli w dwudziestu linijkach zawrzeć historię, którą można wysłuchać dziesięć razy i nie być znudzonym". Nie był już zależny od swego partnera. Poza pięcioma utworami do albumu *Mata Virgem* w 1978 roku napisał dwadzieścia piosenek dla popularnych wówczas muzyków, jak Zé Rodrix, a także artystów mniej znanych, o których nikt już dziś nie pamięta (Miguel, Mena, Pedro Paulo). Coelho stał się człowiekiem orkiestrą. Pisał scenariusze i reżyserował koncerty. Kiedy reżyser komedii erotycznych, Pedro Rovai postanowił nakręcić film *Amante Latino* [Latynoski kochanek], poprosił Paula o napisanie scenariusza.

Jako człowiek nadwrażliwy Paulo cierpiał katusze po każdym sukcesie i mobilizował się po każdym niepowodzeniu. Kiedy wracał do domu, zawodowe sprawy szły w niepamięć. Zły humor rozładowywały coraz częstsze, gwałtowne kłótnie, po których następowały długie ciche dni. W lutym 1979 roku Paulo postanowił udać się w samotną podróż statkiem do Patagonii. W drodze powrotnej, kiedy statek zawinął do portu w Buenos Aires, zadzwonił do Cissy i zaproponował separację. Widocznie w tym trudnym dla niego okresie umknęło jego uwadze, że trzy lata wcześniej z tego samego miejsca dzwonił do Cissy, wyznając jej miłość.

Faktyczna separacja nastąpiła 24 marca 1979 roku, kiedy Paulo wyprowadził się z mieszkania przy ulicy Senador Eusébio, a zalegalizowano ją 11 czerwca w sądzie pięćdziesiąt metrów od kościoła św. Józefa, gdzie brali ślub. O mały włos, a sędzia nie zgodziłby się na separację. Wyprosił Cissę z sali, argumentując, że do sądu nie wolno wchodzić w dżinsach. Trzeba było szybko kupić spódnicę. Potem okazało się, że adwokat zapomniał o jakimś ważnym dokumencie i musiał przekupić sędziego, by ten wbrew zasadom podpisał akt separacji. Po załatwieniu wszystkich formalności byli małżonkowie poszli do restauracji. Każde z nich inaczej zapamiętało ów dzień. Paulo spisał swoje wrażenia tego samego wieczora.

Nie wiem, czy jest zrozpaczona, ale bardzo płakała. Dla mnie nie było to nic wielkiego. Wyszedłem z sądu i poszedłem załatwiać swoje sprawy. Zjadłem wyśmienitą kolację. Dawno tak się nie najadłem, ale oczywiście to nie ma żadnego związku z separacją. To zasługa kucharki, która przygotowała świetne jedzenie.

Cissa nie chciała uczestniczyć w podziale majątku, ani odbierać swojej części majątku, jaka jej przysługiwała w świetle brazylijskiego prawa. O jej stanie emocjonalnym świadczy napisany po angielsku list, który wysłała pocztą do byłego męża. Skrytykowała w nim to, co Paulo uważał za swoją najmocniejszą stronę – łóżko.

Sądzę, że naszym głównym problemem był seks. Nigdy nie rozumiałam, dlaczego nie obchodzę cię w łóżku. Byłoby nam o wiele lepiej, gdybym czuła, że moja przyjemność jest dla ciebie równie ważna. Jednak ty się niczym nie przejmowałeś. Dlatego z czasem ja też przestałam zwracać uwagę na twoje potrzeby.

Paulo należał do mężczyzn, których równowaga emocjonalna zależy przede wszystkim od udanych relacji z kobietą, a ta musiała go wspierać w trudnych chwilach. Kiedy Cissy zabrakło i nastąpił koniec małżeństwa, można było mieć pewność, że Paulo popadnie w depresję. Kręciło się wokół niego mnóstwo kobiet, które, jak sam uważał, tylko wysysają z niego energię niezbędną, by zostać pisarzem. „Dużo czasu spędzam poza domem, pieprzę się na prawo i lewo, ale te wszystkie kobiety to wampiry", pisał. „Mam tego dość".

Najbardziej przygnębiona rozwodem Paula była jego matka. W radosnej atmosferze świąt wielkanocnych Lygia wysłała synowi napisany na maszynie szczery list. Nie brzmi, jakby wyszedł spod ręki „potwora", jak często nazywał ją Paulo. Pisany pięknym językiem, ukazuje rzadko spotykaną wnikliwość psychologiczną. Winą za rozwód Lygia obarcza przede wszystkim syna, jego chwiejność emocjonalną i nieumiejętność przyznawania się do porażek.

Mój Kochany Synu,

Mamy wiele wspólnego, w tym łatwość przelewania myśli na papier. Dlatego w tę wielkanocną niedzielę kreślę do Ciebie tych kilka słów w nadziei, że Ci pomogę. Bardzo Cię kocham i dlatego cierpię, gdy Ty cierpisz i raduję się, kiedy jesteś szczęśliwy.

Domyślasz się, że wciąż myślę o Tobie i o Cissie. Powiesz, że to Twój problem i że nie powinnam się wtrącać, dlatego waham się, czy wysłać ten list.

Gdy mówię, że Cię dobrze znam, opieram się na intuicji matki. Zdaję sobie sprawę, że ukształtowało Cię wiele czynników niezależnych od nas i o niektórych rzeczach nic nie wiem. W dzieciństwie zbytnio Cię ograniczaliśmy, a potem przytłoczyły Cię własne problemy. Z czasem zacząłeś uciekać od bliskich relacji z kobietami, łamałeś schematy, zaczynałeś wszystko od nowa. Udało Ci się, pomimo rozpaczy, strachu i niepewności. I to jak! Jednocześnie uwolniłeś część swej osobowości, która przez lata była ograniczana i wciąż nie wiesz, co z nią począć.

Nie zdążyłam dobrze poznać Cecílii, ale sprawiała wrażenie kobiety mocno stąpającej po ziemi, silnej, odważnej, szczerej i obdarzonej dużą intuicją. Musiałeś być przerażony, gdy zaczęła odpłacać Ci pięknym za nadobne. Przez długi czas myślała, że Twoje wady to jej wina – poczucie zależności, niepewność. Nie była w stanie tego wszystkiego udźwignąć. Równowaga w waszym małżeństwie została zachwiana i wszystko runęło. Nie wiem, co doprowadziło do ostatecznego zerwania, ale myślę, że jej reakcję uznałeś za odrzucenie, brak uczucia i nie miałeś siły, by wytrwać w związku. Jest tylko jeden sposób, by rozwiązać problem – trzeba go poznać i zrozumieć. Mówiłeś mi, że nie umiesz przegrywać. Pamiętaj, że możemy w pełni przeżyć nasze życie tylko wówczas, gdy nauczymy się i wygrywać, i przegrywać.

Lygia

PS Jak widzisz, pisanie na maszynie nie idzie mi najlepiej, ale starałam się jak mogłam.

Kochany Synu, modliłam się dziś za Ciebie. Prosiłam Boga, by dał Ci wiarę w to, że Twoja przyszłość jest tylko i wyłącznie w Twoich rękach. Modliłam się, by ta wiara nadal dawała owoce, abyś świadomie i uczciwie dochodził do celu oraz by dawało Ci to wiele radości i szczęścia.

Całuję mocno, L.

Wszystko to było prawdą i trudno tu cokolwiek dodać, jak sam Paulo kiedyś napisał na pierwszej stronie swego dziennika. Lekarstwem na rozpacz po uczuciowej klęsce było rzucenie się w wir zajęć. Miesiąc po separacji, w kwietniu 1979 roku, przyszła propozycja nowej pracy. Paulo przeszedł z Philipsa do CBS, gdzie objął stanowisko product managera z obietnicą szybkiego awansu na dyrektora artystycznego wytwórni. Lista jego niepowodzeń miłosnych i zawodowych była długa: klapa albumu *Mata Virgem*, krótkotrwałe narzeczeństwo z Eneidą, niemoc twórcza w Londynie, koniec małżeństwa z Cissą. Nowa propozycja podziałała jak balsam. Praca w CBS pozwoliła mu odnowić kontakty ze światem muzycznym w Rio i São Paulo. Jednocześnie awans obnażył nieprzyjemną stronę jego charakteru – arogancję. Jednym z pierwszych zadań Paula była reorganizacja działu artystycznego wytwórni. Zaczął rozstawiać wszystkich po kątach. „Chyba dawno nie widzieli takiego zarozumialca", przyznał po latach. „Od pierwszego dnia panoszyłem się i rozdawałem kopniaki. Autorytaryzm w czystej postaci!". Podejrzewając, że część pieniędzy jest nielegalnie wyprowadzana z firmy, odmawiał podpisywania faktur, które budziły jego wątpliwości.

Nie zdawał sobie sprawy, że podcina gałąź, na której siedzi. Zatrudniał ludzi, a potem szybko ich zwalniał, ciął wydatki, likwidował stanowiska, podsycając ogień pod tyglem, w którym i tak już wrzało od egocentryzmu i próżności. Rezultatem przeprowadzonej przez niego czystki była sieć intryg uknutych przez pokrzywdzonych. Dwa miesiące po objęciu stanowiska, 13 sierpnia 1979 roku, Paulo jak zwykle przyszedł do biura około południa. Między jednym a drugim zwolnieniem współpracowników został wezwany do gabinetu prezesa brazylijskiej filii CBS, Argentyńczyka Juana Trudena. Przełożony przyjął go na stojąco, z uśmiechem na twarzy. Wyciągnął przyjaźnie rękę i powiedział:

– Drogi kolego, zwalniam pana!

Nic więcej, żadnego „witam", żadnego „powodzenia". Szok, nie tylko ze względu na formę – wyrzucenie z CBS oznaczało koniec kariery w branży muzycznej. „Wyrzucono mnie, gdy byłem u szczytu, gdy nie mogłem już zawrócić i być tym, kim byłem na początku", wspominał po latach w tekście napisanym dla Muzeum Obrazu i Dźwięku w Rio de Janeiro. „W Brazylii istniało tylko sześć wytwórni fonograficznych i sześć stanowisk, które mogłem piastować. Wszystkie były zajęte". Był tak rozżalony, że przed odejściem napisał długi list do Trudena. Twierdził w nim, że przez złe zarządzanie firmą „artyści CBS są najmniej cenieni na rynku brazylijskim". W dramatycznym zakończeniu niemal dosłownie przytoczył słowa byłego prezydenta Jânia Quadrosa z jego słynnego listu, w którym podawał się do dymisji.

> *Te same ukryte siły, które dziś są odpowiedzialne za moje odejście, pewnego dnia będą musiały zmierzyć się z prawdą. Bo prawda zawsze wyjdzie na jaw, panie Juanie Truden.*

Niepowodzenia w branży muzycznej, zwolnienie (oficjalnie ze względu na „brak kompetencji") nie zamknęły listy upokorzeń. Kilka dni później Paulo poszedł na przyjęcie z okazji nominacji nowego prezesa Philipsa, którym został Antônio Coelho Ribeiro.

Na widok dawnego pracownika Philipsa, nowy szef firmy przy pełnej sali głośno powiedział:

– Zawsze uważałem cię za osła.

Nie wiemy, czy Paulo poszedł do czarownika, by rzucił urok na Ribeirę, ale dziesięć miesięcy później jego również zwolniono. Na wieść o tym Paulo wyjął z szuflady prezent, który kupił wkrótce po tym, jak Ribeiro publicznie go obraził. Udał się do mieszkania swego wroga, a gdy ten otworzył drzwi, wyjaśnił powód wizyty.

– Pamięta pan, co mi powiedział, gdy wyrzucono mnie z pracy? Teraz będzie pan mógł powtarzać to samo każdego dnia, patrząc sobie prosto w oczy.

To mówiąc, rozpakował prezent i podał go Ribeirze. Było to lustro, na którym widniał napis: „Zawsze uważałem cię za osła". Zadowolony z siebie odwrócił się na pięcie i zniknął w windzie.

Nadszedł czas, by zacząć leczyć własne rany. Wyrzucony poza nawias w świecie biznesu, pod koniec roku Paulo odnowił kontakty z prasą. W czasopiśmie „Fatos & Fotos" pojawił się jego artykuł „Wampirologia – nauka, która ma w Brazylii pierwszego mistrza". Tym mistrzem oczywiście był on sam – od jakiegoś czasu przedstawiał się jako specjalista wampirologii. W tekście chwalił się napisaniem scenariusza do filmu o wampirach, który – jak wiemy – nigdy nie powstał. Utrata pracy w CBS nastąpiła w złym momencie, kiedy rozpadło się jego małżeństwo. Rany jeszcze się nie zabliźniły i Paulo nie był w stanie sam sobie pomóc. Nie mogąc uporać się z samotnością, znów popadł w rozpacz. Miotał się między skrajnym narcyzmem a poczuciem całkowitego odrzucenia. Zdarzało się, że łączył te skrajne emocje w jednym zdaniu.

Z każdym dniem coraz mi trudniej osiągnąć cel, by stać się kimś sławnym i szanowanym, autorem Dzieła Stulecia, Myśli Tysiąclecia, częścią Historii Ludzkości.

Sądząc po tych słowach, nastąpił nawrót schizofrenii paranoidalnej lub depresji maniakalnej, jak jego stan w różnych okresach diagnozowali różni lekarze, od doktora Benjamima Gomesa począwszy. Problem w tym, że dawny pacjent zbliżał się do kolejnego rocznego bilansu. Miał 32 lata i nadal nie urzeczywistnił swych marzeń. Czasem spuszczał z tonu i rozważał, czy nie lepiej zostać przeciętnym pisarzem. „Zastanawiam się, czy nie napisać opowiadania erotycznego. Jestem pewien, że by mi je opublikowali", zwierzał się w dzienniku. „Zdarzają się chwile, gdy mam ochotę poświęcić się temu gatunkowi, który rozwija się wraz z rynkiem pism pornograficznych. Mógłbym podpisywać teksty jakimś egzotycznym pseudonimem". Jednak od razu pojawiało się pytanie: po co pisać powieści erotyczne? Żeby zarobić? Przecież miał pieniądze, a mimo to był nieszczęśliwy. Znów został sam z problemami, których nikt nie rozumiał, a sam wciąż nie umiał się z nimi uporać. Przedtem nie pisał, bo był żonaty i przeszkadzała mu Cissa. Teraz był sam, ale nie mógł tworzyć, bo doskwierała mu samotność.

[...] Moje plany się nie zmieniły, jeszcze ich nie porzuciłem. W każdej chwili mogę do nich wrócić. Wystarczy, że znajdę odpowiednią kobietę. Ile bym dał, by spotkać ją właśnie teraz...

[...] Czuję się bardzo, bardzo samotny. Nie umiem być szczęśliwy bez kobiety.

[...] Zmęczyło mnie szukanie. Potrzebuję kogoś. Gdybym miał u boku ukochaną kobietę, poradziłbym sobie ze wszystkim.

Żaląc się nieustannie, Paulo potwierdzał znaną prawdę, że szczęścia daleko szukać nie trzeba. Kobieta, o której marzył, przez ponad dziesięć lat przewijała się przez jego życie, choć ani razu nie obdarzył jej uśmiechem ani uściskiem dłoni. To dziwne, że tak śliczna dziewczyna o delikatnej urodzie, ciemnych włosach, wielkich oczach i porcelanowej cerze nie zwróciła uwagi znanego kobieciarza. Paulo i Christina Oiticica poznali się w 1968 roku, gdy jej wuj Marcos oświadczył się Sônii, siostrze młodego Coelho.

Z tej okazji Lygia wydała wystawną kolację, na której obowiązywały długie suknie i ciemne garnitury. Nakaz dotyczył również Paula, który w tym czasie ostentacyjnie obnosił się ze swoją bujną czupryną. Podczas przyjęcia zachowywał się tak, jakby był pod wpływem narkotyków. Potem Paulo i Christina wiele razy spotykali się na rodzinnych uroczystościach, ale nie zwracali na siebie uwagi. W 1972 roku Christina na pewno była gościem na ślubie Paula i Cissy, bo jako siostra szwagra pana młodego należała do szeroko rozumianej rodziny. W Boże Narodzenie 1979 roku Paulo pojechał z Sônią na świąteczny obiad do rodziców Christiny. W tym czasie panna Oiticica była zaręczona z młodym milionerem, który poza imponującym majątkiem posiadał również jacht. Los zrządził, że to właśnie Christina okazała się tą długo poszukiwaną kobietą życia Paula Coelho. Tydzień później byli już nierozłączni i tak jest do dziś.

W styczniu 1980 roku Paulo po latach spotyka Christinę Oiticicę.
Rozpoczyna się historia wielkiej miłości, która doprowadzi ich
do początku nowego stulecia.

20.

Paula przestają interesować seks, pieniądze i kino. Nie ma siły pisać

Christina uczyła się początkowo w konserwatywnej szkole protestanckiej Colégio Bennett, gdzie ze względu na fascynujące biblijne przypowieści interesowały ją jedynie lekcje religii. Ponieważ z pozostałych przedmiotów miała słabe oceny, musiała przenieść się do innej szkoły, a po pewnym czasie, tak jak Paulo, całkiem zrezygnowała z nauki. W wieku szesnastu lat otrzymała od rodziców pozwolenie (konieczne w przypadku nieletnich), by zapisać się na zajęcia przygotowujące do tzw. małej matury, egzaminu, który umożliwiał w ciągu roku zakończyć edukację w szkole średniej. Potem wróciła do Colégio Bennett, gdzie otwarto studia na kierunku sztuk plastycznych i prawa. Pod koniec 1979 roku, kiedy na świątecznym obiedzie spotkała Paula, pracowała już jako architekt.

Jej rodzice, Cristiano i Paula, byli praktykującymi chrześcijanami, ale w stosunku do córki wykazywali wielką tolerancję. Jeśli Christina zamiast do szkoły wolała pójść do kina, nie robili z tego problemu. Od kiedy stała się pełnoletnia, wolno jej było przyprowadzać na noc chłopaków, choć takich szczęściarzy nie było wielu. Chris była bardzo urodziwa, ale oszczędna w szafowaniu swoimi wdziękami. Była typem osoby skupionej i refleksyjnej. Całymi godzinami czytała książki, często słuchała chórów protestanckich, chodziła na ambitne filmy do kina Paissandu, ubierała się w Bibbie, modnym butiku w Ipanemie, tęgo popijała whisky w barze Lama's, gdzie przesiadywali dziennikarze z „Pasquima". Wychodziła co wieczór, a do domu nierzadko wracała o świcie chwiejnym krokiem.

– Alkohol był moim narkotykiem – przyznała po latach. – Uwielbiałam pić.

Kiedy Chris zobaczyła Paula w Boże Narodzenie 1979 roku, przypomniała sobie ich ostatnie spotkanie sprzed dwóch lat, które niemal zakończyło się tragedią. Kilka tygodni przed wyjazdem Paula i Cissy do Londynu, Sônia poprosiła ich, by zostali rodzicami chrzestnymi jej drugiej córki Any Luísy. Na miejsce chrztu wybrała małą miejscowość Baependi, w regionie Sul de Minas, a to w związku z przyrzeczeniem, jakie złożyła kiedyś Nhá Chice – błogosławionej cudotwórczyni z początku XX wieku, która w Baependi zbudowała kościół. Sto lat później Watykan otworzył proces beatyfikacyjny cudotwórczyni. O Nhá Chika Paulo napisał artykuł do „Jornal do Brasil", w którym opowiedział o wydarzeniach w maleńkim miasteczku na południu.

Przyjechałem tam jedynie ze względu na rodzinę. Czekając na chrzciny, postanowiłem przejść się po okolicy i obok kościoła natknąłem się na skromny dom Nhá Chiki. Dwie izby, ołtarzyk z wizerunkami świętych oraz wazon z dwiema różami czerwonymi i jedną białą. Pod wpływem jakiegoś impulsu pomyślałem: „Jeśli w wieku pięćdziesięciu lat spełnię swoje marzenie i będę pisarzem, wrócę tu i przywiozę Nhá Chice dwie czerwone róże i jedną białą". Na pamiątkę kupiłem obrazek z Nhá Chiką i schowałem go do kieszeni.

W chrzcinach wzięła udział liczna reprezentacja rodziny Medeiros Oiticica, w tym Chris jako matka chrzestna pierwszej córki Sôni. Chris towarzyszył młodszy od niej o sześć lat skrzypek Mário. Paulo nie omieszkał zażartować, że Chris przywiozła sobie „ładnego i inteligentnego chłopca", a Christinę zdziwiło, że ten długowłosy narkoman potrafi uklęknąć przed ołtarzem jak prawdziwy chrześcijanin, przeżegnać się i modlić. Po chrzcinach udali się na uroczysty obiad do hotelu, a późnym popołudniem całe towarzystwo wsiadło do dwóch samochodów i ruszyło z powrotem do Rio. Jako pierwszy swoim fordem (prezent od teścia) jechał Paulo, Cissa i część gości, drugi wóz prowadził szwagier Marcos, wiozący resztę rodziny. Na wysokości miejscowości Barra Mansa jadący z przodu autobus nagle zahamował. Paulo instynktownie skręcił gwałtownie w bok, podobnie jak jadący tuż za nim Marcos. W autobus uderzyła cysterna, i to z taką siłą, że oba pojazdy stanęły w płomieniach. Niektóre z jadących w obu kierunkach samochodów wpadły w kulę ognia. Przerażeni Paulo i Marcos zatrzymali się na poboczu. Z płomieni zaczęto wydobywać rannych i zwęglone ciała zabitych. Paulo chciał zapalić, szukając w kieszeni papierosa, natknął się na kupioną kilka godzin wcześniej ikonę Nhá Chiki. Nie miał wątpliwości, że swoje cudowne ocalenie zawdzięcza cichej, skromnej błogosławionej.

Kiedy dwa lata później po świątecznym obiedzie u państwa Oticiców podawano kawę, zapadał zmierzch. Przez cały wieczór Paulo nie spuszczał oczu z Christiny. Od kuzyna Sérgia Weguelina dowiedział się, że dziewczyna ma narzeczonego, ale na ten wieczór z nikim nie jest umówiona. Kiedy nadszedł czas pożegnania, Paulo postanowił spróbować szczęścia. Poprosił kuzyna, żeby zaprosił go wraz z Chris do kina Paissandu na nowy film Woody'ego Allena *Manhattan*. Biletów już nie dostali i zanim Chris się zorientowała, siedziała obok Paula w kinie Condor na filmie *Port lotniczy* sprzed dziesięciu lat. Paulo starał się jak mógł, by nie wypaść z roli dżentelmena i przez dwie godziny nie dotknął nawet ręki Chris. Po wyjściu z ciemnej sali na plac Machado poczuli się jak na ulicy w Bombaju. Wokół pełno mimów, mężczyzn i kobiet wróżących z kart i dłoni, stawiających tarota, połykaczy ognia, pod drzewami grupki śpiewające nabożne pieśni. Paulo i Chris podeszli do człowieka przebranego za Hindusa. Przed nim stał wiklinowy kosz, a w nim wiła się obrzydliwa, sześciometrowa anakonda, wąż niejadowity, ale zdolny udusić nawet byka, a potem połknąć go w całości i trawić przez wiele tygodni. Mimo przerażenia i obrzydzenia podeszli bliżej.

– Jeśli pocałuję tego węża w pysk, dasz mi całusa? – zwrócił się Paulo do Chris obojętnym tonem, jakby pytał o godzinę.

– Chcesz pocałować tego potwora? – Christina spojrzała na niego z niedowierzaniem. – Chyba oszalałeś!

Paulo najwyraźniej nie żartował.

– Dobrze, jeśli ci się uda, możesz mnie pocałować w usta – przyjęła wyzwanie.

Ku przerażeniu Chris oraz przygodnych gapiów Paulo podszedł do węża, chwycił go dwiema rękami za łeb i pocałował. Oniemiały tłumek patrzył jak Paulo odwraca się, podchodzi do Chris, obejmuje ją mocno i składa na jej ustach filmowy pocałunek. Wśród burzy oklasków powtórzył sztuczkę, a dwie godziny później spali przytuleni do siebie w jego mieszkaniu przy ulicy Senador Euzébio.

W sylwestra Paulo po zasięgnięciu rady *I Ching* zaprosił Chris na wieczór do swojego małego, przytulnego domku letniskowego w Cabo Frio, nadmorskiej miejscowości o pół godziny drogi od Araruamy, raju jego dzieciństwa. Biały domek kryty strzechą miał pięćdziesiąt metrów kwadratowych powierzchni, czerwone okiennice i wyglądał identycznie jak pozostałe 74 domy na strzeżonym osiedlu Cabana Clube, które zbudował architekt Renato Menescal, brat Roberta. Kiedy jechali autostradą, Paulo zwierzył się Chris, że poprzedniej nocy jakiś głos ostrzegał go w śnie: „Nie wolno ci spędzić sylwestrowej nocy na cmentarzu". Ponieważ żadne z nich nie potrafiło odgadnąć znaczenia tych słów, ani nie zamierzali tańczyć na grobach, szybko o tym zapomnieli. Po wejściu do domu poczuli, że dzieje się coś dziwnego. Nie było to nic konkretnego, raczej coś, co Paulo nazywał „negatywną energią". Wieczorem usłyszeli hałas, lecz nie mogli ustalić jego źródła. Mieli wrażenie, że ktoś chodzi po pokojach, szurając nogami. Jednak poza nimi w domku nikogo nie było. Wystraszeni wyszli na kolację. Kiedy opowiedzieli właścicielowi restauracji, co im się przytrafiło, usłyszeli historię, od której ciarki przeszły im po plecach.

– Mieszkacie w Cabana Clube? Tam był kiedyś cmentarz Indian. Kiedy kopano fundamenty pod domy, natknięto się na setki ludzkich szkieletów. Mimo to nie przerwano budowy. Wszyscy w Cabo Frio wiedzą, że tam straszy.

Sen okazał się proroczy! Głos, który ostrzegał Paula we śnie, nie kłamał. Nie potrzebowali innych dowodów. Noc spędzili w hotelu, a wczesnym rankiem wrócili do domku po rzeczy. Kilka tygodni później Paulo sprzedał nieruchomość za tyle, za ile ją kupił – 4000 dolarów. Mroczny początek nowego roku nie zepsuł jednak romantycznego nastroju zakochanym. Chris zerwała z narzeczonym i wyprowadziła się z rodzinnego domu w Jardim Botânico do mieszkania Paula przy Senador Euzébio. Zabrała ubrania, meble, drobiazgi osobiste, a przede wszystkim deskę kreślarską. Tak rozpoczął się związek, który, choć nigdy nie został formalnie przypieczętowany, przetrwał lata.

Początki wspólnego życia nie były łatwe. Chris, podobnie jak Paulo, była bardzo przesądna. Kiedy po raz pierwszy weszła do apartamentu, w którym miała zamieszkać, na pulpicie, na którym zwykle rozkłada się Biblię, zauważyła otwartą książkę o Drakuli. Nie bała się wampirów, nie miała nic przeciwko wampirologii, nawet lubiła filmy grozy, jednak takie wykorzystanie przedmiotu używanego w kościele uznała za bluźnierstwo i zły omen. Wstrząśnięta, wybiegła z mieszkania i z budki telefonicznej zadzwoniła do pastora, który był jej duchowym opiekunem. Opowiedziała mu,

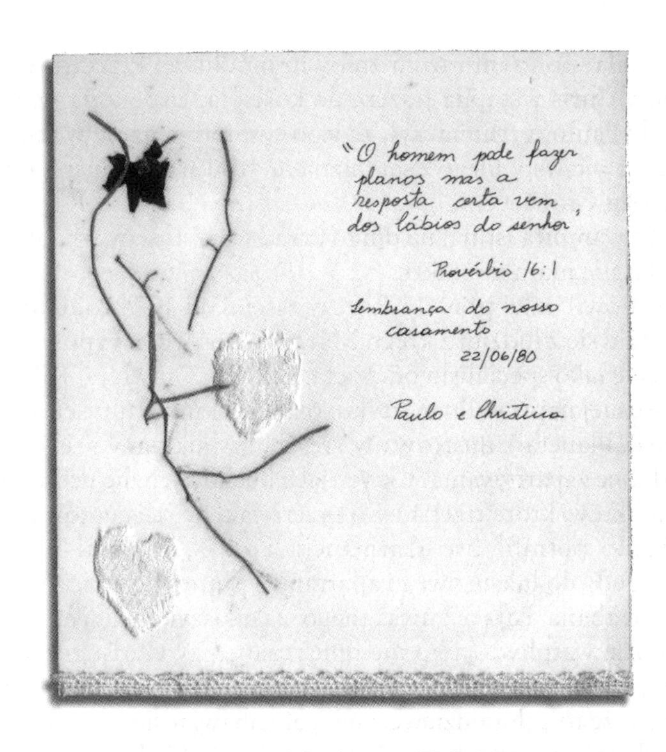

Ilustracja Chris do fragmentu psalmu posłuży
jako zaproszenie na nieformalny ślub.

co widziała, po czym razem zmówili modlitwę. Przed powrotem do domu Chris wstąpiła jeszcze do kościoła. Uspokoiła się dopiero, kiedy Paulo wytłumaczył, że jego zainteresowanie wampirologią nie ma nic wspólnego z satanizmem, stowarzyszeniem OTO ani Aleisterem Crowleyem.

– Mit wampira istniał na długo przed Chrystusem, a z satanistami od lat nie mam kontaktu.

Nie mówił całej prawdy. Rzeczywiście, od 1974 roku ani razu nie spotkał się z ludźmi z kręgu Marcela Motty, ale wypowiadał się publicznie jako specjalista od dzieła Aleistera Crowleya. Kilka miesięcy później napisał długi artykuł o angielskim okultyście dla czasopisma „Planeta", ilustrowany zresztą rysunkami Chris.

Podobne zapatrywania w kwestiach duchowych nie uchroniły ich od konfliktów, które trzeba było przetrwać, by scementować związek. Paulo potrafił być szarmancki i czuły, zabierał ukochaną na weekendy do luksusowego apartamentu prezydenckiego w hotelu Copacabana Palace, uważanego za najszykowniejsze miejsce w Rio. Ale wątpliwości go nie opuszczały. Czy Chris rzeczywiście jest tą „jedyną towarzyszką życia", na którą czekał? Podzielał zdanie Lygii, że to „złota dziewczyna", ale obawiał się, że połączył ich „obezwładniający strach przed samotnością". Z jednej strony bał się zakochać, z drugiej cierpła mu skóra na myśl, że mógłby ją stracić.

Mieliśmy pierwszą poważną kłótnię, kiedy Chris odmówiła wyjazdu do Araruamy. Nagle przestraszyłem się, że może w każdej chwili odejść. Zrobiłem wszystko, żeby ją przy sobie zatrzymać i na razie tak jest. Kocham ją, jestem przy niej spokojny i czuję, że moglibyśmy razem coś stworzyć.

Mimo licznych wątpliwości Paulo i Chris postanowili uczcić decyzję o rozpoczęciu wspólnego życia. W pochmurną niedzielę 22 czerwca 1980 roku wydali uroczysty obiad dla rodziców, rodziny i przyjaciół. Christina udekorowała mieszkanie w stylu hipisowskim, a na każdym zaproszeniu umieściła sentencję lub przysłowie oraz własny rysunek.

Różnorodność zainteresowań religijnych i ezoterycznych Chris pomogła jej zbliżyć się do Paula. Kiedy się poznali, świetnie znała tarota, na temat którego przeczytała wiele książek. Od dawna interesowała się też *I Chingiem* i potrafiła interpretować wskazówki chińskiej wyroczni. Po przeczytaniu *Księgi duchów* Allana Kardeca, Paulo namówił Chris do sprawdzenia swoich predyspozycji jako medium. Podobnie jak niegdyś Cissa poddała się eksperymentowi z LSD, teraz Chris zgodziła się przekazywać informacje z zaświatów.

Przeprowadziłem kilka eksperymentów. Zaczęliśmy w zeszłym tygodniu, kiedy kupiłem książkę. Chris była medium i udało nam się nawiązać kontakt z duchami. Mam mnóstwo wątpliwości. Kiedy naukowo przekonałem się o istnieniu duchów, radykalnie zmieniłem spojrzenie na rzeczywistość. Teraz wiem, że one istnieją, że nas otaczają.

Wiele lat później Chris zapewniała, że doświadczenie przyniosło konkretne efekty.

– Jestem pewna, że stół naprawdę się poruszył i udało mi się zanotować parę słów.

Chris uwierzyła, że jest medium. Ilekroć w mieszkaniu przy ulicy Senador Euzébio wchodziła do łazienki, przeżywała dziwne stany, których nie potrafiła opisać. Nikomu o nich nie opowiadała. Kilka razy przeszło jej przez głowę, żeby zatkać kratkę wentylacyjną, odkręcić kurek przy termie gazowej i odebrać sobie życie. 13 października pracowała przy desce kreślarskiej, kiedy nagle wstała i poszła do łazienki z mocnym postanowieniem popełnienia samobójstwa. W ostatniej chwili przestraszyła się, że śmierć przez uduszenie gazem będzie długa i bolesna. Wyszła z domu, wsiadła do taksówki i pojechała do rodziców. Wiedziała, że matka ma kilka opakowań środków uspokajających, które regularnie zażywa. Chris twierdzi, że lek nazywał się somalium, natomiast Paulo uważa, że było to valium. Faktem jest, że połknęła całe opakowanie, napisała krótki list do Paula i położyła się na łóżku.

Gdy Paulo nie zastał jej w domu, pojechał do teściów, gdzie często jadali razem kolację. Znalazł żonę nieprzytomną, a obok list i puste opakowanie po lekach. Z pomocą teściowej, która właśnie wróciła do domu, zmusił Chris do torsji, a potem zaniósł do windy. Na ulicy złapał taksówkę i zawiózł ją do szpitala św. Bernarda w Gávei. Lekarze zrobili jej płukanie żołądka, a gdy po kilku godzinach doszła do siebie, wypuścili ją do domu. Kiedy Chris zasnęła, Paulo zaczął się zastanawiać, co spowodowało tę próbę samobójczą. Zszedł do portiera, żeby go wybadać.

– Przed panem mieszkał tu pilot linii lotniczych Panair – odparł portier bez wahania. – Popełnił samobójstwo, odkręcając gaz w łazience.

Paulo wrócił do mieszkania i powtórzył to żonie. Chris nagle odzyskała siły, wstała, wyjęła z szafy komplet bielizny pościelowej, wzięła kosmetyczkę, szczotki do zębów i parę osobistych drobiazgów. Włożyła wszystko do walizki i oznajmiła:

– Jedziemy do mamy. Nie zostanę tu ani chwili dłużej.

Nigdy już nie wrócili do tego mieszkania. Spędzili u rodziców Christiny miesiąc, a w tym czasie wyremontowali swoją siódmą z kolei nieruchomość, apartament na parterze, z pięknym ogrodem, który miał dodatkową zaletę – znajdował się w tym samym budynku co mieszkanie państwa Coelho. Najwyraźniej bliskość rodziców dawała Paulowi poczucie bezpieczeństwa.

W ich związku to Chris ustalała granice ekstrawagancji erotycznych, ale z pewnością nie byli zwyczajną parą. Któregoś razu Paulo zaproponował, by poddali się próbie „wytrzymałości na ból", którą praktykowano w średniowieczu. Chris zgodziła się, choć wiedziała, na czym ona polega. Oboje rozebrali się do naga, po czym chłostali nawzajem cienkim bambusowym kijem o długości jednego metra. Każde uderzenie musiało być silniejsze od poprzedniego i zostawiało krwawy ślad na plecach partnera. Chłosta trwała do momentu, gdy oboje nie byli w stanie wytrzymać bólu, a ich plecy przypominały krwisty befsztyk.

Ich związek się umacniał. Pierwsze dwa lata upłynęły bez większych zawirowań, a życie toczyło się swoim rytmem. Za namową męża Chris wróciła do malowania, które porzuciła przed laty. Paulo prowadził programy w telewizji Globo. Pieniędzy mu nie brakowało. Wraz z Raulem Seixasem napisał 41 piosenek i był autorem tekstów do ponad stu innych utworów (oryginalnych piosenek brazylijskich lub przeróbek zagranicznych przebojów) dla kilkudziesięciu artystów. Pieniądze z tantiem nieprzerwanie zasilały jego konto. Imał się nowych zajęć ze strachu przed bezczynnością i groźbą nawrotu depresji. Poza udziałem w programach telewizyjnych, wygłaszał odczyty i uczestniczył w spotkaniach o muzyce, a czasem o wampiryzmie. Pomimo tylu zajęć próby walki z depresją nie powiodły się. Pod koniec 1981 roku Paulo przeszedł poważny kryzys. Ostatnią deską ratunku jak zwykle był dziennik.

W ciągu ostatnich dwóch dni nie pojawiłem się na dwóch spotkaniach. Skłamałem, że muszę iść do dentysty wyrwać ząb. Nie mam siły pisać notatek prasowych, z których zawsze są jakieś pieniądze. Jestem w rozsypce. Zabrakło mi nawet motywacji, by pisać dziennik. Miałem nadzieję, że ten rok będzie lepszy od poprzedniego, a tu proszę. Kilka dni temu przestałem się kąpać.

Kryzys był tak poważny, że Paulo zmienił nawet swój stosunek do tematu, do którego zawsze przywiązywał wielką wagę, czyli do pieniędzy.

Nic mnie nie obchodzi, nawet to, co tak bardzo lubię – pieniądze. Nie wiem, ile mam na koncie, choć kiedyś miałem nad tym kontrolę. Przestał mnie interesować seks, pisanie, kino, książki. Nawet rośliny, które z takim nabożeństwem uprawiałem w ogrodzie, teraz usychają niepodlewane.

Skoro stracił zainteresowanie seksem i pieniędzmi, sprawa musiała być poważna. Należało czym prędzej wrócić do cotygodniowych sesji z doktorem Gomesem. Paulo coraz częściej zadawał Chris pytanie: „Czy wybrałem dobrą drogę?". Pod koniec 1981 roku Chris zasugerowała mu to, co od dawna grało w jego cygańskiej duszy – zostawić wszystko i wyjechać w nieznane, bez ustalonej daty powrotu. Intuicja podpowiadała jej, że to właściwy wybór.

– Czułam, że to najlepsze rozwiązanie – wspominała po latach. – Paulo zaufał mi i postawił wszystko na jedną kartę.

Zdecydował się „szukać sensu życia", gdziekolwiek miał on być. Poprosił w telewizji Globo o bezpłatny urlop, kupił dwa bilety lotnicze do Madrytu (najtańsze, jakie znalazł) i obiecał sobie, że wróci do Brazylii, kiedy wyda co do grosza 17 tysięcy dolarów, które ze sobą zabierał.

W odróżnieniu od poprzednich wyjazdów, trwająca osiem miesięcy podróż odbywała się bez wcześniej ustalonego planu. Mogli zapewnić sobie wszelkie wygody i nie martwić się sprawami materialnymi. Jednak kupując bilety lotnicze, wybrał Iberię, ponieważ oferowała najtańsze bilety, a do tego darmowy nocleg w Madrycie. Na początku grudnia 1981 roku Paulo i Chris opuścili Hiszpanię i pojechali do Londynu. Wynajęli najtańszy samochód, malutkiego citroëna 2CV. Wtedy też ustalili najważniejszą zasadę, której trzymali się podczas podróży – bagaż nie mógł przekraczać sześciu kilo na osobę. To oznaczało, że Paulo musiał pozbyć się ciężkiej maszyny do pisania marki Olivetti, którą dotąd wszędzie ze sobą taszczył. W Londynie wysłał ją drogą morską do Brazylii. W drugą niedzielę pobytu w brytyjskiej stolicy poszli do pobliskiego kościoła. Tam podczas kazania dowiedzieli się, że w Polsce wprowadzono stan wojenny. Ówczesny premier, generał Wojciech Jaruzelski, zawiesił działalność związku zawodowego „Solidarność" i uwięził jego przywódcę Lecha Wałęsę. Osiem lat później upadł mur berliński, a z nim rządy komunistyczne w krajach bloku wschodniego, natomiast Wałęsę wybrano na prezydenta Polski.

Do połowy 1982 roku Paulo i Chris mieszkali w Londynie. Potem postanowili odwiedzić Pragę, gdzie Paulo chciał złożyć przysięgę u stóp figurki Dzieciątka Jezus, a następnie Bukareszt. To właśnie w Rumunii 550 lat wcześniej urodził się hospodar wołoski Wład Palownik, którego postać w 1897 roku zainspirowała irlandzkiego pisarza Brama Stokera do stworzenia Drakuli. We wtorek, 19 stycznia, po przebyciu 1500 kilometrów w jeden dzień, Paulo i Chris dojechali do Wiednia. Byli wykończeni: nie dość, że ich citroën był ciasny, to nie miał ogrzewania. Żeby wytrzymać niskie temperatury, jechali opatuleni w wełniane koce. Postój w stolicy Austrii był konieczny – musieli załatwić węgierskie wizy tranzytowe. Chris złożyła też wizytę w ambasadzie Brazylii, gdzie miała coś do załatwienia. Paulo czekał na nią na ulicy, paląc papierosa. Nagle rozległ się straszliwy huk, jakby tuż obok wybuchła bomba. Okazało się, że z dachu pięciopiętrowej kamienicy spadł wielki sopel lodu, rozpryskując się na drobne kawałki i przy okazji niszcząc karoserię stojącego obok samochodu. O mały włos, a spadłby wprost na Paula i pewnie by go zabił. Na domiar złego Chris przyniosła wiadomość o śmierci Elis Reginy. Paulo był w szoku. Zmarła nie tylko artystka uważana za jedną z największych gwiazd muzyki brazylijskiej, ale również jego przyjaciółka i wykonawczyni ostatniego napisanego przez Paula utworu, brazylijskiej wersji bolera *Me Deixa Louca* [Odbierasz mi zmysły], którą skomponował Meksykanin Armando Manzanero.

Paulo i Chris przenocowali w Budapeszcie i ruszyli do stolicy ówczesnej Jugosławii, gdzie zamierzali zatrzymać się trzy dni. Nie chodziło o uroki Belgradu, ale o krótki odpoczynek od zimnego, niewygodnego samochodu. Podróż citroënem okazała się taką torturą, że postanowili go zwrócić do wypożyczalni. Przez przypadek dowiedzieli się od dyrektora hotelu, że ambasada Indii za tysiąc dolarów sprzedaje dziewięcioletniego, błękitnego mercedesa – samochód z dużym przebiegiem, ale z silnikiem o mocy 110 koni („dwa razy tyle co brazylijski szewrolet", pisał Paulo w liście do ojca). Najważniejsze jednak, że mercedes miał ogrzewanie. To był największy zakup, jakiego dokonali podczas europejskiej podróży. Ich przewodnikiem po hotelach, restauracjach i zabytkach była popularna książka *Europe on 20 Dollars a Day*, przeznaczona dla zamożniejszych wersja biblii hipisów *Europe on 5 dollars a day*. Może zabrzmi to niewiarygodnie, ale w 1982 roku za pięć dolarów można było zjeść i przenocować w niemal każdym europejskim kraju.

Teraz podróżowali samochodem z prawdziwego zdarzenia, więc 500 kilometrów, które dzieliły Belgrad od Bukaresztu, mogli pokonać za jednym zamachem, ale nie musieli się spieszyć. Postanowili trochę pozwiedzać. Pokonali około 1000 kilometrów, przejeżdżając przez Węgry oraz kawałek Austrii, aż do Pragi, gdzie u stóp Dzieciątka Jezus Paulo złożył obietnicę, którą spełnił ponad 20 lat później. Potem ruszyli do Rumunii, przejeżdżając kolejne 1500 kilometrów. O takiej podróży, bez potrzeby martwienia się o pieniądze marzyli, ale Rumunia nie wzbudziła entuzjazmu wampirologa Paula Coelho. W dzienniku wspomina jedynie o czarnym kolorze rzeki Dymbowicy, przepływającej przez Bukareszt. Podczas tej beztroskiej włóczęgi po Europie Środkowej następny cel wybrał za nich los. Kilka tygodni po kupieniu mercedesa dowiedzieli się, że samochód jest zarejestrowany w Niemczech i zmianę właściciela trzeba zgłosić w urzędzie komunikacji w Bonn, ówczesnej stolicy Niemiec Zachodnich. Udali się z Bukaresztu do Bonn – 2000 kilometrów, choć po tylu doświadczeniach odległość ich nie przerażała.

Dwa dni po opuszczeniu stolicy Rumunii błękitny mercedes przekroczył niemiecką granicę i dotarli do Monachium, 1193 kilometrów od Bukaresztu. Było południe, wszędzie leżał śnieg. Nie byli głodni, więc postanowili dojechać do oddalonego o 200 kilometrów Stuttgartu. Kilka kilometrów za Monachium Paulo skręcił w wysadzaną drzewami drogę, jak informowała tablica, prowadzącą do „Dachau Konzentrationslager”. Od dziecka zafascynowany historią II wojny światowej, Paulo już dawno chciał zobaczyć to cieszące się złą sławą miejsce. Jednak nie przypuszczał, że kilka spędzonych tam godzin tak radykalnie odmieni jego życie.

Po przejechaniu kilku tysięcy kilometrów citroenem 2CV
Paulo z ulgą przesiada się do wygodnego mercedesa.

21.

Blask światła nad obozem koncentracyjnym w Dachau sprawia, że Paulo przeżywa pierwsze objawienie

Paulo Coelho swą pierwszą książkę wydał wprawdzie dopiero w 1987 roku, ale jako pisarz narodził się 23 lutego 1982 roku w dawnym obozie koncentracyjnym Dachau. Miał wtedy 35 lat. Pięć dni wcześniej przeżył dziwne zdarzenie w czeskiej stolicy. Po złożeniu obietnicy Dzieciątku Jezus poszli z Chris na spacer po mieście, zasypanym śniegiem jak cała Europa Środkowa. Temperatura spadła poniżej zera. Przeszli na drugą stronę rzeki pięknym, półkilometrowym Mostem Karola z XIV wieku, łączącym Stare Miasto z ulicą Alchemików, gdzie – jak głosi legenda – znajduje się brama piekieł. Paulo nie byłby sobą, gdyby się nią nie przespacerował. Najbardziej zainteresowały go jednak średniowieczne lochy, które kilka lat wcześniej otwarto dla zwiedzających. Żeby wejść do środka Paulo i Chris czekali, aż muzeum opuści spora grupa radzieckich rekrutów, którzy przyjechali tu na wycieczkę.

Z chwilą zejścia do lochów i przejścia pomiędzy więziennymi celami Paulo poczuł, że wracają koszmary z przeszłości. Przypomniały mu się elektrowstrząsy w szpitalu Dra Eirasa, epizod, który określał jako spotkanie z Diabłem, więzienie, porwanie, akt tchórzostwa wobec Gisy. Nagle wszystko to stanęło mu przed oczami. Zaczął straszliwie szlochać. W tym stanie znalazła go Chris i wyprowadziła na zewnątrz. Ponure miejsce obudziło w nim wspomnienia, które mogły wywołać głęboką depresję, a byli z dala od rodziców, doktora Gomesa i przyjaciela Roberta Menescala.

W Dachau jego przeżycia nie miały podłoża metafizycznego, lecz były reakcją na ogólną sytuację opisywaną w gazetach i w telewizji. Zewsząd dochodziły wieści o dyktaturach, prześladowaniach, wojnach, porwaniach i tajnych więzieniach, które Paulo znał z własnego doświadczenia. Na tylnym siedzeniu samochodu leżał nowy numer amerykańskiego tygodnika „Time" przywieziony z Belgradu. Na okładce tytuł: „Agonia Ameryki Południowej", a w środku obszerny artykuł o wojnie domowej w niewielkim Salwadorze, wojnie, która pochłonęła 80 tysięcy ofiar. W Chile okrutna dyktatura Augusta Pinocheta obchodziła dziesięciolecie istnienia i nic nie zapowiadało jej końca. W Brazylii rządy wojskowe chyliły się ku upadkowi, ale nikt nie wierzył w rychłe nadejście demokracji. Trudno było wybrać gorszy moment na zwiedzanie obozu koncentracyjnego, lecz Paulo bez wahania zaparkował samochód przed muzeum.

Dachau był jednym z pierwszych obozów koncentracyjnych stworzonych przez Trzecią Rzeszę. Stał się wzorem dla kolejnych 56 obozów rozmieszczonych przez nazistów w krajach Europy. Funkcjonował od 1933 do 1945 roku, kiedy to został wyzwolony przez wojska alianckie. Pierwotnie był przeznaczony na 6 tysięcy więźniów, ale w dniu wyzwolenia było ich 30 tysięcy. Przez Dachau przeszło około 200 tysięcy ludzi szesnastu narodowości. Większość stanowili Żydzi, ale też wielu komunistów, socjalistów i przeciwników nazizmu, a także Romowie i świadkowie Jehowy. Z niewiadomych przyczyn komora gazowa w Dachau nigdy nie została użyta. Skazanych na śmierć wywożono do zamku Hartheim, w połowie drogi między Dachau a Linz w Austrii, który zamieniono w miejsce masowej eksterminacji.

Po przekroczeniu bramy obozu ze zdziwieniem odkryli, że są zupełnie sami. Lodowaty wiatr przegonił turystów, nie było też widać przewodników ani innych pracowników, którzy mogliby udzielić im informacji. Stanęli sami na ogromnym, prostokątnym terenie o powierzchni 180 tysięcy metrów kwadratowych, otoczonym murem z pustymi wieżyczkami strażniczymi. Zaczęli iść zgodnie z kierunkiem zwiedzania, pokonując drogę, którą przed laty szli więźniowie: do pomieszczeń, gdzie nowo przybyłym wydawano pasiaki, gdzie golono im głowy i gdzie poddawano ich „dezynfekcji" w zbiorowej łaźni, potem korytarzem, mijając po drodze kolejne cele. Widzieli przymocowane do sufitu belki z hakami, na których wieszano torturowanych więźniów. Obejrzeli baraki, gdzie kiedyś stały setki piętrowych prycz, na których więźniowie spali stłoczeni jak zwierzęta. Szli w milczeniu, coraz bardziej przerażeni.

Z ulgą dotarli do końca. Paulo był wstrząśnięty, ale to, co zobaczył, uznał za tragedię z przeszłości, wspomnienie po nazizmie, który przestał istnieć tuż przed jego narodzeniem. Dopiero w izbie pamięci na nowo ogarnęła go rozpacz. Karteczki i liściki przyczepione do świeżych kwiatów świadczyły o tym, że Dachau wciąż jest otwartą raną. Nazwiska dziesiątek tysięcy ofiar nie były abstrakcją, suchą informacją wydobytą z książek. Za każdym z nich stał konkretny człowiek, którego straszna, męczeńska śmierć kładła się cieniem na życiu jego bliskich – wdów, dzieci, braci.

Przygnębieni wyszli na zewnątrz. Ruszyli aleją wysadzaną drzewami. Ogołocone z liści gałęzie wyglądały jak kościste ramiona wyciągnięte ku niebu. W północnej części obozu znajdowały się trzy świątynie: katolicka, protestancka i żydowska (w latach 90. wzniesiono również kaplicę prawosławną). Minęli miejsca modlitwy i doszli do tablicy z napisem „Krematorium" – najmroczniejszej strefy Dachau. Pejzaż się zmienił. Z wybrukowanego szarym kamieniem pustkowia bez żadnej roślinności, przypominającego krajobraz księżycowy, weszli w lasek, gdzie nawet w środku zimy drzewa zieleniły się jak w tropikalnej dżungli. Droga wiła się wśród drzew i krzewów. Pośród tej roślinności, w środku zagajnika, stał skromny, niemal malowniczy budynek z czerwonej cegły, który od tradycyjnego domu różnił się jedynie nieproporcjonalnie dużym kominem. W środku były piece krematoryjne, w których spalono ciała ponad 30 tysięcy więźniów, ofiar egzekucji, śmierci głodowej, samobójstw, chorób takich jak tyfus, który dziesiątkował więźniów na kilka miesięcy przed wyzwoleniem obozu.

Paulo nie doszedł jeszcze do siebie po przeżyciach w Pradze, co chwilę wybuchał płaczem. Minął osiem pieców z czerwonej cegły z metalowymi platformami, na których układano stosy ciał do spalenia. Stanął przed odrapanymi drzwiami z napisem „Badzimmer". Nie była to jednak łaźnia, lecz obozowa komora gazowa, nigdy nie wykorzystana. Paulo chciał na własnej skórze poczuć to, co czuły miliony ludzi w hitlerowskich obozach zagłady. Bez słowa oddalił się od Chris, wszedł do pomieszczenia i zamknął za sobą drzwi. Oparł się o ścianę i spojrzał w górę. Z sufitu zwieszały się „prysznice", przez które do wnętrza miał dostawać się gaz. Paulo był przerażony. Po chwili opuścił pomieszczenie, gdzie powietrze było ciężkie od zapachu śmierci. Gdy wyszedł z krematorium, usłyszał dzwony bijące na dwunastą w katolickiej kaplicy. Ruszył w ich kierunku i znów stanął na surowym, szarym terenie obozu. Zobaczył wielką współczesną rzeźbę przypominającą słynną *Guernikę* Picassa, a na niej w wielu językach napis: „Nigdy więcej!". Mając wciąż przed oczami te słowa, wszedł do kaplicy i nagle poczuł spokój. Po latach tak wspominał to zdarzenie:

Przed wejściem do kaplicy zobaczyłem napis „Nigdy więcej!". Pomyślałem sobie: „Boże, dzięki! Nigdy więcej! To się już nigdy nie wydarzy! Co za ulga! Nigdy już nie będą walić do drzwi w środku nocy i wyciągać z domów ludzi, po których zaginie wszelki ślad. Jaka ulga! Już nigdy świat tego nie doświadczy!".

Zapalił świecę, zmówił krótką modlitwę. Nagle wróciły upiory z przeszłości. Serce pełne wiary w jednej chwili wypełniła trwoga. Zdał sobie sprawę, że „Nigdy więcej!" było tylko pustym sloganem.

„Nigdy więcej?", spytałem siebie w duchu. Co za bzdury! Przecież to, co miało miejsce w Dachau, nadal dzieje się na świecie, na moim kontynencie, w moim kraju. W Brazylii przeciwników politycznych nadal wyrzuca się z helikopterów do morza. Ja sam – oczywiście z zachowaniem wszelkich proporcji – przez kilka lat żyłem w strachu jako ofiara przemocy! Przypomniałem sobie okładkę „Time'a", rzeź w Salwadorze, brudną wojnę argentyńskiej dyktatury przeciw opozycji. Nagle straciłem wiarę w ludzkość. Miałem wrażenie, że sięgnąłem dna, a świat to jedno wielkie gówno, nie wyłączając mnie, bo nie potrafię temu zaradzić.

Targany sprzecznymi uczuciami uzmysłowił sobie, że słyszy w głowie jedno uporczywe zdanie: „Żaden człowiek nie jest samoistną wyspą". Gdzie to przeczytał? Po chwili przypomniał sobie cały cytat: „Żaden człowiek nie jest samoistną wyspą; każdy stanowi ułomek kontynentu, część lądu. Jeżeli morze zmyje choćby grudkę ziemi, Europa będzie pomniejszona, tak samo jak gdyby pochłonęło przylądek, włość twoich przyjaciół czy twoją własną. Śmierć każdego człowieka umniejsza mnie, albowiem jestem zespolony z ludzkością". Brakowało jeszcze ostatniego zdania, lecz nie musiał sobie przypominać: „Przeto nigdy nie pytaj, komu bije dzwon: bije on tobie". Tak pisał w XVI wieku angielski poeta John Donne.

Późniejsze zdarzenia do dziś owiane są mgłą tajemnicy, a sam bohater nie kwapi się, żeby pomóc w rozwiązaniu zagadki. Pytany przy różnych okazjach, co wydarzyło się w Dachau, wzrusza się i z trudem powstrzymuje łzy.

Paulo wstrząśnięty opuszcza nazistowski obóz koncentracyjny w Dachau. Po obejrzeniu symbolicznej rzeźby ma widzenie, które odmieni jego życie.

Staliśmy na środku obozu koncentracyjnego, ja i moja żona, kompletnie sami. Wokół żywej duszy! Wtedy zrozumiałem, że dzwony w kaplicy biją tylko dla mnie. Doznałem objawienia.

Paulo twierdzi, że widocznym znakiem objawienia w Dachau była wizja – ludzka postać unosząca się ponad snopem światła, która zapowiedziała ponowne spotkanie za dwa miesiące. Nie uczyniła tego ludzkim głosem, lecz poprzez „porozumienie dusz". Chociaż opisywany epizod jest pełen niedomówień, nawet najbardziej nieprzejednany ateusz przyzna, że w Dachau rzeczywiście coś musiało się wydarzyć, ponieważ od tamtego dnia życie przyszłego pisarza zaczęło się zmieniać. Na parkingu Paulo znów wybuchnął płaczem. Przeraził się, że widzenie, mogło mieć związek ze stowarzyszeniem OTO. Bał się, że kilka minut wcześniej ukazała mu się bestia. Czyżby po ośmiu latach znów prześladowali go Crowley i Motta? Gdy po sześciu godzinach dojechali do Bonn, Paulo był gotów przysiąc, że miał omamy, niegroźne halucynacje spowodowane silnymi przeżyciami.

W Bonn zamierzali tylko załatwić formalności związane z rejestracją samochodu. Zatrzymali się u Tânii, siostry Chris, która kilka miesięcy wcześniej urodziła córeczkę. Pobyt przedłużył się do tygodnia. Na początku marca wsiedli do mercedesa i po przejechaniu 250 kilometrów znaleźli się w Amsterdamie, znanym Paulowi z wizyty przed dziesięciu laty. Wynajęli pokój w małym hotelu Brouwer nad kanałem Singel. W pierwszym liście wysłanym do rodziców Paulo opisał tzw. *potshops*, czyli „kawiarenki, gdzie można kupić narkotyki i palić marihuanę lub haszysz. Zabronione są jedynie heroina, opium i amfetamina, a także LSD". Nie omieszkał wyrazić swej pozytywnej opinii o legalizacji narkotyków.

To wcale nie znaczy, że holenderska młodzież ciągle ćpa. Wręcz przeciwnie, rządowe statystyki mówią, że jest tu proporcjonalnie mniej narkomanów niż w USA, Niemczech, Anglii i Francji. Holandia ma też najniższy wskaźnik bezrobocia w Europie Zachodniej, a Amsterdam jest czwartym ośrodkiem handlu na świecie.

W tej atmosferze wolności Paulo i Chris mogli cały dzień palić marihuanę, a Chris po raz pierwszy i ostatni spróbowała LSD. Paulo był jednak wstrząśnięty widokiem wyniszczonych heroiną narkomanów różnej narodowości, którzy wałęsali się wycieńczeni po ulicach. Wysłał dwa artykuły do brazylijskiego czasopisma „Fatos&Fotos" (*Heroina, droga bez powrotu* oraz *Amsterdam, poca-*

łunek śmierci). Opisał świat narkotyków z obiektywizmem profesjonalnego dziennikarza. Sądząc po listach do ojca, podróż Paula i Chris przez Europę nie była już przygodą młodych hipisów.

Robimy wszystko, na co mamy ochotę. Obiady i kolacje jemy w restauracjach. Mimo że mamy na utrzymaniu prawdziwego smoka (mercedes, 110 koni), chodzimy do kina, sauny, fryzjera, na dyskoteki, a nawet byliśmy w kasynie.

Życie zdawało się wspaniałe, ale po kilku tygodniach Paulo miał dosyć marihuany. Korzystając z wolności eksperymentował z mieszankami organicznymi z Jemenu i Boliwii, z różną zawartością THC, czyli tetrohydrokannabinolu, głównego składnika aktywnego w narkotykach. Wypróbował też prawdziwe „bomby" narkotyczne nagrodzone na Cannabis Cup, festiwalu marihuany, który co roku organizowano w Amsterdamie, a nawet najnowszy wtedy wynalazek zwany *skunk*, z konopi indyjskich uprawianych w szklarni na nawozie z proteinami. A potem w tym hipisowskim raju, jakim był ówczesny Amsterdam, stracił zainteresowanie marihuaną. „Znudziły" mu się te same, wywołane narkotykiem doznania. Przyrzekł sobie już nigdy nie wziąć do ust marihuany, tak samo jak przed ośmiu laty w Nowym Jorku postanowił skończyć z kokainą.

Pewnego dnia w kawiarni hotelu Brouwer opowiadał Chris o swoich przemyśleniach. Nagle poczuł straszliwy chłód, zupełnie jak w Dachau. Spojrzał w bok – przy sąsiednim stoliku zobaczył postać znaną mu z obozu koncentracyjnego. Słyszał kiedyś o sektach, które prześladują i zastraszają dawnych członków w obawie przed zdradą sekretów, a czasem nawet ich zabijają. Czyżby deptali mu po piętach sataniści i fanatycy czarnej magii? Zesztywniały ze strachu przypomniał sobie odebraną w dzieciństwie lekcję: jedynym sposobem, by przerwać cierpienie, jest stawić mu czoło. Siedzący obok mężczyzna mógł mieć czterdzieści kilka lat, był w garniturze i wyglądał na Europejczyka. Paulo zebrał się na odwagę i zdecydowanie wrogim tonem zwrócił się do niego po angielsku:

– Dwa miesiące temu widziałem pana w Dachau. Oświadczam panu, że nie chcę mieć nic wspólnego z okultyzmem, sektami ani zakonami. Jeśli przyjechał pan mnie zwerbować, traci pan czas.

Mężczyzna zdziwiony podniósł głowę.

– Spokojnie! – powiedział po portugalsku z silnym, obcym akcentem. – Proszę się do mnie przysiąść.

– Mogę zaprosić do stolika żonę?

– Nie, chcę z panem porozmawiać w cztery oczy.

Gestem dłoni Paulo dał Chris znać, że wszystko w porządku i przysiadł się do nieznajomego.

– O czym mamy rozmawiać? – zapytał.

– O co chodzi z tym obozem koncentracyjnym?

– Wydaje mi się, że widziałem tam pana dwa miesiące temu.

Nieznajomy odparł, że to niemożliwe.

– A ja mam wrażenie, że widzieliśmy się w lutym w obozie koncentracyjnym Dachau. Nie pamięta pan? – nalegał Paulo.

Wobec zdecydowanej postawy Paula mężczyzna przyznał, że mogło się wydarzyć coś, co nosi nazwę „projekcji astralnej". Paulo znał to zjawisko i często wspominał o nim w swoich dziennikach.

– Nie byłem w obozie koncentracyjnym – ciągnął nieznajomy – ale rozumiem, o czym pan mówi. Proszę mi pokazać dłoń.

Paulo nie pamięta, którą podał rękę, lewą czy prawą. Tajemniczy nieznajomy najwyraźniej znał się na chiromancji. Przyjrzał się uważnie dłoni, po czym zaczął mówić wolno, jakby nie czytał z linii papilarnych, ale miał wizję.

– Ciągnie się za panem jakaś niezakończona sprawa, która wydarzyła się w 1974 albo 1975 roku. W wymiarze magicznym wyrósł pan w Tradycji Węża, ale być może nie wie pan jeszcze nic o Tradycji Gołębia.

Paulo dobrze wiedział, o czym mówił nieznajomy. Nie na darmo przez lata studiował magię. Chodziło o podstawowe pojęcia okultyzmu, dwa symbole oznaczające różne drogi prowadzące do poznania, rozumianego jako umiejętność wykorzystania darów niedostępnych ogółowi. Tradycja Gołębia (nazywana również Tradycją Słońca) to droga powolnego odkrywania prawdy, rozpisana na etapy, które uczeń pokonuje pod kierunkiem Mistrza (przez duże „M"). Z drugiej strony jest Tradycja Węża (albo Tradycja Księżyca), którą wybierają ludzie obdarzeni intuicją albo tacy, którzy wcześniej mieli styczność z magią. Obie drogi nie muszą się wykluczać, wręcz przeciwnie – jedna może prowadzić do drugiej. Zwykle radzi się adeptom magii, by po zgłębieniu Tradycji Węża przeszli do Tradycji Gołębia.

Paulo trochę się uspokoił, kiedy mężczyzna mu się przedstawił. Był Francuzem żydowskiego pochodzenia, pracował w Paryżu dla holenderskiej korporacji Philips i należał do stuletniego, tajemniczego zakonu RAM – Regnus Agnus Mundi (lub Rigor, Amor, Misericordia – Rygor, Miłość, Miłosierdzie). Znajomość portugalskiego zawdzięczał częstym wyjazdom służbowym do Brazylii i Portugalii. Jego prawdziwego imienia (prawdopodobnie Chaim, Jayme lub Jacques) Paulo nigdy nie zdradził. Mówił o nim „Mistrz”, „Jean” lub po prostu J. Jean wiedział, że Paulo zarzucił czarną magię.

– Jeśli chce pan wrócić do magii, może pan to uczynić w naszym zakonie. Pomogę panu. Jeśli jednak podejmie pan taką decyzję, będzie pan musiał wykonywać wszystkie moje polecenia.

Wystraszony jego słowami Paulo odparł, że musi się zastanowić.

– Ma pan 24 godziny na podjęcie decyzji – powiedział Jean stanowczo. – Czekam tu na pana jutro o tej samej porze.

Przez cały dzień Paulo nie mógł o niczym innym myśleć. Po zerwaniu z OTO i odcięciu się od idei Crowleya poczuł ogromną ulgę, ale wciąż był zafascynowany światem ezoteryki. „Czarna sobota”, więzienie i porwanie były wystarczająco bolesną lekcją, lecz magia wciąż go pociągała.

– Chociaż miałem złe doświadczenia, opuściłem ten świat jedynie w wymiarze racjonalnym, bo emocjonalnie wciąż byłem z nim związany – wspominał po latach. – To tak, jak zakochać się w kobiecie i porzucić ją, bo do siebie nie pasujecie. Mimo to wciąż ją kochasz. Pewnego dnia ona pojawia się w kawiarni tak jak Jean, a ty próbujesz jej powiedzieć, żeby sobie poszła, bo nie chcesz znów cierpieć.

Tej nocy nie zmrużył oka, razem z Chris rozpatrywali wszystkie za i przeciw. Nad ranem podjął decyzję. Coś mu mówiło, że znalazł się w ważnym momencie życia i postanowił stawić czoło wyzwaniu, nie bacząc na konsekwencje. Parę godzin później po raz drugi (a może trzeci?) spotkał się z tajemniczym mężczyzną, który od tej chwili stał się jego mistrzem. Jean przekazał Paulowi wskazówki dotyczące jego inicjacji. W następny wtorek miał się stawić w Vikingskipshuset, Muzeum Wikingów w Oslo.

– Proszę iść do sali, gdzie znajdują się trzy łodzie: „Gokstad”, „Oseberg” i „Borre”. Tam pewna osoba coś panu przekaże.

Paulo nie był pewien, czy dobrze zrozumiał polecenie i prosił o szczegóły.

– O której godzinie? Jak rozpoznam tę osobę? Czy to będzie kobieta czy mężczyzna? Co mi przekaże?

Jean wstał, położył na stoliku pieniądze za herbatę i odszedł nie rozwiawszy wątpliwości Paula. Rzucił tylko:

– Proszę być w muzeum tuż po otwarciu. Na resztę pytań nie odpowiem. Zawiadomię pana o naszym następnym spotkaniu. Do zobaczenia.

Zniknął, jakby zapadł się pod ziemię, oczywiście o ile przyjmiemy, że naprawdę istniał. Pozostawił swego ucznia z zadaniem, które wymagało pokonania tysiąca kilometrów. Wsiedli z Chris do samochodu i zaśnieżonymi drogami dotarli z przygodami do Oslo. We wtorek Paulo zerwał się o świcie, żeby uniknąć kolejki do kasy. W recepcji hotelu znalazł ulotkę o Muzeum Wikingów, z której dowiedział się, że jest otwarte od dziewiątej. Wyszedł z hotelu godzinę wcześniej. Budynek Vikingskipshuset znajduje się na półwyspie Bygdoy, dziesięć minut od centrum. Jest to ciężka, żółta budowla bez okien wzniesiona na planie krzyża, ze spiczastym dachem. Na miejscu okazało się, że Paulo źle zrozumiał informację na ulotce – godziny otwarcia od 9.00 do 18.00 obowiązywały w sezonie letnim, czyli od maja do września. Poza sezonem, czyli od października do kwietnia, muzeum otwierało swoje podwoje o 11.00, a zamykało o 16.00. Czekały go jeszcze dwie godziny niepewności, zanim zrobi pierwszy krok w stronę nowego, tajemniczego świata. Ciągle zastanawiał się nad słusznością podjętej decyzji.

– W wieku 34 lat zrobiłem dosłownie wszystko, by ziścił się mój sen o pisarstwie. Mimo to wciąż byłem nikim – mówił po latach. – Porzuciłem czarną magię i okultyzm, ponieważ w niczym mi nie pomogły. Uznałem, że warto spróbować i pójść drogą, którą zaproponował mi Jean.

Punktualnie o 11.00 stanął wśród garstki japońskich turystów, którzy zziębnięci czekali w ogrodzie przed budynkiem. W środku po strzałkach odnalazł owalną salę, gdzie stały łodzie „Gokstad", „Oseberg" i „Borre". Oprócz niego była tam jeszcze jedna osoba, piękna blondynka około czterdziestki, która z uwagą czytała tablicę informacyjną na ścianie. Na dźwięk kroków odwróciła się. W ręku trzymała długi przedmiot przypominający laskę lub miecz. Podeszła bez słowa, z serdecznego palca lewej dłoni ściągnęła złoty pierścień w kształcie węża zjadającego własny ogon i włożyła go Paulowi na środkowy palec lewej ręki. Długim przedmiotem nakreśliła na ziemi znak koła, dając mu do zrozumienia, że powinien w nim stanąć. Uczyniła gest, jakby chciała wlać w środek kręgu zawartość pełnego kielicha. Ciągle bez słowa przesunęła w powietrzu ręką przed twarzą Paula, skłaniając go do zamknięcia oczu.

– Wtedy poczułem, że uwalnia się we mnie zablokowana energia – wspominał ze wzruszeniem Paulo. – Jakby otwarła się śluza, wpuszczając do jeziora świeżą wodę.

Kiedy otworzył oczy, jedynym śladem po kobiecie był pierścień, z którym od tej pory nigdy się nie rozstaje. Z Jeanem natomiast spotkał się dopiero po kilku latach w Brazylii.

Pod koniec kwietnia 1982 roku Paulo musiał podjąć decyzję, czy wracać do Globo. Po długich rozmowach z Chris postanowił rzucić pracę i przedłużyć pobyt w Europie. Pieniędzy im nie brakowało, 7000 dolarów, jakie mu zostały, pozwalały na pobyt w Amsterdamie jeszcze przez trzy miesiące. Pod koniec lipca spakowali walizki i w trzy dni pokonali trasę dzielącą Amsterdam od Lizbony, skąd odlatywali do Brazylii. Najwyraźniej spotkanie z mistrzem Jeanem odmieniło Paula, bo tylko głęboką wewnętrzną przemianą można tłumaczyć to, że człowiek tak przywiązany do pieniędzy, zamiast sprzedać samochód, oddał go instytucji dobroczynnej dla ociemniałych: w Lizbonie Paulo przekazał mercedesa Bractwu Dzieciątka Jezus, które w 1758 roku założyła Dona Maria I.

Na okładce *Archiwów piekieł* Paulo pozuje na intelektualistę. Obok stoją nagie Chris i Stella.

PONIŻEJ: przedmowy pięciu autorów zajęły niemal tyle, co cała książka.

"Ao invés de ser um literato em busca de fórmulas pomposas, Paulo Coelho atinge friamente — e em cheio — as inquietações e as perspectivas do tempo presente. Este livro, ARQUIVOS DO INFERNO, é um prefácio para a nova época que começa — antes que a outra tenha acabado."

ANDY WARHOL

"Paulo Coelho é a mina inesgotável da imaginação criadora. ARQUIVOS DO INFERNO nos revitaliza a cada momento com sua sabedoria louca, inquietante, culta, indispensável a todos nós".

ROBERTO MENESCAL

"ARQUIVOS DO INFERNO é mais do que um simples livro de relatos — é o bom humor, que serve de tônica principal até para os momentos de desespero. Mesmo que eu não tenha encontrado as bananeiras e os personagens típicos do Brasil, encontrei outra coisa — os meus próprios personagens típicos".

JIMMY BROUWER

"Paulo Coelho é um grande marginal. Já viveu a marginalidade exterior e interior. ARQUIVOS DO INFERNO são reflexões soltas de um visionário, alguém que coloca nas intuições e alcances tão reprimidos pelo pragmatismo contemporâneo, as verdadeiras luzes da existência".

ARTUR DA TAVOLA

"Este livro é uma caixa de surpresas. Sua leitura nos fascina pela variedade de emoções, pelo ângulo novo que nos transmite as emoções".

EDUARDO MASCARENHAS

22.

Toninho Budda chce wskrzesić ideę Społeczeństwa Alternatywnego, wysadzając w powietrze głowę Chrystusa Zbawiciela

Wypoczęci i pełni energii, Paulo wraz z Christiną wrócili do mieszkania na parterze przy ulicy Raimunda Correi, które na czas ich nieobecności zajęli rodzice Chris. Paulo rozpoczął okres inicjacyjny, wykonując kolejne zadania zwane ordaliami, które miały mu otworzyć drogę do zakonu RAM. Otrzymywał polecenia od Jeana pocztą lub telefonicznie. Na początku był „rytuał szklanego naczynia", który należało odprawiać przez sześć miesięcy codziennie o tej samej godzinie. Krótka ceremonia polegała na wykonaniu następujących czynności: postawić na stole szklane naczynie napełnione wodą, na chybił trafił otworzyć Nowy Testament i przeczytać na głos jego fragment, następnie wypić wodę, a obok przeczytanego tekstu zapisać datę. Jeśli następnym razem natrafiło się na ten sam fragment, należało przeczytać tekst znajdujący się poniżej, a jeśli ten również opatrzony był datą, przejść do kolejnego. Ponieważ obrzęd musiał być odprawiany przez ustalony okres o tej samej porze, aby uniknąć kłopotliwych sytuacji, jak zebranie, obiad czy seans filmowy, Paulo wybrał godzinę pierwszą w nocy. Kupił kieliszek do wódki i nosił go zawsze ze sobą wraz z Nowym Testamentem. Gdyby zaistniała taka potrzeba, mógł wstać od kolacji, pójść do łazienki i spełnić swój obowiązek.

Na szczęście żaden z rytuałów zalecanych przez Jeana nie przeszkadzał pisarzowi w normalnym życiu. Nadal dobrze mu się wiodło, chociaż piosenki powstałe w duecie z Raulem powoli wychodziły z mody. Płyty wciąż się sprzedawały, ale nie tak dobrze jak dawniej, więc pieniędzy z wytwórni było mniej. Wynajem pięciu mieszkań zapewniał Paulowi stały dochód, jednak brak zajęcia groził depresją, dlatego postanowił jak najszybciej znaleźć pracę.

Rok przed wyjazdem do Europy Paulo namówił Chris, by otworzyli pod wspólnym szyldem firmę – Shogun Editora e Arte Ltda [Wydawnictwo Shogun i Sztuka, sp. z o. o.], początkowo z myślą o korzystniejszym rozliczaniu podatków od jej projektów architektonicznych. Chodziło też o wizytówki, firmową papeterię i pieczątkę osób prowadzących działalność gospodarczą, a poza tym, w perspektywie, o ewentualne wydanie książki Paula, gdyby takową napisał. Po powrocie do Brazylii postanowił wcielić swój plan w życie i wynajął dwupokojowe mieszkanie przy ulicy Cinco de Julho w Copacabanie, dwie przecznice od swego mieszkania. Chociaż z czasem firma Shogun rozrosła się i zaczęła przynosić dochody, pozostała przedsięwzięciem rodzinnym. Na co dzień zajmowali się nią Paulo i Chris, a o księgowość dbał inżynier Pedro, który właśnie przeszedł na emeryturę. Jedyną osobą z zewnątrz był goniec.

W październiku 1982 roku, trzy miesiące po powrocie Coelhów do Brazylii, wydawnictwo wypuściło na rynek pierwszą książkę autorstwa właściciela. Zbiór zatytułowany *Arquivos do Inferno* [Archiwa piekieł] zawierał szesnaście tekstów i wiąże się z nim kilka ciekawostek. Na okładce widnieje postać autora, który z nogą założoną na nogę i z papierosem w dłoni siedzi przy maszynie do pisania w pozie myśliciela. Obok stoją dwie nagie kobiety – jego żona Chris oraz Stella Paula, przyjaciółka z dawnych, crowleyowskich czasów. Stella ma na głowie perukę, której długie włosy zakrywają biust i sięgają talii. Książka, zwiastun późniejszych dokonań autora, liczyła 106 stron i zawierała zadziwiająco wiele wstępów, poczynając od „przedmowy do holenderskiego wydania", pióra genialnego Andy'ego Warhola (który – jak się później okazało – nigdy nie przeczytał książki):

> *[...] Poznałem Paula Coelho podczas mojej wystawy w Londynie i odkryłem w nim odwagę patrzenia w przyszłość, którą posiadają nieliczni. Zamiast być literatem szukającym górnolotnych sformułowań, z rozmysłem i w pełni świadomie opisuje niepokoje oraz nadzieje współczesnego świata. Drogi Paulo, prosiłeś mnie o przedmowę do swej książki. Ja jednak jestem pewien, że to Twoja książka jest wstępem do nadchodzącej epoki, mimo że stare czasy jeszcze nie przebrzmiały. Kto tak jak Ty podąża naprzód, nigdy nie spadnie w przepaść, bo anioły zawsze będą trzymać pod nim rozpostartą szatę.*

Autorem drugiego wstępu był pisarz Jimmy Brouwer, właściciel hotelu w Amsterdamie, w którym kiedyś zatrzymali się Paulo i Chris. Trzecią przedmowę napisał dziennikarz Artur da Távola, kolega z Philipsa, czwartą – psychiatra Eduardo Mascarenhas, prezenter telewizyjny i deputowany do parlamentu federalnego, a piątą – Roberto Menescal, któremu – obok Chris – autor zadedykował swą książkę. Wszystko, co dotyczy *Archiwów piekieł*, jest intrygujące i niejasne. Zgodnie z informacją na okładce, książka została wydana wspólnie przez Shoguna oraz holenderskie wydawnictwo Brouwer Free Press, które nigdy nie istniało. Notka prasowa rozpowszechniana przez wydawnictwo Shogun wzmagała zamieszanie informując, że książka została wydana za granicą, co także mijało się z prawdą.

> *Po wielkim sukcesie* Archiwów piekieł *w Holandii, gdzie zaledwie w ciągu dwóch miesięcy książka zdobyła rozgłos wśród krytyków i czytelników, w tym miesiącu dzieło Paula Coelho trafia do wszystkich brazylijskich księgarń.*

Na pierwszych stronach pojawia się kilka informacji, które wprowadzają jeszcze większy zamęt. Na początku zamieszczono tytuły utworów autora, gdzie obok *Manifestu Krig-Ha* i *Teatru w edukacji* znajduje się tajemnicza pozycja *Lon: Diário de um Mago* [Pielgrzym], książka wydana jakoby przez Shoguna w 1979 roku, mimo że wtedy wydawnictwo jeszcze nie istniało, a *Pielgrzym* ukazał się dopiero w 1987 roku. Pytany po latach, o co w tym wszystkim chodziło, Paulo z rozbrajającą szczerością odpowiedział:

– Widocznie przepowiedziałem przyszłość.

Na stronie tytułowej drobną czcionką zamieszczono kolejną, dziwną informację:

> *Z pierwszego wydania w języku portugalskim i niderlandzkim trzysta ponumerowanych egzemplarzy zostanie własnoręcznie podpisanych przez autora. Egzemplarze te będą sprzedawane po 350 USD, a pieniądze zostaną przekazane na rzecz Zakonu Czerwonej Gwiazdy.*

Wzmianka o obdarowanej instytucji była dowodem na to, że Paulo coś ukrywał, nie wspominając o tym nawet w dzienniku. Otóż osiem lat po zerwaniu z czarną magią najwyraźniej nadal utrzymywał związki z satanistami. Może nam się to wydawać śmieszne, ale wydawnictwo naprawdę liczyło na niezły zysk ze sprzedaży „ekskluzywnego nakładu". Gdyby rzeczywiście udało się sprzedać wszystkie podpisane egzemplarze, Shogun zarobiłby 105 tysięcy dolarów. Tymczasem 106 stron *Archiwów piekieł* nie wstrząsnęło posadami świata; co więcej, czytelnik ze zdziwieniem odkrywał, że w żadnym z rozdziałów nie pojawia się tytułowe piekło. W szesnastu tekstach w sposób chaotyczny i bez klucza tematycznego autor rozwija wiele wątków. Znajdziemy tam myśli Williama Blake'a, podstawy homeopatii i astrologii, fragmenty rękopisów, pod którymi podpisał się średniowieczny kronikarz Pero Vaz, oraz teksty samego autora, na przykład „Skrawki".

> *Muszę zawsze pamiętać, że podróżując po świecie, wszędzie zostawiłem skrawek siebie. W Rzymie obcinałem paznokcie, w Holandii i w Niemczech włosy. Widziałem jak moja krew kapała na nowojorski asfalt, a sperma padała na francuską ziemię, wśród winorośli w okolicach Tours. Załatwiałem swoje potrzeby na trzech kontynentach, podlałem niejedno drzewo w Hiszpanii, płułem do Kanału La Manche i do fiordów koło Oslo. W Budapeszcie zadrapałem sobie twarz i zostawiłem na kracie kawałek naskórka. Te wszystkie drobne wydarzenia pozostawiły we mnie ślad i dają poczucie wszechobecności. Jestem po trosze w każdym miejscu, noszę w sobie pejzaże, które kiedyś mnie wzruszyły. Te kawałki mego ciała porozrzucane po świecie mają również znaczenie praktyczne. W kolejnym wcieleniu będę odczuwał bliskość z wieloma miejscami, gdyż został tam mój włos, kawałek paznokcia, wyschnięty ślad śliny. Zasiałem ziarno w wielu zakątkach ziemi, bo nie wiem, gdzie przyjdzie mi się znów narodzić.*

Archiwa piekieł to zlepek przeróżnych tekstów, ale najbardziej przykuwa uwagę drugi rozdział zatytułowany „Prawda o inkwizycji". Paulo jasno daje do zrozumienia, że tekst nie jest jego autorstwa, ale został mu przekazany przez ducha Tomása de Torquemady, budzącego grozę dominikanina, który pod koniec XV wieku kierował Świętym Oficjum na Półwyspie Iberyjskim. W ten sposób Paulo zdejmuje z siebie wszelką odpowiedzialność za zapisane słowa. Stworzeniu dystansu ma służyć oryginalna ortografia, stosowanie kursywy oraz „błędy gramatyczne", które jakoby popełniał duch wielkiego inkwizytora. W rozdziale liczącym osiem stron bohater zaleca tortury i męczarnie jako narzędzia umacniania wiary.

> *[...] Dlatego sprawiedliwym jest wymierzanie kary tym, którzy uparcie głoszą herezje, narażając nas na utratę największego dobra, jakim jest Wiara!*
>
> *[...] Ten, kto ma prawo rządzić, ma również prawo karać! Ten, kto ma władzę, by tworzyć prawa, posiada też władzę, by zapewnić*

przestrzeganie tych praw!

[...] Kary duchowe nie zawsze są wystarczające. Większość ludzi nie potrafi ich pojąć. Dlatego Kościół powinien mieć i ma prawo nakładania kar cielesnych!

Aby tekst wyglądał na bardziej wiarygodny i „naukowy", Paulo kończy go uwagą w kwadratowych nawiasach:

[Po tych słowach zjawa nazywająca siebie „duchem Torquemady" zamilkła. Jak zwykle ważne są okoliczności towarzyszące przekazowi. Mogą one okazać się przydatne w razie badań naukowych. Zarejestrowaliśmy następujące parametry: temperatura powietrza: 29°C, ciśnienie atmosferyczne: 760 mmHg, warunki pogodowe: zachmurzenie duże, godzina przekazu: 21.15 – 22.07].

Nie pierwszy raz Paulo zainteresował się inkwizycją. We wrześniu 1971 roku, zbierając materiały do planowanej sztuki, natknął się na książkę Henrique Hello opublikowaną przez Editora Vozes w 1936 roku i wznowioną w 1951 roku. Jej tytuł brzmiał jednoznacznie: *A Verdade sobre a Inquisição* [Prawda o inkwizycji]. Na dziewięćdziesięciu stronach autor broni metod stosowanych przez trybunały inkwizycyjne. Fragmenty książki pojawiły się w przedmowie do sztuki Diasa Gomesa *Santo Inquérito* [Święte śledztwo] z 1966 roku. Po lekturze Paulo z ironią napisał:

[...] Musiałem popracować nad sztuką o inkwizycji. Tekst jest prosty. Teraz wystarczy powtórzyć to, co o inkwizycji mówi Henrique Hello – przepisać, a nie krytykować. To on przecież napisał książkę Prawda o inkwizycji.

Paulo prawdopodobnie bał się krytykować autora – wciąż miał w pamięci więzienie i porwanie z 1974 roku. Przepisał więc słowo w słowo to, co pisał Hello. Porównując *Archiwa piekieł* z wydaną w 1936 roku książką odkrywamy, że to nie duch Tomása Torquemady, lecz samego Henrique Hello był mu inspiracją. Prawie wszystko zostało spisane z dzieła Hello.

Nic jednak nie jest w stanie przyćmić zadziwiającej informacji, która znajduje się na początku rozdziału „Prawda o inkwizycji". Paulo pisze, że duch nawiązał z nim kontakt 28 maja 1974 roku, między godziną 21.15 a 22.07. A przecież w tym czasie Coelho siedział skuty kajdankami, z kapturem na głowie, na tylnym siedzeniu policyjnego wozu, który wiózł go do więzienia DOI-Codi. Trudno uwierzyć, by w jednym z najcięższych więzień w kraju pozwolono mu napisać kilkustronicową pochwałę tortur. Paulo szybko zdał sobie sprawę, że *Archiwa piekieł* sławy mu nie przyniosą, dlatego po wyczerpaniu nakładu książki nie wznowiono. Już jako sławny pisarz wspomina o niej w krótkim, lakonicznym zdaniu na swojej stronie internetowej: „W 1982 roku własnym sumptem wydał swoją pierwszą książkę, która przeszła bez echa". Ponad ćwierć wieku po tej klęsce utwór jest białym krukiem i często pojawia się na aukcjach internetowych, a jego cena wywoławcza nie schodzi poniżej 220 dolarów. Tym sposobem po latach marzenia autora się urzeczywistniły.

Debiut wydawnictwa Shogun zakończył się klęską, ale był ważną lekcją – dowiódł, że w tej dziedzinie liczy się profesjonalizm. Paulo uparł się, że wydawnictwo musi przynosić zyski. Stanął na jego czele i zapisał się na siedmiotygodniowy korespondencyjny kurs księgowości, żeby „nauczyć się, jak sporządzać kosztorysy i planować wydatki". Studiowanie materiałów, które trzeba było przeczytać w czasie kursu, nie poszło na marne. W 1984 roku, dwa lata po rozpoczęciu działalności, Shogun zajmował 34. miejsce wśród brazylijskich domów wydawniczych, w rankingu opublikowanym przez czasopismo branżowe „Leia Livros". Stanął w szranki ze starymi wydawnictwami, takimi jak Civilização Brasileira czy Agir, i wyprzedziło FTD oraz Rocco (które wiele lat później zaczęło wydawać książki Paula w Brazylii). Z czasem Shogun dorobił się własnego stoiska na targach i biennale książki oraz katalogu zawierającego 70 tytułów.

Wśród wydawanych autorów były dwa rozpoznawalne nazwiska, które nie należały do kręgu literackiego w ścisłym znaczeniu tego słowa. Pierwszą była piosenkarka rockowa Neusinha Brizola, córka ówczesnego gubernatora Rio, Leonela Brizoli (*O Livro Negro de Neusinha Brizola* [Czarna księga Nuesinhi Brizoli]); drugim – stary „bliski nieprzyjaciel" Raul Seixas (*As Aventuras de Raul Seixas na Cidade de Thor* [Przygody Raula Seixasa w mieście Thor]). Jednak to nie gwiazdy muzyki zapewniły wydawnictwu Shogun miejsce wśród największych. Wysokie obroty zawdzięczało setkom, a może i tysiącom anonimowych poetów rozproszonych po całej Brazylii, którzy, podobnie jak właściciel wydawnictwa, przez lata marzyli, żeby wziąć do ręki książkę ze swoimi utworami. W kraju, gdzie setki młodych autorów bezskutecznie pukało do drzwi wydawnictw, Shogun wymyślił konkurs poetycki im. Raimunda Correi.

Ogłoszenia w gazetach i ulotki podrzucane do teatrów i kin zachęcały młodych twórców z całego kraju do udziału w konkursie zorganizowanym na cześć pochodzącego ze stanu Maranhão poety

3º CONCURSO RAIMUNDO CORREA
DE POESIA 1983

MENÇÃO HONROSA

A SHOGUN ARTE certifica que a poesia [illegible]
de [illegible]
recebeu Menção Honrosa no 3º Concurso Raimundo Correa de Poesia,
sendo seu autor agraciado com o premio de publicação na coleção
A Nova Poesia Brasileira

cristina oiticica

Pod kierownictwem Chris wydawnictwo Shogun zaczyna przynosić dochody.
POWYŻEJ: stoisko wydawnictwa na targach książki oraz wieczór poetycki w Rio.
OBOK: Dyplom dla poety, którego wiersze opublikowano w zbiorze.

z początku XX wieku, którego imię nosiła też ulica w Copacabanie, gdzie mieszkali Paulo i Chris. Regulamin był prosty. Do konkursu mogli przystąpić „autorzy profesjonalni lub amatorzy, poeci publikowani bądź nie, bez ograniczeń wiekowych", a jedyny wymóg to, że wiersze mają być napisane po portugalsku. Każdy mógł przysłać do trzech utworów, ale nie więcej niż dwie strony maszynopisu z podwójną spacją. Teksty oceniała „komisja składająca się z krytyków i wysokiej klasy specjalistów" (których nazwisk nigdy nie ujawniono). Nagrodą było zamieszczenie utworów w antologii wydanej przez Shoguna. Laureaci musieli jednak podpisać umowę, zgodnie z którą zobowiązywali się zapłacić 380 tysięcy cruzeiros (około 160 dolarów) za paczkę dziesięciu egzemplarzy antologii. Kto chciał otrzymać dwadzieścia książek, musiał zapłacić 760 tysięcy cruzeiros i tak dalej. Początkowo całe przedsięwzięcie przypominało bardziej organizację „Arco" z czasów dzieciństwa Paula w Botafogo niż poważny projekt wydawniczy. Ku zaskoczeniu organizatorów nadesłano 1150 wierszy, z których wybrano 116. Utwory zostały zebrane w tomiku zatytułowanym *Poeci brazylijscy*. Dla Paula i Chris ryzyko było żadne, gdyż książkę wydano dopiero po podpisaniu umów i otrzymaniu pieniędzy od autorów. Poza egzemplarzami książki

każdy z laureatów otrzymywał również dyplom od wydawnictwa Shogun z podpisem Chris i listem od Paula:

Witaj,

Otrzymałem i przeczytałem Twoje wiersze. Na pewno wiesz, że Twoja twórczość jest na bardzo wysokim poziomie, więc nie będę wchodził w szczegóły. Chcę Ci pogratulować, że zdobyłeś się na wyjęcie wierszy z szuflady. W dzisiejszym świecie i w tym szczególnym momencie Historii trzeba mieć odwagę, żeby głosić swoje ideały.

Moje gratulacje,

Paulo Coelho

To, co na pierwszy rzut oka wydawało się amatorskim przedsięwzięciem pary przyjaciół, okazało się dochodowym interesem. Po wysłaniu ostatniej paczki z książkami w kasie wydawnictwa Shogun było ponad 40 milionów cruzeiros (około 180 tysięcy dolarów). Sukces tak banalnego pomysłu zachęcił Paula i Chris do powtórzenia go na większą skalę. Po *Poetach brazylijskich* ogłoszono konkurs, którego laureaci mieli się znaleźć w czterech nowych antologiach: *Współcześni poeci brazylijscy*, *Nowa poezja brazylijska*, *Nowa lite-*

ratura brazylijska oraz *Antologia poezji brazylijskich miast*. Żeby do przeszukiwania szuflad zachęcić tych, którzy odpadli po pierwszej edycji konkursu, Chris wysłała do nich miły list, informujący, że liczbę potencjalnych laureatów zwiększono ze 116 do 250.

Rio de Janeiro, 29 sierpnia 1982 roku

Drodzy Poeci,

Duża część prac, które nie zakwalifikowały się do finału konkursu poetyckiego im. Raimunda Correi, reprezentowała bardzo wysoki poziom. Mimo że musieliśmy ograniczyć liczbę nagrodzonych prac do 250, postanowiliśmy dać szansę tym, którzy nie spełnili wymogów regulaminu lub nie zostali zakwalifikowani przez komisję do antologii.

Zbiór Współcześni poeci brazylijscy *będzie kolejną pozycją wydawnictwa Shogun w dziale poezji i ukaże się jeszcze w tym roku. Chcielibyśmy, aby Państwa wiersze znalazły się w tej edycji. Zgodnie z ustaleniami w aneksie do Umowy Wydawniczej wiersze uczestników konkursu znajdą się w antologii, a ich autorzy otrzymają dziesięć egzemplarzy z pierwszego nakładu. Każda książka kosztuje niewiele więcej niż jeden numer poczytnego tygodnika, a dzięki wpłacie zainwestują Państwo w siebie, rozpowszechniając własną twórczość i otwierając sobie drzwi do wspaniałej kariery.*

Zgodnie z aneksem do Umowy Wydawniczej wydawnictwo Shogun prześle egzemplarze antologii Współcześni poeci brazylijscy *najbardziej znanym krytykom literackim w kraju, a także materiały informacyjne do setek ważnych gazet i czasopism. Część nakładu z pierwszego wydania przekażemy bibliotekom publicznym, dzięki czemu rzesze czytelników przez wiele lat będą mogły mieć do nich dostęp.*

Lord Byron, Lima Barreto, Edgar Allan Poe i wielu innych sławnych poetów wydawało swe dzieła własnym sumptem. Obecnie przez współfinansowanie wydania możemy wypromować książkę bez większych nakładów i sprawić, by czytano ją w całym kraju. Aby znaleźć się w antologii Współcześni poeci brazylijscy *wystarczy wypełnić aneks do Umowy Wydawniczej, podpisać go i wraz z odpowiednią kwotą wysłać do wydawnictwa Shogun.*

W razie wątpliwości prosimy o kontakt.

Z poważaniem,

Christina Oiticica

Antologie wydawnictwa Shogun stawały się tak popularne, że w całym kraju zaroiło się od poetów romantycznych, parnasistów i zwolenników konkretyzmu. W dniu wręczania dyplomów i wyróżnień pojawiało się tylu laureatów, ich rodzin i przyjaciół, że trzeba było wynająć nowo otwartą salę widowiskową Circo Voador w dzielnicy Lapa, żeby pomieścić wszystkich nagrodzonych i ich gości. Poza tymi uroczystościami Chris zajmowała się również organizacją wieczorów poetyckich, które zwykle odbywały się w ruchliwych, popularnych miejscach. Autorzy recytowali nagrodzone wiersze, a ludzie przystawali i słuchali w skupieniu. Zdarzały się oczywiście problemy z osobami, które zalegały z płatnościami. Kiedyś pewien poeta napisał list do „Jornal do Brasil", protestując przeciw inicjatywie wydawnictwa.

Brałem udział w V Konkursie Poezji im. Raimunda Correi. Mój wiersz „Istota ludzka" został nagrodzony i zakwalifikowany do druku. Aby wiersz mógł zostać opublikowany, musiałem wpłacić sumę 380 tysięcy cruzeiros w czterech ratach, za co miałem otrzymać dziesięć egzemplarzy antologii. Książki otrzymałem w dniu, w którym upływał termin ostatniej wpłaty. Kiedy otworzyłem paczkę, byłem tak zawiedziony, że straciłem ochotę do lektury. Zrozumiałem, że padłem ofiarą oszustwa.

Jakość druku pozostawia wiele do życzenia, gdyż zastosowano przestarzałą technikę. Nigdy dotąd nie widziałem tak nieczytelnej i złej szaty graficznej. Zgodnie z filozofią wydawnictwa Shogun, kto nie płaci, ten nie publikuje. Wiem, że wiele osób nie zakwalifikowało się do konkursu, ponieważ nie były w stanie zapłacić wszystkich rat. Opublikowano 116 wierszy. Obliczyłem, że wydawnictwo Shogun zarobiło 44 miliony cruzeiros, a od momentu wpłacenia przez nas pierwszej raty mogło swobodnie dysponować naszymi pieniędzmi.

Biorąc pod uwagę kwotę, którą musieliśmy zapłacić, zasługujemy na coś lepszego. Czuję się uprawniony do krytyki, ponieważ jestem zawodowym grafikiem. Takiej książki nie ofiarowałbym ani przyjacielowi, ani najgorszemu wrogowi.

Rui Dias de Carvalho

Po tygodniu w „Jornal do Brasil" ukazała się odpowiedź wydawnictwa Shogun. Pani dyrektor Christina Oiticica wyjaśniała, że Shogun współpracuje z drukarniami, które pracują na co dzień dla tak wielkich wydawnictw jak Record czy Nova Fronteira. Odpierała również zarzut dotyczący dorabiania się na kulturze, twierdząc, że takim projektem i takimi pieniędzmi nie zainteresowałoby się wielkie wydawnictwo. Jako przykład podała tomik *Poezji więziennej* (konkurs dla więźniów odsiadujących wyroki na terenie Rio de Janeiro). Na koniec informowała:

Nie realizujemy naszych projektów kulturalnych z państwowych dotacji. Daje nam to niezależność i jesteśmy z tego dumni. Wszyscy – wydawcy i poeci – udowadniamy, że każdy nieznany artysta może publikować i prezentować swoją twórczość.

Większość autorów współpracujących z Shogunem nie skarżyła się. Wiele lat później poeta Marcelino Rodriguez wspominał z dumą w swoim blogu, że jedna z antologii zawierała jego „Wieczny sonet".

Moja przygoda z literaturą zaczęła się dzięki wydawnictwu Shogun, którego właścicielami byli Paulo Coelho (dziś jeden z najbardziej znanych pisarzy brazylijskich, choć wielu „akademików" nie uznaje jego twórczości, być może dlatego, że jej nie rozumieją) oraz Christina Oiticica, urocza malarka o wielkim talencie (nigdy nie zapomnę jej uśmiechu, gdy pojawiłem się w wydawnictwie).

Faktem jest, że pomysł ożywił środowisko młodych twórców, a jednocześnie przyniósł ogromne zyski. Wydawnictwo publikowało cztery antologie rocznie, co dawało dochód 160 milionów cruzeiros (dziś około 670 tysięcy dolarów). Między 1983 a 1986 rokiem, w okresie boomu antologii i konkursów poetyckich, zyski mogły być jeszcze wyższe, zwłaszcza po zwiększeniu liczby nagradzanych.

Paulo zbliżał się do czterdziestki. Wreszcie jego życie zaczęło toczyć się tak, jak sobie wymarzył. Chris okazała się wspaniałą kobietą i towarzyszką życia, ich związek się umacniał, a wydawnictwo prosperowało. Do pełni szczęścia brakowało mu jedynie spełnienia największego marzenia – zostać pisarzem o światowej sławie. Paulo nadal był pod opieką Jeana, co nie przeszkadzało mu oddawać się dawnym zainteresowaniom. Uczestniczył w dyskusjach publicznych o ezoteryce, interesował się wampiryzmem. W 1985 roku jako wampirolog przyjął zaproszenie do wygłoszenia odczytu w największej sali konferencyjnej w mieście – Riocentro, podczas pierwszych Targów Ezoterycznych w Brazylii. Była to inicjatywa guru Kaandy Anandy, właściciela sklepu dla miłośników wiedzy ezoterycznej w dzielnicy Tijuca. Na jego zaproszenie w sobotę, 19 października, w dniu otwarcia targów, Paulo wygłosił odczyt o wampiryzmie. W centrum, dokąd przybył po południu, powitał go dziennikarz Nelson Laino Jr. z „Revista do Domingo", weekendowego dodatku do „Jornal do Brasil". Liano miał dopiero 24 lata, ale pracował już dla największych gazet w Rio. Podobnie jak Paulo miał za sobą doświadczenia z narkotykami. W wieku trzynastu lat, kiedy mieszkał jeszcze w rodzinnej miejscowości Marília, w stanie São Paulo, przeżył też doświadczenie mistyczne. Jeśli między znawcami ezoteryki może istnieć przyjaźń od pierwszego wejrzenia, to właśnie takie uczucie połączyło Paula i Liana. Wzajemna fascynacja była tak wielka, że rozmowę przerwał im dopiero Kaanda Ananda, który po raz trzeci wezwał Paula do wejścia na podium i przemówienia do wypełnionej po brzegi sali. Na pożegnanie panowie padli sobie w objęcia i wymienili się numerami telefonów. Kiedy Paulo wchodził na scenę, Liano szedł w stronę stoiska wydawnictwa Eco, by napić się kawy z jego właścicielem Ernestem Emanuellem Mandarinem.

Eco, mała oficyna powstała w latach 60., mieściła się na tyłach nowo wybudowanego Sambodromu w centrum Rio de Janeiro. Nieznana w kręgach intelektualistów, w ciągu dwudziestu lat swej działalności zgromadziła grono wiernych czytelników, których interesowały magiczne obrzędy, ludowe wierzenia, *umbanda* i *candomblé* [afroamerykańskie kulty rozpowszechnione w Brazylii, przyp. tłum.]. W grubym katalogu wydawnictwa można było znaleźć intrygujące pozycje z dziedziny ezoteryki. Podczas rozmowy z Mandarinem Liano wspomniał, że przed chwilą przeprowadził wywiad z wampirologiem.

– Nazywa się Paulo Coelho i skończył kurs wampiryzmu w Anglii. Teraz wygłasza odczyt o wampirach dla tłumu słuchaczy na sali. Może to dobry temat na książkę?

– Wampiry? – Mandarino nie krył zdziwienia. – To dobre do filmu. Nie wiem, czy taka książka się sprzeda. Kiedy skończy wykład, przyprowadź go do mnie.

Liano namówił Paula do odwiedzenia stoiska Eco, gdzie Mandarino z miejsca przedstawił mu propozycję nie do odrzucenia:

– Jeśli napisze pan książkę o wampiryzmie, wydamy ją.

– Zgadzam się pod warunkiem, że Nelson Liano będzie współautorem – odparł Paulo tak, jakby sprawę wcześniej omówił z zainteresowanym.

Mandarino nie krył zaskoczenia.

– Ale Nelson mówi, że dopiero się poznaliście!

– To prawda – roześmiał się Paulo – ale już jesteśmy przyjaciółmi.

Ustalili, że wspólnie napiszą dla wydawnictwa Eco książkę zatytułowaną *Manual Prático do Vampirismo* [Praktyczny podręcznik wampiryzmu]. Książka miała mieć pięć rozdziałów – pierwszy i ostatni zamierzał napisać Paulo, drugi i czwarty Liano, a trzeci mieli stworzyć wspólnie. Paulo i Chris zastanawiali się, czy nie wydać książki w Shogunie, ale Liano odradził im ten pomysł, twierdząc, że jedynie takie wydawnictwo jak Eco może zagwarantować odpowiednią promocję i dystrybucję – Shogun specjalizował się bowiem w poezji. Przeczuwając, że książka zdobędzie rozgłos, Paulo w ostatniej chwili zażądał zmian w warunkach umowy, którą Eco zazwyczaj proponowało swoim autorom. Mając na uwadze inflację, domagał się płatności w miesięcznych ratach, a nie co kwartał. Chociaż połowę książki miał napisać Liano, któremu również przypadło w udziale redagowanie tekstu, Paulo podyktował sekretarce dodatkowy paragraf do umowy:

Na okładce znajdzie się tylko nazwisko Paula Coelho, natomiast na stronie tytułowej, pod tytułem zostaną umieszczone następujące słowa: „Pod redakcją Nelsona Liano Júniora".

Liano miał napisać ładnym językiem swoją część książki, zająć się całą stroną wydawniczą i wystąpić jedynie jako redaktor, a nie współautor. W zaproponowanym przez Paula załączniku do umowy Lianowi przypadało zaledwie 5% z tytułu praw autorskich, a jego wspólnik otrzymywał pozostałe 95%. Mandarino przeczuwał, że trzyma w garści kurę znoszącą złote jajka, więc zgodził się na warunki niepokornego autora. Liano też nie zgłaszał pretensji, zatem po tygodniu od pierwszego spotkania podpisano umowę. Tylko Nelson przekazał swoją część książki w wyznaczonym terminie. Zawalony pracą w wydawnictwie Shogun, Paulo nie napisał słowa. Czas mijał, coraz częściej przychodziły ponaglenia ze strony współautora i wydawcy, a tekstu wciąż nie było. Dopiero kiedy zabrakło mu pomysłu, jak się usprawiedliwić, Paulo oddał wydawnictwu swoją część książki. W ostatniej chwili, być może czując wyrzuty sumienia, zgodził się na umieszczenie nazwiska Nelsona na okładce, choć mniejszą czcionką, jakby ten rzeczywiście nie był współautorem, a jedynie redaktorem.

Promocja *Praktycznego podręcznika wampiryzmu* odbyła się w eleganckim hotelu Glória, skąd jedenaście lat wcześniej Paulo został porwany przez grupę operacyjną DOI-Codi. Podczas bankietu kelnerzy roznosili białe wino i kanapki. Okładkę zaprojektowała Chris: z tytułem gotycką czcionką, zdjęciem z 1931 roku przedstawiającym amerykańskiego aktora węgierskiego pochodzenia, Bélę Lugosiego, słynnego odtwórcę księcia Drakuli w znanym filmie Toda Browninga. Kolejne rozdziały książki poświęcone były takim tematom, jak korzenie wampiryzmu czy wielkie „dynastie" wampirów – rumuńska, angielska, niemiecka, francuska i hiszpańska. Szczególnie ciekawe są fragmenty dotyczące kwestii rozpoznawania wampirów. Jak się okazuje, nawet na gruncie towarzyskim nietrudno wampira zidentyfikować. Otóż strzec się należy osobni-

U GÓRY: Bela Lugosi na okładce *Praktycznego podręcznika wampiryzmu*.

POWYŻEJ: Toninho Budda (w białej koszuli) nie może pogodzić się z faktem, że pominięto jego nazwisko na okładce książki.

OBOK: Ernesto Emanuelle Mandarino, właściciel wydawnictwa Eco.

ków gustujących w surowym lub krwistym mięsie, a do tego sprawiających wrażenie zagubionych. Jeszcze łatwiej wampira zdemaskować podczas stosunku seksualnego, bo jak zapewniają autorzy książki, podczas zbliżenia wampir nigdy nie porusza biodrami, a temperatura jego penisa jest o stopień niższa niż u zwykłego śmiertelnika. Jednak *Praktyczny podręcznik wampiryzmu* zdecydowanie więcej ukrywał niż wyjaśniał. Prawdopodobnie goście, którzy przechadzali się po hotelowych korytarzach, popijając wino i trzymając pod pachą podpisane egzemplarze książki, nie zdawali sobie sprawy, że choć nazwisko Paula jako głównego autora widniało na okładce, nie napisał on ani jednej linijki ze 144 stron tekstu. Nigdy nie zdradził, że naglony terminami potajemnie zatrudnił kogoś do napisania swojej części *Podręcznika*.

Wybór padł na Antônia Waltera Senę Júniora, wielkiego oryginała pochodzącego ze stanu Minas Gerais. Wśród wielbicieli ezoteryki znany był jako „Toninho Budda", co przy jego wadze 55 kilo zakrawało na niezły żart. Dyplom z inżynierii uzyskał na uniwersytecie federalnym w rodzinnym Juiz de Fora. Toninho poznał Paula w 1981 roku podczas konferencji o wampiryzmie zorganizowanej w szkole Bennetta w Rio. Jako znawca magii i okultyzmu, Toninho od lat uważnie śledził karierę Paula i Raula Seixasa i ciągle marzył o wskrzeszeniu idei Społeczeństwa Alternatywnego. Propozycję samego Paula Coelho uznał za zaszczyt, więc ją przyjął „w zamian za kwotę równą cenie obiadu w taniej restauracji w Copacabanie", jak później twierdził. Napisał za Paula jego część książki i w wyznaczonym terminie przesłał ją na adres wydawnictwa Shogun.

W piątek 25 kwietnia 1986 roku Toninho Budda leżał w swym domu w Juiz de Fora z jedną nogą w gipsie i drugą zabandażowaną (kilka tygodni wcześniej potrącił go samochód) i czytał „Jornal do Brasil". Nagle wpadła mu w oko informacja, że niebawem w hotelu Glória Paulo Coelho będzie podpisywał swoją nową książkę. Poczuł się urażony, ponieważ nie został zaproszony, ale uznał, że po prostu zaproszenie nie dotarło na czas. Mimo że poruszał się o lasce, postanowił wziąć udział w promocji książki, która była również jego dziełem. Udał się na dworzec, wsiadł do autobusu i po dwóch godzinach był w Rio de Janeiro. Zbliżał się wieczór. Toninho przejechał taksówką pół miasta i podpierając się laską wszedł po marmurowych schodach do głównego holu hotelu Glória. Dopiero wtedy zdał sobie sprawę, że jest pierwszym gościem. Poza przedstawicielami wydawnictwa, którzy układali stosy książek na stole, nie było jeszcze nikogo, nawet autora.

Toninho postanowił wykorzystać czas. Kupił egzemplarz *Podręcznika*, którego również mu nie przysłano, i usiadł w fotelu, by w spokoju napawać się swym sukcesem. Najpierw z uznaniem obejrzał okładkę, potem zerknął na stronę tytułową, przejrzał kilka rozdziałów... i nic. Nigdzie nie było jego nazwiska, choć pół książki wyszło spod jego pióra. Uznał, że musiał je przeoczyć. Pierwsi goście ustawili się w kolejce przed stołem, gdzie autor miał podpisywać swoje dzieło, a Toninho niestrudzenie wertował kupiony egzemplarz *Podręcznika*. Wreszcie do niego dotarło, że swego nazwiska nie znajdzie w książce, bo go po prostu nie ma. Wstał, żeby wezwać taksówkę i pojechać na dworzec, a wtedy zobaczył uśmiechniętą twarz Paula, który wchodził do hotelu w towarzystwie Chris, Liana i Mandarina. Skoro przejechał taki szmat drogi, uznał, że nie można przepuścić okazji, żeby pokazać, co potrafi. Wygrażając chudym palcem, wybuchnął ze złością:

– Paulo, jak mogłeś?! Nie umieściłeś w książce mojego nazwiska, tak cię o to prosiłem! Tylko o to!

Paulo udał, że nie wie, o co chodzi, poprosił o książkę i zaczął ją przeglądać.

– Masz rację, nie ma – przyznał. – Obiecuję, że zamówię pieczątkę z twoim nazwiskiem i własnoręcznie podstempluję cały nakład. Przy następnym dopilnuję, żeby poprawiono błąd. Bardzo cię przepraszam.

Toninho Budda był wprawdzie rozżalony, ale nie chciał psuć Paulowi przyjęcia awanturą.

– Paulo, nie jestem idiotą. Przestań mi tu mydlić oczy! Idź rozdawać autografy. Ja wracam do domu.

Toninho przełknął zniewagę, łudził się bowiem, że zdoła namówić Paula do reanimowania Społeczeństwa Alternatywnego. Jego pomysł był prosty – rozpropagowanie idei dzięki wystąpieniom w ruchliwych miejscach publicznych i rozbudzenie zainteresowania mediów oraz zwykłych śmiertelników. Kilka miesięcy wcześniej w długim liście do Paula proponował zorganizowanie akcji podczas Pierwszego Międzynarodowego Festiwalu Rock in Rio, najlepiej w dniu koncertu grupy brazylijskiej Baby Consuelo (później Baby do Brasil) i Pepeu Gomesa, którzy mieli wystąpić obok wielkich gwiazd: zespołów Whitesnake, Ozzy'ego Osbourne'a, grup Scorpions i AC/DC. Jego plan polegał na przechwyceniu mikrofonu w najgorętszym momencie koncertu i wygłoszeniu krótkiego przemówienia zachęcającego do reaktywacji Społeczeństwa Alternatywnego.

Musimy zrobić wszystko, żeby przejąć mikrofon na Rock in Rio, ale to będzie zależało wyłącznie od Ciebie i Twoich kontaktów wśród organizatorów. Ja jestem gotów to zrobić. Jeśli się zgadzasz, możesz zacząć przygotowania, ale proszę, żebyś z wyprzedzeniem poinformował mnie o sprawie.

W styczniu 1986 roku, kilka miesięcy przed wieczorem promującym *Praktyczny podręcznik wampiryzmu*, obaj wzięli udział w happeningu zorganizowanym w Rio. Mieszkańcy południowej części miasta protestowali przeciw decyzji rady miejskiej o zamknięciu parku Lage, zielonych płuc Rio. Toninho i Paulo postanowili wmieszać się w tłum i rozreklamować pierwszy numer czasopisma „Społeczeństwo Alternatywne", który niebawem zamierzali wydać. Jego redakcją miał się zająć Toninho, on również wpisał się na listę mówców podczas wiecu. Kiedy wyczytano jego nazwisko, wszedł na mównicę ubrany w garnitur, zwrócił się do kamer telewizyjnych i zaczął czytać tekst, który nazwał „Manifestem nr 11". Padały takie sformułowania jak: „Przestrzeń jest wolna, każdy może zająć swoją przestrzeń", „Czas jest wolny, każdy ma prawo żyć w swoim czasie", „Nie ma już klasy artystów, panów, pracodawców ani pracowników, nie ma lewicy, prawicy, mądrych ani głupich". Oryginalność wystąpienia polegała nie tyle na słowach Toninha, co na efektach specjalnych, które im towarzyszyły. Otóż po każdym zdaniu Chris odcinała mu kawałek ubrania: krawat, potem rękaw marynarki, nogawkę, drugi rękaw marynarki, kołnierzyk, rękaw koszuli. Kiedy Toninho przeczytał ostatnie zdanie manifestu („Cudem nie będzie kroczyć po wodzie, lecz chodzić po ziemi"), był zupełnie nagi, bez skrawka materiału na swym rachitycznym ciele.

Wieczorem oblewali sukces wystąpienia Toninha, które odbiło się szerokim echem w mediach. Paulo zastanawiał się, czy nie można by zrobić czegoś jeszcze bardziej ekstrawaganckiego. Wtedy Toninho podzielił się z nim i z Chris pomysłem, który zmroził im krew w żyłach. Planował coś, co sprawi, że „miliony Brazylijczyków na zawsze zapamiętają Społeczeństwo Alternatywne": wysadzenie w powietrze głowy statuy Chrystusa Zbawiciela. Z ołówkiem w ręku naszkicował plan działania, który jako inżynier opracował w najdrobniejszych szczegółach. Musiał skonstruować taki ładunek, który rozsadziłby głowę wysokości 3,75 metra. Ważąca ponad 30 ton postać Chrystusa w 2007 roku została uznana za jeden z siedmiu cudów współczesnego świata. Każdy normalny człowiek wyrzuciłby za drzwi takiego szaleńca, ale nie Paulo, który powiedział tylko:

– Mów dalej!

Toninho tylko na to czekał. Zerwał się na równe nogi i podekscytowany wizją wybuchu zaczął opisywać obraz miasta po katastrofie.

– Wyobraźcie sobie mieszkańców Rio! Budzą się rano i widzą Chrystusa bez głowy, z powyginanymi, żelbetonowymi kikutami, które sterczą z szyi prosto do nieba. Papież będzie protestował, tłumy zbiegną się wokół Corcovado, by zabrać sobie kawałek głowy jako relikwię. Rozumiecie? Kościół ogłosi zbiórkę na odbudowę statuy! I wtedy my wkroczymy na scenę, skandując „Niech żyje Społeczeństwo Alternatywne! Niech żyje!". Będziemy rozdawać ludziom pierwszy numer naszego pisma z przygotowanymi wcześniej informacjami o tym zwariowanym wydarzeniu.

Paulo, świeżo nawrócony na wiarę katolicką, postanowił przerwać rozmowę, nim będzie za późno. Dopiero kilka miesięcy później Toninho dowiedział się, że Paulo został Mistrzem w zakonie RAM, do którego wprowadził go Jean. Pierwsza próba odbyła się w styczniu 1986 roku podczas podróży służbowej Jeana do Brazylii. Termin Jean wyznaczył na 2 stycznia, kiedy to w trakcie specjalnej ceremonii zostanie Paulowi przekazany miecz, symbol pasowania na Mistrza. Na miejsce rytuału wybrano góry Mantiqueira na pograniczu stanów Minas Gerais i Rio de Janeiro. Wznosi się tam jeden z najwyższych szczytów Brazylii – Agulhas Negras. Poza Jeanem i Paulem obecni byli Chris, miejscowy przewodnik i jeszcze jeden kandydat do zakonu. Paulowi kazano zabrać stary miecz, którego od lat używał do praktyk ezoterycznych. Rytuał został opisany w książce *Pielgrzym*. Wszyscy zgromadzili się wokół ogniska. Ceremonię rozpoczął Jean. Wzniósł do nieba nowiutki miecz w pochwie i powiedział:

– I stojąc przed świętym obliczem RAM, dotknij dłońmi Słowa życia, zyskując dość siły, by świadczyć za nim tu i choćby na kraju świata!

Paulo własnoręcznie wykopał płytki, wąski dół, wziął od Chris swój stary miecz i go zakopał, drżącym, stłumionym głosem wymawiając formułkę związaną z obrzędem. Potem na świeżym kopczyku ziemi Jean położył nowy miecz. Wszyscy ze wzruszeniem czekali na ostatni akord rytuału, kiedy zdarzyło się coś niesamowitego.

– Moc Mistrza sprawiła, że wokół nas zajaśniała dziwna łuna. Niczego nie oświetlała, ale wszystko wokół stawało się bardziej wyraziste. Blask, który nas otaczał, był inny od tego, jaki bił z ogniska.

Zbliżało się apogeum ceremonii, ale również długiej podróży. Paulo wciąż nie mógł uwierzyć w to, co się dzieje. Kreśląc nowym mieczem znak na jego czole, Jean mówił:

– Mocą i miłością RAM mianuję cię Mistrzem i kawalerem Zakonu, dziś i po kres twych dni. R jak *Rygor*, A jak *Afirmacja miłości*, M jak *Miłosierdzie*, R jak *Regnum*, A jak *Agnus*, M jak *Mundi*. Przyjmując ten miecz, pamiętaj, by nigdy nie spoczywał zbyt długo w pochwie, by nie przeżarła go rdza. Kiedy jednak go dobędziesz, pamiętaj, niechaj nigdy nie wraca na miejsce, nie uczyniwszy dobra, nie otwarłszy nowej drogi.

Paulo przestał drżeć, po raz pierwszy od przybycia poczuł ulgę: kiedy dotknie leżącego na ziemi miecza, wreszcie zostanie czarodziejem. Nagle ktoś mocno stanął mu na palcach prawej dłoni, którą ledwie zdążył położyć na mieczu. Tak bardzo się przestraszył, że w pierwszej chwili nie poczuł bólu. Dopiero po chwili zaczął się zastanawiać, czy nie ma złamanych kości. Podniósł głowę i zobaczył, że to Jean nastąpił mu butem na rękę. Wściekły Francuz podniósł miecz, schował go do pochwy i oddał Chris. Paulo zauważył, że zniknęła tajemnicza poświata, a w osobie Jeana skupił się gniew wszystkich bogów.

– Gdybyś miał w sobie więcej pokory, nie przyjąłbyś miecza.
Obawiałem się, że się potkniesz i upadniesz w najbardziej podniosłej chwili. Przez własną zachłanność zmuszony będziesz po raz kolejny przejść drogę w poszukiwaniu miecza. Twoja duma i wiara w przepowiednie sprawiły, że będziesz musiał jeszcze mocniej walczyć o to, co w geście hojności mogłeś otrzymać już dziś.

Ceremonia miała smutny finał. Paulo i Chris wsiedli do samochodu i ruszyli z powrotem do Rio. Większość drogi przebyli w milczeniu, aż wreszcie Paulo nie wytrzymał i spytał:

– Co ze mną teraz będzie? Czy Jean coś ci mówił?

Chris uspokoiła męża, że z pewnością odzyska miecz i otrzyma tytuł mistrza czy czarodzieja. Dostała od Jeana szczegółowe instrukcje, gdzie ma schować miecz, by Paulo powtórzył swoje poszukiwania. Mimo to pisarz był coraz bardziej zdenerwowany. Chciał wiedzieć, gdzie ma szukać następnej kryjówki. Żona nie potrafiła mu konkretnie odpowiedzieć.

– Nie wyjaśnił mi tego. Powiedział tylko, że na mapie Hiszpanii masz znaleźć średniowieczny szlak zwany Drogą do Santiago.

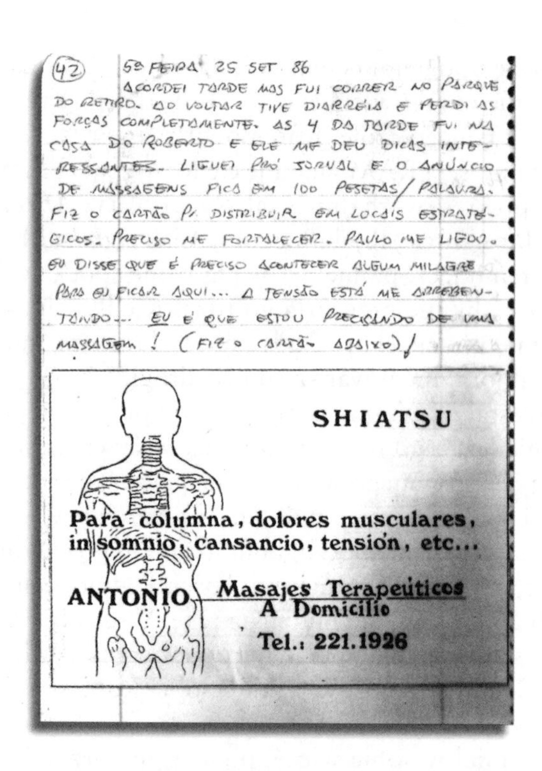

(42) 5ª FEIRA 25 SET 86
ACORDEI TARDE MAS FUI CORRER NO PARQUE DO RETIRO. AO VOLTAR TIVE DIARRÉIA E PERDI AS FORÇAS COMPLETAMENTE. AS 4 DA TARDE FUI NA CASA DO ROBERTO E ELE ME DEU DICAS INTERESSANTES. LIGUEI PRO JORNAL E O ANÚNCIO DE MASSAGENS FICA EM 100 PESETAS/PALAVRA. FIZ O CARTÃO P/ DISTRIBUIR EM LOCAIS ESTRATÉGICOS. PRECISO ME FORTALECER. PAULO ME LIGOU. EU DISSE QUE É PRECISO ACONTECER ALGUM MILAGRE PARA EU FICAR AQUI... A TENSÃO ESTÁ ME ARREBENTANDO... EU É QUE ESTOU PRECISANDO DE UMA MASSAGEM! (FIZ O CARTÃO ABAIXO)

SHIATSU

Para columna, dolores musculares, insomnio, cansancio, tensión, etc...

ANTONIO **Masajes Terapeúticos**
A Domicilio

Tel.: 221.1926

Perypetie inżyniera Toninha Buddy.
POWYŻEJ: Kartka z pamiętnika – Toninho skarży się, że musi pracować jako masażysta.
PONIŻEJ: po powrocie do Brazylii Toninho na okładce płyty Raula Seixasa.

23.

Paulo pokonuje Drogę do Santiago, ale wciąż jest nieszczęśliwy. Nadal nie napisał wymarzonej książki

Szukając informacji na temat Drogi do Santiago, Paulo przekonał się, że w 1986 roku zainteresowanie nią było znikome. Nieprzyjazną trasę długości 700 kilometrów pokonywało niespełna 400 pielgrzymów rocznie. Rozpoczynała się w mieście Saint-Jean-Pied-de-Port na południu Francji, a kończyła w stolicy Galicii, w katedrze w Santiago de Compostela w północno-zachodniej Hiszpanii. Od pierwszego tysiąclecia chrześcijaństwa trasą tą wędrowali pielgrzymi w poszukiwaniu domniemanego grobu apostoła Jakuba. Jednak w czasach współczesnych turystów z całego świata ściągał do Hiszpanii zupełnie inny rodzaj pielgrzymowania, nie mający nic wspólnego z religią. Była to *Movida*, ruch społeczno-kulturalny, który zrodził się w Madrycie po śmierci generała Franco w listopadzie 1975 roku i upadku trwającej czterdzieści lat dyktatury. Jak słusznie pisał w latach 80. francuski miesięcznik „Le Monde Diplomatique", *Movida* była „ludowym festynem na cześć odejścia Franco, a to świętowanie trwa już ponad dziesięć lat". Pomysłodawcą takich obchodów był burmistrz Madrytu, stary socjalista Enrique Tierno Galván, który chciał w ten sposób podbudować nastroje Hiszpanów, szczególnie mieszkańców Madrytu, w czasie wprowadzania demokratycznych reform. Wyjść na *Movidę* oznaczało odbyć pielgrzymkę po madryckich barach, restauracjach, rewiach, teatrach, kinach i wrócić do domu bez grosza przy duszy albo kiedy nogi odmawiały posłuszeństwa. Kto chciał spróbować swych umiejętności jako muzyk, tancerz, żongler lub śpiewak, mógł to uczynić na miejskim placu, gdzie publiczności nie brakowało. „Madryt nie śpi!”, głosiły napisy na koszulkach i plakietkach. Plakaty zachęcały ludzi do zabawy radosnymi hasłami w rodzaju „Madryt mnie wykończy!” albo „Dziś wieczorem wszyscy na ulice!”. Hasła te wkrótce podchwycił krążący po ulicach tłum. *Movida* miała duży wpływ na sztukę, szczególnie kino, które ukazało nowe oblicze Hiszpanii. Surowy gorset frankizmu zamieniono na frywolną fiestę. Najsłynniejszym dzieckiem *Movidy* i jej zagorzałym zwolennikiem był reżyser Pedro Almodóvar.

Dla kogoś, kto tak jak Paulo miał odbyć pokutę, hiszpańska stolica i *Movida* musiały stanowić nie lada pokusę. Wystarczyło tylko się odważyć i polecieć do Hiszpanii. Znużony monotonią pracy w wydawnictwie Shogun, Paulo przekazał Chris wszystkie obowiązki, zaś sam zamknął się w domu. Jak zwykle na kolejnych stronach swego dziennika użalał się nad sobą:

> *Już dawno nie odczuwałem takiej potrzeby buntu. Nie jest on zwrócony przeciw Jezusowi, lecz przeciw mojej własnej słabości. Nie umiem odnaleźć w sobie dość silnej woli, by realizować marzenia.*

COMBINAÇÕES

1 - Se Tony for dormir no meu quarto, só irá na hora própria de dormir, já que estarei trabalhando lá durante o dia e a noite;
2 - Tony receberá uma ajuda de custo de U$ 200 por mes, reembolsáveis quando ele chegar no Rio se o mesmo quiser, mas sem obrigatoriedade;
3 - No caso do meu quarto ou apartamento estiver ocupado com outro(a) babitante, Tony dormirá por sua própria conta em outro lugar;
4 - Todos os programas que eu quiser fazer e desejar que Tony acompanhe, serão por minha conta;
5 - A viagem com Chris não terá a companhia de Tony, que esperará em Madrid;
6 - Tony foi bem avisado dos seguintes itens:
6.1 - Que a passagem aérea não pode desmarcar data de volta;
6.2 - Que é ilegal trabalhar;
6.3 - Que, exceto a ajuda mensal de U$ 200, terá que arranjar dinheiro por sua própria conta;
6.4 - Que, se desmarcar a passagem de volta, terá que pagar o correspoddente a uma tarifa normal (U$ 2.080), descontados os U$ que pagou pela passagem ponto-a-ponto;

01 Agosto 1986

Kontrakt zawarty pomiędzy Paulem a Toninho Buddą, który zgodził się na niewolniczą (choć płatną) pracę dla pisarza podczas jego pobytu w Hiszpanii.

Znów przeżywał kryzys wiary i czuł, że zaczyna mu brakować sił. Coraz częściej wspominał, że chciałby stać się „stuprocentowym ateuszem". Nie zapomniał o zobowiązaniach wobec Jeana, a jednocześnie wciąż odwlekał podjęcie decyzji o wyjeździe. W końcu sprawy wzięła w swoje ręce Chris. Pod koniec lipca bez wiedzy męża poszła do biura podróży, kupiła dwa bilety i po powrocie do domu oznajmiła:

– Jedziemy do Madrytu!

Paulo próbował przełożyć wyjazd. Twierdził, że wydawnictwo nie może zostać bez opieki, no i trudno będzie odnaleźć miecz, który Chris ukryje gdzieś na siedmiusetkilometrowej trasie.

– Czy przypadkiem mistrz nie dał mi zadania ponad moje siły?

– Od siedmiu miesięcy nic nie robisz – nie ustępowała Chris. – Podjąłeś się zadania i musisz je wykonać.

Na początku sierpnia 1986 roku wylądowali na madryckim lotnisku Barajas, gdzie czekał na nich chuderlawy „niewolnik" Antônio Walter Sena Júnior – ten sam Toninho Budda, który chciał wysadzić w powietrze statuę Chrystusa Zbawiciela. Kiedy Paulo zdecydował się przejść Camino de Santiago, pasował inżyniera na swego pomocnika i zaczął go nazywać „niewolnikiem". Toninho zdołał otrząsnąć się po rozczarowaniu, jakie przyniosło mu wydanie *Praktycznego podręcznika wampiryzmu*. Planował otworzyć restaurację makrobiotyczną w Juiz de Fora, kiedy otrzymał od Paula propozycję. Nie było to zaproszenie do wspólnej podróży, lecz oferta pracy. Kiedy Paulo przez telefon przedstawił mu szczegóły, rozpoczął się absurdalny dialog. Niedorzeczność rozmowy polegała też na tym, że Paulo *de facto* proponował mu niewolniczą pracę za pieniądze.

– Chcesz, żebym został twoim niewolnikiem? – spytał Toninho.

– Tak. Chcę, żebyś przez dwa miesiące pobytu w Hiszpanii był moim niewolnikiem – potwierdził Paulo.

– Co ja tam będę robił? Nie mam pieniędzy, nigdy nie wyjeżdżałem za granicę, nie leciałem samolotem.

– O pieniądze się nie martw. Zapłacę za twój przelot i oferuję ci 27 tysięcy peset miesięcznie.

– Ile to w dolarach?

– Około dwustu. To całkiem sporo, jeśli wziąć pod uwagę, że Hiszpania jest najtańszym krajem w Europie. Zgadzasz się?

Toninho skończył 36 lat, był kawalerem i nie miał żadnych zobowiązań. Poza tym, pomyślał: „Jak często zapraszają człowieka w podróż do Europy, niezależnie od tego, co miałby tam robić? Zawsze mogę wsiąść w samolot i wrócić do domu". Dopiero kiedy przyjechał z bagażem do Rio i przeczytał sporządzony przez Paula kontrakt, zrozumiał, że sprawa nie będzie taka prosta. Po pierwsze, państwo Coelho polecą liniami Iberia i w cenę biletu mają wliczony nocleg w hotelu, natomiast Toninho ma podróżować cieszącymi się złą sławą liniami paragwajskimi, najbardziej niebezpiecznymi na świecie. Po drugie, do Madrytu wylatywał z Asunción, stolicy Paragwaju. No i po trzecie, żeby było taniej, Paulo zafundował mu bilet w obie strony bez możliwości zmiany daty powrotu, co oznaczało, że niezależnie od okoliczności, Toninho mógł wrócić do Brazylii dopiero na początku października, czyli za dwa miesiące. Odnaleziony w kufrze Paula pożółkły dokument określa obowiązki niewolnika „Tony'ego":

Warunki umowy:

1. Tony śpi w moim pokoju, ale może do niego wejść tylko wtedy, kiedy ja udam się na spoczynek, a zamierzam pracować dzień i noc.

2. Tony otrzyma pomoc finansową w wysokości 200 USD miesięcznie. Po powrocie do Rio będzie mógł ją zwrócić, jeśli zechce.

3. Jeśli będę gościł w moim pokoju osobę trzecią, Tony zorganizuje sobie nocleg na własną rękę.

4. Jeśli zaplanuję zajęcia, w których potrzebna mi będzie obecność Tony'ego, zobowiązuję się pokryć wszystkie koszty z tym związane.

5. Tony nie będzie towarzyszyć mnie i Chris w podróży. Ma czekać na nas na miejscu.

6. Tony został uprzedzony o następujących sprawach:

6.1. Jego bilet nie zezwala na zmianę daty powrotu.

6.2. Praca w Hiszpanii jest nielegalna.

6.3. Poza wsparciem finansowym w wysokości 200 USD resztę środków na utrzymanie będzie musiał zdobyć samodzielnie.

6.4. Jeśli zmieni datę powrotu do kraju, będzie musiał wykupić normalny bilet (2080 USD), pokrywając z własnej kieszeni różnicę między biletem, który obecnie posiada.

1 sierpnia 1986 roku

Antônio Walter Sena Júnior *Paulo Coelho*

Kiedy Toninho Budda przeczytał warunki umowy, miał ochotę natychmiast wrócić do Minas Gerais, ale chęć poznania Europy okazała się silniejsza, więc „kontrakt" podpisał. Wyleciał do Madrytu dzień przed Paulem i Chris. Już na początku podróży miał pecha. Na lotnisku w Hiszpanii przez trzy godziny tłumaczył celnikom – a po kastylijsku nie mówił – jak zamierza spędzić sześćdziesiąt dni w ich kraju z czterema banknotami dziesięciodolarowymi w kieszeni. Przeszedł upokarzającą rewizję osobistą, odpowiadał na dziesiątki pytań. Następnego dnia, we wtorek 5 sierpnia, znów pojawił się na lotnisku Barajas, by przywitać swego pana. Noc spędził w pensjonacie niewidomej staruszki, która pałała nienawiścią do Brazylii („W tym kraju kobiety nie mają za grosz wstydu") i o 23.00 zamykała drzwi wejściowe na klucz. Kto się spóźnił, spał na ulicy. Niewątpliwą zaletą pensjonatu pani Cristiny Belarano był koszt noclegu – niewiele ponad 600 peset (około 5 dolarów), razem ze skromnym śniadaniem. Paulo spędził z żoną w Madrycie tylko jedną noc, a następnego dnia Chris wynajęła samochód i pojechała ukryć miecz w miejscu wyznaczonym przez Jeana.

7 sierpnia 1986 roku w Madrycie panował straszliwy upał. Paulo również wynajął samochód i opuścił miasto, kierując się na północ. Przejechał 450 kilometrów i przekroczył granicę Francji. Na dwa dni zatrzymał się w mieście Pau, gdzie oddał wóz do wypożyczalni. W niedzielny poranek 10 sierpnia pojechał pociągiem do Saint-Jean-Pied-de-Port u podnóża Pirenejów i zanotował ostatnie zdanie przed wyjściem na szlak:

11.57 – St. Jean-Pied-de-Port
W mieście święto. Z oddali słychać baskijską muzykę.

Poniżej, na tej samej stronie, ktoś postawił pieczątkę i ręcznie napisał po łacinie „St. Joannes Pedis Portus". Obok widnieje notatka w języku francuskim oraz podpis osoby o imieniu „J." i nazwisku brzmiącym jak „Relul" lub „Ellul".

Saint-Jean-Pied-de-Port
Basse-Navarre, le 10 août 1986
J. ...

Czy „J" to pierwsza litera imienia Jeana z Amsterdamu i ze szczytu góry Agulhas Negras? Paulo Coelho nie potwierdza ani nie zaprzecza, jak zwykle, kiedy ktoś próbuje przekroczyć granicę jego mistycznego świata, zadając zbyt dociekliwe pytania. Wszystkie poszlaki wydają się wskazywać, że to Jean był w Saint-Jean-Pied-de-Port, prawdopodobnie jako przedstawiciel zakonu RAM, może po to, by upewnić się, że uczeń wypełnia powierzone mu zadanie. Pielgrzymka zakończyła się dopiero w hiszpańskim Cebrero, gdzie Paulo odnalazł miecz. Przez wiele lat za sprawą pewnego taksówkarza imieniem Pedro krążyły plotki, że pisarz pokonał trasę na tylnym, miękkim siedzeniu klimatyzowanego citroëna. Wątpliwości rozwiał dopiero japoński reportaż telewizyjny, którego autorzy dowiedli, że taksówkarz kłamie. O sprawie Paulo wspomina we wstępie do późniejszych wydań *Pielgrzyma*:

Słyszałem wiele opinii na temat mojej pielgrzymki. Niektórzy mówili, że całą trasę przejechałem taksówką (wyobraźcie sobie, jaki byłby koszt!)

[...] Cóż za ironia: u kresu tego tysiąclecia najbardziej znany tekst o pielgrzymce do Santiago napisał ktoś, kto być może nigdy tam nie dotarł.

Najważniejszym i najbardziej tajemniczym etapem podróży było odnalezienie miecza. W książce ten fragment znajduje się na końcu. Zdarzyło się to w pobliżu miasta El Cebrero, skąd do Santiago było jeszcze 150 kilometrów. Paulo zobaczył baranka idącego samotnie wzdłuż drogi. Wiedziony intuicją podążył za zwierzęciem, które zapuściło się w las i doprowadziło go do starej kapliczki obok cmentarza, przy drodze do miasta. Paulo pisze w książce tak:

Kaplica była rzęsiście oświetlona, kiedy stanąłem w jej progu. [...] Baranek skrył się za ławkę, ja patrzyłem przed siebie. Przy ołtarzu, uśmiechnięty, może odczuwający ulgę, stał Mistrz. W ręce trzymał mój miecz. [...] Uklęknąłem, a on uderzył płazem kolejno oba moje ramiona, mówiąc:

– Po lwie i żmii stąpać będziesz, deptać będziesz młodego lwa i smoka.

Gdy Jean zamilkł, nagle z nieba spadł letni deszcz. „Rozglądałem się szukając baranka, ale zniknął bez śladu", napisał autor. „Jednak nie miało to już znaczenia – woda życia płynęła z niebios, a ostrze mego miecza połyskiwało w jej strugach". Sądząc po tym, jak Paulo świętował zakończenie pielgrzymki, wysiłek włożony w odnalezienie miecza musiał być nadludzki.

Zachowywał się jak człowiek, który ponownie się narodził. Ciałem i duszą oddał się madryckiej *Movidzie*. Z wynajętego pokoju hotelowego przeprowadził się do miłego, dobrze wyposażonego apartamentu w eleganckiej dzielnicy Alonzo Martinez, po czym rzucił się w wir hiszpańskiej fiesty. Do końca września mógł liczyć na usługi Toninha Buddy, którego w dzienniku nazywał „niewolnikiem” lub w skrócie „niew.”. Podczas gdy Paulo zmienił się w prawdziwego sybarytę i korzystał z uroków życia, wegetarianin Toninho żył jak pustelnik. Jadł niewielkie porcje makrobiotycznej żywności, nie pił alkoholu. Rzadko uczestniczył w nocnych eskapadach swego pana, ponieważ nadal mieszkał w pensjonacie pani Cristiny, który zamykano o 23.00, kiedy fiesta dopiero się rozkręcała. Coraz częściej narzekał, że nie da się wyżyć z pensji, którą otrzymywał od Paula. Pewnego dnia doszło do ostrej wymiany zdań.

– Paulo, nie starcza mi pieniędzy na jedzenie – żalił się.

– Przypomnij sobie treść naszej umowy. Tam jest wyraźnie napisane, że jeśli nie wystarczy ci pieniędzy, będziesz musiał zarobić je sam – zauważył Paulo.

– Do licha! Wiesz przecież, że w umowie jest też napisane, że obcokrajowcy nie mogą legalnie pracować w Hiszpanii!

– Posłuchaj, niewolniku! Gadasz bzdury! Tutaj wszyscy jakoś wiążą koniec z końcem. Nie jesteś przecież inwalidą, radź sobie sam!

Toninho musiał poszukać zarobku, w czym pomogła mu przywieziona z Brazylii stara gitara. Wybierał sobie ruchliwą stację metra, siadał na ziemi i brzdąkając, nucił brazylijskie piosenki. Obok kładł beret, do którego przechodnie wrzucali monety, a czasem nawet banknoty. Zbyt długo w jednym miejscu nie mógł siedzieć, bo przeganiały go służby porządkowe, które polowały na żebraków. Godzina śpiewania przynosiła mu niezły dochód w wysokości od 800 do 1000 peset. Za tę sumę mógł kupić sobie ciepły posiłek i opłacić nocleg w pensjonacie. Innym sposobem zarobkowania był masaż azjatycki, zajęcie nie wymagające znajomości hiszpańskiego ani żadnego innego języka. Toninho przedstawiał się jako „specjalista od shiatsu”, chciał nawet dać ogłoszenie do gazety, ale okazało się to zbyt kosztowne. Pomógł mu przyjaciel, który namówił życzliwą osobę, żeby wydrukowała mu kilka wizytówek, na których Toninho reklamował „masaże terapeutyczne na bezsenność, zmęczenie i stres”. Jedną z tych wizytówek wkleił do swego notesu, a pod spodem napisał:

CZWARTEK, 25 WRZEŚNIA’86

Zaspałem. Poszedłem pobiegać do parku Retiro. Kiedy wróciłem, dostałem biegunki i opadłem z sił. Zadzwonił Paulo. Powiedziałem mu, że musi zdarzyć się cud, by zdołali mnie tu zatrzymać. Zrobiłem sobie wizytówki masażysty i będę je rozdawać w różnych punktach miasta, ale teraz to ja potrzebuję masażu! Muszę się wzmocnić. Ten stres mnie wykończy…

Paula nie obchodziły problemy „niewolnika", który zresztą na początku października wyjechał bez pożegnania. Najważniejsza była fiesta. Stołował się w dobrych restauracjach, chodził do kina, zwiedzał muzea i odkrył dwie nowe pasje – korridę oraz grę na flipperach. Walki byków tak pokochał, że był gotów jechać pociągiem wiele godzin, żeby tylko zobaczyć słynnego torreadora lub byka na arenie. Jeśli nie było ciekawej walki, szedł do baru pełnego nastolatków, gdzie stawał przy automacie i grał, nie odrywając wzroku od ekranu. A gdy wyczerpały mu się wszystkie pomysły, zapisał się na kurs gry na kastanietach. Nie minęło wiele czasu, a z euforii znów popadł w depresję, która zaczęła dręczyć jego duszę. Miał na koncie 300 tysięcy dolarów i pięć mieszkań, które przynosiły mu regularne dochody. Był szczęśliwy w małżeństwie, zdobył wymarzony miecz Mistrza – Czarodzieja (zawsze pisane dużą literą), a mimo to był nieszczęśliwy. Pośród wielu rozmaitych zajęć znalazł czas, by od września do stycznia, przed powrotem do Brazylii, zapisać pięćset stron dziennika. Po raz kolejny niczym żałosny refren powtarzał to, co przez ostatnie dwadzieścia lat: „Mam czterdzieści lat, a nadal nie udało mi się zostać sławnym pisarzem". Pod koniec października Chris przyjechała na kilka tygodni do Madrytu i sypnęła solą na jątrzącą się ranę. Słysząc pewnego dnia jego zachwyty nad pracowitością Pabla Picassa, rzekła:

– Jesteś równie utalentowany, ale odkąd cię znam, czyli od sześciu lat, niczego nie napisałeś. Wspierałam cię i nadal będę to robić, ale sam musisz wyznaczyć sobie konkretny cel i do niego dążyć. Tylko w ten sposób coś osiągniesz.

Kiedy na początku grudnia Chris wróciła do Brazylii, Paulo poczuł się jeszcze gorzej. Był załamany, twierdził, że utracił zdolność opowiadania historii „nawet o sobie samym i własnym życiu". Uznał, że jego dziennik stał się „nudny, przeciętny i mdły" i że to wszystko jego wina: „Nawet nie byłem w stanie opowiedzieć o Drodze do Santiago". Regularnie łykał somalium, a gdy dopadała go głęboka depresja, myślał o samobójstwie.

Czasem w głębi duszy tak bardzo się boję, że zastanawiam się, czy ze sobą nie skończyć. Jednak wierzę w Boga i wiem, że nigdy tego nie zrobię. Zamieniłbym strach na strach jeszcze większy. Powinienem przestać myśleć o tym, że w Madrycie muszę koniecznie napisać książkę. A może mógłbym ją komuś podyktować?

W połowie grudnia Chris zadzwoniła i poskarżyła się, że dłużej nie wytrzyma w wydawnictwie Shogun u boku teścia.

– Paulo, twój ojciec ma trudny charakter. Musisz mi pomóc. Przyjedź jak najszybciej!

Pedro Queima Coelho był człowiekiem starej daty i nie rozumiał, dlaczego wydawnictwo wydaje tyle pieniędzy na reklamę. To rodziło nieustanne konflikty z synową. Jej głos w telefonie zabrzmiał jak ultimatum. Chris dała jasno do zrozumienia, że mąż ma jak najszybciej wracać do kraju – z książką lub bez. W swym dzienniku Paulo błagał Boga, by dał mu znak, kiedy ma chwycić za pióro. Kilka dni później, w mroźny wtorkowy poranek, wyszedł na spacer do parku Retiro w centrum miasta. Po powrocie do domu napisał w dzienniku:

Zaledwie po kilku krokach dostrzegłem znak, o który modliłem się do Boga – gołębie piórko. Przyszła pora, by z wiarą i zapałem zabrać się za pisanie książki.

W biografiach oraz na oficjalnych stronach pisarza można znaleźć informację, że *Pielgrzym* powstał podczas karnawału 1987 roku. Jednak wiele zapisów w dzienniku świadczy o tym, że pierwsze fragmenty tekstu powstały jeszcze w Hiszpanii. Wierząc, że otrzymał znak z nieba, następnego dnia Paulo zabrał się do pracy.

15/12 – To nie będzie zwyczajna książka. Nie mogę jej napisać dla zabicia czasu ani potraktować jako sposób na usprawiedliwienie mojej egzystencji i/lub mego lenistwa. Muszę ją napisać tak, jakby to była najważniejsza rzecz w moim życiu. Ta książka jest początkiem czegoś bardzo ważnego. To początek pracy, która ma propagować idee zakonu RAM i od tej chwili muszę się całkowicie temu poświęcić.

18/12 – Pracowałem przez półtorej godziny. Tekst napisałem bez trudu, ale czegoś mi tu brakuje. Styl jest zbyt drewniany, przypomina język Castanedy. Nie jestem pewien, czy mam pisać w pierwszej osobie, przyjąć formę pamiętnika. Może spróbuję jutro. Uważam, że pierwsza scena jest dobra i pozwala stworzyć kilka wariantów, aż do znalezienia najlepszego rozwiązania.

Najwyraźniej zdarzył się cud.

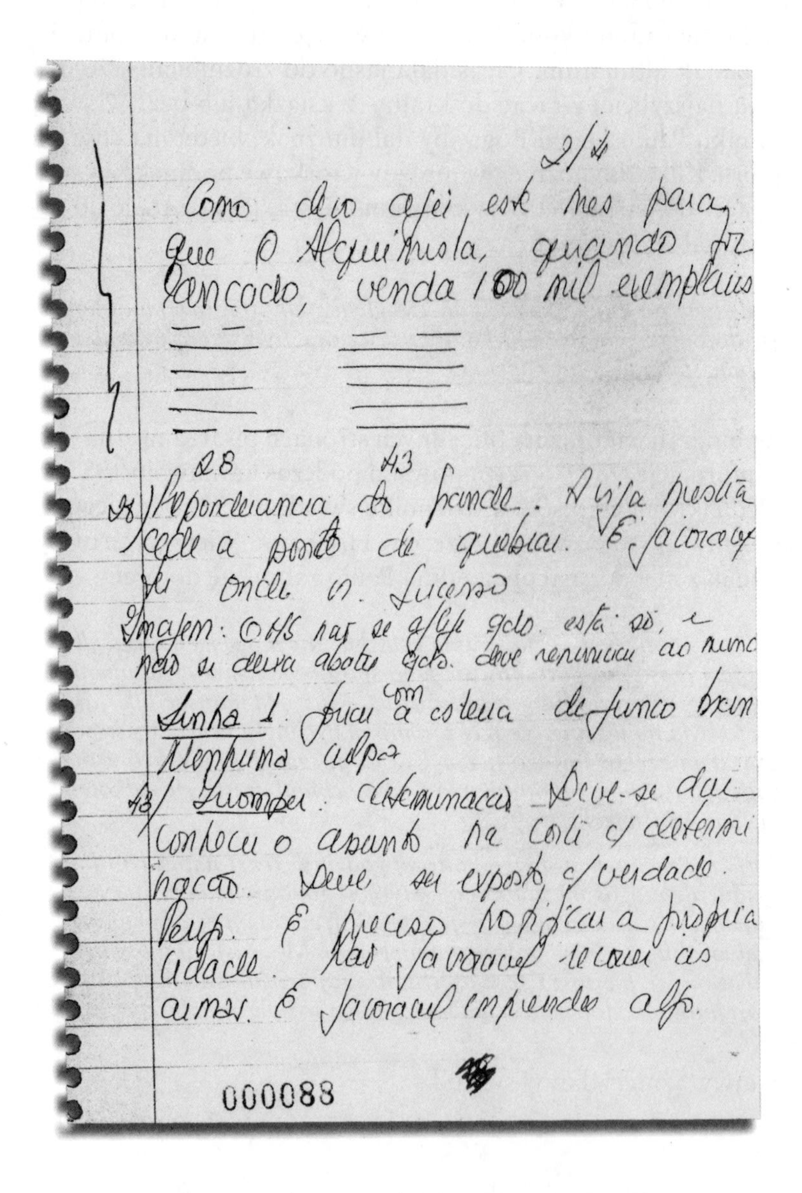
2/4

Como devo agir este mês para que o Alquimista, quando for lançado, venda 100 mil exemplares

28 43

28) Preponderância do grande. A viga mestra cede a ponto de quebrar. É favorável ter onde ir. Sucesso

Imagem: O H.S. não se aflige pelo estar só, e não se deixa abater pelo deve renunciar ao mundo

Linha 1. Forrar com a esteira de junco branco. Nenhuma culpa

43) Irromper. Determinação. Deve-se dar conhecer o assunto na corte c/ determinação. Deve ser exposto c/ verdade. Perigo. É preciso notificar a própria cidade. Não favorável recorrer às armas. É favorável empreender algo.

000088

Paulo pyta *I Ching*, co zrobić, by *Alchemik* rozszedł się w 100 tysiącach egzemplarzy. Dwadzieścia lat później sprzedaż książki osiąga 50 milionów egzemplarzy.

24.

Mój Boże! Dlaczego nie zadzwonił żaden dziennikarz i nie powiedział, że podoba mu się moja książka?

Pierwszym zadaniem Paula po powrocie do Brazylii było przekonanie ojca, żeby zrezygnował z pracy w wydawnictwie Shogun i zostawił Chris pole do działania. Na szczęście wszystko potoczyło się gładko. Pod nieobecność Paula jego żona nie tylko umiejętnie rozwinęła działalność wydawniczą, ale pracowała też nad wypromowaniem konkursów poetyckich poza Rio de Janeiro. Zamierzała wydać antologie w innych regionach kraju. W drugiej połowie 1986 roku wydawnictwo Shogun ogłosiło konkurs, którego efektem miała być *Pierwsza antologia poetów stanu Pará*. Niestety do konkursu zgłosiło się zaledwie 44 autorów (w Rio były ich setki) i pomysł upadł. Mimo to Paulo był przekonany, że Chris radzi sobie z firmą lepiej od niego, więc z ochotą zabrał się do pisania. Wątpliwości go nie opuszczały. Czy to dobry pomysł pisać książkę o pielgrzymowaniu? Czy nie będzie to kolejny utwór poruszający ten temat? Może dać sobie spokój i napisać *Traktat o magii*? I czy książkę niezależnie od tematu powinien wydać Shogun, czy może Eco, któremu Paulo powierzył *Praktyczny podręcznik wampiryzmu*?

Wątpliwości męczyły go do karnawałowego wtorku 3 marca 1987 roku. Tego dnia usiadł przy maszynie do pisania marki Olivetti z mocnym postanowieniem, że odejdzie od niej dopiero, kiedy postawi kropkę po ostatnim zdaniu *Pielgrzyma*. Pracował jak szalony przez dwadzieścia jeden dni. Nie wychodził z domu, wstawał od maszyny tylko po to, by jeść, spać lub iść do łazienki. Kiedy 24 marca Chris wróciła wieczorem z pracy, jej mąż miał przed sobą dwieście stron gotowego do druku maszynopisu. Dojrzał do decyzji, by książkę powierzyć wydawnictwu Shogun. Postanowił również umieścić reklamę w sobotnim dodatku do „Jornal do Brasil", kilka słów: „Już wkrótce w księgarniach! *Pielgrzym* – wydawnictwo Shogun".

Dziennikarz Nelson Liano Júnior odwodził go od łączenia roli autora i wydawcy. Radził znów zapukać do drzwi wydawnictwa Eco. Paulo zastanawiał się jeszcze przez parę dni i w połowie kwietnia, przy kawiarnianym stoliku na ulicy Marquês de Pombal, podpisał z Eco umowę na pierwsze wydanie *Pielgrzyma*. Dokument zawierał kilka ciekawych ustaleń. Po pierwsze, umowa nie obowiązywała, jak zazwyczaj, pięć czy siedem lat, lecz miała być odnawiana przed każdym kolejnym dodrukiem (pierwotny nakład liczył 3000 egzemplarzy). Tym razem, inaczej niż w przypadku *Praktycznego podręcznika wampiryzmu*, kiedy Paulowi wypłacano honorarium w ratach miesięcznych, a nie raz na kwartał, pisarz zgodził się na warunki wydawnictwa mimo inflacji, która dochodziła do 1% dziennie. Do umowy Paulo dopisał również aneks, który okazał się proroczy:

Po sprzedaży pierwszego 1000 (słownie: tysiąca) egzemplarzy, wydawnictwo pokryje koszty wydania książki w języku hiszpańskim i angielskim.

Gdyby pośród swych licznych talentów Paulo potrafił również przepowiadać przyszłość, wykorzystałby sytuację i przekonał Mandarina, by obok tłumaczenia angielskiego i hiszpańskiego przygotował kolejne 44 wersje językowe. Na tyle bowiem języków przetłumaczono *Pielgrzyma* dwadzieścia lat później (między innymi na albański, estoński, farsi, hebrajski, hindi, malajski i marati). Choć początkowo sprzedaż szła opornie, wkrótce książka okazała się najbardziej dochodową pozycją wydawnictwa Eco. Po wielu latach, kiedy przeszedł na emeryturę i osiadł w górskiej miejscowości Petrópolis, Ernesto Mandarino w rozmowie przyznał, że sukces książki był możliwy dzięki wielkiemu zaangażowaniu Paula w promocję, co u pisarzy było cechą rzadko spotykaną.

– Autorzy zwykle zostawiają maszynopis w wydawnictwie i nic ich więcej nie obchodzi. Paulo nie tylko udzielał wywiadów w prasie, radiu i telewizji, ale przyjmował wszystkie zaproszenia na spotkania autorskie i wszędzie opowiadał o książce.

Zaprzyjaźniony z Paulem dziennikarz Joaquim Ferreira poradził mu zatrudnić sekretarkę, czego w owym czasie pisarze raczej nie praktykowali. Wybór padł na dwudziestoletnią dziennikarkę ze stanu Pará, Andréę Cals, która przez jakiś czas miała zajmować się reklamą książki w mediach. Coelho płacił jej skromnie, bo 8 tysięcy cruzados miesięcznie (około 400 dolarów), ale mobilizował do wysiłku bonusami. Gdyby do końca 1987 roku Andréi udało się sprzedać 20 tysięcy egzemplarzy, miała obiecany bilet lotniczy z Rio do Miami i z powrotem. Ponieważ umowa przewidywała również promocję wystawy Chris zatytułowanej „Tarot", w razie sprzedaży wszystkich 22 obrazów Andréa otrzymałaby również premię w wysokości 5000 cruzados. W ramach kampanii reklamowej Paulo i Chris wydrukowali ulotki promujące *Pielgrzyma*, które sami co wieczór rozdawali przed kasami kinowymi i teatralnymi.

Wszystko to miało przełamać opór mediów oraz niechęć do niecodziennego tematu książki, który do tej pory interesował jedynie prasę niszową. Andréa wspomina, jak kiedyś w TV Globo próbowała umieścić reklamę *Pielgrzyma* w przerwie telenoweli *Mandala*, o treści zbliżonej do tematyki książki. To dzięki Cals po raz pierwszy wzmianka o *Pielgrzymie* pojawiła się w największej gazecie brazylijskiej „Jornal do Brasil", a właściwie w niedzielnym dodatku „Revista de Domingo", w rubryce „Portrety". Informacja o książce nie zrobiła na nikim wrażenia, ale uwagę zwróciło zdjęcie Paula, który za namową Joaquima Ferreiry pozował w czarnej pelerynie, trzymając w ręku miecz. Pisarzem zainteresowali się producenci prowadzonego na żywo programu „Bez cenzury", który nadawano codziennie po południu w kanale edukacyjnym telewizji publicznej. Zaproponowali Paulowi wywiad.

Odpowiadając przed wielomilionową publicznością na jedno z pytań prezenterki, Paulo po raz pierwszy przyznał się do tego, co dotąd było słodką tajemnicą jego dziennika i paru przyjaciół: powiedział, że jest czarodziejem i wśród wielu umiejętności posiada moc sprowadzania na ziemię deszczu. Pomysł okazał się strzałem w dziesiątkę. Program obejrzała Regina Guerra, reporterka z gazety „O Globo". Zaproponowała szefowi reportaż o nowej twarzy na scenie kulturalnej Rio – pisarzu i zaklinaczu deszczu. Dnia 3 sierpnia pierwsza strona dodatku kulturalnego była poświęcona Paulowi Coelho, a tytuł reportażu brzmiał „Castaneda z Copacabany". Na zdjęciach Paulo znów pojawił się w czarnej pelerynie, ciemnych okularach i z mieczem w ręku na tle swego ogrodu. Tekst poprzedzający wywiad został napisany jakby pod dyktando pisarza, szczycącego się nadprzyrodzonymi zdolnościami.

Grube mury starego budynku sprawiają, że w mieszkaniu panuje cisza, choć jesteśmy w Copacabanie, jednej z ruchliwszych części miasta. Siedzimy w gabinecie pisarza. Okna pokoju wychodzą na miniaturowy ogród – krzewy, pnącza i powoje wijące się wokół tarasu. Pierwsze pytanie brzmi: „Czy jest pan czarodziejem?". Paulo Coelho, który właśnie wydał swoją piątą książkę zatytułowaną Pielgrzym, *odpowiada pytaniem:*

– Czy teraz wieje?

Rzut oka na gęstwinę liści wystarczy, by pokręcić głową i cicho zaprzeczyć. Pojawia się też nieśmiała myśl, że wiatr ma znikome znaczenie dla przebiegu wywiadu.

– A proszę spojrzeć tam! – rzuca od niechcenia pisarz, siedząc nieruchomo, oparty o poduszki.

Najpierw nieznacznie porusza się najwyższa gałąź palmy. Po chwili reszta rośliny zaczyna się lekko kołysać, a wraz z nią cały ogród. Faluje bambusowa zasłona w korytarzu, szeleszczą kartki mojego notatnika. Po chwili wiatr ustaje równie nagle, jak się pojawił. Pozostało kilka liści na dywanie i moje wątpliwości: czy to był przypadek, czy pisarz naprawdę czaruje i potrafi wzniecić wiatr? Tego dowiemy się, czytając jego książkę.

Poza „O Globo" pisarz i zaklinacz deszczu udzielił wywiadów tylko czasopismom „Pasquim" i „Manchete". Za każdym razem był pogodny i otwarty, pozował do zdjęć, na życzenie przyjmował różne pozycje jogi, ustawiał się za szklaną aparaturą laboratoryjną albo zarzucał na siebie pelerynę i brał miecz do ręki. Wkrótce jego telefon znali wszyscy dziennikarze plotkarskiej prasy, a wśród nich stara znajoma Hildegard Angel. Coraz częściej można było się dowiedzieć, gdzie go widziano i z kim. Paulo po raz pierwszy poczuł na własnej skórze, czym jest sława. W takim wymiarze nie zaznał jej nawet w okresie największej popularności w świecie muzycznym, bo gwiazdą w duecie był wówczas Raul Seixas. Nagła popularność wpłynęła na sprzedaż książki, choć nic jeszcze nie zapowiadało, że *Pielgrzym* stanie się bestsellerem.

Paulo chciał jak najlepiej wykorzystać te „odpryski sławy", jak sam nazywał swą popularność. Wraz z Cláudią Castelo Branco, astrologiem i autorką przedmowy do *Pielgrzyma*, zwrócił się do biura podróży Itatiaia Turismo z propozycją pakietu turystycznego o nazwie „Trzy święte drogi", czyli trzy pielgrzymki – chrze-

W Egipcie Paulo szuka literackich inspiracji.

ścijańska, judaistyczna i muzułmańska. Paulo i Cláudia mieli poprowadzić pielgrzymów trasą, która rozpoczynała się w Madrycie, kończyła w Santiago de Compostela, a wiodła przez Egipt (Kair i Luksor), Izrael (Jerozolima i Tel Awiw), Francję (Lourdes) i ponownie Hiszpanię (Pampeluna, Logroño, Burgos, León, Ponferrada i Lugo). Może ogłoszenie brzmiało mało atrakcyjnie (nie informowano, jak długo ma trwać podróż), a może cena wycieczki była zbyt wygórowana (wtedy 2800 dolarów, dziś równowartość 5000), dość, że nikt się nie zgłosił. Pomysł wprawdzie nie wypalił, ale Paulo i Cláudia tak się napracowali, że w ramach wynagrodzenia biuro podróży za pół ceny sprzedało im wycieczkę na Bliski Wschód, dokąd wcześniej mieli udać się jako przewodnicy.

Paulo, Chris, jej matka Paula oraz Cláudia wyruszyli w podróż 26 września. Następnego dnia w Kairze Paulo wraz z teściową odłączyli od reszty grupy. Pisarz wynajął przewodnika Hassana i poprosił o zawiezienie ich do południowo-wschodniej części miasta, do dzielnicy Mokattam, gdzie znajduje się koptyjski klasztor św. Szymona Szewca. Stamtąd pojechali taksówką przez miasto, minęli rozległe slumsy i pod wieczór znaleźli się na największej pustyni świata – Saharze, tuż obok Sfinksa oraz piramid

Cheopsa, Chefrena i Mykerinosa. Z taksówki przesiedli się na konie (Paulo bał się upadku z wielbłąda) i pojechali zwiedzać piramidy. W pobliżu wielkich, kamiennych budowli zostawili konie i resztę drogi przeszli pieszo. Hassan pilnował zwierząt i czytał Koran. Gdy Paulo zbliżył się do oświetlonej piramidy, podobno ujrzał na pustyni kobietę w czadorze z dzbanem na ramieniu. Twierdził, że jego widzenie różniło się od tego, które przeżył w Dachau.

– Wizja to obraz, który staje nam przed oczami, a objawienie to coś, co odczuwamy w sposób niemal fizyczny – mówił po latach. – W Kairze miałem objawienie.

Stał na piaszczystym, rzęsiście oświetlonym terenie, a parę metrów dalej Hassan recytował święte wersety. Dziwna postać zbliżyła się i nagle zniknęła. Wrażenie było tak silne, że wiele miesięcy później Paulo dokładnie opisał tę scenę w swej następnej książce.

W drodze powrotnej do Brazylii Coelho otrzymał pierwszą radosną wiadomość. Stewardesa linii lotniczych Varig wręczyła mu sobotni numer „O Globo". Paulo rozłożył na kolanach gazetę, skupił się z zamkniętymi oczami i dopiero po chwili otworzył dodatek kulturalny: *Pielgrzym* znajdował się na liście najlepiej sprzedających się książek w Brazylii. Do końca roku autor podpisał pięć nowych umów na kolejne wydania, a sprzedaż przekroczyła 12 tysięcy egzemplarzy. Sukces zachęcił go, by zgłosić utwór do konkursu Narodowego Instytutu Książki pod patronatem Ministerstwa Edukacji. Tego roku jury zebrało się w Vitórii, stolicy stanu Espírito Santo, a w jego skład weszli: poeta z Rio Ivan Junqueira, pochodzący z Espírito Santo pisarz Roberto Almada i dziennikarz ze stanu Minas Gerais, Carlos Herculano Lopes. Ostatecznie zwyciężyła książka *O Longo Tempo de Eduardo da Cunha Júnior* [Długi żywot Eduarda da Cunhi juniora] osiadłego w Brazylii Portugalczyka Cunhi de Leiradella. *Pielgrzym* nie znalazł się wśród finalistów, otrzymując jedynie głos Junqueiry.

– Ta książka była czymś niespotykanym, ponieważ w oryginalny sposób łączyła rzeczywistość ze światem fantazji – wspominał po latach poeta. – Spodobała mi się, bo lubię literaturę podróżniczą i ten typ narracji, która wprowadza nas w tajemniczy świat.

Wyniki konkursu bardzo Paula rozczarowały. Do tego czasopismo „Veja" zamieściło długi artykuł o modzie na książki o tematyce ezoterycznej w Brazylii, w którym całkowicie zignorowano *Pielgrzyma*. Odczuł to tak boleśnie, że poważnie się zastanawiał, czy nie zrezygnować z kariery pisarza. „Dziś na serio myślałem o tym, żeby to wszystko rzucić", napisał w dzienniku. Jednak dwa tygodnie później otrząsnął się po przegranej i po skonsultowaniu *I Chingu* planował kolejne dzieło. „Co powinienem zrobić, aby moja następna książka sprzedała się w 100 tysiącach egzemplarzy?", zastanawiał się w dzienniku. Rzucił trzy monety na stół, a gdy zobaczył wynik, podskoczył z radości. Zazwyczaj odpowiedzi wyroczni były mgliste i niejednoznaczne, ale tym razem przesłanie było oczywiste: „Wielki człowiek zwiastuje szczęście".

Owo szczęście, czyli nową książkę, miał już całą w głowie. Jej fabuła była oparta na perskiej opowieści, która zainspirowała również Borgesa do napisania opowiadania *Historia o dwóch, którzy śnili*, zamieszczonego w zbiorze *Powszechna historia nikczemności* z 1935 roku. Jest to opowieść o pasterzu Santiago, któremu wiele razy śniło się, że odnajduje skarb ukryty pod egipskimi piramidami. Postanawia opuścić rodzinną wioskę i szukać „własnej legendy". Podczas podróży do Egiptu poznaje wielu ludzi, między innymi pewnego alchemika, a każde spotkanie czegoś go uczy. Na końcu wędrówki odkrywa, że skarb, którego szukał, był w jego rodzinnej wiosce. Paulo wybrał już tytuł książki – *Alchemik*. Powieść, która stała się bestsellerem wszech czasów i do końca pierwszej dekady XXI wieku sprzedała się w 35 milionach egzemplarzy, początkowo miała być komedią teatralną, łączącą styl Szekspira z humorem Chico Anysia. W styczniu 1987 roku Paulo zanotował w dzienniku:

Menescal i [aktor] Perry [Salles] zadzwonili do mnie, prosząc, żebym napisał monodram. Akurat oglądałem na wideo Pojedynek na szosie *[Stevena Spielberga, 1971], który był właściwie filmem jednego aktora.*

Pojawił się pomysł: wielkie laboratorium, w którym stary alchemik szuka kamienia filozoficznego, klucza do mądrości. Chce sprawdzić, czego może dokonać człowiek, którego coś zainspiruje. Alchemik (może to dobry tytuł?) recytuje fragmenty z Szekspira i Chico Anysia. Śpiewa piosenki i monologuje, wcielając się w różne postacie. Może być alchemikiem albo wampirem. Z własnego doświadczenia wiem, że wampiry bardzo pobudzają ludzką wyobraźnię, a poza tym od dawna nie widziałem na scenie tekstu, w którym horror łączyłby się z humorem.

Podobnie jak Faust, alchemik zaczyna rozumieć, że mądrość nie tkwi w książkach, lecz w ludziach, a ci ludzie to widownia. Aby ją rozruszać, aktor zaczyna traktować ją jak chór. Poszukującym alchemikiem będzie Perry. Najważniejsze, żeby to wszystko było napisane z dużą dozą humoru.

Sztuka nigdy nie została wystawiona, a tekst uległ wielu przeróbkom. Z czasem nie przypominał materiału przeznaczonego na scenę, ale szkic powieści. Historia była tak bliska sercu Paula, że potrzebował zaledwie dwóch tygodni, by nadać jej kształt. Powieść liczyła około dwustu stron, czyli mniej więcej tyle, co *Pielgrzym*. Swoje dzieło zadedykował Jeanowi, któremu również dał do przeczytania maszynopis.

J.,
Alchemikowi, który zna i wykorzystuje tajniki Wielkiego Dzieła.

Gdy w czerwcu 1988 roku szykowano się do wydania *Alchemika*, sprzedaż *Pielgrzyma* przekroczyła 40 tysięcy egzemplarzy. Powieść od dziewiętnastu tygodni nie schodziła z list bestsellerów. Zadziwiająca wręcz obojętność środków masowego przekazu wobec twórczości Paula sprawiła, że sukces cieszył go podwójnie: jako owoc jego własnej pracy, a zarazem nierównej walki z potężnymi mediami, walki, którą wraz z Chris i Andréą Cals toczył, żeby rozreklamować książkę. Wyrocznia *I Ching* radziła mu przedłużyć umowę z Andréą. Niestety dziewczyna znalazła już inną pracę, a ponieważ Paulo wymagał pełnej dyspozycyjności, jej obowiązki przejęła Chris. Postanowili zastosować strategię, która sprawdziła się przy promocji pierwszej książki. Chodzili pod teatry, bary i kina, odwiedzali księgarnie i rozdawali podpisane przez autora egzemplarze nowej powieści. Z pracy w wytwórni Paulo wyniósł naganną praktykę, polegającą na opłacaniu dziennikarzy za pisanie pochlebnych artykułów i komentarzy. Wśród papierów zgromadzonych przez pisarza można trafić na ślady świadczące o stosowaniu tego procederu, na przykład w programach poświęconych aktualnościom kulturalnym, emitowanych między innymi przez lokalną stację radiową „O Povo AM-FM" z Fortalezy w stanie Ceará. Zgodnie z informacjami, jakie Paulo otrzymywał przez dwa ostatnie tygodnie lipca, *Alchemik* był tematem „przychylnych komentarzy" (czyli tak naprawdę bezkrytycznych pochwał) przynajmniej trzy razy dziennie.

Paulo i Chris zdawali sobie sprawę, że toczą grę o przyszłe życie. Wysyłali podpisane przez Paula egzemplarze powieści do baronów brazylijskiej prasy (jedynie Silvio Santos, właściciel sieci TV SBT, przesłał telegram z podziękowaniami). Paulo jeździł na odczyty, spotykał się z czytelnikami, ale w przeciwieństwie do większości pisarzy nie brał za swoje wystąpienia ani grosza. Był jak misjonarz, gotów stawić się na wezwanie o każdej porze dnia i nocy. Chętni mieli do wyboru jeden spośród ośmiu przygotowanych przez niego tematów: „Święte drogi starożytności", „Przebudzenie czarodziejów", „Nauczanie w zakonie RAM", „Filozofia i praktyka okultyzmu", „Tradycja ezoteryczna a praktyka w zakonie RAM", „Pogłębianie wiedzy ezoterycznej", „Magia i władza" oraz „Sposoby szerzenia i zdobywania wiedzy". Po każdym wykładzie słuchacze mogli nabyć egzemplarz *Pielgrzyma* lub *Alchemika* z autografem autora. Sądząc po notatkach w kalendarzu, Paulo nie miał kłopotów ze znalezieniem publiki. Przemawiał w szacownych instytucjach, jak Teatr Narodowy w Brasílii czy Uniwersytet im. Cândido Mendesa w Rio, ale pojawiał się też w hotelach na prowincji, a nawet w prywatnych domach, jak to miało miejsce w przypadku odczytu w mieszkaniu teściowej reżysera filmowego Caki Dieguesa w Rio. Efekty tej wojny podjazdowej były początkowo nikłe, a jej wpływ na sprzedaż książki dał się zauważyć dopiero po jakimś czasie. W ciągu sześciu tygodni od ukazania się *Alchemika*, rozeszło się kilka tysięcy egzemplarzy. Jak na warunki brazylijskie był to dobry początek, ale wynik okazał się bez porównania gorszy od *Pielgrzyma* i przewidywań samego autora.

Jak dotąd książka nie spełniła nawet 10% moich oczekiwań. Jej przyszłość zależy od tego, czy zdarzy się cud. Całymi dniami siedzę przy telefonie i nic. Mój Boże! Dlaczego nie zadzwoni żaden dziennikarz i nie powie, że podoba mu się moja książka? Moje dzieło jest ponad wszystkim: moimi dziwactwami, słowami i uczuciami. To dla niego znoszę upokorzenia, grzeszę, łudzę się i tracę nadzieję.

Kiedy okazało się, że *Pielgrzym* wciąż nie schodzi z list bestsellerów, a *Alchemik* pnie się do góry, nie można było dłużej ignorować ich autora. Pierwszej książce Coelho towarzyszyła zmowa milczenia, ale już ukazanie się *Alchemika* poprzedziły artykuły w najważniejszych gazetach brazylijskich. *Pielgrzym* spotkał się z całkowitym lekceważeniem, za to popularność drugiej książki zmusiła prasę do odkrycia tego tytułu na nowo. Jednak mimo że *Alchemikowi* od początku poświęcono wiele uwagi, żaden dziennikarz nie zadzwonił do autora z gratulacjami. Recenzenci ograniczali się do przedstawienia sylwetki Coelho i streszczenia powieści, a najczęściej redakcje po prostu drukowały notatkę prasową przygotowaną przez wydawnictwo Eco.

Jako pierwsza opinię o Paulu Coelho opublikowała gazeta „Folha de São Paulo". W numerze z 9 sierpnia 1988 roku ukazał się artykuł dziennikarza i krytyka literackiego Antônia Gonçalvesa, według którego *Alchemikowi* „brakuje siły przekazu", jaką miał *Pielgrzym*, a poza tym historia opowiedziana przez autora „była wiele razy wykorzystana w prozie, dramacie, filmach i operach", o czym zresztą sam Coelho wspomina we wstępie:

Alchemik *jest również tekstem symbolicznym. Na kolejnych stronach książki opisuję to, co przeżyłem. Jednocześnie składam hołd wielkim pisarzom, którzy potrafili posługiwać się Językiem Uniwersalnym: Hemigwayowi, Blake'owi, Borgesowi (który również posłużył się perską legendą do napisania opowiadania), Malbie Tahan oraz wielu innym.*

W drugiej połowie 1988 roku Paulo przygotowywał się do wielkiej zmiany w swoim życiu – zamierzał zamienić małą oficynę Eco na większy, bardziej profesjonalny dom wydawniczy. Niespodziewanie Jean wyznaczył mu nowe zadanie: Paulo i Chris mieli spędzić czterdzieści dni na pustyni Mojave w południowej Kalifornii. W przeddzień wyjazdu, siedząc na walizkach, Paulo odbył nieprzyjemną rozmowę telefoniczną z Mandarinem. Wydawca cieszył się z sukcesu *Pielgrzyma*, ale nie wierzył, by *Alchemik* go powtórzył. Wypadało zostać w kraju i zająć się promocją, ale mistrz J. był nieubłagany. W połowie września Paulo i Chris rozpoczęli duchowe ćwiczenia według reguły św. Ignacego Loyoli na upalnej pustyni

Mojave, gdzie temperatura dochodziła do 50°C. Kilka lat później z tego doświadczenia zrodziła się książka *As Valkirias* [Walkirie]. Tytuł pisany był przez „k" zamiast „qu", by liczył jedenaście liter, bowiem liczba ta uznawana jest w ezoteryce za wyjątkową.

Pod koniec października państwo Coelho wrócili do Rio. Paulo postanowił jak najszybciej zerwać umowę z Eco, ale bez planu awaryjnego nie mógł sobie na to pozwolić. Któregoś wieczora, chcąc na chwilę oderwać się od codziennych spraw, poszedł z przyjacielem na wieczór poetycki w modnym barze w centrum miasta. W trakcie wieczoru miał cały czas wrażenie, że ktoś intensywnie mu się przygląda. Gdy tylko zapaliły się światła, Paulo odwrócił się i ujrzał piękną, dwudziestoletnią dziewczynę o czarnych włosach. Nie rozumiał, czym wzbudził zainteresowanie. Dawno porzucił styl hipisowski, miał krótko przystrzyżone, siwe włosy, wąsy oraz szpakowatą bródkę. Dziewczyna była tak ładna, że nie mógł się powstrzymać, by jej nie zagadnąć.

Po chwili podszedł i zapytał bez ogródek:

– Czy to pani mi się cały czas przyglądała?

– Tak – odparła z uśmiechem.

– Nazywam się Paulo Coelho.

– Wiem. Proszę zobaczyć, co mam w torbie.

To mówiąc, wyjęła podniszczony egzemplarz *Pielgrzyma*. Paulo chciał podpisać książkę, ale dowiedziawszy się, że należy do koleżanki, cofnął rękę.

– Proszę kupić sobie książkę, a wtedy ją pani podpiszę.

Tak też się stało. Spotkali się dwa dni później w stuletniej, eleganckiej cukierni Colombo. Wybierając to romantyczne miejsce pisarz miał może wobec swej czytelniczki konkretne zamiary, ale wydarzenia potoczyły się inaczej. Paulo spóźnił się pół godziny i na wstępie oświadczył, że ma mało czasu, bo niespodziewanie musi się spotkać z wydawcą, który odmówił dodruku *Alchemika*. Żeby dłużej porozmawiać, dziewczyna odprowadziła Paula do wydawnictwa Eco kilka przecznic dalej.

Dwudziestoletnią czytelniczką była Mônica Antunes, jedyna córka inżyniera Jorge Botelho Antunesa oraz sekretarki Beliny Rezende Antunes. Rodzice wobec córki wykazywali wyjątkową tolerancję, a jedynym jej obowiązkiem były lekcje baletu klasycznego, które zresztą szybko rzuciła. Mônica ukończyła liceum im. Pedra II, jedną z najlepszych szkół publicznych w Rio. Kiedy poznała Paula, studiowała chemię techniczną na Uniwersytecie Stanowym Rio de Janeiro.

Wspominając po latach spotkanie z Paulem i wizytę w wydawnictwie Eco, stwierdziła, że była „idiotycznie ubrana".

– Proszę sobie wyobrazić. Idzie pan na poważną rozmowę do wydawcy w towarzystwie dziewczyny w kusych szortach, kwiecistej bluzce i z rozwianym włosem niczym nimfetka.

Mônica była świadkiem historycznej sceny, kiedy to Mandarino wypuścił z rąk prawdziwy diament, jakim z czasem okazał się *Alchemik*. Nie wierzył, by tego typu literatura mogła powtórzyć sukces osobistego wyznania, czym w istocie był *Pielgrzym*. Dziewczyna nie mogła zrozumieć, dlaczego wydawca nie chce książki autora, który przyniósł mu sukces. Paulo wyjaśnił jej sprawę oględnie, oszczędzając Ernesta Mandarina, ale chyba nie do końca zgodnie z prawdziwymi intencjami wydawcy. Podobno przy rocznej inflacji w wysokości 1200% nie opłaca się inwestować w rynek wydawniczy, bo ryzyko jest zbyt wielkie. Przeszli się jeszcze kawałek, wymienili numery telefonów i się rozstali. Kilka dni później, kiedy Paulo wciąż zastanawiał się, komu powierzyć prawa do wydawania *Alchemika*, wyczytał w gazecie, że tego wieczora w popularnej wśród intelektualistów księgarni Argumento w Leblonie pisarka z Rio Grande do Sul, Lya Luft, będzie podpisywać swój tomik wierszy *O Lado Fatal* [Ciemna strona]. Spotkanie oraz bankiet organizował jej wydawca Paulo Roberto Rocco. Coelho od dawna przyglądał się dynamicznie rozwijającemu się wydawnictwu Rocco, które działało od zaledwie dziesięciu lat, a już mogło się pochwalić tak sławnymi nazwiskami, jak Gore Vidal, Tom Wolfe i Stephen Hawking. Kiedy o ósmej zjawił się na wieczorze autorskim, księgarnia pękała w szwach. Przecisnął się przez tłum gości, zręcznie wymijając kelnerów i podszedł do Roberta Rocco, którego znał jedynie ze zdjęć w gazetach.

– Dobry wieczór, nazywam się Paulo Coelho i chciałbym pana poznać – wypalił prosto z mostu.

– Pańskie nazwisko nie jest mi obce.

– Chciałbym porozmawiać o moich książkach. Moja znajoma, Bona, mieszka w tym samym budynku, co pan. Pomyślałem sobie, że mogłaby zaprosić nas obu na kolację, żeby dać nam szansę lepiej się poznać.

– To zupełnie niepotrzebne. Zapraszam do wydawnictwa, napijemy się kawy i porozmawiamy o pańskich książkach.

Umówili się za dwa dni. Przed podjęciem ostatecznej decyzji, Paulo musiał jednak poradzić się *I Ching*: chciał wiedzieć, czy jeśli Rocco będzie zainteresowany, można mu powierzyć wydanie *Al-*

chemika. Odpowiedź wyroczni była twierdząca, pod warunkiem, że wydana pod nowym szyldem książka trafi do księgarń przed Bożym Narodzeniem. Nietrudno się domyśleć, dlaczego właśnie wtedy: w okresie przedświątecznym wzrasta sprzedaż książek każdego autora. Tuż przed wyjściem na spotkanie z Robertem Rocco zadzwonił telefon. To była Mônica. Zaproponował, by mu towarzyszyła na spotkaniu z wydawcą. W trakcie krótkiej i sympatycznej rozmowy wręczył wydawcy egzemplarze *Pielgrzyma* i *Alchemika*. Pewne zdziwienie wzbudził pośpiech, z jakim Paulo chciał wydać książkę – jeszcze przed Bożym Narodzeniem, ale, jak wyjaśnił, wystarczyło odkupić od Eco klisze drukarskie, zmienić logo wydawnictwa i rozesłać książkę do księgarń. Rocco zastrzegł, że potrzebuje tygodnia do namysłu, ale zadzwonił już po dwóch dniach, by powiadomić, że umowa jest gotowa do podpisania. Wydawnictwo Rocco postanowiło wydać *Alchemika*.

Na koncercie w Canecão Paulo po raz ostatni pojawia się na scenie obok Seixasa. Raul umiera kilka miesięcy później.

25.

Po sukcesie *Bridy* krytycy przystępują do natarcia. Rozpoczyna się nagonka na Paula Coelho

Niedoceniona przez Mandarina powieść *Alchemik* z czasem stała się jednym z najpopularniejszych prezentów gwiazdkowych, noworocznych, wielkanocnych, karnawałowych, wielkopostnych, imieninowych i urodzinowych w Brazylii oraz w ponad stu krajach na całym świecie. Pierwsze wydanie pod szyldem Rocco zniknęło w ciągu kilku dni, a autor osiągnął to, co udaje się nielicznym pisarzom – dwa jego utwory znalazły się na liście bestsellerów – *Alchemik* w kategorii „beletrystyka", *Pielgrzym* w kategorii „literatura faktu". Sprzedaż wciąż rosła. Dzięki wydawnictwu Rocco *Alchemik* pobił wszystkie rekordy, w związku z czym Paulo postanowił wycofać z Eco również *Pielgrzyma*. Potrzebował jednak pretekstu, więc zaczął męczyć dawnego wydawcę coraz bardziej wygórowanymi żądaniami. Na pierwszy ogień poszły tantiemy. Gigantyczna inflacja sięgająca 1350% rocznie uszczuplała jego dochody, dlatego zamiast kwartalnej (przywilej, którym cieszyło się niewielu autorów) Paulo zażądał cotygodniowej wypłaty. Nikt na rynku tego nie robił, mimo to Mandarino przystał na jego żądanie. Wystawiając na ciężką próbę anielską cierpliwość wydawcy z Eco (który za wszelką cenę chciał zatrzymać dochodową książkę), Paulo stawia nowe warunki, których nie zaakceptowałoby żadne brazylijskie wydawnictwo.

To swoiste mocowanie się autora z dwoma wydawcami budziło coraz większe zainteresowanie Môniki Antunes, która od jakiegoś czasu nie odstępowała Paula na krok. Na początku 1989 roku, podczas kolacji w pizzerii, zwierzyła mu się, że chce zrezygnować ze studiów (była na drugim roku) i wyjechać z narzeczonym za granicę. Paulowi zabłysły oczy, jakby przeczuwał, że ta decyzja otworzy przed nim nowe perspektywy.

– Wspaniały pomysł! Możecie pojechać do Hiszpanii. Mam tam wielu przyjaciół, którzy wam pomogą. Mogłabyś zająć się sprzedażą moich książek. Jeśli ci się uda, dostaniesz 15% od zysków, tak jak wszyscy agenci literaccy.

Od narzeczonego, Eduarda, Mônica dowiedziała się, że jego firma ma fabrykę w Barcelonie, zatem z przeniesieniem, w najgorszym razie na kilkumiesięczny staż, nie powinno być problemu, a ponadto w Barcelonie ma siedzibę wiele ważnych wydawnictw hiszpańskich. W ostatnim tygodniu maja 1989 roku poleciała z Eduardem do Hiszpanii.

Przez pierwszy rok Mônica i Eduardo wynajmowali mieszkanie w Rubí, jednym z wielu satelitarnych miasteczek należących do barcelońskiej metropolii. Podczas targów książki zwiedzali stoiska, zbierali katalogi, a potem całymi dniami pisali oferty sprzedaży praw autorskich do *Alchemika*, a w przypadku wydawnictw zagranicznych również do *Pielgrzyma*. Z czasem zaczęło brakować im pieniędzy. Mônica udzielała korepetycji z angielskiego i matematyki, rozdawała na ulicy ulotki znanego butiku, pracowała jako kelnerka, a do tego znalazła czas, by uczęszczać na kurs mody. Kiedy wydawnictwo Martinez Roca wydało *Pielgrzyma* w tłumaczeniu Boliwijki, H. Katii Schumer, Mônica i Eduardo mieli swój skromny wkład w jego promocję. Jeździli metrem, udając, że czytają *Pielgrzyma*, a książkę trzymali tak, żeby wszyscy mogli zobaczyć okładkę. „Ja naprawdę czytam, więc znam już książkę na pamięć", pisała do Paula.

Podczas gdy Mônica i Eduardo dwoili się i troili, by wypromować autora w Hiszpanii, *Pielgrzym* i *Alchemik* wciąż królowały wśród brazylijskich bestsellerów. Mandarino zaakceptował wszystkie narzucone przez pisarza warunki, mimo to pod koniec 1989 roku odwiedził go Paulo Rocco, przynosząc złe wieści: jego wydawnictwo kupiło za 60 tysięcy dolarów prawa autorskie do *Pielgrzyma*. Nawet po dwudziestu latach Ernesto Mandarino czuł się głęboko zraniony postępowaniem autora, na którego postawił wtedy, kiedy nikt go jeszcze nie znał.

– W miarę jak rozchodziły się kolejne wydania książki, rósł apetyt innych wydawców. Podejrzewam, że Rocco nie miał jeszcze praw autorskich do książki Paula Coelho, kiedy mnie poinformował, że wykupił je za 60 tysięcy dolarów. Ze swej strony mogłem tylko powiedzieć, że jeśli taka jest wola autora, nic na to nie poradzę. Mieliśmy umowę na pojedyncze wydania. Zostawił nas, kiedy książka doczekała się dwudziestego ósmego wydania. Bardzo nas to dotknęło. Przykre jest też to, że w wywiadach nigdy nie wspomina o małym wydawnictwie Eco, od którego wszystko się zaczęło.

Pomimo żalu Mandarino przyznaje, że książki Coelho były ważne nie tylko dla rynku wydawniczego, ale i dla całej literatury brazylijskiej.

– Paulo Coelho uczynił z książki produkt kultury masowej, zrewolucjonizował rynek wydawniczy w Brazylii, który zazwyczaj ograniczał się do śmiesznie niskich nakładów nie przekraczających 3 tysięcy egzemplarzy. Kiedy się pojawił, rozwinął się rynek wydawniczy. Paulo Coelho podniósł rangę książki w Brazylii, a naszej literatury na całym świecie.

Nic dziwnego, że gdy na tak ubogim rynku wydawniczym pojawił się autor, którego dwie książki rozeszły się w 500 tysiącach egzemplarzy, duże wydawnictwa od razu się nim zainteresowały. Mimo zadziwiającej obojętności mediów, jego książki znikały w okamgnieniu, a do hal widowiskowych przychodziły tłumy, by posłuchać tego mistrza autopromocji, poznać autora i dzielić z nim przeżycia, które opisywał. Często dochodziło do sytuacji jak ta, która miała miejsce w audytorium Martins Pena w Brasílii. Przed budynkiem trzeba było zainstalować głośniki, ponieważ w audytorium na dwa tysiące widzów zabrakło miejsc. Kiedy Paulo udzielił wywiadu dziennikarce Marze Regea z Rádio Nacional de Brasília, na prośbę słuchaczy trzeba było go powtórzyć trzy razy, bo każdy chciał usłyszeć półtoragodzinną rozmowę o alchemii i mistycyzmie. To samo działo się w całym kraju. W Belo Horizonte licząca 350 miejsc sala konferencyjna Banku Rozwoju Minas Gerais nie pomieściła tysiąca osób, które przyszły zobaczyć Paula Coelho. Młody organizator spotkania, Afonso Borges, w różnych miejscach budynku rozmieścił telewizory, by wszyscy mogli posłuchać „czarodzieja".

Prasa nie wiedziała, jak zareagować na ten nieoczekiwany sukces i jak go wyjaśnić. Gazety niechętnie wypowiadały się na temat twórczości Paula, traktując ją jak krótkotrwałą modę. Większość dziennikarzy uważała, że Paulo Coelho jest zjawiskiem sezonowym i wkrótce pójdzie w zapomnienie, podobnie jak hula-hop, twist czy wreszcie tekściarz Paulo Coelho oraz jego idea Społeczeństwa Alternatywnego. Odkąd dwa lata wcześniej gazeta „O Globo" na pierwszej stronie zamieściła artykuł zatytułowany „Castaneda z Copacabany", media praktycznie o nim zapomniały. Dopiero kiedy jego książki zaczęły znikać z półek, gazeta „O Estado de São Paulo" opublikowała informację, że sprzedano pół miliona egzemplarzy *Pielgrzyma* i *Alchemika*, natomiast recenzenci zdali sobie sprawę, że po upływie dwóch lat chodzi o coś więcej niż o przejściową modę. Ten przedwcześnie posiwiały człowiek, który opowiadał o marzeniach, aniołach i miłości, nie zamierzał zniknąć, ale dał prasie czas, by się do niego przyzwyczaiła. Pojawił się znowu na pierwszych stronach gazet dopiero w październiku 1989 roku w długim artykule zamieszczonym w „Caderno 2", dodatku kulturalnym do „O Estado de São Paulo". Tekst składał się z dwóch części. W pierwszej Thereza Jorge opisała postać pisarza i jego karierę, zaczynając od jego pierwszych kroków na scenie rockowej. Zakończyła następującym zdaniem: „Jednak to w literaturze Paulo Coelho osiągnął prawdziwy sukces". Drugą częścią świadczącą o tym, że twórczość Paula budzi mieszane uczucia stanowił krótki tekst Hamiltona dos Santosa, który określił twórczość Paula jako „syntezę cukierkowych haseł, od chrześcijaństwa po buddyzm". To był dopiero początek zmasowanego ataku krytyków.

– Po lekturze tego artykułu byłem po prostu przerażony. Zrozumiałem, jaką cenę płaci się za sławę – wspominał Coelho.

Jednak nawet renomowany miesięcznik literacki „Leia Livros" ugiął się pod ciężarem liczb. Na okładce z grudnia 1989 roku pojawiło się zdjęcie Paula z mieczem w ręku, siwymi włosami i wzrokiem wpatrzonym w dal. Ton artykułu nie różnił się od tekstów o autorze w innych czasopismach. Z dwunastu stron aż jedenaście poświęcono szczegółowemu przedstawieniu jego postaci, unikając opinii na temat jego twórczości. Krytykę literacką, w dosłownym znaczeniu tego słowa, można było znaleźć w półstronicowym tekście w ramce, podpisanym przez profesora Texieirę Coelho z uniwersytetu w São Paulo. Przeciętny Brazylijczyk, bo prawdopodobnie do takich czytelników trafiły książki *Pielgrzym* i *Alchemik*, mógł mieć duży problem ze zrozumieniem, o co właściwie autorowi chodzi – czy chwali Paula Coelho, czy go obraża.

> *W zapomnienie odeszły czasy, gdy wizja literacka, wyobraźnia, to co nie podlega racjonalizacji (choć ma bardzo konkretny wymiar), było nieodłączną częścią rzeczywistości, przychodziło „z góry", a jednocześnie było związane z ugruntowaną tradycją intelektualną. Ten nurt zdefiniował paradygmat kultury, sposób myślenia i poznawania świata, który w wieku XVIII został pokonany przez nowy model racjonalizmu i dziś znów (chwilowo) jest w odwrocie.*

Zjawisko twórczości Paula Coelho jest symbolem dekadencji owego paradygmatu i oznacza odwrót od modelu racjonalizmu, do którego przyzwyczailiśmy się przez ostatnie dwieście lat.

[...] Sukces wydawniczy Paula Coelho jest dla mnie dowodem zwycięstwa wyobraźni, która coraz wyraźniej króluje w naszym życiu, przyjmując różne formy „alternatywne" (religie, „magia", medycyna, seks, poetycka metoda poznawcza), czyli to wszystko, co myślenie kartezjańskie nazywa „nieracjonalnym".

[...] w gatunku literackim, jaki reprezentuje Paulo Coelho, zdecydowanie lepszym pisarzem jest Lawrence Durrell ze swym Kwintetem awiniońskim, *a bardziej intelektualnym autorem jest Colin Wilson, choć oczywiście to moja subiektywna opinia.*

Podczas gdy w prasie próbowano zrozumieć zjawisko twórczości Coelho, jego popularność rosła. W jednym z wywiadów Paulo pozwolił sobie na rzadką szczerość w kwestii finansów i przyznał się gazecie „Jornal da Tarde", że jego dwie książki zarobiły 250 tysięcy dolarów. Niewykluczone, że kwota była wyższa. Jeśli wierzyć informacjom rozpowszechnianym przez autora i wydawnictwo Rocco, według nawet najbardziej ostrożnych szacunków ze sprzedaży 500 tysięcy egzemplarzy pisarz otrzymał przynajmniej 350 tysięcy dolarów tytułem praw autorskich. Paulo miał na koncie dwa bestsellery, umowę z nowym wydawnictwem, setki tysięcy dolarów w banku i perspektywy na obiecującą karierę międzynarodową. I właśnie wtedy Jean wyznaczył mu nowe zadanie – przejście kolejnej z czterech świętych dróg, którymi pielgrzymowali adepci RAM. Po Drodze do Santiago i pielgrzymce po pustyni Mojave, został jeszcze przedostatni etap – Droga Rzymska. Czwartą pielgrzymką była bowiem droga ku śmierci. Nazwa „Droga Rzymska" miała znaczenie symboliczne, gdyż można ją było odbyć w każdym zakątku świata, a co ważniejsze – również samochodem. Paulo wybrał Langwedocję, krainę w południowo-wschodniej Francji. Tam w XII i XIII wieku działała sekta katarów (albigensów), która padła ofiarą barbarzyńskich represji inkwizycji. Szczególną cechą Drogi Rzymskiej było to, że pielgrzym musiał podążać nią za swoimi snami. Podobno Paulo dowiedział się o tym od samego Jeana. Kiedy poprosił mistrza o wyjaśnienia, dostał jeszcze bardziej niejasną odpowiedź:

– Jeśli przyśni ci się przystanek autobusowy, następnego dnia musisz znaleźć najbliższy postój autobusu. Kiedy przyśni ci się most, kolejny etap podróży masz zakończyć na moście.

Przez ponad dwa miesiące Paulo błąkał się po górach i dolinach południowej Francji, odkrywając jeden z najpiękniejszych zakątków Europy. 15 sierpnia opuścił Hotel d'Anvers w katolickim sanktuarium w Lourdes i udał się w dalszą podróż przez Foix, Roquefixade, Montségur, Peyrepertuse, Bugarach i wiele innych małych miejscowości, nierzadko składających się z kilku domostw. Jean nie mówił nic o konieczności podróżowania w pojedynkę, więc przez część trasy Paulowi towarzyszyła Mônica, która na tydzień opuściła Barcelonę. Kiedy wieczorem 21 sierpnia 1989 roku dojechali do Perpignan, Paulo uzbierał garść monet i stęskniony z budki telefonicznej zadzwonił do Chris. Dowiedział się od żony, że w São Paulo zmarł jego były wspólnik Raul Seixas. Zgon nastąpił w wyniku zapalenia trzustki, wywołanego chorobą alkoholową.

Dla Paula śmierć przyjaciela była wielkim ciosem. Widział Raula cztery miesiące przed jego śmiercią. Spotkali się po latach w Rio de Janeiro, w sali widowiskowej Canecão podczas jego koncertu – jak się okazało, jednego z ostatnich. Spotkanie nie miało ich pogodzić, bo nigdy się nie pokłócili, ale było zaaranżowaną próbą ponownego zbliżenia dawnych gwiazd, którą podjął nowy partner muzyczny Raula, rockman Marcelo Nova. W czasie koncertu zaproszono Paula na scenę, by razem z zespołem zaśpiewał refren „Viva! Viva! Viva a Sociedade Alternativa!". Dawny „niewolnik" Paula, Toninho Budda, który stał się jego zaciekłym wrogiem, twierdził, że Paulo śpiewał refren z rękami w kieszeniach, bo „zmuszony do publicznego występu pokazywał figę wujaszkowi Crowleyowi". Ktoś sfilmował tę scenę i po wielu latach umieścił w internecie. Można w niej zobaczyć drżącego, wyniszczonego Raula, o twarzy obrzmiałej od alkoholu. Ostatni raz pracowali wspólnie w 1978 roku nad krążkiem *Mata Virgem*. W 1982 roku wytwórnia fonograficzna Eldorado z São Paulo próbowała wskrzesić duet i wydać nowy album, ale obaj artyści podeszli do projektu z „chłodną rezerwą", jak to ujął jeden z dziennikarzy. Paulo mieszkał w Rio de Janeiro, Raul w São Paulo i żaden nie miał ochoty jeździć na nagrania do miasta, gdzie mieszkał dawny wspólnik. Salomonowe rozwiązanie zaproponował Roberto Menescal, który czuwał nad realizacją projektu. Paulo i Raul mieli się spotykać w połowie drogi, czyli na terenie parku narodowego Itatiaia. Paulo przyjechał do hotelu Simon w niedzielę wieczorem. Kiedy następnego dnia obudził się wcześnie rano i wyszedł na śniadanie, znalazł pod drzwiami karteczkę od Raula: „Jestem gotów do pracy". Mimo tej deklaracji muzyk przepadł jak kamień w wodę. We wtorek sytuacja się powtórzyła, zaś we środę przyszedł do Paula właściciel hotelu i zaniepokojony poinformował, że Raul od trzech dni siedzi zamknięty w swoim pokoju i bez przerwy pije, nie tykając jedzenia, które zamawia przez telefon. Wskrzeszenie tandemu muzycznego okazało się niemożliwe.

Śmierć „bliskiego nieprzyjaciela" oraz pielgrzymka Drogą Rzymską wprowadziły Paula w stan ducha, dzięki któremu sześć dni później podobno miał widzenie. Jechał samochodem do miasteczka, gdzie zamierzał wziąć udział w „rytuale ognia", podczas którego wznosi się modły przy wielkim ognisku. Nagle poczuł obok siebie czyjąś obecność. Był to jego Anioł Stróż. Nie objawił się jako osoba, której można dotknąć, nie przyjął też postaci ektoplazmy. Jednak Paulo wyraźnie czuł jego obecność i miał wrażenie, że może porozumiewać się z nim bez słów. Według relacji pisarza, rozmowa miała następujący przebieg:

– Czego pragniesz?

– Chcę, żeby ludzie czytali moje książki – odparł pisarz, nie odrywając wzroku od drogi.

– Będziesz się musiał sporo nacierpieć.

– Dlaczego? Bo chcę, żeby mnie czytano?

– Twoje książki przyniosą ci sławę, ale ludzie będą cię krytykować. Zastanów się, czy tego chcesz. Daję ci jeden dzień do namysłu. Dziś w nocy przyśni ci się miejsce, w którym jutro spotkamy się o tej samej porze.

Paulo zatrzymał się małym hotelu w Pau. W nocy przyśniła mu się kolejka linowa, kursująca na bardzo wysoką górę. Następnego dnia rano dowiedział się, że jedną z miejscowych atrakcji był wjazd kolejką linową, której stacyjka znajdowała się przy dworcu kolejowym. Zielona gondola co dziesięć minut zabierała na górę trzydziestu turystów. Szczyt nie wznosił się tak wysoko jak we śnie, ale Paulo nie miał wątpliwości, że chodzi o to miejsce. Zaczęło się ściemniać. Mijały dokładnie 24 godziny od ostatniego objawienia. Pisarz znalazł się na tarasie otoczonym fontannami (Fontaine de Vigny), skąd rozciągał się wspaniały widok na rozświetlone miasteczko. Z zadziwiającą dokładnością zapamiętał nie tylko datę – 27 września 1989 roku, imieniny Kosmy i Damiana – ale i prośbę, z którą zwrócił się do tajemniczej istoty:

– Pragnę, żeby ludzie czytali moje książki, ale chcę mieć możliwość powtórzenia tej prośby za trzy lata. 27 września 1992 roku wrócę tu i powiem, czy mam dość siły, by iść dalej tą drogą.

Długa, siedemdziesięciodniowa pielgrzymka miała się ku końcowi. Którejś nocy po „rytuale ognia" podeszła do niego blada, jasnowłosa dziewczyna. Była to Brida O'Fern, trzydziestoletnia Irlandka, która zdobyła tytuł Mistrzyni w zakonie RAM. Podobnie jak Paulo kończyła swoje pielgrzymowanie Drogą Rzymską. Spotkanie z Bridą okazało się czymś więcej niż miłym akcentem po męczącej podróży. Paulo myślał o tym, by w nowej powieści opisać Drogę Rzymską, ale to, co usłyszał od Bridy, tak go zafascynowało, że postanowił uczynić ją bohaterką swej trzeciej powieści zatytułowanej *Brida*. Opowieść o Drodze Rzymskiej zostawił na później.

Po wykonaniu powierzonego mu przez Jeana zadania, Paulo zaczął pracę nad *Bridą*. Zastosował metodę pisarską, którą potem powtarzał przy kolejnych książkach. Najpierw długo i intensywnie myślał nad tematem, a gdy opowieść dojrzała w jego głowie, w ciągu dwóch tygodni przelewał ją na papier. Jest to historia młodej Bridy O'Fern, która w wieku 21 lat postanawia poznać świat magii. Na początku swej nowej drogi w lesie oddalonym o 150 kilometrów od Dublina spotyka maga. Potem pod czujnym okiem czarownicy Wikki zaczyna się proces jej wtajemniczania. Brida przechodzi przez wiele rytuałów, aż w końcu staje się Mistrzynią RAM. We wstępie do książki autor ostrzega czytelników:

> *W książce* Pielgrzym *zamieniłem dwa z ćwiczeń RAM na inne ze sztuki percepcji, które poznałem zajmując się teatrem. I chociaż rezultat tych praktyk jest dokładnie taki sam, zasłużyłem sobie na surową reprymendę mojego Mistrza. Powiedział mi: „Bez względu na to, czy istnieją sposoby pozwalające szybciej lub łatwiej osiągnąć cel, nie wolno nigdy zmieniać Tradycji".*
>
> *Z tego też powodu rytuały opisane w* Bridzie *są identyczne z praktykowanymi przed wiekami przez Tradycję Księżyca – tradycję szczególną, która wymaga doświadczenia i ćwiczeń. Odradzam stosowanie ich bez pomocy osoby wtajemniczonej, bowiem jest to niebezpieczne i niczemu nie służy, a może poważnie zagrozić Duchowym Poszukiwaniom.*

Na wiadomość, że Paulo pracuje nad *Bridą*, Rocco z miejsca zaoferował mu za nią 60 tysięcy dolarów. Kwota była wysoka, lecz nie rekordowa – kilka miesięcy później Rocco zapłacił Amerykaninowi Tomowi Wolfe'owi 180 tysięcy dolarów za prawa do brazylijskiego wydania *Ogniska próżności*. Zdecydowanie większe zdziwienie wzbudziła forma płatności, jaką zaproponował Paulo Coelho. Wydawca zobowiązał się poświęcić 20 tysięcy dolarów na reklamę książki, kolejne 20 tysięcy miało pokryć koszty podróży Paula, związanych z promocją powieści, a pozostałe 20 tysięcy stanowiło wynagrodzenie autora. Prawdziwą bombę Rocco zachował do momentu ukazania się książki na początku sierpnia 1990 roku: nakład pierwszego wydania *Bridy* wyniósł 100 tysięcy egzemplarzy. W Brazylii rekord ten pobił jedynie Jorge Amado, którego powieść *Tieta do Agreste* z 1977 roku miała 120 tysięcy nakładu.

Nawet jeśli anioł z kolejki linowej w Pau był wytworem jego wyobraźni, pozostaje faktem, że krytyka nie szczędziła Paulowi bolesnych razów. O ile *Pielgrzyma* i *Alchemika* potraktowano delikatnie, o tyle pojawienie się *Bridy* podziałało na prasę jak płachta na byka. Krwiożercze zapędy dziennikarzy były wprost proporcjonalne do popularności, jaką autor cieszył się wśród czytelników. Balansując na cienkiej linie między rzeczową krytyką a obelgą, najważniejsze media w Rio i São Paulo nie pozostawiły na autorze suchej nitki.

Autor pisze bardzo źle. Nie potrafi używać zaimków, przyimki stosuje na chybił trafił, nie odróżnia czasowników „mówić" i „powiedzieć".

LUIZ GARCIA, „O GLOBO"

Pod względem stylistycznym Brida *jest książką nieudaną. To imitacja nużącego języka Richarda Bacha z domieszką Castanedy. Powieść Paula Coelho roi się od stereotypów.*

JUREMIR MACHADO DA SILVA, „O ESTADO DE SÃO PAULO"

Lepiej, żeby Paulo Coelho zajął się przepowiadaniem deszczu – najlepiej w swoim ogródku.

EUGÊNIO BUCCI, „FOLHA DE SÃO PAULO"

Alchemik *należy do książek, które raz odłożone nie potrafią wzbudzić naszego zainteresowania.*

RAUL GIUDICELLI, „JORNAL DO COMMERCIO"

Ciosy zadawała nie tylko prasa. Kilka dni po ukazaniu się *Bridy* Paulo Coelho wystąpił w popularnym talk-show *Jô Soares Onze e Meia* [Jô Soares, jedenasta trzydzieści], emitowanym przez stację SBT. Gospodarz programu i jego gość znali się z dawnych czasów, kiedy to razem występowali w komediach erotycznych. Jô dołączył do dominującego wśród recenzentów krytycznego nurtu i zaatakował Paula. Z trzymanej w ręku listy wymienił kilkadziesiąt błędów językowych zauważonych w *Alchemiku*. Wywiad przerodził się w ostrą polemikę. Dwa dni później wychodząca w Rio gazeta „O Dia" zamieściła krótki tekst Artura de Távoli, tego samego, z którym Paulo pracował dla Philipsa, autora przedmowy do *Archiwów piekieł*. Tekst nosił tytuł „Gdzie Twoje zaufanie, Jô?".

Nasza gazeta zyskuje sławę. Gospodarz programu telewizyjnego Jô Soares nie uwierzył nam na słowo i pojawił się w studio, trzymając w ręku faks z opublikowaną przez nas listą 86 błędów, które znalazły się w książce Alchemik. *O listę poprosili nas producenci programu nadawanego w telewizji SBT. W swoim talk-show dwa dni temu Jô Soares przeprowadzał wywiad z Paulem Coelho, wytykając mu błędy, a jednocześnie ośmieszając redaktorów wydawnictwa Rocco.*

Jednak nasz czarodziej usprawiedliwił niechlujstwo wydawnictwa, twierdząc, że wszystkie błędy w tekście były zamierzone. „To jest szyfr", oświadczył Paulo Coelho. „Gdyby było inaczej, nie pojawiłyby się w kolejnych wydaniach". Jô chciał wiedzieć, dlaczego czasownik „haver" szesnaście razy występuje nieprawidłowo w liczbie mnogiej. A autor na to: „Napisałem „haviam dunas, estrelas etc.", bo ludzie tak mówią". [Czasownik „haver" – być, znajdować się; w cytowanej frazie powinien zostać użyty w liczbie pojedynczej „havia", a nie w liczbie mnogiej „haviam", przyp. tłum.].

Ludzie tak mówią? Gdzie? Chyba w Mozambiku.

Paulowi pozostawało mieć nadzieję, że znajdą się wśród dziennikarzy i tacy, którzy będą czytać jego książki bez uprzedzeń, jak tysiące czytelników szturmujących księgarnie w poszukiwaniu jednego z jego trzech bestsellerów. Sądził, że należeli do nich redaktorzy najpopularniejszego, najbardziej wpływowego tygodnika brazylijskiego „Veja", ponieważ chcieli poświęcić mu okładkę. Paulo udzielił długiego wywiadu i wziął udział w sesji fotograficznej. Potem niecierpliwie czekał do niedzielnego poranka, kiedy pismo miało trafić do kiosków. Jakież było jego zdziwienie, gdy zamiast jego zdjęcia na okładce zobaczył kryształową kulę oraz tytuł „Powódź mistycyzmu". Szybko przekartkował pismo i znalazł artykuł zatytułowany „Jego Wysokość Czarodziej", a obok zdjęcie przedstawiające go w czarnej pelerynie i tenisówkach z pasterskim kosturem w dłoni. Zaczął z niecierpliwością czytać artykuł, ale już po dziesięciu linijkach zorientował się, że dziennikarz (który nie podpisał się pod tekstem) nie zamierza przebierać w słowach. *Bridę*, *Pielgrzyma* i *Alchemika* określił jako „nieudolnie opowiadziane historyjki okraszone tandetnym mistycyzmem". I tak przez sześć stron, bez jednego akapitu, który by nie pobrzmiewał jadowitą ironią i bezlitosnymi połajankami:

[...] niedorzeczne przesądy.

[...] konia z rzędem temu, kto odkryje, gdzie kończy się konwencja, a zaczyna farsa.

[...] kolejny żeglarz na fali popularnego mistycyzmu.

[...] zainkasował 20 tysięcy dolarów zaliczki za Bridę, *a teraz pewnie będzie żądał zapłaty za swoje wykłady.*

[...] to z pewnością najgorsza z jego książek.

[...] literatura dla ubogich.

Nie oszczędzono nawet jego wiary. Wspominając o zakonie, do którego należał pisarz, „Veja" zauważa, że Regnum Agnus Mundi to tylko „kilka pustych, łacińskich słów, które można przetłumaczyć jako Królestwo Baranka Świata". Z całej kilkugodzinnej rozmowy z Paulem dziennikarz wykorzystał tylko jedno jego zdanie:

– To dar od Boga.

Paulo zareagował krótkim listem do redakcji: „Chciałbym wnieść tylko jedną poprawkę do tekstu «Jego wysokość Czarodziej». Nie biorę pieniędzy za swoje wystąpienia dla szerokiej publiczności. Reszta nie była dla mnie zaskoczeniem – wszyscy są głupi, tylko wy inteligentni". Potem dziennikarzowi Luizowi Garcii z „O Globo" wysłał długi tekst, który wydrukowano na pół szpalty. Jego tytuł brzmiał „Jestem latającym spodkiem literatury". Paulo po raz pierwszy wyraża w nim swój sprzeciw wobec sposobu, w jaki traktują go media.

[...] Obecnie jestem latającym spodkiem literatury – czy wam się to podoba, czy nie. Możecie patrzeć na mnie ze zdziwieniem, ale proszę – bez agresji. Od trzech lat ludzie kupują moje książki, a ich sprzedaż wciąż rośnie. Nie mógłbym oszukać tylu czytelników, którzy należą do różnych pokoleń i klas społecznych. Jedyne co robię, to próbuję przekazać im moją prawdę i piszę o rzeczach, w które wierzę, ale nawet tego krytyka mi nie darowała.

Odpowiedź na tej samej stronie była trzy razy dłuższa. Na końcu autor z zapalczywością nie mniejszą niż w swym poprzednim tekście konstatuje:

[...] Pogodziłem się z myślą, że nadal będzie pisał i – jak sam mówi swym zawiłym językiem – „toczył dobrą walkę". Radzę mu jedynie, by nie upierał się przy tezie, że pisać prosto i pisać źle to jedno i to samo. To nie uchodzi.

Na szczęście szpile, jakich nie szczędzili Paulowi krytycy, nie robiły wrażenia na czytelnikach. Podczas gdy dziennikarze z lupą w ręku szukali błędnie użytych czasowników, niezgodności form orzeczenia z podmiotem oraz nieprawidłowo użytych przecinków, czytelnicy wciąż kupowali jego książki. Tydzień po promocji *Brida* była na pierwszym miejscu w całym kraju, a autor pobił rekord – jego trzy książki jednocześnie znalazły się na listach bestsellerów. Popularność Paula Coelho stała się zjawiskiem masowym, na jego temat zaczęły się wypowiadać osoby publiczne, intelektualiści i artyści. Co ciekawe, w odróżnieniu od jednomyślności środowiska krytyków, świat znanych ludzi był podzielony wobec nowego fenomenu w rodzimej literaturze. Tę rozbieżność można zauważyć w przytoczonych poniżej opiniach:

> *To geniusz. Uczy, że objawienie może być udziałem każdego z nas.*
>
> REGINA CASÉ, AKTORKA
>
> *Kto? Paulo Coelho? Nie znam. Nie dlatego, że mnie to nie interesuje, ale od dawna straciłam kontakt z rzeczywistością.*
>
> OLGÁRIA MATOS, FILOZOF, PROFESOR UNIWERSYTETU W SÃO PAULO
>
> Alchemik *to książka o każdym z nas. Po przeczytaniu jej doznałem olśnienia. Tak mnie wzruszyła, że poleciłem ją całej mojej rodzinie.*
>
> EDUARDO SUPLICY, EKONOMISTA I POLITYK
>
> *Przeczytałem i mnie olśniło. Narracja jest bardzo intuicyjna i potoczysta.*
>
> NELSON MOTTA, KOMPOZYTOR
>
> *Obie książki były dla mnie odkryciem. Zrozumiałem szereg spraw trudnych do wyjaśnienia.*
>
> TÉCIO LINS E SILVA, ADWOKAT I POLITYK
>
> *Przeczytałem* Pielgrzyma, *ale bardziej podobały mi się piosenki, które pisał z Raulem Seixasem.*
>
> CACÁ ROSSET, REŻYSER TEATRALNY
>
> *To wszystko jest bardzo odkrywcze. On ma kontakt ze światem magicznym.*
>
> CACÁ DIEGUES, FILMOWIEC

Jakby wbrew zaciekłości krytyki po roku *Brida* miała już pięćdziesiąt osiem wznowień i utrzymywała się na szczycie list bestsellerów. Wszystkie trzy powieści razem wzięte osiągnęły wynik niemal miliona sprzedanych egzemplarzy, co do tej pory udało się niewielu brazylijskim autorom. Podbudowany sukcesem Paulo szykował na rynek księgarski prawdziwą bombę w dziedzinie literatury faktu. Miała to być autobiografia ukazująca przygodę, jaką wraz z Raulem Seixasem przeżył w świecie czarnej magii i satanizmu. Oczywiście nie mogło tam zabraknąć relacji z „czarnej nocy", kiedy to Paulo miał rzekomo spotkanie z Szatanem. Wcześniej dawał do przeczytania Chris dopiero ukończoną wersję książki. Tym razem pokazywał żonie każdy zakończony rozdział. Paulo siedział skulony nad swoim notebookiem Toshiba 1100, a Chris z wypiekami na twarzy czytała kolejne fragmenty tekstu. Kiedy Paulo był przy sześćsetnej stronie, nagle usłyszał:

– Paulo, nie pisz dalej tej książki!

– Słucham?

– Bardzo mi się podoba. Problem w tym, że ona opisuje Zło. Wiem, że Zło jest fascynujące, ale musisz przerwać pisanie.

Paulo próbował ją przekonać, najpierw „argumentami, potem demolując mieszkanie", żeby zmieniła zdanie.

– Zwariowałaś?! Mogłaś mi to powiedzieć, kiedy byłem na dziesiątej stronie, a nie na sześćsetnej!

– Dobrze, powiem ci, dlaczego tak uważam. Spojrzałam na figurkę Matki Bożej z Aparecida i ona zabroniła ci dalej pisać.

W końcu po długich rozmowach jak zwykle przeważyły argumenty Chris. Paulo wydrukował tekst, po czym wykasował plik w komputerze. W eleganckiej restauracji portugalskiej Antiquarius, gdzie umówił się na obiad z Paulem Rocco, położył przed wydawcą maszynopis grubości dziesięciu centymetrów.

– To moja nowa książka. Wybierz jakąś stronę.

Rocco zazwyczaj nigdy nie czytał maszynopisów Paula, zawsze czekał na egzemplarz z drukarni. Uznał jednak, że jeśli autorowi tak bardzo na tym zależy, nie będzie protestować. Na chybił trafił wybrał jedną stronę, a gdy ją przeczytał, Paulo oznajmił:

– Poza mną i Christiną jesteś jedyną osobą, której pokazałem choć fragment tej książki. A teraz ją zniszczę. Nie poproszę kelnera by to spalił, boję się, że w ten sposób wyzwolę złą energię. W komputerze skasowałem już cały tekst.

Po obiedzie przeszedł się po plaży w Leblonie w poszukiwaniu miejsca, gdzie mógłby zakopać maszynopis. W pewnej chwili zobaczył śmieciarkę, do której opróżniano pojemniki na śmieci z pobliskich domów. Podszedł i wrzucił do środka plik papieru, który w mgnieniu oka zniknął wśród odpadków. Tak skończył się krótki żywot jego kolejnej książki.

Mônica Antunes w biurze Sant Jordi. Jest kimś więcej niż tylko agentem. Wiernie strzeże dorobku pisarza i w jego imieniu zawiera setki umów z wydawnictwami na całym świecie.

26.

Mônica przewiduje szaleństwo, które zza oceanu dotrze do czytelników we Francji, Australii i Stanach Zjednoczonych

Być może pozbywając się maszynopisu, który wyzwalał złą energię, Paulo oszczędził sobie gorszych przeżyć w przyszłości. Jednak wraz ze zniszczeniem książki przed autorem i wydawcą stanął problem: co ma się pojawić na rynku w 1991 roku? Obu stronom zależało na utrzymaniu popularności autora trzech kolejnych bestsellerów. Paulo zaproponował wydawnictwu tłumaczenie na portugalski oraz adaptację małej książeczki, której treścią było kazanie wygłoszone w 1890 roku przez młodego kaznodzieję protestanckiego Henry'ego Drummonda. Tytuł książeczki brzmiał *Największy dar*, a tekst był inspirowany Listem św. Pawła do Koryntian. Autor kazania snuje rozważania na temat cnót cierpliwości, tolerancji, dobroci, niewinności i szczerości, uznając je za przejawy „największego daru dla Ludzkości, jakim jest miłość". Portugalski tekst liczył niecałe sto stron. Wydawcy nie mieli wielkich ambicji poza tym, by kazanie trafiło do wrażliwych czytelników. Książeczka, która ukazała się właściwie bez żadnych zapowiedzi, została całkowicie zignorowana przez media, a mimo to w ciągu kilku tygodni znalazła się na liście najpopularniejszych książek w Brazylii, dołączając do wciąż tam obecnych *Pielgrzyma*, *Alchemika* i *Bridy*.

Sukces ten nie zadowolił pisarza, bo nie było to jego dzieło w dosłownym znaczeniu tego słowa, a jedynie przekład i adaptacja. Nowa pozycja miała zapełnić lukę po zniszczonej pracy o satanizmie. Szukając tematu, Paulo przypomniał sobie historię, która zrodziła się w jego głowie jeszcze w 1988 roku. W ramach zadań zleconych przez Jeana odbył wówczas razem z Chris podróż na pustynię Mojave, gdzie mieli spędzić 40 dni. Mojave to jeden z największych amerykańskich parków narodowych, zajmujący powierzchnię 60 tysięcy kilometrów kwadratowych, niemal tyle co Litwa. Pustynia znana jest z nieprzyjaznego klimatu i malowniczego ukształtowania terenu. W jej obrębie leży Dolina Śmierci, gdzie rzeki i jeziora znikają w połowie roku, pozostawiając suche, zasolone koryta. Zadaniem Paula było odnalezienie Anioła Stróża. Zaopatrzył się w przewodnik, żeby nie zgubić drogi na bezkresnym pustkowiu, które ciągnie się przez kilka stanów: Kalifornię, Nevadę, Utah i Arizonę. Jak mówił Jean, w wypełnieniu zadania miał mu pomóc człowiek imieniem Took.

Paulo przełożył rozmowy z ówczesnym wydawcą Ernestem Mandarinem i 5 września 1988 roku poleciał z żoną do Los Angeles, a stamtąd wynajętym samochodem pojechali na południe, w kierunku Salton Sea, słonego jeziora o długości 50 i szerokości 20 kilometrów. Po wielu godzinach dotarli do zapuszczonej stacji benzynowej, jakie ogląda się w filmach amerykańskich.

– Daleko jeszcze do pustyni? – spytał Paulo obsługującą ich dziewczynę.

Odparła, że do miasteczka Borrego Springs na granicy pustyni jest jeszcze 30 kilometrów. Ostrzegła też, żeby nie włączali klimatyzacji podczas postoju, bo silnik się przegrzeje. Radziła wziąć ze sobą cztery baniaki z wodą i pod żadnym pozorem nie oddalać się od samochodu, gdyby coś im się przydarzyło.

Paulo nie mógł uwierzyć, że pustynia jest tak blisko.

– Wokół bujna roślinność, przyjemna temperatura. Trudno było uwierzyć, że za kwadrans wszystko się zmieni tak diametralnie. Rzeczywiście, gdy przejechaliśmy przez pasmo gór, a szosa zaczęła schodzić w dół, przed nami ukazała się ogromna, milcząca pustynia Mojave.

Przez czterdzieści dni pobytu na pustyni Paulo i Chris spali pod namiotem lub zatrzymywali się w skromnych hotelikach. Z bliska podziwiali pozostałości po dawnych czasach, które dziś tworzą legendę pustyni: nieczynne kopalnie złota, pokryte pustynnym pyłem wraki dyliżansów, opuszczone wioski. Spotykali pustelników, którzy uciekli przed światem i ludźmi, a także hipisowskie komuny, których członkowie całymi dniami medytowali. Poza nimi je-

Paulo i Christina w Stanach Zjednoczonych na pustyni Mojave.
PONIŻEJ: napis umieszczony przez Paula obok wizerunku Matki Bożej z Aparecida. Kilka lat później napis zniknął.

dynymi żywymi istotami na pustyni były grzechotniki, fenki i kojoty, które wychodziły z nor tylko w nocy.

Pierwsze dwa tygodnie na pustyni Paulo i Chris mieli spędzić w całkowitym milczeniu. Nie wolno im było nawet powiedzieć sobie rano „dzień dobry". Ten czas był przeznaczony na ćwiczenia duchowe zalecane przez św. Ignacego Loyolę i zatwierdzone przez Watykan w 1548 roku. Zrodziły się one z osobistych doświadczeń założyciela zakonu jezuitów. Zgodnie z zasadami wiary katolickiej, postawę duchową winno kształtować doświadczenie, a nie kazania i intelekt. „Tajemnica Boga objawia się każdemu człowiekowi poprzez doświadczenie w sposób niepowtarzalny i jednostkowy", głosiły jezuickie podręczniki. „Jedynie tak przeżyte objawienie może odmienić nasze życie". Według św. Ignacego kontemplacja powinna objawiać się poprzez konkretne czyny, „co oznacza, że we wszystkim należy dostrzegać Boga, widzieć Trójcę Świętą, która tworzy i przemienia świat". Modlitwa i szukanie Boga były głównym zadaniem Paula i Chris w pierwszych dniach ich pobytu na pustyni. Pewnej nocy, tydzień po przyjeździe, oddawali się medytacji, siedząc na wydmie pod rozgwieżdżonym niebem, kiedy nagle ciszę przerwał straszliwy huk, a potem drugi i trzeci. Nad ich głowami na niebie zderzyły się dwie gigantyczne, płonące kule, rozpryskując się na mnóstwo migotliwych kawałków. Dopiero po chwili Paulo uspokoił się, że to jeszcze nie Armagedon.

– Zobaczyliśmy jak na ziemię wolno opadają rozżarzone kule, oświetlając pustynię, jakby to był dzień – wspominał po latach. – Usłyszeliśmy jakiś huk. To leciały wojskowe samoloty ponaddźwiękowe. Zrzucały bomby, które wybuchając tworzyły na linii horyzontu niesamowitą poświatę. Dopiero następnego dnia dowiedzieliśmy się, że na pustyni przeprowadza się manewry wojskowe. To było przerażające.

Po dwutygodniowych praktykach duchowych Paulo i Chris mieli wypełnić dalszą część instrukcji Jeana. Po długich poszukiwaniach na przedmieściach Borrego Springs odnaleźli starą przyczepę, w której mieszkał Took. Ku ich zdziwieniu człowiek obdarzony tajemnymi mocami, o których opowiadał im Jean, był dwudziestoletnim chłopakiem. Wykonując polecenia młodego maga, Paulo przejechał przez dziesiątki małych miasteczek na granicy z Meksykiem, by w końcu dotrzeć do komuny zwanej w okolicy Walkiriami. Tworzyło ją osiem pięknych kobiet, które ubrane w skóry przemierzały na motocyklach pustynię Mojave. Na ich czele stała najstarsza z nich, kiedyś zajmująca kierownicze stanowisko w banku Chase Manhattan. Vahalla, podobnie jak Paulo i Took, należała do RAM. Po spotkaniu z przywódczynią Walkirii (nie było z nim wtedy Chris), 38. dnia pobytu na pustyni, Paulo zobaczył niebieskiego motyla, który – jak zapewnia pisarz – przemówił. Po chwili ukazał mu się anioł, a przynajmniej jego część – w słonecznej poświacie zamajaczyło jego ramię, a głos wypowiedział biblijne wersety. Przerażony Paulo trzęsącą się ręką zapisał je na skrawku papieru. Później drżącym z emocji głosem zwierzył się Chris, że „zobaczyć anioła jest jeszcze łatwiej niż z nim rozmawiać".

– Wystarczy uwierzyć, że one istnieją, uświadomić sobie, że się ich potrzebuje, a same się pojawiają, świetliste jak pogodny poranek.

Pod koniec wyprawy Paulo chciał uczcić to wydarzenie. Razem z Tookiem i Chris udali się samochodem do kanionu Glorieta. Szosą prowadzącą przez nieprzyjazny, pustynny krajobraz dotarli do niewielkiej jaskini. Pisarz wyjął z bagażnika worki z cementem i piaskiem oraz butlę wody. Przygotował zaprawę i naniósł ją na fragment skały przy wejściu do jaskini. Potem przytwierdził wizerunek Matki Bożej z Aparecida, czarnej patronki Brazylii, który przywiózł w torbie. Pod spodem, w mokrej jeszcze zaprawie, wyrył słowa:

This is the Virgin of Aparecida from Brasil. Ask for a miracle and return here. [To jest Matka Boska z Aparecida w Brazylii. Poproś o cud i tu wróć].

Potem zapalił świeczkę i zmówił krótką modlitwę. Po powrocie do kraju przez trzy lata często wracał myślami do wydarzeń z pustyni Mojave. Pod koniec 1991 roku uznał, że pora zapełnić lukę po rękopisie, który zniknął w czeluściach śmieciarki. Wtedy postanowił napisać *Walkirie*. Według danych w jego komputerze pierwsze słowa książki zapisał w poniedziałek 6 stycznia 1992 roku o godzinie 23.30. Po szesnastu dniach nieprzerwanej pracy (stało się to jego zwyczajem) miał gotowe 239 stron i wystukał na klawiaturze ostatnie zdanie:

[…] Dopiero wtedy będziemy w stanie zrozumieć gwiazdy, anioły i cuda.

Kiedy 21 kwietnia książka była gotowa do druku, Paulo wysłał faks do wydawnictwa Rocco z informacją, że Jean „kazał", a wręcz „domagał się" wprowadzenia zmian:

Szanowny Panie,

Pół godziny temu otrzymałem telefon od J. (mego Mistrza), który kazał mi niezwłocznie usunąć (lub zmienić) dwie strony tekstu. Znajdują się one w środku książki i dotyczą sceny zatytułowanej „Rytuał, który obala rytuały". Powiedział, że w tej scenie pod żadnym pozorem nie wolno mi opisywać tego, co się tam zdarzyło. Mam posłużyć się alegorią lub przerwać opisywanie obrzędu w momencie, gdy zaczyna się część dla wtajemniczonych.

Zdecydowałem się na drugie rozwiązanie, ale to będzie wymagało przeróbek w tekście. Zacznę pracę już teraz, ale chciałem jak najszybciej poinformować wydawnictwo o sprawie. W związku z tym w środę trzeba będzie zlecić wprowadzenie następujących przeróbek:

– zmiany wymagane przez Mistrza;

– nowa „Nota od Autora".

Jeśli nie uda mi się ukończyć tekstu w terminie, zawiadomię Pana faksem. Jednak Mistrz kazał mi niezwłocznie poinformować wydawnictwo, co niniejszym czynię (pomimo dzisiejszego święta).

Paulo Coelho

Poza Jeanem, autorem i Paulem Rocco nikt nie dowiedział się, co znajdowało się na ocenzurowanych stronach. Wprowadzone zmiany nie zaszkodziły książce. W sierpniu 1992 roku, niecałe 24 godziny po ukazaniu się *Walkirii*, początkowy nakład 120 tysięcy egzemplarzy stopniał o połowę, czyli 60 tysięcy egzemplarzy zniknęło z półek w dniu premiery. Piętnaście dni później na pierwszym miejscu listy bestsellerów zamiast *Alchemika* znalazły się *Walkirie*, a pisarz pobił kolejny rekord: jako pierwszy autor miał pięć utworów jednocześnie na liście literackich hitów. Poza nowym tytułem były to: *Alchemik* (159 tygodni), *Brida* (106 tygodni), *Pielgrzym* (68 tygodni) i *Największy dar* (19 tygodni). Tej sztuki dokonał przedtem jedynie Sidney Sheldon, jeden z najpopularniejszych amerykańskich pisarzy, którego sześć utworów w tym samym czasie znajdowało się na listach bestsellerów w Stanach Zjednoczonych.

Wobec spektakularnego sukcesu *Walkirii* brazylijska prasa, zamiast zająć się treścią książki, skupiła się na szczegółach kontraktu z wydawnictwem. Jedna z gazet podała, że Paulo miał otrzymać 15% od ceny każdego sprzedanego egzemplarza (a nie zwykle obowiązujące 10%), inna donosiła, że w przypadku sprzedaży ponad 60 tysięcy egzemplarzy dostanie premię w wysokości 400 tysięcy dolarów. Spekulowano też na temat kosztów promocji książki i informowano czytelników, że wobec szalejącej inflacji autor zażądał wypłaty wynagrodzenia w ratach co dwa tygodnie. Gazeta „Jornal do Brasil" zapewniała, że wraz z sukcesem *Walkirii* rynek „zaleją plastikowe gadżety z napisem «Anioły są wśród nas», ceramiczne figurki z podobizną autora z charakterystyczną bródką oraz koszulki marki Company z wizerunkiem Michała Archanioła". Pewna dziennikarka z Rio de Janeiro twierdziła, że autor odrzucił propozycję 45 tysięcy dolarów za udział w reklamie firmy ubezpieczeniowej, w której miał powiedzieć tylko jedno zdanie: „Ja wierzę w życie pozagrobowe, ale jeśli ty masz wątpliwości, ubezpiecz się". Przy okazji publikacji *Walkirii* Coelho wprowadził pewne *novum*. Zażyczył sobie prawa głosu w kwestii ceny katalogowej książki – a więc w sprawie, w której autorzy zwykle nie mają nic do powiedzenia. Chciał, żeby jego książki były dostępne dla ludzi, których nie stać na duże wydatki, dlatego ustalił górną granicę. W przypadku *Walkirii* było to 11 dolarów.

Po okresie zachłystywania się liczbami, rekordami i cyframi, przyszedł czas na pierwsze recenzje. Ogólny ton był podobny do tego, który towarzyszył poprzednim książkom pisarza. „Literacka miałkość *Walkirii* ma swoje dobre strony. Mogła to być książka oryginalna, a jest tylko słaba. Dzięki temu łatwiej się ją czyta" („Folha de São Paulo"). „Jeśli literaturę rozumiemy jako sztukę pisania, *Walkirie* mają tę samą wartość co poprzednie książki Paula Coelho – czyli żadną" („Veja"). „Książka *Walkirie* nie jest wyjątkiem wśród utworów Paula Coelho. Próżno w niej szukać stylistycznej wirtuozerii. Mamy za to bardzo udziwnioną fabułę i wiele niezręcznych sformułowań, jakby żywcem wyjętych ze szkolnych wypracowań" („O Estado de São Paulo").

Pomimo nagonki krytyki, recenzenci wspominali mimochodem, że Sekretariat do spraw Edukacji stanu Rio de Janeiro zamierza wykorzystać powieści Paula Coelho w programie zachęcającym młodzież do czytania. W „Jornal do Brasil" pojawiły się dwie opinie na temat tego pomysłu, obie zdecydowanie surowsze od recenzji. W pierwszej, zatytułowanej „Szalone pomysły", dziennikarz Roberto Marinho de Azevedo przyznał, że jest wstrząśnięty tą nowiną i oskarżył urząd o „mieszanie w głowach biednym uczniom, bo proponuje się im tani mistycyzm i kiepską portugalszczyznę".

Po wydaniu pięciu książek Paulo odniósł największy sukces w historii literatury brazylijskiej, jednak na palcach jednej ręki mógł policzyć przychylne recenzje. Media nie potrafiły wyjaśnić tajemnicy popularności autora, którego uważały za kiepskiego pisarza. Rozwiązania zagadki szukały na chybił trafił. Dla niektórych była to jedynie kwestia reklamy. Jednak pozostawało pytanie: jeśli to takie proste, dlaczego sukcesu Paula nie powtarzają inni pisarze i wydawnictwa? W przeddzień promocji *Walkirii* do Brazylii na krótko przyjechała Mônica Antunes, która udzieliła wywiadu „Jornal do Brasil". Zapytano ją wprost: „Co według pani przyczyniło się do sukcesu Paula Coelho?". Mônica, w eleganckim żakiecie, w którym wyglądała wyjątkowo poważnie jak na swój wiek, wypowiedziała zdanie, które okazało się prorocze:

– To, co widzimy, to dopiero początek szaleństwa.

Wielu sukces Paula tłumaczyło niskim poziomem wykształcenia Brazylijczyków i brakiem oczytania, tyle że takie wyjaśnienie straciło sens z chwilą ukazania się jego książek na chłonnych rynkach wydawniczych w Stanach Zjednoczonych i we Francji. Pomysł, by wydać książkę w Ameryce, zrodził się pod koniec 1990 roku, kiedy Paulo bawił w hotelu Holiday Inn w Campinas, sto kilometrów od São Paulo. Przygotowywał się do spotkania ze studentami Uniwersytetu Stanowego Campinas i do debaty na temat *Bridy*, kiedy zadzwonił telefon. To był Alan Clarke, pięćdziesięcioletni właściciel małego pensjonatu Gentleman's Farmer, wszystkiego pięć pokoi, w miasteczku West Barnstable w stanie Massachusetts. Clarke mówił biegle po portugalsku – przez kilka lat pracował w Brazylii w międzynarodowej korporacji International Telephone & Telegraph, ITT, która pod koniec lat 80. zdominowała rynek telekomunikacyjny na świecie. Wyjaśnił, że w wolnych chwilach zajmuje się tłumaczeniami. Przeczytał *Pielgrzyma* i tak się książką zachwycił, że chce ją przełożyć na angielski. Rynek amerykański byłby odskocznią do podboju świata, z czego Paulo zdawał sobie sprawę, ale mimo to odniósł się do propozycji sceptycznie.

– Dziękuję za zainteresowanie, ale w Ameryce jest mi potrzebny wydawca, a nie tłumacz.

– Mogę panu znaleźć wydawcę – nie zrażał się Clarke.

Paulo zgodził się, pewien, że z rozmowy nic nie wyniknie, a Alan Clarke, który nigdy dotąd nie tłumaczył literatury, zabrał się do pracy. Po przełożeniu 240 stron *Pielgrzyma* zaczął szukać wydawcy. Była to istna droga przez mękę, 22 razy usłyszał „nie", nim wreszcie wzbudził zainteresowanie wydawnictwa HarperCollins. Cierpliwość się opłaciła: HarperCollins był jednym z największych domów wydawniczych w Stanach. Dopiero w 1992 roku, kiedy w Brazylii trwała promocja *Walkirii*, na amerykańskim rynku ukazał się *Pielgrzym*. Po kilku tygodniach było jasne, że książka nie powaliła nikogo na kolana.

– Przeszła niezauważona, bo zabrakło reklamy w mediach – wspominał po latach pisarz. – Została zignorowana przez krytykę.

Porażka nie zniechęciła ani tłumacza, ani wydawcy. Kilka miesięcy później Clarke przyniósł redaktorom z HarperCollins przekład *Alchemika*. Książka z miejsca podbiła serca recenzentów zatrudnionych przez wydawnictwo. O optymistycznych nastrojach redaktorów świadczy nakład pierwszego wydania – 50 tysięcy egzemplarzy, do tego w twardej oprawie. Takiego sukcesu nie osiągnął żaden brazylijski autor, nawet wielki Jorge Amado. Intuicja nie zawiodła wydawców: po kilku tygodniach książka znalazła się na listach bestsellerów najważniejszych gazet: „Los Angeles Times", „San Francisco Chronicle", „Chicago Tribune". Pomimo wyższej ceny ze względu na twardą oprawę, cieszyła się taką popularnością, że po dwóch latach wypuszczono na rynek tańszą wersję w miękkiej okładce.

Paulo i jego pierwszy amerykański agent i tłumacz Alan Clarke.

Po amerykańskim sukcesie *Alchemika* otworzyły się rynki w krajach, o których Paulo wcześniej nawet nie marzył, na przykład w Australii. W „Sydney Morning Herald" *Alchemika* okrzyknięto „książką roku", „dziełem pełnym czaru i filozoficznej głębi". Australijscy czytelnicy w pełni podzielali tę opinię i po kilku tygodniach książka trafiła na pierwsze miejsce najbardziej prestiżowych list bestsellerów w kraju, między innymi wspomnianego wyżej

„Sydney Morning Herald". To jednak nie zaspokajało ambicji autora. Wiedział, że pisarz zyskuje powszechne uznanie po sukcesie po drugiej stronie Atlantyku, a nie w Nowym Jorku czy Sydney. Jak każdy pisarz, marzył, by podbić serca czytelników we Francji, ojczyźnie Hugo, Flauberta i Balzaka.

Na początku 1993 roku Coelho udał się w krótką podróż do Hiszpanii. Tam dotarła do niego wiadomość, która była konsekwencją jego amerykańskiego sukcesu – Carmen Balcells chciała podpisać z nim umowę. Katalonka była właścicielką jednej z najbardziej poważanych agencji literackich w Europie i współpracowała z takimi sławami, jak Peruwiańczyk Mario Vargas Llosa czy Kolumbijczyk Gabriel García Marquez, laureat literackiej Nagrody Nobla w roku 1982. Pokusa była wielka, bowiem znaleźć się pod skrzydłami Carmen oznaczało podążać szlakiem, który przetarli czołowi pisarze latynoamerykańscy. Dyrektor agencji, któremu powierzono zaproszenie Paula do współpracy, obiecał, że informację o podpisaniu umowy uroczyście ogłosi podczas targów we Frankfurcie w drugiej połowie roku. Co więcej, w odróżnieniu od innych agencji, które pobierały 15% prowizji – w tym również agencja Môniki Antunes – pani Balcells chciała jedynie 10%.

Propozycja padła na podatny grunt. Od jakiegoś czasu Paulo martwił się, że jemu i Mônice brak doświadczenia na międzynarodowym rynku wydawniczym, że nie znają wydawców ani krytyków literackich i na dłuższą metę nie mają szans. Niepokoił się, że przez niego Mônica straci młodość, a niewiele zdziała.

– Musiałem jej powiedzieć, że nie utrzyma się, pracując wyłącznie jako moja agentka – wspominał wiele lat później. – Żeby zapewnić sobie wygodne życie, musiałbym sprzedawać za granicą miliony książek, a to wówczas było nierealne.

Uznał, że pora otwarcie porozmawiać ze wspólniczką. Po długim namyśle zaprosił ją do baru w Rubí i od razu przeszedł do sedna sprawy.

– Wiesz, kto to Carmen Balcells?

– Oczywiście.

– Dostałem od niej list, proponuje mi współpracę. Wiem, jak bardzo się zaangażowałaś w moją karierę, że we mnie wierzysz, ale bądźmy realistami. To nie ma sensu. Rynek wymaga doświadczenia, tu się robi wielkie interesy.

Mônica jakby nie za bardzo rozumiała.

– Spójrzmy prawdzie w oczy – ciągnął Paulo. – Nasze wysiłki nie przyniosły dotąd oczekiwanych efektów. To niczyja wina. Tu chodzi o moje życie, a nie chcę, żebyś dla mnie poświęcała swoją młodość i traciła czas, próbując osiągnąć to, czego osiągnąć ci się nie uda.

Mônica pobladła, nie mogła uwierzyć własnym uszom.

– Krótko mówiąc, musimy zakończyć naszą współpracę. Przyjmę propozycję Carmen Balcells. Zapłacę ci za wszystkie lata, które dla mnie przepracowałaś. Muszę zmienić swoje życie. Ale ostatnie słowo należy do ciebie. Zainwestowałaś we mnie cztery lata swego życia, więc tak po prostu odejść nie mogę. Chciałbym tylko, żebyś zrozumiała, że tak dla nas obojga będzie najlepiej. Zgoda?

– Nie.

– Jak to nie? Zapłacę ci za czas, który przeze mnie straciłaś. Zresztą nawet nie podpisywaliśmy żadnej umowy!

– Nic z tego. Chcesz mnie zwolnić, bardzo proszę, ale sama nie odejdę.

– Wiesz, kim jest Carmen Balcells? Mam jej odmówić? Ogłosi początek naszej współpracy na targach książki we Frankfurcie. Tam będą najważniejsi ludzie rynku wydawniczego i plakaty z moimi książkami. Chcesz, żebym z tego zrezygnował?

– Nie. Mówię tylko, że sam musisz mnie zwolnić. Masz wolną rękę. A tak przy okazji, Alana Clarke'a sam sobie znalazłeś, prawda? Myślę, że mogłabym poradzić sobie lepiej od niego.

Mônica mówiła z takim przekonaniem, że Paulo dłużej nie nalegał. W jednej chwili prysł sen o plakatach we Frankfurcie, o miejscu w katalogu obok Garcíi Marqueza i Vargasa Llosy, o wytwornych wnętrzach biura, które Carmen Balcells i jej kilkudziesięciu pracowników zajmowało w budynku przy Avenida Diagonal, w samym centrum Barcelony. Zamiast tego musiał zadowolić się kilkoma drewnianymi półkami z tekturowymi teczkami w małym mieszkanku Môniki, gdzie mieściła się siedziba agencji Sant Jordi Asociados. Jednak to właśnie w tej dziupli młoda agentka uczyniła z *Alchemika* książkę najbardziej pożądaną wśród wydawców. Bez niej nikt by na nią nie spojrzał. We wrześniu Mônica postanowiła pojechać na targi książki do Frankfurtu, gdzie spotykali się czołowi wydawcy i agenci literaccy. Chciała im sprzedać Paula Coelho.

Miała 25 lat i żadnego doświadczenia. Żeby dodać sobie odwagi, wzięła do towarzystwa przyjaciółkę, Mônikę Moreirę, córkę poetki Marly de Oliveira. We Frankfurcie w żadnym z hoteli nie było wolnych pokoi, więc nocowały w schronisku młodzieżowym w sąsiednim mieście. Przez cztery dni trwania targów Antunes uwijała się jak mrówka. Nie miała plakatów, jakie obiecywała Paulowi Balcells, tylko skromną teczkę z biografią pisarza i krótką notą o jego książkach, które ukazały się w Brazylii i za granicą. Z teczką pod pachą chodziła od stoiska do stoiska i skrzętnie zapisywała w notesie terminy kolejnych spotkań. Wysiłek się opłacił, bo pod koniec roku sprzedała prawa do wydania książek Paula w 16 językach.

Pierwszą umowę we Frankfurcie podpisała z norweskim wydawnictwem ExLibris. Ten kontakt miał również konsekwencje natury osobistej, gdyż cztery lata później Mônica poślubiła właściciela wydawnictwa Øyvinda Hagena. W kilka miesięcy sprzedała prawa do *Pielgrzyma* lub *Alchemika* (a czasem obu jednocześnie) wydawcom z różnych krajów i kontynentów – z Australii, Japonii, Portugalii, Meksyku, Rumunii, Argentyny, Korei Południowej, Holandii. W 1993 roku Paulo znalazł się w brazylijskiej Księdze Rekordów Guinessa dzięki *Alchemikowi*, który przez 208 tygodni nieprzerwanie zajmował pierwsze miejsce na liście bestsellerów pisma „Veja". Tylko z upragnionej Francji wciąż nie było żadnych wieści. Amerykańskie wydanie *Alchemika* Mônica wysłała wielu francuskim wydawnictwom, ale żadne nie zainteresowało się pisarzem, o którym nikt we Francji nie słyszał. Jednym

Paulo i Anne Carrière, pierwszy francuski wydawca pisarza.
Dla Anne odkrycie autora było „wielkim szczęściem".
Udało jej się sprzedać osiem milionów egzemplarzy jego książek.

z tych wydawców był Robert Laffont, szef prestiżowej oficyny, którą sam założył w okresie II wojny światowej. Ze względu na brak zainteresowania książką, mimo że chodziło o poważną decyzję, *Alchemika* dano do przeczytania tylko jednej osobie, jedynej w wydawnictwie znającej portugalski – sekretarce administracyjnej, której książka się nie spodobała.

Jednak los zrządził, że to właśnie dzięki rodzinie Laffontów Paulo Coelho rozpoczął karierę literacką we Francji. W 1993 roku córka Roberta, Anne, opuściła wydawnictwo ojca, gdzie zajmowała się kontaktami z prasą. Założyła własną oficynę Éditions Anne Carrière. Nie był to kaprys zamożnej damy, lecz poważne przedsięwzięcie, w które Anne i jej mąż Alain zainwestowali wszystkie swoje oszczędności. Wzięli też kredyt w banku i zadłużyli się u przyjaciół oraz krewnych. Już po trzech miesiącach od założenia wydawnictwa Brigitte Gregony, przyjaciółka i kuzynka Anne (a także właścicielka pokaźnej sumy zainwestowanej w Éditions Anne Carrière), zadzwoniła z Barcelony, gdzie spędzała wakacje. Przeczytałam „fascynującą książkę", poinformowała kuzynkę, która właśnie ukazała się w Hiszpanii. Nosi tytuł *Alchemik*, a jej autorem jest „nieznany Brazylijczyk". Anne nie znała ani portugalskiego, ani hiszpańskiego, poprosiła kuzynkę o sprawdzenie, czy we Francji ktoś ma prawa do książki. Brigitte odnalazła Mônikę i dowiedziała się, że w maju *Alchemik* ma się ukazać w Stanach. Agentka Paula obiecała, że jak tylko powieść wejdzie na rynek amerykański, niezwłocznie wyśle ją do Francji.

Anne przeczytała *Alchemika* i podjęła natychmiast decyzję. W sierpniu podpisano umowę w sprawie zaliczki, która wyniosła zaledwie 5 tysięcy dolarów, ale za to przekład *Alchemika* powierzono znanemu tłumaczowi Jeanowi Orecchioniemu, profesorowi filologii, który miał na swoim koncie przekłady wszystkich dzieł Jorge Amado. Brigitte, która podsunęła Anne pomysł, nie doczekała wydania książki – w lipcu, tuż przed ukazaniem się *Alchemika*, zmarła na raka mózgu. Po latach Anne Carrière zadedykowała jej swoje wspomnienia zatytułowane *Une chance infinie – L'histoire d'une amitié* [Nieskończone szczęście – historia pewnej przyjaźni]. Opowiada w nich między innymi o znajomości z Paulem Coelho i ujawnia kulisy największego „boomu" na pisarza iberoamerykańskiego we Francji.

Proces produkcji książek wszędzie trwa długo, dlatego premierę *Alchemika* we Francji zaplanowano na marzec 1994 roku. W tym czasie Paulo szykował się do wydania piątej książki w Brazylii

– *Na brzegu rzeki Piedry usiadłam i płakałam.* Anne głowiła się, jak przeprowadzić promocję zupełnie nieznanego autora i równie anonimowego wydawnictwa. Jak skłonić księgarzy, by na chwilę zatrzymali wzrok na jednym z tysięcy tytułów oferowanych im przez wydawców? W końcu zdecydowała się na specjalny, limitowany nakład *Alchemika*, który miał być rozesłany do pięciuset księgarzy w całym kraju na miesiąc przed ukazaniem się powieści. Z tyłu książki Anne umieściła krótki tekst swego autorstwa:

Paulo Coelho jest autorem brazylijskim znanym w całej Ameryce Łacińskiej. Alchemik *opowiada historię młodego pasterza, który opuszcza swoje rodzinne strony, by spełnić marzenie i odnaleźć skarb ukryty pod piramidami. Dopiero na pustyni pojmuje język symboli i sens życia, lecz przede wszystkim uczy się słuchać głosu serca. W ten sposób wypełnia swe przeznaczenie.*

Na okładce książki pojawiło się zdanie, którego w amerykańskim wydaniu wcześniej użyło wydawnictwo HarperCollins:

Alchemik *to książka magiczna. Przeczytać ją to jak obudzić się o świcie, by obejrzeć wschód słońca, gdy inni jeszcze śpią.*

Sukces książki w połowie zagwarantowały dobre opinie księgarzy, a w połowie sami krytycy. Okazało się bowiem, że recenzje były zadziwiająco łaskawe. Powieść przyjęły życzliwie najważniejsze gazety francuskie, między innymi „Le Nouvel Observateur", który kilka lat później ostro zaatakował autora. Anne Carrière pisze o tym w swej książce, przytaczając fragmenty recenzji:

[...] Przyjmując konwencję bajki, Paulo Coelho przynosi ukojenie i skłania do refleksji nad otaczającym światem. Ta fascynująca książka zasiewa w umysłach ziarno zdrowego rozsądku i otwiera serca.

ANNETTE COLIN SIMARD, „LE JOURNAL DU DIMANCHE"

[...] Paulo Coelho opanował kunszt posługiwania się prostym słowem. Jego pisarstwo jest jak świeży powiew wiatru, jak droga poznania, która – czasem bez wiedzy czytelnika – prowadzi go w głąb jego serca, ku tajemniczej, ukrytej duszy.

CHRISTIAN CHARRIÈRE, „LE FIGARO LITTÉRAIRE"

[...] Taka powieść to rzadkość. Jest jak nieoczekiwanie znaleziony skarb, którym należy się cieszyć i dzielić.

SYLVIE GENEVOIX, „L'EXPRESS"

[...] Ta książka poprawia nastrój.

DANIÈLE MAZINGARBE, „MADAME FIGARO"

[...] Historia napisana prostym i zrozumiałym językiem opowiada o podróży przez pustynię, gdzie z każdym kolejnym krokiem pojawiają się nowe znaki, gdzie w jednym szmaragdzie skupiają się wszystkie tajemnice i przez chwilę można ujrzeć „duszę świata", gdzie można rozmawiać z wiatrem i słońcem. W tej opowieści łatwo się zatracić.

ANNIE COPPERMAN, „LES ÉCHOS"

[...] Świeżość jego stylu przezwycięża nasze uprzedzenia. Język powieści jest tak oryginalny i precyzyjny, że w dzisiejszym pogmatwanym i dusznym świecie pozwala głębiej odetchnąć

„LE NOUVEL OBSERVATEUR"

Na owoce sukcesu nie trzeba było długo czekać. Pierwszy skromny nakład 4 tysięcy egzemplarzy zniknął w kilka dni. Pod koniec kwietnia, gdy sprzedano 18 tysięcy egzemplarzy, *Alchemik* po raz pierwszy pojawił się na liście bestsellerów branżowego tygodnika wydawców „Livres Hebdo". Pismo nie miało wielkiego zasięgu, a książka nie zajęła wysokiego miejsca (20., ostatnia pozycja), ale Mônica słusznie przepowiedziała, że to dopiero początek. W maju *Alchemik* pojawił się na 9. miejscu na liście publikowanej przez tygodnik „L'Express" i choć trudno w to uwierzyć, nie zszedł z tej listy przez 300 tygodni. Powieść odniosła sukces w wielu krajach na świecie, a dzięki uznaniu, jakie zdobyła w Stanach Zjednoczonych i Francji, Paulo Coelho wyszedł z kręgu literatury iberoamerykańskiej i stał się fenomenem na skalę światową.

Samotność zwycięzcy: Po otrzymaniu Legii Honorowej
Paulo zamyka się w hotelowej łazience, by uwiecznić
w obiektywie chwilę radości i triumfu.

27.

Rząd brazylijski skreśla Paula z listy pisarzy, którzy pojadą do Francji, ale Chirac przyjmuje go z otwartymi ramionami

Podczas gdy świat chylił czoło przed Paulem Coelho, krytyka brazylijska pozostała wierna maksymie Toma Jobima: „W Brazylii sukces za granicą postrzegany jest jak policzek, osobisty afront". Książki Paula nadal zbierały cięgi, ale francuski sukces *Alchemika* dodał mu nieco odwagi, by podrażnić się z rodakami. „Przedtem moi przeciwnicy mogli twierdzić – oczywiście niesprawiedliwie – że Brazylijczycy mnie czytają, bo są głupcami", zwierzał się Napoleonowi Sabóii w wywiadzie dla gazety „O Estado de São Paulo". „Teraz, kiedy moje książki czyta się i sprzedaje za granicą, trudno im będzie cały świat uznać za bandę głupców". Okazało się, że pisarz się mylił. Według krytyka Silviano Santiago, który na Sorbonie doktoryzował się z literatury, fakt, że książka jest bestsellerem w takim kraju jak Francja, nic jeszcze nie znaczy. „Konieczna jest demistyfikacja sukcesu, jaki Coelho odniósł we Francji", mówił w „Veja". „Czytelnicy francuscy są równie mierni i niewyrobieni jak czytelnicy w innych krajach". Byli też tacy, którzy nawet nie zadali sobie trudu, by przeczytać jego książki. „Nie czytałem i nie podobało mi się", oświadczył Davi Arrigucci Jr., szanowany krytyk, profesor literatury na Uniwersytecie São Paulo. Jednak te opinie zupełnie nie obchodziły brazylijskich czytelników, nie mówiąc o wielbicielach w innych krajach. Sądząc po liczbach, ich rzesza rosła wprost proporcjonalnie do ilości jadu sączonego przez krytykę. W 1994 roku sytuacja wyglądała podobnie. Paulo wydał powieść *Na brzegu rzeki Piedry usia-*

dłam i płakałam oraz *Maktub*, zbiór felietonów, opowiadań i refleksji, które od 1993 roku ukazywały się w „Folha de São Paulo".

Walkirie zainspirowała pokutna pielgrzymka Paula i Chris na pustynię Mojave. Podobnie było z powieścią *Na brzegu rzeki Piedry usiadłam i płakałam*, która powstała po Drodze Rzymskiej, czyli podróży do południowej Francji w 1989 roku. Na 236 stronach autor opisał siedem dni z życia Pilar, dwudziestodziewięcioletniej kobiety, która kończy studia na uniwersytecie w Saragossie i po latach spotyka swą pierwszą miłość. W książce nie pada jego imię, podobnie jak w przypadku innych bohaterów drugoplanowych u Paula. Wiemy tylko, że jest seminarzystą, który poświęcił się kultowi Matki Bożej Niepokalanej. W drodze z Madrytu do sanktuarium maryjnego w Lourdes chłopak wyznaje Pilar miłość. Według Paula główna bohaterka i jej ukochany symbolizują strach przed miłością i całkowitym oddaniem się drugiej osobie. To uczucie prześladuje ludzkość niczym grzech pierworodny. Podobnie jak w historii św. Teresy z Ávila, mistyczne zakończenie powieści jest metaforą głębokiej, często tragicznej miłości. W drodze powrotnej do Saragossy Pilar siada na brzegu niewielkiej rzeki Piedry, sto kilometrów na południe od miasta. Zaczyna płakać, a jej łzy łączą się z wodami innych rzek i spływają do oceanu.

W książce autor poświęca więcej uwagi obrzędom i symbolice katolickiej niż w poprzednich utworach, gdzie koncentrował się na magii. Dlatego *Na brzegu rzeki Piedry...* nieoczekiwanie zebrało pochwały ze strony duchowieństwa. Pochlebnie wypowiedział się o niej nawet Paulo Evaristo Arns, arcybiskup São Paulo. Jednak krytyka nie szykowała żadnej niespodzianki. Podobnie jak pięć wcześniejszych książek, *Na brzegu rzeki Piedry...* oraz *Maktub* zostały bezlitośnie wyśmiane przez brazylijskie media. Krytyk Geraldo Galvão Ferraz z wychodzącej w São Paulo gazety „Jornal da Tarde" nazwał *Na brzegu rzeki Piedry...* „niesmaczną mieszaniną mistycyzmu, religii i nieprawdopodobnej fabuły, a to wszystko w sztucznych dekoracjach banalnych miejsc i ze sztampowymi bohaterami, którzy prowadzą nieprawdziwe dialogi". Próba ukazania przez autora „kobiecego oblicza Boga" została skwitowana kąśliwą uwagą innego dziennikarza, który nazwał pisarza „Paulem Coelho dla panienek". Recenzję *Maktuba* czasopismo „Veja" powierzyło Diogowi Mainardiemu, młodemu scenarzyście, który z czasem stał się najbardziej zagorzałym adwersarzem Paula. Mainardi najpierw prowokuje autora, ironizując na temat fragmentów książki, wreszcie porównuje *Maktuba* do śmierdzących skarpetek pozostawionych w samochodzie.

Prawdę mówiąc, idiotyzmy, jakie wypisuje Paulo Coelho, nie miałyby żadnego znaczenia, gdyby autor był zwykłym szarlatanem zarabiającym na cudzej głupocie. Nie traciłbym czasu, pisząc o przeciętnym autorze, gdyby ograniczył się do wydawania raz po raz książeczek pełnych tanich frazesów. Jednak sprawa wygląda poważniej. Podczas ostatnich targów książki we Frankfurcie tematem przewodnim była Brazylia, a Paula Coelho przedstawiano tam jako prawdziwego pisarza reprezentującego naszą literaturę narodową. Na to nie ma zgody. Nawet nasi najgorsi pisarze są lepsi od Paula Coelho. Może on robić, co mu się żywnie podoba, byleby nie występował jako pisarz. W książkach Paula Coelho jest tyle literatury, ile w moich brudnych skarpetkach.

Podobnie jak w przypadku poprzednich książek, krytycy nie byli w stanie zarazić swym sceptycyzmem czytelników. *Na brzegu rzeki Piedry...* została wyklęta w prasie, ale pobiła rekord *Walkirii*, kiedy pierwszego dnia sprzedano 70 tysięcy egzemplarzy. Po tygodniu również *Maktub* trafił na listy bestsellerów. Tym razem ofiara ataków przebywała tysiące kilometrów od Rio, jeżdżąc po Francji w towarzystwie Anne Carrière. Pisarz dawał odczyty i brał udział w spotkaniach z czytelnikami, których liczba rosła w zawrotnym tempie. W1994 roku Paulo Coelho po raz pierwszy uczestniczył w targach książki we Frankfurcie i odniósł tam wielki sukces. Jednocześnie przekonał się, że uprzedzenia krytyków brazylijskich podzielają jego koledzy po piórze. Coelho na własnej skórze odczuł wrogość środowiska.

W tym czasie, za rządów prezydenta Itamara Franco, ministrem kultury był dawny przyjaciel pisarza, dyplomata Luíz Roberto do Nascimento e Silva, brat byłej dziewczyny Paula, Marii do Rosário. Ministerstwo wytypowało grupę osiemnastu pisarzy, którzy mieli udać się do Niemiec na koszt rządu i reprezentować Brazylię na targach książki. Paula wśród nich nie było, a minister Nascimento e Silva stwierdził, że kryterium wyboru kandydatów była „popularność i znajomość twórczości autorów na rynku niemieckim". Paulo pojechał na koszt wydawnictwa Rocco.

Wydawcą książek Paula w Niemczech był Peter Erd, który dla uczczenia sukcesu związanego z podpisaniem przez pisarza licznych kontraktów wydał na jego cześć bankiet. Zaprosił wszystkich obecnych na targach wydawców współpracujących z Paulem, jak również całą delegację pisarzy brazylijskich. Na koktajl przyszły tłumy, ale ani jeden przedstawiciel delegacji ministerstwa. Jedynymi obecnymi Brazylijczykami byli Roberto Drummond, powieściopisarz z Minas Gerais, oraz poeta z Bahii Waly Salomão. Z całej delegacji tylko Chico Buarque zachował się w miarę elegancko. Zadzwonił do Paula, dziękując za zaproszenie i przepraszając za swą nieobecność, gdyż w tym samym czasie miał konferencję prasową. Mocnym głosem w obronie pisarza była opinia Jorge Amado, który nie znalazł się w delegacji: „Jedynym powodem ataków przypuszczanych przez intelektualistów brazylijskich na Paula Coelho jest jego sukces", grzmiał autor *Gabrieli*.

Na przekór brazylijskiej krytyce w 1995 roku gorączka „Coelhomanii", jak pisało brytyjskie czasopismo „Publishing News", lub „Coelhizmu", jak nazwała zjawisko prasa francuska, osiągnęła rozmiary pandemii. Do Paula z propozycją przeniesienia na ekran *Alchemika* zwrócił się Claude Lelouch, a po nim Quentin Tarantino. Niestety, uprzedził ich amerykański gigant Warner Brothers, który za 300 tysięcy dolarów wykupił prawa do ekranizacji powieści. Roman Polański zwierzył się dziennikarzom, że myśli o nakręceniu filmu na podstawie *Walkirii*. W maju Anne Carrière przygotowała wydanie *Alchemika* z ilustracjami Moebiusa, najsławniejszego europejskiego rysownika komiksów. Wydawnictwo Hachette ogłosiło Paula Coelho laureatem Wielkiej Nagrody Literackiej miesięcznika „Elle". Szum wokół pisarza był tak wielki, że „Livre", biblia środowiska literackiego we Francji, poświęciło mu cały artykuł w rubryce „Portret". Zwieńczenie sukcesu nastąpiło dopiero w październiku: po 37 tygodniach na drugim miejscu na liście bestsellerów „L'Express", *Alchemik* zdetronizował *Pierwszego człowieka*, nieukończoną powieść Alberta Camusa. Kiedy się okazało, że książka sprzedaje się lepiej niż dzieło ikony francuskiej literatury, jaką był laureat literackiej Nagrody Nobla z 1957 roku, *Alchemika* zaczęto porównywać do *Małego księcia* Antoine'a de Saint-Exupéry'ego. „Lektura obu książek wzbudziła we mnie te same uczucia", napisał Frédéric Vitoux dla „Le Nouvel Observateur". „Urzekła mnie jej wrażliwość, świeżość i duchowa niewinność". Eric Deschot z tygodnika „Actuel" podzielał opinię kolegi: „Nie uważam tego porównania za świętokradztwo, gdyż prostota i przejrzystość fabuły przypominają mi tajemniczą historię Saint-Exupéry'ego".

Wiadomość o zdobyciu pierwszego miejsca na liście „L'Express" dotarła do Paula podczas podróży po Dalekim Wschodzie, gdzie wraz Chris odbywał niezliczone spotkania i dyskusje z czytelnikami. Któregoś popołudnia jechał szybkim jak błyskawica pociągiem

Shinkansen z Nagoi do Tokio. Kiedy mijał ośnieżony szczyt Fudżi, podjął decyzję, że po powrocie do Brazylii zmieni wydawcę. Nad swymi relacjami z domem wydawniczym Rocco zastanawiał się już od jakiegoś czasu. Marzyła mu się zmiana systemu dystrybucji, uruchomienie alternatywnych możliwości zbytu za pośrednictwem sieci kiosków z prasą i supermarketów, dzięki czemu jego książki trafiałyby do mniej zamożnych czytelników. Wydawnictwo Rocco poprosiło o ekspertyzę firmę Fernando Chingalia, zajmującą się dystrybucją gazet i czasopism. Na tym się jednak skończyło. 15 lutego dobrze poinformowany dziennikarz Zózimo Barroso do Amaral z „O Globo" ogłosił kres „mariażu, który w kręgach literackich budził wielką zazdrość".

Inne gazety też zwietrzyły sensację. Kilka dni później wszyscy wiedzieli, że za milion dolarów Paulo zamienił Rocco na wydawnictwo Objetiva. Wcześniej żaden brazylijski pisarz nie dostał tylu pieniędzy, ale trzeba podkreślić, że nie cała suma szła do kieszeni autora. Podobnie jak w przypadku umowy z Rocco, kwota została podzielona: 55% stanowiło wynagrodzenie z tytułu praw autorskich, zaś pozostałe 45% miało pójść na promocję następnej książki zatytułowanej *Piąta góra*. Dla Roberta Feitha, ekonomisty i byłego korespondenta zagranicznego sieci TV Globo, który od pięciu lat piastował funkcję dyrektora Objetiva, były to twarde warunki. Sama zaliczka dla Paula w wysokości 550 tysięcy dolarów stanowiła 15% obrotów wydawnictwa, którego przychody pochodziły głównie ze sprzedaży książek trzech amerykańskich autorów: Stephena Kinga, Harolda Blooma i Daniela Golemana. Opinie specjalistów w prasie były zgodne: jeśli *Piąta góra* powtórzy sukces *Na brzegu rzeki Piedry...*, w ciągu kilku miesięcy wydawnictwu zwróci się zainwestowany milion. Zmiana wydawcy nie popsuła stosunków pisarza z Rocco, które od 1989 roku posiadało prawa do przynoszących wciąż zyski siedmiu książek autora. Miesiąc później, 19 marca, wydawca Paulo Rocco był wśród gości, których Coelho zaprosił na coroczne przyjęcie organizowane ku czci św. Józefa.

Inspiracją do napisania *Piątej góry* był fragment z Biblii (Pierwsza Księga Królewska, rozdz. 18, 8–24). Na 238 stronach powieści autor ukazuje cierpienie, rozterki i duchową przemianę proroka Eliasza podczas jego pobytu w mieście Sarepta w ówczesnej Fenicji, a dzisiejszym Libanie. Miasto zamieszkane przez wykształcony lud słynący z kupieckich talentów, które od trzystu lat nie zaznało wojny, staje w obliczu inwazji Asyryjczyków. Prorok styka się z konfliktami religijnymi i ściąga na siebie gniew ludzi i Boga, którego wolę musi wypełnić. We wstępie Paulo nie po raz pierwszy podkreśla związek między treścią powieści a jego osobistymi przeżyciami. Przyznaje, że pisząc *Piątą górę*, pogodził się z tym, co w życiu nieuchronne. Wspomina utratę pracy w wytwórni CBS przed siedemnastu laty, co przerwało jego obiecującą karierę producenta muzycznego.

> *Kończąc* Piątą górę, *przypomniałem sobie tamtą historię i inne przejawy nieuniknionego w moim życiu. Ilekroć czułem się panem sytuacji, zdarzało się coś, co strącało mnie w dół. Nękało mnie pytanie: dlaczego? Czyżbym był skazany na to, by zawsze zbliżać się do celu, ale nigdy nie przekroczyć linii mety? Czyżby Bóg był aż tak okrutny, każe mi umrzeć na pustyni, w chwili gdy dostrzegam palmy na horyzoncie?*
>
> *Długo to trwało, zanim zrozumiałem, że wytłumaczenie było całkiem inne. Pewne zdarzenia dzieją się w naszym życiu po to, abyśmy mogli wrócić na prawdziwą drogę Własnej Legendy. Inne po to, aby zastosować w praktyce to, czego się nauczyliśmy. I w końcu są takie, które dzieją się, aby nas czegoś nauczyć.*

Kiedy książka była już gotowa do druku, Paulo natknął się gdzieś na informacje o życiu Eliasza, których nie było w Piśmie Świętym. Dotyczyły one opisanego w *Piątej górze* okresu fenickiego wygnania proroka. Odkrycie to bardzo go poruszyło, ale oznaczało, że całą książkę trzeba praktycznie napisać od nowa. W związku z tym powieść pojawiła się na rynku dopiero w 1996 roku na 14. Biennale Książki w São Paulo. Wydarzenie to zostało poprzedzone wielką kampanią promocyjną, którą zorganizowała agencja Salles/ DMB&B z São Paulo. Jej właściciel, Mauro Salles, był przyjacielem pisarza z dawnych czasów i jego guru w sprawach związanych z rynkiem i reklamą. Jemu zresztą Paulo dedykował książkę. W ramach kampanii umieszczono całostronnicowe reklamy w czterech najważniejszych dziennikach („Jornal do Brasil", „Folha de São Paulo", „O Estado de São Paulo", „O Globo") oraz w czasopismach „Veja" (w wydaniach w Rio i São Paulo), „Caras", „Claudia" i „Contigo". Oplakatowano też 350 autobusów w Rio i São Paulo, wykupiono 80 billboardów w Rio, reklamy w kioskach i bannery w księgarniach. Mając w pamięci pomysły Anne Carrière, które sprawdziły się przy promocji francuskiego wydania *Alchemika*, Paulo zasugerował wydrukowanie limitowanego nakładu *Piątej góry*. Podpisane przez autora egzemplarze miały trafić do czterystu księgarń w całej Brazylii na tydzień przed właściwą premierą książki. Robert Faith z ochotą podchwycił pomysł. Żeby uniknąć przecieków do prasy, każdy obdarowany musiał się pisemnie zobowiązać, że nikomu nie zdradzi historii proroka Eliasza przed ukazaniem się książki.

Rezultat był wprost proporcjonalny do wysiłku włożonego w promocję. *Piąta góra* ukazała się 8 sierpnia i w ciągu dwudziestu czterech godzin ze stutysięcznego nakładu rozeszło się 80 tysięcy egzemplarzy. Kolejne 11 tysięcy sprzedano na biennale książki, gdzie po autograf Paula Coelho ustawiały się długie kolejki. Samo podpisywanie książek trwało dziesięć godzin. Nie minęły dwa miesiące od ukazania się powieści, a *Piąta góra* rozeszła się w 120 tysiącach egzemplarzy. Oznaczało to, że zaliczka w wysokości 550 tysięcy dolarów zwróciła się wydawnictwu z nawiązką, podobnie jak w kolejnych miesiącach pozostałe 450 tysięcy dolarów.

W przypadku *Piątej góry* krytyka okazała się nieco łaskawsza. „Zostawmy czarownikom rozstrzygnięcie mało istotnej kwestii, czy Coelho jest szarlatanem, czy nie", pisano na łamach „Folha de São Paulo". „Faktem jest, że autor opowiada proste i ciekawe historie, podbijając serca czytelników w wielu krajach". W znanej z wrogości wobec Paula gazecie „O Estado de São Paulo" wymagający krytyk i pisarz José Castello nie szczędził mu pochwał: „Wypracowany, zwięzły styl *Piątej góry* udowadnia coraz większą biegłość jego pióra", przyznaje w recenzji zamieszczonej w dodatku kulturalnym. „Niezależnie od tego, czy lubimy jego książki, czy nie, trzeba przyznać, że Paulo Coelho jest ofiarą nienawistnych uprzedzeń (...), które niegdyś przeniesione na religijny grunt, utopiły ziemię w morzu krwi". Nawet wybredne zazwyczaj czasopismo „Veja" ugięło się pod naporem faktów, poświęcając pisarzowi długi, pochlebny artykuł zatytułowany „Uśmiech czarodzieja", pod którym zamieszczono fragment *Piątej góry*. Jednak by nie było za słodko, autor sprowadził twórczość Paula do „naiwnych historyjek, których «przesłanie» posiada głębię filozoficzną filmów z serii *Karate Kid*".

Kiedy ukazał się *Podręcznik wojownika światła*, krytyka rzuciła się na autora ze zdwojoną siłą. Był to pierwszy utwór Paula, który najpierw został wydany za granicą, a dopiero potem w Brazylii. Stało się tak za sprawą Elisabetty Sgarbi z włoskiego wydawnictwa Bompiani. Zachęcona sukcesem poprzednich książek autora we Włoszech (*Na brzegu rzeki Piedry...* zdetronizowała dzieło samego Umberta Eco, *Wyspę dnia poprzedniego*), skontaktowała się z Môniką pytając, czy autor nie powierzyłby jej niepublikowanego jeszcze utworu do nowej serii *Assagi*. Paulo od dawna nosił się z zamiarem zebrania w jednej książce gromadzonych przez lata notatek i zapisków. Uznał, że nadszedł odpowiedni moment. Niektóre przemyślenia pojawiły się już w jego felietonach w „Folha de São Paulo", stąd rozdziały nie przekraczały jedenastu linijek – tyle, ile było miejsca w gazecie. Posługując się metaforą i odwołując do symboliki religijnej oraz średniowiecznej, Paulo odkrywa przed czytelnikiem „drogę duchowego dojrzewania", opisuje szereg doświadczeń wziętych z własnego życia. Autor tak bardzo utożsamiał się ze swym dziełem, że z czasem *Podręcznik...* zaczęto traktować jako klucz do zrozumienia jego świata, „i to bardziej w sensie ideologicznym niż magicznym", jak sam podkreślał. „*Podręcznik wojownika światła* jest dla mnie równie ważny jak *Czerwona Książeczka* dla Mao Tse-Tunga albo *Zielona Książeczka* dla Kadafiego". Określenie „wojownik światła", zaczerpnięte z jego kronik w gazecie, oznaczało kogoś, kto nieustannie dąży do realizacji marzeń, nie zważając na przeszkody. Wątek ten obecny jest w wielu jego książkach: w *Alchemiku*, *Walkiriach*, *Na brzegu rzeki Piedry*.... Gdyby ktoś miał wątpliwości co do znaczenia tej pozycji w dorobku autora, wystarczy zajrzeć na stronę internetową pisarza, gdzie znajdujemy następujący fragment:

> *Teksty zebrane w tej książce mają nam uświadomić, że w każdym z nas drzemie Wojownik Światła. To ktoś zdolny wsłuchać się w ciszę własnego serca, zdolny z pokorą przyjąć porażki, ale nie dający się pokonać, ktoś, kto podtrzymuje w sobie nadzieję, gdy czuje się przegrany, zmęczony i samotny.*

Kiedy *Podręcznik wojownika światła* ukazał się w Brazylii, przekład włoski osiągnął już sukces. To jednak nie zrobiło wrażenia na brazylijskich krytykach, nawet tych z „Folha de São Paulo", która drukowała składające się na utwór felietony. W krótkim artykule na dwie kolumny młody dziennikarz, Fernando Barros e Silva, tak skomentował „najnowszy spazm mistyczny naszej gwiazdy na rynku wydawniczym":

> *Paulo Coelho nie jest pisarzem, nie jest nawet złym pisarzem. Nie należy nawet do gatunku pseudoliteratów, co byłoby dla niego komplementem. Bliżej mu do Edira Macedo [„biskupa" Uniwersalnego Kościoła Królestwa Bożego] niż do Sidneya Sheldona. [...] Przejdźmy więc do książki. Nie ma w niej nic zaskakującego. Jak zwykle chodzi o to, by przedstawić czytelnikowi zestaw frazesów, z których wybierze sobie to, co mu odpowiada. Tak jak w* I Ching, *chodzi o to, by „oświecić" naszą drogę, „zasugerować" prawdy wyrastające z mglistych metafor i okrągłych, pustych zdań okra-*

szonych metafizyką, które mówią wszystko, bo nie mówią nic. [...] W tej sprawdzonej metodzie wykorzystuje się różne banalne wątki: ekologiczne i idylliczne przedstawienie natury, niekończącą się wojnę dobra ze złem, chrześcijańskie poczucie winy i odkupienie grzechów. Wszystko to opisane jest infantylnym, niezręcznym językiem, jakby wyszło spod ręki ośmioletniego dziecka i było pisane dla jego rówieśników. Uważna lektura każdego z utworów Paula Coelho tępi umysł i ogłupia.

Takie wystąpienia dowodziły coraz większej przepaści dzielącej opinie znawców od opinii czytelników. Od czasu ukazania się pierwszej książki Coelho scenariusz był zawsze taki sam. Pomimo szyderstw, *Podręcznik wojownika światła* po kilku dniach stał się bestsellerem nie tylko na liście „Folha", gdzie pisał Barros e Silva, lecz w całej prasie brazylijskiej. Paulowi udało się to, czego nie osiągnął żaden inny pisarz: jego książka znalazła się na pierwszym miejscu w kategorii zarówno „literatura faktu" („O Globo"), jak i „beletrystyka" („Jornal do Brasil"). Podobnie było w innych krajach. *Podręcznik...* przetłumaczono na 29 języków, a we Włoszech sprzedano milion egzemplarzy – po *Alchemiku* i *Jedenastu minutach* stał się tam trzecią ulubioną książką Paula Coelho. Po dziesięciu latach od pierwszego wydania *Podręcznik...* nadal rozchodził się w stu tysiącach egzemplarzy rocznie. Jego popularność na rynku włoskim była tak wielka, że pod koniec 1997 roku projektantka mody Donatella Versace, siostra i spadkobierczyni zmarłego rok wcześniej Gianniego Versace, przyznała się dziennikarzom, że jej nową kolekcję na rok 1998 zainspirowała książka Paula. We Francji *Alchemik* sprzedał się już w dwóch milionach egzemplarzy, a *Na brzegu rzeki Piedry...* w 240 tysiącach. Za 150 tysięcy dolarów wydawnictwo Anne Carrière kupiło prawa autorskie do *Piątej góry*. Kilka miesięcy przed ukazaniem się książki Paulo otrzymał od francuskiego rządu tytuł Kawalera Orderu Literatury i Sztuki. „Jest pan alchemikiem dla milionów czytelników, którzy twierdzą, że pańskie książki leczą", powiedział francuski minister kultury Philippe Douste-Blazy, wręczając pisarzowi odznaczenie. „Pańskie książki leczą, dzięki nim mamy odwagę marzyć, odkrywać świat i wierzyć w sens naszych poszukiwań".

Honory, z jakimi przyjmowano za granicą Paula Coelho, nie przekonywały niektórych z jego rodaków. Stało się to szczególnie widoczne w 1998 roku, po ogłoszeniu, że odbywające się między 19 a 25 marca XVIII Targi Książki w Paryżu będą poświęcone Brazylii. Minister kultury Francisco Weffort zlecił dyrektorowi Biblioteki Narodowej i członkowi Brazylijskiej Akademii Literatury, Eduardowi

Porteli, sporządzenie listy pisarzy, których rząd brazylijski wyśle na imprezę. Po wielu tygodniach rozmów na dziesięć dni przed wyjazdem prasa otrzymała nazwiska pięćdziesięciu szczęśliwców, którzy na koszt państwa mieli spędzić leniwy tydzień w Paryżu. Podobnie jak cztery lata wcześniej, Paula Coelho na tej liście nie było. Policzek wymierzony przez wspierany przez pisarza rząd, był chybiony; Paulo, niezależny od funduszy państwowych i oficjalnej delegacji, został zaproszony na targi przez swoje wydawnictwo i w dniu ich otwarcia podpisywał francuskie wydanie *Piątej góry*. Nakład książki wynosił 250 tysięcy egzemplarzy (co jak na autora, którego książki rozchodziły się w 5 milionach egzemplarzy, nie było liczbą wygórowaną). Paulo przyjechał do Paryża tydzień przed delegacją brazylijską i odbył prawdziwy maraton, udzielając wywiadów prasie i francuskim stacjom telewizyjnym. Wieczorem 19 marca, przy odgłosach prawdziwych brazylijskich bębnów, prezydent Jacques Chirac oraz Pierwsza Dama Brazylii, Ruth Cardoso, reprezentująca prezydenta Fernanda Henrique Cardosa, przecięli wstęgę, inaugurując targi książki. Otoczeni tłumem dziennikarzy weszli do budynku Paris Expo, gdzie odbywała się impreza. W pewnym momencie, ku oburzeniu brazylijskich delegatów, prezydent Chirac odłączył się od grupy, podszedł do stoiska wydawnictwa Anne Carrière i przywitawszy się z jego właścicielką serdecznie uściskał Paula Coelho. Był to jedyny pisarz brazylijski, którego spotkał taki zaszczyt i jedyny, którego książki Chirac czytał (dwa lata później francuski prezydent osobiście odznaczył Paula Legią Honorową, którą wcześniej otrzymali Winston Churchill, John Kennedy oraz wielcy Brazylijczycy: Santos Dumont, Pelé i Oscar Niemeyer). Na pożegnanie Chirac zwrócił się do Anne Carrière:

– Z pewnością dużo państwo zarobili na książkach pana *Koelo*. Gratuluję!

Następnego dnia, po otwarciu targów dla publiczności, Brazylijczyk pobił kolejny rekord. Po raz pierwszy w historii imprezy organizowanej od 1970 roku pisarz rozdawał autografy nieprzerwanie przez siedem godzin. Maraton przerywał jedynie, by wyjść do łazienki lub na papierosa. Huczne zakończenie paryskiej imprezy zorganizowała Anne Carrière. Na kilka dni przed końcem targów wynajęła wspaniałą Carroussel du Louvre w pobliżu słynnego muzeum, gdzie często odbywały się pokazy mody znanych projektantów. Tam wydała bankiet dla sześciuset osób, suto zakrapiany najlepszymi winami i szampanem. Była to w pełni zasłużona kara dla delegacji brazylijskiej. Paulo zaprosił księgarzy, wydawców, dziennikarzy i znanych intelektualistów. Dopilnował, by każdemu osobiście doręczono zaproszenie na kolację. Jednym z gości był dziennikarz i pisarz Zuenir Ventura, który właśnie wydał książkę pod wiele mówiącym tytułem *Inveja* [Zawiść], a po latach wspominał, że podczas przyjęcia Paulo pilnował, by Brazylijczykom niczego nie brakowało.

– Nic nie jadł, tylko chodził od stołu do stołu i rozmawiał z gośćmi. Mimo że miał już wszystko, co można było zdobyć w świecie literatury, zupełnie się nie zmienił. Zamiast cieszyć się własnym sukcesem, podszedł do mnie i zaczął wypytywać o moją książkę, o ewentualne tłumaczenia, oferował pomoc.

W pewnej chwili Paulo dał znak brazylijskim muzykom, by przestali grać. Najwyraźniej wzruszony, płynną francuszczyzną, powiedział kilka komplementów pod adresem brazylijskich kolegów, po czym zadedykował swój wieczór wielkiemu nieobecnemu:

– Chciałbym, aby ten wieczór był naszym hołdem złożonym największemu pisarzowi brazylijskiemu, memu drogiemu przyjacielowi Jorge Amado. Wznieśmy wszyscy toast za jego zdrowie.

Potem w takt brazylijskich rytmów sześciuset gości wyległo na parkiet, marmurowe wnętrza Carroussel zamieniły się w prawdziwy sambodrom. Zabawa trwała do białego rana. Po powrocie do hotelu gości czekała jeszcze jedna niespodzianka – każdy otrzymał egzemplarz limitowanej edycji *Piątej góry*, którą przygotowano specjalnie na tę okazję. W książce widniało zdanie własnoręcznie napisane przez autora: „Wytrwałość i spontaniczność to dwie pozornie wykluczające się cechy, które prowadzą do Własnej Legendy". Kiedy po trzech tygodniach pobytu w Paryżu Paulo wsiadał do samolotu, by wrócić do Brazylii, czytelnicy francuscy zdążyli wykupić 200 tysięcy egzemplarzy *Piątej góry*.

Umocniwszy swą pozycję na literackim firmamencie gwiazd, Paulo Coelho stał się obiektem zainteresowania nie tylko krytyki, ale również środowisk akademickich. Jednym z pierwszych, którzy zwrócili uwagę na Paula, był profesor Mario Maestri z Uniwersytetu Passo Fundo w Rio Grande do Sul, który w pracy z 1993 roku przyznaje, że utworom Paula Coelho „należy się miejsce wśród dzieł literatury narodowej". Jednak po sześciu latach ten sam uczony wydał książkę *Por que Paulo Coelho Faz Sucesso* [Dlaczego Paulo Coelho osiągnął sukces], z której widać, że zaraził się bakcylem niechętnej Paulowi krytyki.

Proza Paula Coelho jest pełna uproszczeń, przysłów, aforyzmów, płytkich historyjek, przesiąknięta banałami i naszpikowana sche-

matami. Spełnia funkcje terapeutyczne, pozwalając zmęczonym ciężkim życiem czytelnikom pomarzyć o łatwym zwycięstwie i magicznej szczęśliwości. Jałowa ezoteryka we współczesnym wydaniu proponuje czytelnikom łatwe sposoby osiągnięcia spełnienia w wymiarze osobistym i społecznym, obiecuje korzyści materialne i szczęście. To magiczna droga do wirtualnego świata społeczeństwa konsumpcyjnego.

Coraz częściej pisane prace magisterskie i doktorskie na temat twórczości Paula Coelho świadczyły, z nielicznymi wyjątkami, o złej woli środowiska uniwersyteckiego, tak jak wcześniej krytyków. O tej tendencji mówi artykuł, który w 1998 roku ukazał się w „Jornal do Brasil". Opisano w nim przypadek wykładowczyni literatury Otacílii Rodrigues de Freitas z uniwersytetu w São Paulo, która podczas obrony pracy doktorskiej zatytułowanej „Bestseller w poszukiwaniu czytelnika: *Alchemik* Paula Coelho", spotkała się z szykanami, bo jak uznano, w swojej pracy nazbyt przychylnie potraktowała pisarza.

– Mówili, że Paulo Coelho zapłacił mi za napisanie doktoratu i że jestem jego kochanką – opowiadała oburzona.

W 1998 roku, dziesięć lat po ukazaniu się *Alchemika*, obojętny na opinie o swej twórczości Paulo szykował się do stawienia czoła wrzawie, jakiej spodziewał się po wydaniu nowej książki, zatytułowanej *Weronika postanawia umrzeć*. Jej akcja toczy się w Słowenii, jednym z krajów byłej Jugosławii. Tłem opowieści jest romans syna dyplomaty Eduarda z tytułową bohaterką, która po nieudanej próbie samobójczej trafia do szpitala psychiatrycznego, gdzie zostaje poddana brutalnej terapii elektrowstrząsowej. Ważniejszy od fabuły książki był fakt, że pisarz po raz pierwszy zdecydował się opowiedzieć o swoich trzech pobytach w szpitalu psychiatrycznym Dra Eirasa w Rio de Janeiro w połowie lat 60. Ujawniając dramatyczne przeżycia z młodości, Paulo złamał obietnicę, że publicznie opowie o nich dopiero po śmierci rodziców. Co prawda matka umarła pięć lat wcześniej, w 1993 roku, z powodu komplikacji związanych z chorobą Alzheimera – Paulo nie zdążył na pogrzeb, ponieważ wiadomość dotarła do niego, kiedy w Kanadzie promował *Alchemika* – ale inżynier Pedro żył i miał się dobrze, zaś w książce ukazany został jako „tryskający energią staruszek w pełni władz umysłowych". Jednak jego syn bez ogródek opisał przemoc, jaką stosowali wobec niego rodzice. Weronika to Paulo Coelho – mówił autor tym, którzy chcieli go słuchać.

Dbając, by powieść trafiła do mniej zamożnych czytelników, Paulo postanowił zmienić nieco sposób promocji swoich książek.

Z jednej strony skłonił wydawnictwo Objetiva do zmniejszenia o połowę budżetu w wysokości 450 tysięcy reali (około 250 tysięcy dolarów) przeznaczonych na promocję, co pozwoliło obniżyć cenę sprzedaży z 19,80 do 15 reali, z drugiej namówił je do podpisania kontraktu z siecią supermarketów Carrefour, gdzie powieść *Weronika postanawia umrzeć* została objęta promocją z okazji Dnia Ojca. Pojawienie się na rynku powieści zbiegło się z ożywioną dyskusją na temat przemocy w brazylijskich szpitalach psychiatrycznych, zarówno państwowych, jak i prywatnych. W senacie dyskutowano nad projektem, potocznie zwanym „ustawą przeciw szpitalom psychiatrycznym", w której przewidziano stopniową likwidację placówek, gdzie chorych psychicznie zamyka się w celach. Podczas dyskusji w parlamencie odczytano fragment książki *Weronika postanawia umrzeć*. W dniu głosowania senator Eduardo Suplicy z PT-SP [Partia Pracujących z São Paulo] wszedł na mównicę i przeczytał list od popierającego projekt Paula Coelho. „W przeszłości byłem ofiarą przemocy. Zostałem bezpodstawnie zamknięty w szpitalu psychiatrycznym im. Dra Eirasa w 1965, 1966 i 1967 roku. Uważam za konieczne przyjęcie tej ustawy". Do listu zostały dołączone jego karty pacjenta. W związku z ujawnieniem w książce haniebnych praktyk stosowanych w szpitalach psychiatrycznych dwa lata później Paulo został zaproszony do udziału w obradach Międzynarodowego Trybunału Russella w sprawie psychiatrii, zwołanego przez Parlament Europejski.

Do historii opowiedzianej w powieści *Weronika postanawia umrzeć* autor wrócił w 2003 roku, jako jeden z uczestników seminarium „Obrona i szerzenie praw osób cierpiących na choroby psychiczne", zorganizowanego przez Komisję Praw Człowieka przy Unii Europejskiej. Tak jak wcześniejsze powieści, *Weronika postanawia umrzeć* pobiła wszelkie rekordy w kategoriach: wysokość pierwszego nakładu, sprzedaż w dniu premiery, sprzedaż w pierwszym tygodniu, pierwsze miejsce na listach bestsellerów. Była tylko jedna różnica: prasa i telewizja odniosły się do tej książki z większym szacunkiem. Może na recenzentach wrażenie zrobiły zawarte w niej rewelacje i zamiast ją krytykować, bez końca komentowali i opisywali dramatyczne pobyty Paula w szpitalu. Wyjątek stanowił tekst zaprzyjaźnionego z autorem pisarza i dziennikarza Marcela Rubema Paivy. Zamieścił on w „Folha de São Paulo" ironiczną recenzję, w której sugeruje zmianę fragmentu „był zadowolony z tego, co widziały jego oczy i słyszały jego uszy".

A dlaczego nie „obejrzały jego oczy i usłyszały jego uszy"? To brzmi ładniej. Albo „słyszały jego oczy i widziały jego uszy"? To brzmi odważniej. A może „jego oczy czytały, a uszy komponowały"? To bardziej poetycko. Albo „jego oczy, szklane szyby, uszy nie na niby"? Bo Paulo Coelho nie chce ryzykować. Woli to, co oczywiste.

Po czym sam siebie przywołuje do porządku:

Hola, hola! Jak ci nie wstyd krytykować pisarza, który sprzedał miliony książek, zdobył międzynarodowe odznaczenia i nagrody?!

Miał rację. Sądząc po wynikach sprzedaży, nagrodach i hołdach, czytelnicy nie potrzebowali żadnych zmian w tekście. Wkrótce po brazylijskiej premierze *Weroniki* twórczości Paula przyjrzał się Denis de Moraes, dziennikarz i profesor Uniwersytetu Federalnego Fluminese w Niterói w stanie Rio de Janeiro. W eseju zatytułowanym *The Big Four* pisze o wielkiej czwórce amerykańskich autorów, którzy biją rekordy popularności na całym świecie – Stephenie Kingu, Michaelu Crichtonie, Johnie Grishamie i Tomie Clancy'm – i przytaczając kilka informacji dotyczących podróży Paula oraz jego zajęć w 1998 roku, udowadnia, że Brazylijczyk depcze po piętach czwórce wybrańców.

Na Forum Ekonomicznym w Davos mówił o rozwoju duchowym.

W Watykanie przyjął go na audiencji Jan Paweł II.

Pobił rekord rozdawania autografów na XVIII Targach Książki w Paryżu. We Francji sprzedał 300 tysięcy egzemplarzy Piątej góry.

Udzielił wywiadu autorom filmu dokumentalnego Fenomen, *który opowiada o jego życiu. Dokument powstał w koprodukcji kanadyjsko-francusko-amerykańskiej.*

Jego Podręcznik wojownika światła *zainspirował nową kolekcję Versace na sezon 1998/1999.*

Spędził osiem dni w Wielkiej Brytanii, promując Piątą górę.

Po powrocie do Brazylii w maju udzielił wywiadu kanadyjskiej telewizji TV5 oraz angielskim gazetom „Sunday Times" i „The Guardian".

Między sierpniem a październikiem był w Nowej Zelandii, Australii, Japonii, Izraelu i byłej Jugosławii.

Wrócił do Rio i udzielił wywiadu trzem stacjom telewizyjnym z Francji i jednej z Niemiec. Potem udał się w podróż do Europy Wschodniej (Polska, Czechy, Słowacja, Słowenia, Bułgaria).

W drodze powrotnej do Brazylii zatrzymał się w Finlandii i Rosji.

Hollywood zamierza przenieść na ekran cztery jego książki.

Francuska aktorka Isabelle Adjani walczy z Amerykanką Julią Roberts o prawa do ekranizacji Na brzegu rzeki Piedry...

Arena Group, działająca wspólnie z Sony Entertainment, pragnie przenieść na ekran Walkirie. *Podobne plany wobec* Pielgrzyma *ma Virgin.*

Z rąk prezydenta Fernanda Henrique Cardoso otrzymał Order Rio Branco.

Został specjalnym doradcą ONZ i uczestniczy w programie Duchowe Inspiracje i Dialog Międzykulturowy.

Tę wzmożoną działalność międzynarodową pisarz przerwał dopiero w 2000 roku, kiedy rozpoczął pracę nad nową powieścią, *Demon i panna Prym*. Jej sukces znów nikogo nie zaskoczył (książka ukazała się jednocześnie w Brazylii i za granicą). Tym razem Paulo uczestniczył w kampanii reklamowej, nie wychodząc z domu. Zagranicznych dziennikarzy przyjmował w swoim nowym mieszkaniu w Copacabanie. Wielki apartament zajmował całe piętro, a z jego okien roztaczał się wspaniały widok na najsłynniejszą plażę w Brazylii. Zaproszenie wystosował kilka tygodni wcześniej, w wywiadzie dla sieci telewizyjnej CNN International, pokazywanym w 230 krajach. Do Copacabany zaczęły ściągać ekipy telewizyjne z Niemiec, Argentyny, Boliwii, Chile, Kolumbii, Ekwadoru, Hiszpanii, Francji, Grecji, Anglii, Włoch, Meksyku, Portugalii i Czech. Wielu dziennikarzy wykorzystało okazję, żeby nakręcić materiał o Rio de Janeiro.

– Dzięki temu miasto miało wspaniałą reklamę – wspominała Mônica Antunes. – Osiągnięcie takiego efektu kosztowałoby władze Rio fortunę.

Inną ciekawostką związaną z ukazaniem się *Demona i panny Prym* w Brazylii było miejsce wybrane na bankiet promujący książkę. Zamiast wieczoru w hotelu połączonego z rozdawaniem autografów, Paulo zorganizował przyjęcie w murach Brazylijskiej Akademii Literatury. Łatwo było zgadnąć, co kryło się za tym wyborem. Paulo Coelho, jeden z najbardziej krytykowanych autorów brazylijskich, przymierzał się do wstąpienia na Olimp brazylijskiej literatury.

Uroczystość przyjęcia Paula w poczet członków Brazylijskiej Akademii Literatury.
U GÓRY: wśród „nieśmiertelnych”.
NA DOLE: z polskim wydaniem *Podręcznika wojownika światła*

28.

Mudżahedini Bin Ladena i amerykańscy „marines" mają jedną wspólną cechę: lubią książki Paula Coelho

Początkowo na nowe millenium Paulo zamierzał wydać inną książkę, a nie *Demona i pannę Prym*. Tak jak przed dziesięciu laty za namową Chris wyrzucił do śmieci rękopis utworu o satanizmie, tak teraz pod wpływem żony wykasował z komputera powieść o seksie. Zyskała ona akceptację Môniki oraz przyjaciela pisarza, Chico Castro Silvy, teologa i byłego biznesmena, ale nie spodobała się żonie, która nie zgodziła się na jej druk. Paulo nie po raz pierwszy zainteresował się tą tematyką. Pod koniec lat 80., wkrótce po ukazaniu się w Brazylii *Alchemika*, odważył się napisać książkę, w której potraktował seks ze szczerością rzadko spotykaną w literaturze. W ciągu dwóch miesięcy, między styczniem a marcem 1989 roku, powstał stustronicowy utwór o losach mężczyzny, którego nazwał D. Roboczy tytuł utworu brzmiał *Magia seksu, chwała Boga* lub po prostu *Rozmowy z D.* Dręczony wątpliwościami co do własnej seksualności, główny bohater znajduje zaspokojenie jedynie w seksie z własną żoną. Miewa też koszmarne sny, w których jego matkę grupa mężczyzn najpierw gwałci, a potem siusia na jej nagie ciało. Martwi go nie tylko sen, ale i fakt, że czerpie przyjemność z oglądania scen przemocy. Przerażony erotycznymi fantazjami D. zwierza się ze snów przyjacielowi, który wciela się w rolę narratora. Codziennie spotykają się przy piwie, a barowy stolik zmienia się w kozetkę psychoanalityka. D. opowiada o swych wątpliwościach i przeżyciach, aż wreszcie przyznaje, że choć nie jest homoseksualistą, odczuwa wielką przyjemność, kiedy we śnie gwałcą go mężczyźni („podnieca mnie upokorzenie, które odczuwam, kiedy klęcząc daję przyjemność innym"). Powieść *Rozmowy z D.* w pewnym momencie się urywa i nie wiemy, jaki los spotka głównego bohatera, którego historia w wielu fragmentach przypomina życie samego Paula. Jednak w odróżnieniu od książek o satanizmie i seksie, szkiców do *Rozmów z D.* Paulo nikomu nie pokazał i włożył je do kufra z dziennikami przeznaczonymi do spalenia.

Choć tematyka jego nowej książki porusza delikatne kwestie erotyki, słowo „seks" pada w niej tylko dwa razy. Inspiracją do napisania *Demona i panny Prym* była wizyta we francuskiej wiosce Viscos na granicy z Hiszpanią. Na głównym placu uwagę Paula przykuła fontanna z dziwną rzeźbą. Woda wytryskiwała z kamiennego słońca wprost do otwartej paszczy ropuchy. Pytał mieszkańców, ale nikt nie był w stanie wyjaśnić, co oznacza ta symbolika. Pisarz długo zastanawiał się nad wymową rzeźby, aż zdecydował się wykorzystać ją do przedstawienia walki Dobra ze Złem. *Demon i panna Prym* była ostatnią częścią trylogii, którą tworzyły *Na brzegu rzeki Piedry usiadłam i płakałam* (1994) oraz *Weronika postanawia umrzeć* (1998). Całości autor nadał tytuł „A siódmego dnia".

Według niego „te trzy książki pokazują siedem dni z życia trzech zwykłych ludzi, którzy nagle muszą zmierzyć się z problemem miłości, śmierci i władzy". Historia ostatniej części trylogii rozgrywa się w małej wiosce zamieszkanej przez 281 wyjątkowo uczciwych osób. Ich spokojne życie zakłóca pojawienie się Carlosa, którego najstarsza mieszkanka wsi, wdowa Berta, uznaje za niebezpiecznego i nazywa Demonem. Nieznajomy zatrzymuje się w hotelu, gdzie w barze pracuje jedyna panna w wiosce, Chantal Prym. Dziewczyna jest sierotą, a mieszkańcy wsi jej nie akceptują. Tajemniczy Carlos postanawia wykorzystać ją, by wystawić na próbę ich uczciwość. Przedstawia się jako biznesmen, którego żona i dwie córki zostały brutalnie zamordowane. Obiecuje dziewczynie, że dzięki niemu się wzbogaci i będzie mogła wyjechać do wielkiego miasta. W zamian musi mu jednak pomóc przekonać mieszkańców, by wzięli udział w makabrycznej grze: jeśli ktoś bez żadnego powodu w ciągu tygodnia zabije choćby jednego mieszkańca, wioska otrzyma w nagrodę dziesięć sztabek złota. Ta niebywała propozycja rodzi konflikty, zaś cała historia jest przypowieścią pokazującą, że w duszy każdego człowieka istnieje zarówno anioł, jak i diabeł.

W marcu 2000 roku Paulo oddał wydawnictwu Objetiva 190 stron maszynopisu *Demona i panny Prym*, po czym poleciał do Paryża, gdzie Anne Carrière przygotowała wielką kampanię promującą książkę *Weronika postanawia umrzeć*. W zimny, szary poniedziałkowy ranek Paulo wraz z milionami Paryżan i turystów zobaczył zdjęcie swej twarzy w wielkim powiększeniu naklejone na karoserię autobusów linii 87. W tle był niebieskawy pejzaż oraz informacja, że *Weronika postanawia umrzeć* jest już w księgarniach. Autobusy z podobizną pisarza wyjeżdżały z Porte de Reuilly we wschodniej części miasta, po czym pokonywały trzydziestokilometrową trasę aż do Pola Marsowego, przejeżdżając przez najruchliwsze punkty Paryża, takie jak Dworzec Lyoński, Plac Bastylii czy St. Germain-des-Prés. Podobnie było w czternastu innych francuskich miastach, gdzie na autobusach wykupiono miejsca na reklamę. Jednak tym razem wysiłki nie przyniosły oczekiwanego rezultatu. Być może czytelnikom francuskim nie spodobało się, że książkę reklamowano jak mydło czy pastę do zębów. Choć *Weronika postanawia umrzeć* miała szansę pobicia rekordu sprzedaży poprzednich książek, uzyskała wynik poniżej oczekiwań. Jednocześnie powieść spotkała się z gorącym przyjęciem prasy francuskiej, zarówno „L'Express", jak i konserwatywnego „Figaro". W tym samym czasie, choć bez fajerwerków, książka ukazała się na Tajwanie, w Japonii, Chinach, Indonezji, Tajlandii i Stanach Zjednoczonych.

Światowy sukces literacki sprawił, że Paulo dołączył do międzynarodowej socjety. Od 1998 roku uczestniczył w Światowym Forum Ekonomicznym, instytucji utworzonej w 1971 roku przez profesora ekonomii Klausa Schwaba. Raz w roku do szwajcarskiej miejscowości Davos ściągają na obrady przedstawiciele międzynarodowej elity politycznej i ekonomicznej (na zaproszenie Schwaba od 2000 roku pisarz jest członkiem Schwab Foundation). Honorowym gościem w 2000 roku był Bill Clinton, którego kilka miesięcy wcześniej sfotografowano z egzemplarzem *Alchemika* pod pachą, jak wysiada z helikoptera przed Białym Domem. Dowiedziawszy się, że Brazylijczyk jest na forum, Clinton zaproponował spotkanie.

– Moja córka Chelsea dała mi *Alchemika*, a właściwie zmusiła mnie do jego przeczytania – przyznał prezydent. – Tak bardzo mi się spodobał, że dałem go Hillary – dodał.

Kiedy się żegnali, powiedział:

– Gdy będzie się pan wybierał do Stanów, proszę mnie koniecznie zawiadomić. Jeśli tylko będę na miejscu, wraz z rodziną zapraszam pana na kolację.

Siedem lat później sztab wyborczy Hillary Clinton poprosił Paula o napisanie tekstu wspierającego jej kampanię w walce o kandydaturę na urząd prezydenta Stanów Zjednoczonych. Podczas wizyt w Davos autor miał szansę poznać wielu swych sławnych czytelników, w tym byłego premiera Izraela, laureata pokojowej Nagrody Nobla Simona Peresa, amerykańską aktorkę Sharon Stone, włoskiego pisarza Umberta Eco, Billa Gatesa, palestyńskiego przywódcę Jassira Arafata czy kanclerza Niemiec Gerharda Schroedera.

Umberto Eco, pisarz i światowej sławy semiolog, udzielał wywiadu w jednej z „kawiarni literackich" zorganizowanych podczas forum. Przyznał, że dobrze zna twórczość Coelho.

– Moją ulubioną książką jest *Weronika postanawia umrzeć*. Przyznam, że nie lubię *Alchemika*. Mamy inne poglądy filozoficzne. Paulo pisze dla ludzi wierzących, ja dla niewierzących.

Moda na twórczość Paula, przepowiedziana przez Mônikę dziesięć lat wcześniej, w 2000 roku zmieniła się w prawdziwą epidemię, atakującą wszystkie grupy społeczne, ekonomiczne, kulturowe, bez względu na rasę, płeć, wiek czy przekonania polityczne. Kilka miesięcy wcześniej w angielskim „The Guardian" Paulo wyczytał, że *Alchemik* i *Piąta góra* są ulubionymi książkami byłego dyktatora Chile, Augusta Pinocheta, który oskarżony o „tortury, terroryzm i ludobójstwo", na prośbę sądu hiszpańskiego przebywał w areszcie domowym w Londynie. Paulo natychmiast zareagował.

– Ciekawe, czy generał Pinochet zechce czytać moje książki, jeśli się dowie, że w czasach brazylijskiej dyktatury trzy razy byłem w więzieniu i mam wśród Chilijczyków wielu przyjaciół, których junta wojskowa więziła lub skazywała na banicję.

Kilka lat później wychodzącej w Caracas gazecie „El Universal" wywiadu udzielił Miguel Sanábria, komisarz do spraw ideologicznych organizacji wspierającej Hugo Cháveza. Wyjawił dziennikarzowi, że na kursach politycznych zaleca czytanie Karola Marksa, Simóna Bolivara, José Carlosa Mariáteguy'ego i Paula Coelho.

Książki Paula pojawiały się w najdziwniejszych miejscach, także w biblioteczce byłego tadżyckiego majora Wiktora Bouta, w 2008 roku zatrzymanego w Tajlandii przez wywiad amerykański. Bouta, byłego oficera KGB, podejrzewano o organizację największej w historii siatki trudniącej się nielegalnym handlem bronią (podobno jego postać zainspirowała twórców filmu *Pan życia i śmierci* z Nicolasem Cage'em w roli głównej). W jednym z nielicznych wywiadów, jakich udzielił, z rozbrajającą szczerością wyznał Peterowi Landesmanowi, że pomiędzy jedną a drugą transakcją sprzedaży pocisków antyrakietowych odpręża się przy lekturze powieści Paula Coelho. Stany Zjednoczone toczyły wojnę z Al Kaidą, a książki Brazylijczyka cieszyły się popularnością po obu stronach frontu. Według angielskiego „The Sunday Times” *Alchemik* był najczęściej wypożyczaną książką w amerykańskiej bibliotece polowej 10. Dywizji Górskiej, walczącej z Osamą Bin Ladenem w Afganistanie. Z kolei reporterka „O Estado de São Paulo”, Patrícia Campos Mello, w bibliotece więzienia w Guantánamo na Kubie, gdzie przetrzymuje się ludzi podejrzanych o związki z Al Kaidą, znalazła wydanie *Pielgrzyma* w języku farsi.

Ku swemu zdziwieniu, w filmie *Guantanamera* kubańskiego reżysera Tomása Gutierreza Alei Paulo zobaczył, że główny bohater w podróż przez góry na pogrzeb krewnego zabiera *Alchemika*. Jego książki nie były wydawane na Kubie. W filmie wykorzystano hiszpańskie wydanie powieści, dostępne na czarnym rynku za niebagatelną sumę 40 dolarów.

– Nie miałem wątpliwości, że muszę odstąpić im prawa autorskie za darmo – powiedział później prasie. – Chcę, żeby moje książki były tanie i dostępne dla jak najszerszej rzeszy czytelników.

Wkrótce Paulo przekonał się, że złe wychowanie nie zależy od poglądów politycznych. W 2007 roku kubański minister kultury Abel Prieto organizował targi książki w Hawanie. Zapytany o Coelho, odparł:

– Z Paulem Coelho mamy problem. Jest wprawdzie przyjacielem Kuby i głośno wypowiada się przeciwko embargu, ale nie mógłbym go zaprosić, bo zaniżyłbym poziom imprezy.

Paulo nie pozostał mu dłużny. Na swym blogu zamieścił artykuł, który natychmiast przedrukował dziennik „El Nuevo Herald”, najważniejsza gazeta wychodząca w języku hiszpańskim w Miami, mekce przeciwników Fidela Castro. „Ta wypowiedź mnie nie dziwi”, pisał. „Kiedy ludzi walczących o wolność i sprawiedliwość dotknie choroba władzy, zmieniają się w oprawców”.

Niezależnie od polemik wokół twórczości Paula, jego sukces międzynarodowy był niekwestionowany. Autor nie zapominał też o własnym kraju. Od lat nie organizował wieczorów autorskich w Brazylii, więc w październiku 2000 roku wybór siedziby Brazylijskiej Akademii Literatury na promocję *Demona i panny Prym* uznano za ukłon w stronę rodzimych literatów oraz Petit Trianon, jak nazywano budynek akademii i samą instytucję. Oznaki sympatii wobec akademików pojawiły się znacznie wcześniej. W 1998 roku na przyjęcie zorganizowane przez Anne Carrière w Carroussel du Louvre zaproszono całą delegację brazylijską, a do trojga pisarzy Paulo zadzwonił osobiście. Byli to Nélida Pión, Eduardo Portela i senator, były prezydent José Sarney – nieprzypadkowo tych troje, jako że wszyscy byli członkami Akademii. Na wieczór podpisywania książki *Demon i panna Prym* rozesłano cztery tysiące zaproszeń. Pod budynek przy Avenida Presidente Wilson ściągnęły tłumy tak wielkie, że dla utrzymania porządku organizatorzy musieli sprowadzić posiłki. Na prośbę Paula rozdano tysiąc plastikowych kubeczków z zimną wodą. Pisarz żałował, że nie mógł, jak we Francji, poczęstować wszystkich szampanem.

– Ale wiem, że u nas nikt by się jednym kieliszkiem nie zadowolił! – powiedział z uśmiechem do grupy dziennikarzy.

Krytyka nadspodziewanie dobrze przyjęła *Demona i pannę Prym*. „W wieku pięćdziesięciu trzech lat Paulo Coelho wreszcie napisał dobrą książkę. Opowiedział historię, która budzi ciekawość i wciąga", pisało czasopismo „Época". Do nielicznych wyjątków należała astrolog, Bárbara Abramo, która na łamach „Folha de São Paulo" oznajmiła: „Podobnie jak wcześniejsze książki, *Demon i panna Prym* to napuszona, sztuczna przypowieść".

Kto śledził poczynania autora, wiedział, że krytyczne uwagi przestały go interesować. Skoncentrował się na osiągnięciu o wiele trudniejszego celu, jakim było zajęcie miejsca w panteonie brazylijskich pisarzy. Paulo nie łudził się, że będzie to łatwe. Jak powiedział jeden z odrzuconych kandydatów: „W Brazylii łatwiej dochrapać się stanowiska gubernatora stanowego niż zostać członkiem Akademii". Jak było powszechnie wiadomo, niektórzy z 39 akademików kręcili nosami na twórczość Coelho. „Próbowałam przeczytać jego książkę, ale przerwałam na ósmej stronie", przyznała pisarka Rachel de Queiroz, jego daleka kuzynka, na co autor odpowiedział, że akcja żadnej z jego książek nie rozpoczyna się przed ósmą stroną. Ceniony myśliciel chrześcijański Candido Mendes, rektor uniwersytetu, gdzie kiedyś Paulo studiował prawo, był jeszcze surowszy w ocenie:

Przeczytałem wszystkie jego książki od deski do deski, i nic. We Francji sławą Paulo Coelho zaczął dorównywać Santosowi Dumontowi. Sęk w tym, że on nie jest stąd, lecz należy do świata, gdzie powierzchowne myślenie i ignorancja zamieniają się w pośledni rodzaj magii. Nasz sympatyczny czarownik jest częścią tego uładzonego, pozbawionego grozy świata fantazji. Subkultura ukryta pod płaszczykiem dobrobytu znalazła swego mistrza. To nie literatura, lecz produkt pierwszej potrzeby.

Paulo był przekonany, że pozostałych 37 członków Akademii nie podziela tych opinii, więc nie reagował na prowokacje, spokojnie realizując swój plan. Komplementował różne osoby, grupy i towarzystwa wzajemnej adoracji, na które dzielili się akademicy. Jadał z nimi obiady i kolacje, nie przepuszczał żadnego spotkania, gdzie promowano nowe dzieła „nieśmiertelnych", jak nazywano członków Brazylijskiej Akademii Literatury. Podczas swego wieczoru autorskiego José Sarney, który również dostawał cięgi od krytyki, z uśmiechem pozował do zdjęcia z Paulem w chwili, gdy podpisywał mu swą powieść *Saraminda*. Coelho z pewnością cieszył się szczególnymi względami, jakich nie doświadczyły setki innych czytelników Sarneya. Wkrótce jednak sekretny plan Paula stał się tajemnicą publiczną. Przypuszczenia te potwierdził na łamach „Folha de São Paulo" Carlos Heitor Cony, który w Akademii zajmował fotel z numerem trzecim.

Napisałem krótki tekst na temat pogardy, z jaką krytyka traktuje piosenkarza Roberta Carlosa i pisarza Paula Coelho. Fakt, że przetrwali, uważam za cud, bo gdyby to zależało od mediów, żebraliby pod mostem, złorzecząc całemu światu. Jednak tak się nie stało. Każdy z nich ma wierną publiczność, więc nie muszą obawiać się krytyki, idą naprzód, nie mszczą się i nie złoszczą, a gdy tylko mogą, pomagają innym. Jestem przyjacielem Paula Coelho i może on liczyć na mój głos w Brazylijskiej Akademii Literatury. Podziwiam jego charakter i wielkość polegającą na tym, że nikogo nie atakuje i godnie cieszy się z sukcesu, który osiągnął.

Od chwili, kiedy Paulo po raz pierwszy zamarzył, by znaleźć się w Akademii, miał jeszcze jedno skryte pragnienie – żeby zasiąść na krześle z numerem 23. Problem w tym, że miejsce to zajmował jego ukochany Jorge Amado, któremu Coelho przy każdej okazji składał hołdy. Dlatego ilekroć ktoś podnosił ten temat, Paulo zręcznie wymigiwał się od odpowiedzi.

– Miejsce, które mi się marzy, zajmuje Jorge. Zamierzam kandydować, kiedy będę już bardzo stary, bo życzę mu, żeby żył jak najdłużej – mówił.

Jorge Amado miał 88 lat i od czasu zawału w 1993 roku borykał się z problemami zdrowotnymi. W 1996 roku trafił do szpitala w Paryżu, gdzie od kilku lat mieszkał przez część roku. Okazało się, że poza kłopotami z sercem ma rozedmę płuc. W następnych latach przechodził kilka zabiegów udrożnienia tętnic i wszywania bajpasów, a po wykryciu cukrzycy otrzymywał leki na unormowanie poziomu cukru. W czerwcu 2001 roku wskutek postępującej degeneracji siatkówki pisarz stracił wzrok. Wkrótce pojawił się stan zapalny nerek i prawego płuca. Amado został przyjęty do szpitala w Salvadorze. Po kuracji antybiotykowej poczuł się na tyle dobrze, że 16 lipca we własnym domu, wśród najbliższych obchodził czterdziestolecie wyboru na członka Brazylijskiej Akademii Literatury. Niestety trzy tygodnie później, 6 sierpnia, rodzina poinformowała prasę o jego śmierci. Fotel nr 23 był wolny. Paulowi wiadomość przekazał dziennikarz, członek Akademii Murilo Melo.

– Jorge Amado nie żyje. Teraz twoja kolej – powiedział krótko.

Pisarzem targały sprzeczne uczucia. Z jednej strony radość, że miejsce w Akademii jest na wyciągnięcie ręki. Z drugiej szczery smutek z powodu śmierci swego wielkiego idola z lat młodości, który z czasem stał się jego przyjacielem i wiernym obrońcą. Mimo wszystko trzeba było działać. Wiedział, że bieg do akademickiego fotela zaczyna się, nim zwiędną kwiaty na grobie zacnego poprzednika. Czując już smak sławy, zachęcony słowami Murila, wykonał pierwszy telefon, który natychmiast ostudził jego zapędy. Zadzwonił do profesora i dziennikarza Arnalda Niskiera zajmującego w Akademii miejsce osiemnaste. Niskier szybko wylał mu na głowę kubeł zimnej wody.

– Myślę, że nie nadeszła jeszcze pańska pora – powiedział. – Chyba będzie kandydowała Zélia. Jeśli to prawda, Akademia ją poprze.

Chodziło o Zélię Gattai, wdowę po Amado, również pisarkę, która, jak Niskier twierdził, z pewnością zawalczy o fotel po sławnym mężu. Po śmierci Amado gazety zamieszczały obszerne nekrologi, a jednocześnie publikowały nazwiska kandydatów. Wśród nich wymieniani byli: Zélia Gattai, Paulo Coelho, astronom Ronaldo Rogério de Freitas Mourão, komik Jô Soares oraz dziennikarz Joel Silveira. Przed wyjściem na codzienną przebieżkę wzdłuż Copacabany Paulo usłyszał opinię bodaj jedynej osoby, z której zdaniem się liczył. Chris delikatnie dała mu do zrozumienia, że może nie osiągnąć upragnionego celu.

– Paulo, mam przeczucie, że nie wygrasz!

To wystarczyło, by zrezygnować z ubiegania się o fotel w Akademii. Nie minęło dwanaście godzin od nieformalnego zgłoszenia kandydatury, a Paulo się wycofał. Przesłał Zélii faks z kondolencjami, po czym spakował walizki i wraz z Chris wyjechał na południe Francji. W ten sposób państwo Coelho zrealizowali swoje dawne marzenie, by część roku spędzać w Europie. Wybrali okolice sanktuarium w Lourdes, gdzie zamierzali kupić dom. Do czasu znalezienia odpowiedniej nieruchomości zatrzymali się w skromnym hotelu Henri IV w małej miejscowości Tarbes. We wtorek 9 października odwiedzili wioskę Odos, pięć kilometrów od Saint-Martin, gdzie zamieszkali jedenaście miesięcy później. Paulo uległ dawnym szatańskim pokusom i chciał kupić zamek, rezydencję bardziej odpowiednią dla gwiazdy rocka niż dla żyjącego jak mnich pisarza (który był milionerem). Państwu Coelho przypadł do gustu nie byle jaki zamek, bo Château d'Odos, gdzie żyła i zmarła Małgorzata de Valois, czyli królowa Margot, żona Henryka IV. Ostatecznie z pomysłu zrezygnowali.

– Gdybym kupił zamek – zwierzył się Paulo w jednym z wywiadów – to nie ja bym go miał, ale on mnie.

Tego samego dnia Paulo odwiózł Chris do hotelu, po czym udał się pociągiem do Pau, a stamtąd samolotem do Monte Carlo, gdzie miał zasiąść w jury festiwalu filmowego. Wieczorem spotkał się na kawie z reżyserem Sydneyem Pollackiem, twórcą filmów *Pożegnanie z Afryką* i *Czyż nie dobija się koni?* W pewnej chwili zadzwonił jego telefon komórkowy. Po drugiej stronie odezwał się głos Arnalda Niskiera:

– Zmarł Roberto Campos. Zgadza się pan, bym zgłosił do sekretariatu Akademii pańską kandydaturę? Powiem, że mnie pan do tego upoważnił.

– Jeśli myśli pan, że to odpowiedni moment, bardzo proszę.

Dwa dni później Paulo wrócił do Francji. W drodze do domu wstąpił do kościółka Matki Boskiej Boleściwej w Barbazan-Debat. Tam w cichej modlitwie prosił Jezusa:

– Pomóż mi dostać się do Brazylijskiej Akademii Literatury!

Kilka godzin później, kiedy był już w pokoju hotelowym w Tarbes, zadzwonił dziennikarz Marcelo Camacho z „Jornal do Brasil", by przeprowadzić z nim wywiad. Zaczął od prostego pytania:

– Czy jest pan kandydatem na członka Brazylijskiej Akademii Literatury?

– Kandydatem w stu procentach – odparł nieco żartobliwie Paulo.

Pod takim tytułem – „Kandydat w stu procentach" – następnego dnia ukazał się artykuł i wywiad w dodatku kulturalnym „Jornal do Brasil". W ten sposób rozwiały się wszelkie wątpliwości. W wywiadzie Paulo wytłumaczył powody zgłoszenia swej kandydatury („Chcę mieć możliwość przebywania wśród niezwykłych ludzi"), zlekceważył krytykę („Gdyby to, co piszę, było złe, moi czytelnicy na świecie dawno by o mnie zapomnieli") i stanowczo potępił politykę George'a Busha („Stany Zjednoczone dopuszczają się w Afganistanie aktów terroru, powtarzam – aktów terroru"). Walka o miejsce po zmarłym ekonomiście, ambasadorze, senatorze i pośle Robercie Camposie rozpoczęła się na dobre. Jednak, jak Paulo powiedział dziennikarzowi, ze względu na natłok zajęć w Europie wróci do Brazylii dopiero za dwa miesiące, w grudniu, i dopiero wtedy złoży rytualne przedświąteczne wizyty 39 członkom Akademii. Zresztą zwłoka nie miała znaczenia, bo wybory zaplanowano na marzec 2002 roku.

W następnych tygodniach pojawiło się dwóch rywali, którzy mieli konkurować z Paulem o miejsce w Akademii – politolog Hélio Jaguaribe oraz były dyplomata Gibson Barbosa. Obaj mieli po osiemdziesiątce, a ich życie obfitowało zarówno w zwycięstwa, jak i klęski.

Kiedy wśród kandydatów pojawiło się nazwisko jednego z najpopularniejszych autorów na świecie, wybory do Brazylijskiej Akademii Literatury zaczęły wzbudzać ogromne zainteresowanie. Zagraniczne agencje prasowe wysyłały do Brazylii swoich korespondentów, by na bieżąco informowali o wyborach. W długim i podszytym ironią materiale korespondent „New York Times", Larry Rother, przypisał Brazylijskiej Akademii Literatury moc „przeistaczania mało znanych, leciwych eseistów, poetów i filozofów w gwiazdy czczone niczym piłkarze, aktorzy czy piosenkarze". Rother rozmawiał ze zwolennikami Paula Coelho, między innymi z Arnaldem Niskierem („To Pelé brazylijskiej literatury"), ale nie mógł się powstrzymać, żeby nie dołożyć łyżki dziegciu do beczki miodu.

Postać Paula Coelho nie pasuje do napuszonych, czwartkowych podwieczorków przy herbacie, z których znana jest Akademia. Pisarz zaczął karierę jako autor tekstów piosenek rockowych, pisał o swoim uzależnieniu od narkotyków, we wczesnej młodości przebywał w szpitalu psychiatrycznym, a co najgorsze, nigdy publicznie się nie pokajał z powodu swego wielkiego sukcesu komercyjnego. „Brazylijskie społeczeństwo oczekuje, by ta instytucja świeciła przykładem", powiedziała dziennikarzom „O Globo" pisarka i była przewodnicząca Akademii, Nélida Pion. Kandydaturę Coelho potraktowała jak policzek: „Nie możemy pozwolić, by rynek narzucał nam kanony estetyczne".

Głuchy na intrygi Paulo cierpliwie pokonywał kolejne etapy drogi krzyżowej. W grudniu złożył wizyty wszystkim akademikom (poza księdzem Fernandem Ávilą, który oschle zwolnił go z tego obowiązku), wysłał do nich listy. Miał wzruszające dowody wsparcia, choćby ze strony Carlosa Heitora Cony'ego czy byłego prezydenta Sarneya. Po czterech turach głosowania żaden z kandydatów nie zdołał zebrać dziewiętnastu głosów potrzebnych do zwycięstwa. Jak nakazywała tradycja, przewodniczący Akademii, brodaty Alberto da Costa e Silva, spalił głosy w naczyniu z brązu. Ogłosił, że fotel nr 21 jest nadal wolny i wyznaczył nowe wybory na 25 lipca. Wieczorem po ogłoszeniu wyników w domu Paula pojawiła się delegacja „nieśmiertelnych" z wyrazami współczucia. Jeden z nich (Paulo nie jest do końca pewien, czy był to filozof i dyplomata Sérgio Paulo Rouanet, poeta Ivan Junqueira, czy też sam przewodniczący, ambasador Alberto da Costa e Silva) podszedł do pisarza i zaczął go pocieszać.

– To wspaniale, że pan kandydował. Bardzo się cieszę z naszego spotkania. Mam nadzieję, że przy następnej okazji ponownie zaproponuje pan swoją kandydaturę.

Ponieważ Paulo otrzymał zaledwie dziesięć głosów przeciw szesnastu dla Jaguariby, delegatów bardzo zdziwiła jego odpowiedź.

– Nie przy następnej okazji, ale już teraz! Jutro zgłoszę swoją kandydaturę.

Dla członków Akademii data kolejnych wyborów nie miała żadnego znaczenia, ale dla Paula była jasnym sygnałem, że musi kandydować. 25 czerwca jest dniem św. Jakuba z Composteli, patrona pielgrzymki, która odmieniła jego życie. Na wszelki wypadek poradził się starej, niezawodnej *Księgi Przemian I Ching*. Wiele razy przyglądał się rozłożonym na stole trzem monetom wyroczni. Rezultat zawsze był taki sam: heksagram „kocioł ofiarny", symbol pewnego zwycięstwa. Księga *I Ching* dała mu też dziwną radę: ma „wyjechać i szybko nie wracać", co Paulo niezwłocznie uczynił. Wsiadł do samolotu, poleciał do Francji, zainstalował się w hotelu Henri IV i za pośrednictwem telefonu komórkowego oraz notebooka rozpoczął kampanię wyborczą. Wkrótce dowiedział się, że jego jedynym przeciwnikiem będzie Hélio Jaguaribe. Christina była zaskoczona swobodą, z jaką zachowywał się mąż.

– Odkryłam w Paulu talent negocjacyjny, którego sama nie posiadam. Z zimną krwią podejmował trudne decyzje i rozmawiał z ludźmi. Takim go wcześniej nie znałam.

Zwolennicy Paula uważali kampanię na odległość za wysoce ryzykowną, ponieważ jego elektorat musiał sam odpierać ciosy przeciwnika. Jednak *I Ching* powtarzał „Nie wracaj!".

– Gwiazdy mówiły mi, żebym nie wracał – wspominał pisarz. – A skoro miałem do wyboru akademików i gwiazdy, wolałem gwiazdy.

Kampania nabrała rumieńców, kiedy podczas czwartkowej herbatki jeden z popierających go akademików zaczął zachęcać kolegów do oddania głosu na Coelho.

– Będę głosował na Paula Coelho, bo wróży dobre zbiory.

W żargonie Akademii „dobre zbiory" oznaczały, że poza prestiżem kandydat może przynieść szacownej instytucji korzyści materialne. Coelho cieszył się szacunkiem na całym świecie, a wybory wzbudziły ogromne zainteresowanie mediów zagranicznych. Jednak do akademików najbardziej przemawiał fakt, że milioner Paulo Coelho jest bezdzietny, co pozwalało mieć nadzieję, że uczyni Akademię jednym ze swych spadkobierców. Tak było w przypadku wielu członków Akademii, choćby polityka i dyplomaty José Carlosa de Macedo Soaresa i wielkiego poety z Pernambuco, Manuela Bandeiry. Paulo wrócił do Rio de Janeiro trzy tygodnie przed wyborami, nieświadom, jak wiele uczynił przeciwnik, by storpedować jego wysiłki. Pod jego nieobecność kampania Jaguariby nabrała rozpędu. Rywalowi udało się nawet przeciągnąć na swoją stronę do tej pory przychylnych Coelho akademików.

Nietrudno zgadnąć, że strzały padały z obozu Hélia Jaguariby w Akademii, ale rozkazy nadchodziły ze sztabu w Brasílii, 1200 kilometrów od Rio, a ściślej biorąc zza betonowej fasady Pałacu Itamaraty, gdzie urzędował minister spraw zagranicznych Celso Lafer. Jaguaribe przyjaźnił się z Laferem, a od kwietnia do października 1992 roku współpracował z nim w rządzie za prezydentury Fernanda Collora. Lafer zajmował to samo stanowisko, zaś Jaguaribe kierował sekretariatem nauki i technologii. Jak się Paulo wkrótce dowiedział, w zamian za głosy dla Jaguariby minister proponował akademikom podróże, zaproszenia i medale. Coelho wspomniał o tym w jednym z wywiadów.

– Wydaje mi się, że Lafer zwerbował większość członków Akademii i będą oni głosować na Hélia Jaguaribę – zwierzył się dziennikarzowi „IstoÉ". – Ale przynajmniej trzech członków potwierdziło swoje poparcie dla mnie – Arnaldo Niskier, Marcos Almir Madeira i Carlos Heitor Cony.

Oburzony „rozmiarami ingerencji" w sprawy Akademii, skorzystał z okazji, by wbić ministrowi szpilę.

– Kiedy pod adresem Brazylii padają oskarżenia o niszczenie lasów Amazonii, zabijanie dzieci i utrzymywanie niewolnictwa, to naszego kraju bronię ja, a nie Celso Lafer.

Kto śledził karierę Paula, wiedział, że nie były to puste słowa. Na przykład w 2008 roku podczas Forum Ekonomicznego w Davos, kiedy angielski dyrygent Bostońskiej Orkiestry Symfonicznej, Benjamin Zander, pozwolił sobie na niewybredny dowcip o brazylijskich kobietach, Paulo wstał i ostro zaprotestował:

– Jestem Brazylijczykiem i pański komentarz mnie obraża! – powiedział podniesionym głosem. – To, co powiedział pan o brazylijskich kobietach, jest nieprawdą – dodał, zmuszając żartownisia do publicznych przeprosin.

Wieczorem 25 lipca fotografowie, reporterzy i operatorzy, oblegający budynek przy Avenida Atlântica w Copacabanie, zostali zaproszeni na dziewiąte piętro na kieliszek francuskiego szampana. Paulo dostał 22 głosy, zaś Jaguaribe 15. Przed kamerami politolog nie potrafił ukryć rozczarowania z powodu przegranej, usprawiedliwiał udział ministra Lafera w swej kampanii („To przyjaciel z młodości, dzwonił do osób, które nie chciały na mnie głosować"), a na koniec niezbyt taktownie zauważył:

– Wybór Paula Coelho przez Brazylijską Akademię Literatury jest nagrodą za sukces marketingowy. Jego jedynym osiągnięciem jest to, że potrafi sprzedawać książki.

Kiedy jeden z dziennikarzy zapytał, czy Jaguaribe zamierza ponownie kandydować, rzucił oschle:

– Akademia już mnie nie interesuje.

Mimo to trzy lata później, kiedy opadły emocje, zgłosił swoje nazwisko i został wybrany na miejsce ekonomisty Celsa Furtado, a rok później jego przyjaciel Celso Lafer zajął fotel Miguela Reale.

Jeśli rzeczywiście wśród „nieśmiertelnych" byli tacy, którzy głosowali na Paula Coelho w nadziei na „dobre zbiory", przeżyli gorzkie rozczarowanie. Budynku Akademii nie rozświetlały stale flesze agencji zagranicznych, ponieważ główny bohater rzadko w nim bywał. Od czasu wyboru Paula odbyło się 200 posiedzeń, z których pisarz zaszczycił swą obecnością zaledwie sześć, co czyni go pierwszym nieobecnym wśród członków Akademii. Zawiedli się również ci, którzy mieli nadzieję, że do kasy Petit Trianon spłyną pieniądze za prawa autorskie ze 150 państw. W trzykrotnie uaktualnianym notarialnie testamencie pisarza, nie wspomina się ani słowem o Akademii.

Amerykański tygodnik „Newsweek" uczcił wybór Coelho, nazywając go „pierwszym artystą pop literatury brazylijskiej, który przekroczył progi instytucji, która od 105 lat jest bastionem języka portugalskiego i fortecą gustu intelektualistów". Tymczasem pisarz pracował nad przemówieniem, które miał wygłosić podczas uroczystości objęcia fotela w dniu 28 października. Zachował się jak prawdziwy dżentelmen – pomimo nieprzychylności rządu pojechał do Brasílii, żeby osobiście wręczyć prezydentowi zaproszenie na uroczysty bankiet. Prezydent przyjął go serdecznie w Pałacu Planalto, ale wyraził żal, że z powodu licznych obowiązków nie będzie mógł uczestniczyć w uroczystości. Zapowiedział, że przyśle kogoś w zastępstwie. Po audiencji Paulo odwiedził na lotnisku księgarnię Laselva, gdzie na wystawie zobaczył kilka swoich książek, jedną wydaną przez Objetiva, resztę przez Rocco. Wtedy podjął decyzję, którą zrealizował po kilku miesiącach – by zostawić Objetivę i wrócić do starego wydawcy.

Kilka dni później odbyła się uroczystość objęcia przez Paula fotela w Akademii. Na honorowym miejscu przy stole zasiadł minister kultury Francisco Weffort jako przedstawiciel prezydenta. Po jego lewej stronie zajął miejsce burmistrz Rio, César Maia, a po prawej – przewodniczący Brazylijskiej Akademii Literatury, ambasador Alberto da Costa e Silva. Zaproszeni goście byli w smokingach. Akademicy wystąpili w galowych strojach z zielonego kaszmiru, ze złotym haftem zdobiącym przód i kołnierzyk surduta, a całości dopełniał aksamitny pieróg z białym pióropuszem oraz przytroczona do pasa pozłacana szabla. Strój galowy Paula kosztował 45 tysięcy reali (około 25 tysięcy dolarów) i zgodnie z tradycją został ufundowany przez burmistrza Rio, miasta w którym urodził się nowy członek Akademii. Wśród kilkuset gości, którzy stali w kolejce, by pogratulować „nieśmiertelnemu”, znaleźli się jego brazylijscy wydawcy Roberto Feith i Paulo Rocco. Uprzejmości, jakie prawili sobie obaj panowie, nie zapowiadały wojny, jaka niebawem miała między nimi rozgorzeć.

Od jakiegoś już czasu Paulo nosił się z zamiarem powrotu do dawnego wydawcy, a to, co zobaczył w księgarni na lotnisku, ostatecznie go w tym utwierdziło. Zresztą podobne zastrzeżenia do Objetivy miała i Mônica, która kilka miesięcy wcześniej wraz z mężem Øyvindem spędzała wakacje w Brazylii. Postanowiła przedłużyć pobyt, zostać do świąt Bożego Narodzenia i pojechać do Rio Grande do Norte. W jednej z restauracji została okradziona, straciła paszport, dokumenty i pieniądze, ale przy okazji odkryła, że w stolicy stanu (która wówczas liczyła 600 tysięcy mieszkańców) w żadnej księgarni, nawet na lotnisku, nie ma książek Paula. Coelho miał też inne powody do niepokoju. Obliczył, że w okresie od 1996 do 2000 roku (kiedy wydawnictwo Objetiva wydało *Piątą górę*, *Weronika postanawia umrzeć* oraz *Demona i pannę Prym*) mógł stracić około 100 tysięcy czytelników. Choć sprzedaż *Alche-*

mika wciąż szła świetnie, to niepokój budziło porównanie obecnej sytuacji ze sprzedażą ostatniej książki wydanej przez Rocco, *Na brzegu rzeki Piedry...* Dlatego Paulo chciał jak najszybciej rzucić Objetivę i wrócić do Rocco, ale sprawa nie była taka prosta. Rękopis swojej następnej książki, zatytułowanej *Jedenaście minut*, złożył już w wydawnictwie. Co więcej, Roberto Feith zasugerował pewne poprawki, na które autor się zgodził.

Jak zwykle ostateczną decyzję Paulo podjął po konsultacji z *I Ching*. Cztery dni przed objęciem fotela w Akademii zadał Księdze Przemian dwa pytania: „Co się stanie, jeśli *Jedenaście minut* wyda Objetiva?" i „Co się stanie, jeśli *Jedenaście minut* i wszystkie pozostałe książki wyda Rocco?". Odpowiedź nie była jednoznaczna.

> *Przewaga mniejszego. Sukces. Drobne sprawy mogą być realizowane, wielkich nie należy rozpoczynać. Wskazane czekanie. Wielka pomyślność.*

Wobec takiej odpowiedzi większość z nas czułaby się bezradna. Jednak dla Paula Coelho sprawa była jasna: po siedmiu latach i czterech powieściach nadszedł czas, by zostawić Objetivę i wrócić do Rocco. Wiadomość o decyzji autora i jego zamiarze wycofania gotowej do druku książki, bardzo Roberta Feitha zdenerwowała. Zapowiedział, że zrezygnuje z *Jedenastu minut*, o ile autor zwróci wydawnictwu koszty produkcji. Paulo odebrał to jako szantaż i podjął wyzwanie. Zatrudnił znaną w Rio kancelarię adwokacką i przygotowywał się na długą, twardą walkę, jak to zwykle bywa u Brazylijczyków. Następnie ogłosił, że wraca do Rocco i zapowiedział, że na początku 2003 roku pod szyldem tego wydawnictwa opublikuje *Jedenaście minut*. Potem opuścił wrzące od plotek Rio i razem z Chris pojechał do Tarbes. Jak donosiła prasa, odszedł z wydawnictwa Objetiva z powodu utraty pierwszego miejsca na rzecz Luísa Fernanda Veríssimo z Rio Grande do Sul. Mówiło się też o kwocie 600 tysięcy reali (około 330 tysięcy dolarów), które zaproponowało mu wydawnictwo Rocco w zamian za jego powrót. Burza ucichła dopiero, gdy podczas spaceru po pirenejskich ścieżkach Chris poradziła mężowi, żeby zakończył wojnę z Feithem.

– Ty masz chyba większą ochotę do walki niż on – zauważyła. – Przestań się kłócić i spróbuj załatwić sprawę polubownie.

Początkowo Paulo się oburzył, ale ostatecznie złożył broń. Stanął pod przydrożnym krzyżem i poprosił Boga, by pomógł mu wyzbyć się nienawiści. Kilka tygodni później po długich negocjacjach Feith nie tylko oddał pisarzowi *Jedenaście minut*, ale przekazał mu pozostałe cztery tytuły, które teraz mogło wznowić Rocco. Feith postawił jeden warunek: nikomu nie wolno uwzględniać poprawek przez niego wprowadzonych. Mônica Antunes musiała odebrać tekst wszystkim tłumaczom, którzy nad nim pracowali. Chociaż negocjacje zakończyły się ugodą, Paulo i Feith nigdy już się do siebie nie odezwali.

Pomysł na książkę, która spowodowała taką burze, zrodził się kilka lat wcześniej, w 1997 roku w Mantui na północy Włoch, gdzie Paulo wygłaszał odczyt. W hotelu zastał list od Brazylijki imieniem Sônia, jego czytelniczki i wielbicielki, która przyjechała do Europy, by pracować jako prostytutka. Do listu Sônia dołączyła krótką historię własnego życia. Pisarz złamał zasadę i po raz pierwszy przeczytał cudzy rękopis. Opowieść spodobała mu się na tyle, że zaproponował Objetivie wydanie jej w formie książki, ale pomysł odrzucono. Paulo spotkał Sônię trzy lata później w Zurichu, dokąd się przeniosła. Zorganizowała mu wieczór autorski, jakiego chyba nigdy nie miał żaden pisarz. Zabrała go na Langstrasse, gdzie po dziesiątej wylegają na ulice prostytutki z całego świata. Uprzedzone o wizycie Paula, przyniosły ze sobą podniszczone egzemplarze jego książek w różnych językach. Przeważały wydania z krajów należących do byłego Związku Radzieckiego. Podobny happening Sônia zorganizowała w Genewie, gdzie pisarz poznał Brazylijkę, której w książce nadał imię Maria. To jej historię uczynił głównym wątkiem *Jedenastu minut*. Jest to opowieść o dziewczynie z północnej Brazylii, która przyjeżdża do Europy zwabiona możliwością występów w tanecznym *show*. Na miejscu okazuje się, że ma pracować jako prostytutka. Paulo nie traktował książki jako opowieści o „nieszczęśliwym losie prostytutki, lecz o wewnętrznej przemianie, która dokonuje się w człowieku poszukującym tożsamości seksualnej", jak mówił potem w prasie. „To książka o skomplikowanej zależności między uczuciem a fizyczną rozkoszą".

Tytuł książki nawiązuje do amerykańskiego bestsellera Irvinga Wallace'a z 1969 roku pod tytułem *Siedem minut*. Autor opowiada w niej o sporze, który się toczył przed sądem w sprawie zakazu publikacji jego powieści o seksie. Według Wallace'a siedem minut to średni czas potrzebny na odbycie stosunku. Kiedy w Stanach Zjednoczonych pojawiła się książka *Jedenaście minut*, dziennikarz z „USA Today" zapytał Brazylijczyka, dlaczego dodał cztery minuty do czasu Wallace'a. Paulo roześmiał się i odparł, że średnia, o której mówił autor *Siedmiu minut*, dotyczy norm anglosaskich i jest „zbyt purytańska jak na normy latynoskie". Książka *Jedena-*

ście minut pojawiła się w Brazylii na początku 2003 roku i została przyjęta przez media niechętnie. Jak zwykle autorowi nie szczędzono złośliwości. Taką reakcję krytyki Coelho przewidział, jak dowodzi opublikowany miesiąc wcześniej wywiad w „IstoÉ":

– Skąd wiem, że krytyce się nie spodoba? To proste, nie można skrytykować dziesięciu książek autora, a potem zakochać się w jedenastej.

Nie dość, że krytykom książka się nie spodobała, to ze względu na pikanterię treści liczyli na pierwszą wielką klęskę. Seks oralny, orgazm łechtaczkowy i pochwowy, praktyki sadomasochistyczne, to, jak twierdzili, tematy obce przeciętnemu czytelnikowi Paula Coelho. Stało się odwrotnie niż przewidywano. W kwietniu 2003 roku, zanim pierwszy nakład w wysokości 200 tysięcy egzemplarzy dotarł do księgarń w Brazylii, agencja Sant Jordi sprzedała książkę do ponad dwudziestu wydawnictw zagranicznych. W wyniku negocjacji autorowi przypadło 6 milionów dolarów. Trzy tygodnie po premierze powieść *Jedenaście minut* zajęła pierwsze miejsce na listach bestsellerów w Brazylii, we Włoszech i w Niemczech. Promocja angielskiego wydania przyciągnęła do księgarni Borders w Londynie dwa tysiące osób. Podobnie jak w przypadku poprzednich dziesięciu książek, czytelnicy pokazali, że ich uwielbienie dla twórczości Paula nie słabnie i są gotowi pokochać również jego nową powieść. Z czasem *Jedenaście minut*, sprzedane w 10 milionach egzemplarzy, zajęło drugie miejsce wśród najpopularniejszych książek Paula Coelho, tuż za niepokonanym *Alchemikiem*.

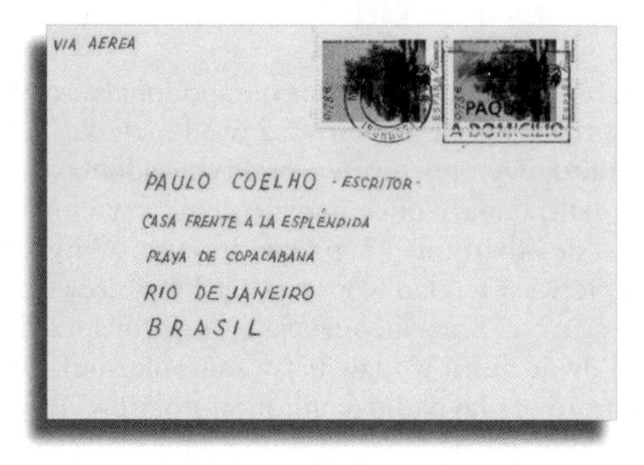

W dobie internetu tradycyjna poczta dostarcza listy do Paula Coelho nawet, jeśli na kopercie widnieje tylko jego imię i nazwisko i nazwa plaży w Rio, przy której mieszka.

29.

Paulo wkłada frak i jedzie do Pałacu Buckingham jako gość królowej, a nie prezydenta Luli

Pierwsze miesiące 2004 roku Paulo i Chris spędzili na remontowaniu starego młyna w Saint-Martin. Zamierzali poświęcić cztery miesiące na remont, potem kolejne cztery spędzić w Brazylii, a resztę roku w podróży. Niestety plany pokrzyżowała im Mônica, przesyłając plan zajęć na rok 2004. Na adres agencji Sant Jordi przyszło 187 zaproszeń do odebrania nagród, udziału w uroczystościach, wieczorach autorskich, konferencjach i promocjach w najodleglejszych zakątkach świata. Gdyby miał przyjąć choćby połowę tych zaproszeń, nie miałby czasu na nic więcej, a na pewno nie na napisanie następnej książki, o której myślał. W drugiej połowie roku miał już wszystko w głowie. Wystarczyły mu dwa tygodnie, by na 318 stronach zapisać całą historię. Tytuł *Zahir* zaczerpnął z opowiadania Jorge Luísa Borgesa. Łatwy do rozszyfrowania główny bohater powieści jest znanym pisarzem i byłą gwiazdą rocka. Krytycy go nienawidzą, a ludzie kochają. Nie ma imienia ani nazwiska, wiadomo tylko, że mieszka w Paryżu z dziennikarką i korespondentką wojenną Ester. Na początku powieści zaskoczony bohater dowiaduje się, że Ester go opuściła. Paulo napisał *Zahira* pod koniec 2004 roku, a już w marcu następnego roku książka ukazała się w Brazylii i za granicą.

Zanim jednak *Zahir* ukazał się w Brazylii, miał swą premierę w Teheranie, gdzie Paulo był najpopularniejszym autorem zagranicznym. Wszystko zorganizował młody wydawca Arash Hejazi, walczący z piratami, których działalność kwitła w Iranie prawie tak samo jak w Egipcie. Najróżniejszych wydań *Alchemika* naliczono tam przynajmniej 27. Z punktu widzenia autora żadne wydanie nie było legalne, ale w świetle prawa irańskiego wszystko było w porządku, gdyż kraj ten nie podpisał żadnych międzynarodowych konwencji dotyczących prawa autorskiego. Pobłażliwość dla piratów wynikała z pewnej szczególnej cechy prawa w kraju ajatollahów. Otóż chroni ono tylko te dzieła, których pierwsze wydanie (łącznie z drukiem i promocją) ukazuje się w Iranie. Żeby zagwarantować swemu wydawnictwu Caravan wyłączność na *Zahira* w kraju, Hejazi zaproponował Mônice, by przywilej pierwszego w świecie wydania *Zahira* przypadł Iranowi. Powieść ukazała się legalnie i praktycznie uniemożliwiła działanie piratom, ale po kilku dniach pojawiły się problemy z rządem. Hejazi, trzydziestopięcioletni wydawca, który porzucił medycynę dla książek, zadzwonił przerażony do Coelho do hotelu Gellert w Budapeszcie z budki telefonicznej, żeby zmylić cenzurę. Jak wyjaśniał, podczas targów książki w Teheranie stoisko Caravan zaatakowali *basidżi*, strażnicy moralności, którzy skonfiskowali tysiąc egzemplarzy *Zahira*, po czym kazali mu wycofać książkę z obiegu i zgłosić się za dwa dni do wydziału cenzury.

Walcząc z nielegalnymi wydaniami swoich książek,
Paulo wyraża zgodę na opublikowanie *Zahira* najpierw w Teheranie,
a dopiero potem w Brazylii. Na zdjęciu: ze swym irańskim wydawcą,
Arashem Hejazim (w okularach).

Paulo i wydawca doszli do wniosku, że najlepszą odpowiedzią na przemoc oraz najskuteczniejszym sposobem zagwarantowania bezpieczeństwa Hajaziemu będzie nadanie sprawie rozgłosu. Przejęty Paulo zadzwonił do kilku znajomych dziennikarzy, potem skontaktował się z radiem BBC i agencją France Presse, które puściły informację w świat. Międzynarodowy odzew przestraszył władze Iranu. Kilka dni później bez żadnych wyjaśnień książki zwrócono wydawnictwu i zdjęto zakaz cenzury. Patrząc na sprawę z dystansu, można zrozumieć, że represyjne, wyznaniowe państwo irańskie zaniepokoiła książka o związkach pozamałżeńskich. Dziwne było tylko to, że karząca ręka dosięgnęła autora tak popularnego jak Paulo Coelho. Był on przecież „pierwszym pisarzem niemuzułmańskim, który odwiedził Iran po rewolucji ajatollahów", czyli po 1979 roku.

W maju 2000 roku Paula zaprosił do Iranu prezydent Mohamed Chatami, który w tym czasie prowadził kampanię politycznego otwarcia kraju. Na lotnisku w Teheranie Chris założyła obrączkę na serdeczny palec lewej ręki i została szczegółowo poinformowana o nakazach obowiązujących kobiety w muzułmańskim kraju. Na brazylijską parę czekał ponad tysięczny tłum czytelników, którzy z gazet dowiedzieli się o przyjeździe autora *Alchemika*. Sytuacja polityczna była napięta, zbliżało się inauguracyjne posiedzenie nowego parlamentu. Codziennie na ulicach miasta manifestowali studenci wspierając reformy Chatamiego, którym z kolei ostro przeciwstawiały się konserwatywne kręgi duchowieństwa trzymające władzę. Paulowi nieustannie towarzyszyła grupa kilkunastu brazylijskich i zagranicznych dziennikarzy oraz sześciu uzbrojonych w karabiny agentów służby bezpieczeństwa. Pisarz miał pięć spotkań autorskich, podczas których podpisywał *Bridę*. Za każdym razem przyciągał ponad tysięczną publiczność. Pod koniec maratonu minister kultury Ataollah Mohajerani podjął go uroczystą kolacją, na której gościem honorowym był sam prezydent Chatami. Zaproszenia nie przyjął sześćdziesięcioletni Mahmoud Dolatabadi, dowód na to, że liberalizacja według prezydenta Chatamiego miała swoje granice – irański pisarz, prześladowany przez rząd, nie wyobrażał sobie, że mógłby w przyjacielskiej atmosferze zasiadać obok cenzorów.

– Nie mogę być przesłuchiwany rano, a pod wieczór pić kawę z prezydentem – powiedział dziennikarzom Dolatabadi.

Strażnicy moralności zostawili książkę w spokoju, mogła więc trafić do irańskich księgarń, zanim wydano ją gdzie indziej. Po tej prawnej batalii w księgarniach 83 krajów pojawiło się 8 milionów egzemplarzy *Zahira* przełożonego na 42 języki. Podczas promocji książki w Europie mówiły o niej wszystkie media. Wiosną 2005 roku europejska prasa plotkarska dociekała, na kim wzorował się Coelho, tworząc postać Ester. Moskiewska gazeta „Komsomolskaja Prawda" stawiała na piękną rosyjską projektantkę, Annę Rossę, która podobno miała romans z autorem i stała się jego muzą. Po przeczytaniu tej informacji na jednym z włoskich portali, Paulo wysłał do redakcji list, przetłumaczony na rosyjski przez jego przyjaciela Dimitrija Woskobojnikowa.

Drodzy Czytelnicy „Komsomolskiej Prawdy",

Bardzo zdziwiła mnie informacja zamieszczona w gazecie, że trzy lata temu miałem romans z projektantką Anną Rossą, i że jest ona prawdopodobnie bohaterką mojej nowej książki Zahir. *Tak się składa, szczęśliwie lub nie, bo tego nigdy się nie dowiemy, że informacja jest nieprawdziwa.*

Kiedy pokazano mi zdjęcie, gdzie stoję obok tej damy, natychmiast sobie ją przypomniałem. Zostaliśmy sobie przedstawieni na przyjęciu w brazylijskiej ambasadzie. Nie jestem święty, lecz nic nas nie łączy i prawdopodobnie nie połączy.

Zahir *jest jedną z moich najbardziej osobistych książek. Zadedykowałem ją mojej żonie, Christinie Oiticicy, z którą jestem od 25 lat.*

Życzę Wam oraz pani Annie Rossie wszystkiego najlepszego.

Z poważaniem,

Paulo Coelho

Po tak szybkim dementi oczy prasy zwróciły się na słynącą z urody Chilijkę Cecílię Bolocco, Miss Universum z 1987 roku, gospodynię popularnego w swym kraju talk-show *La Noche de Cecília*, swego czasu odznaczoną przez Augusto Pinocheta. Kiedy długonoga piękność zatrzymała się przejazdem w Madrycie i dowiedziała o plotce, jakoby była pierwowzorem Ester, wybuchnęła śmiechem.

– Nie mówcie tego na głos! Carlito jest bardzo zazdrosny...

Ów Carlito to były prezydent Argentyny Carlos Menem, którego poślubiła w maju 2000 roku. On miał wówczas siedemdziesiąt lat, ona trzydzieści pięć. Po trzech latach urodził im się syn. Reakcja Cecílii była uzasadniona. Kilka lat wcześniej, kiedy była już żoną Menema, posądzano ją o romans z Paulem.

Według niektórych gazet, pierwowzorem bohaterki *Zahira* była włoska aktorka Valeria Golino, która wystąpiła u boku Dustina Hoffmana i Toma Cruise'a w filmie *Rain Man*. Wreszcie 17 kwietnia 2005 roku niedzielne wydanie portugalskiej gazety „Correio da Manhã" oznajmiło światu, że muzą Paula była Christina Lamb, korespondentka wojenna londyńskiego tygodnika „The Sunday Times". Gdy sekret wyszedł na jaw, reporterka właśnie kręciła materiał w Harare, stolicy Zimbabwe. Na wieść o tych rewelacjach, jak powiada, niemal spadła z krzesła. „W ciągu tygodnia zaczęły mnie szukać gazety z Hiszpanii, Portugalii, Brazylii, Afryki Południowej, a nawet z Anglii", mówiła później. „Wszyscy pytali, jak to jest być muzą Paula Coelho". Tydzień później napisała artykuł na całą stronę do „The Sunday Times Review": tekst z na-

Prasa próbuje odgadnąć, kto był pierwowzorem bohaterki *Zahira*:
rosyjska projektantka Anna Rossa; była Miss Universum, żona prezydenta Argentyny Carlosa Menema, Cecília Bolocco; czy włoska aktorka Valeria Golino.
Prawdziwą muzą pisarza okazała się dziennikarka „Sunday Times", Christina Lamb (poniżej).

główkiem „Skradł mi duszę", i pod spodem tłustym drukiem zdanie z artykułu:

Christina Lamb była korespondentką brytyjskiego tygodnika „The Sunday Times" na wielu wojnach, ale poczuła się bezbronna, kiedy jeden z najpopularniejszych pisarzy na świecie postanowił wziąć na warsztat jej życie.

Jak opowiada dziennikarka, poznała Paula dwa lata wcześniej, kiedy przeprowadzała z nim wywiad w związku z ukazaniem się *Jedenastu minut*. Autor mieszkał jeszcze w hotelu Henri IV, „starym pensjonacie wyglądającym jak skrzyżowanie *sex shopu* ze sklepem ortopedycznym, w zapuszczonym miasteczku Tarbes". To było ich jedyne spotkanie. W ciągu kilku miesięcy wymienili parę maili. On przebywał na południu Francji, ona w Kandaharze lub Kabulu w Afganistanie. Paulowi bardzo spodobała się książka Christiny *The Sewing Circles of Herat* o kobietach z afgańskiej prowincji Herat. Włączył ją do listy swoich dziesięciu ulubionych książek, o którą poprosiła go wielka sieć księgarń Barnes & Noble. W czerwcu 2004 roku, kiedy dziennikarka przebywała w swoim domu w Estoril w Portugalii, gdzie mieszka z synem i mężem, „wśród doniesień o starciach w Kabulu i spamu na temat środków na powiększanie penisa" znalazła maila od Paula. Do maila dołączony był długi załącznik, jak się okazało tekst *Zahira*. Pierwsze zdanie maila brzmiało: „Stworzyłem postać głównej bohaterki, inspirując się pani życiem". Dalej Paulo wyjaśnił, że do zbudowania postaci wykorzystał informacje znalezione w internecie i w jej książce. W artykule dla „The Sunday Times Review" Lamb opisuje swoją reakcję:

Z jednej strony byłam przerażona, z drugiej mi to pochlebiało. Nie znaliśmy się, więc jak mógł stworzyć postać, wzorując się na mnie? Poczułam się, jakbym była naga. Są sprawy w moim życiu, których – jak większość ludzi – nie chciałabym wyciągać na światło dzienne.

Mimo to byłam ciekawa. Wydrukowałam i przeczytałam 304 strony maszynopisu. Znalazłam rzeczy, o których opowiedziałam mu w Tarbes, subiektywne przemyślenia dotyczące mojego życia, jak również sprawy, które poruszyłam w swojej książce. Pierwszy akapit zaczyna się od zdania: „Ona, Ester, korespondentka wojenna, właśnie wróciła z Iraku na krótko przed inwazją, lat trzydzieści, zamężna, bezdzietna". Przynajmniej trochę mnie odmłodził.

Na pierwszy rzut oka rzeczywiście wyglądało to zabawnie („spodobała mi się myśl, że postać głównej bohaterki była wzorowana na mnie i że pojawia się już na pierwszej stronie"), ale w miarę lektury muzę ogarniało coraz większe zażenowanie.

Bardzo zdenerwował mnie opis pierwszego spotkania Ester i jej męża: „Pewnego dnia młoda dziennikarka prosi mnie o wywiad. Ciekawi ją, że jestem autorem tekstów, które śpiewa cały kraj, a mnie nikt nie zna, bo zazwyczaj tylko piosenkarz pojawia się w mediach. Ładna, inteligentna, wyciszona. Po raz drugi spotykamy się na przyjęciu, luźno, bez zawodowego napięcia. Jeszcze tej samej nocy udaje mi się zaciągnąć ją do łóżka".

Christina wpadła w „osłupienie", potem podzieliła się rewelacjami z matką i mężem, portugalskim adwokatem imieniem Paulo.

[Paulo] nie widział w tym nic pochlebnego, wręcz przeciwnie, zaczął się poważnie zastanawiać, co skłoniło obcego mężczyznę do napisania książki o jego żonie. Opowiedziałam o całej sprawie paru przyjaciołom, ale patrzyli na mnie jak na wariatkę. Postanowiłam, że z nikim już o tym nie będę rozmawiać.

Gdyby „Correio da Manhã" nie nagłośniła sprawy, nikt by się o niej nie dowiedział. Na szczęście ujawnienie tych rewelacji nie pociągnęło za sobą innych nieprzyjemnych konsekwencji, co sama Christina przyznaje:

Kiedy przyzwyczaiłam się do tej myśli, doszłam do wniosku, że podoba mi się rola muzy. Nie wiedziałam jednak, co taka muza powinna robić. [...] Spytałam pisarza, jak mam się zachować, na co on odparł: „Muzy trzeba traktować jak wróżki", po czym dodał, że nigdy dotąd nie miał muzy. Wyobraziłam sobie, że powinnam leżeć zamyślona na sofie, z wielką bombonierką czekoladek. [...] Niestety bycie muzą nie jest łatwe, gdy pracuje się na pełnym etacie i wychowuje pięcioletniego synka. [...] Nauczyłam się, że przeprowadzanie wywiadów ze sławnymi pisarzami może być bardziej ryzykowne od pracy korespondenta wojennego. Co prawda oni nie strzelają, ale mogą skraść duszę.

Książka wzbudzała nieustające polemiki. Brazylijscy czytelnicy, nawykli do wrogości mediów wobec twórczości Paula Coelho, ze zdumienia przecierali oczy, kiedy w ostatnim tygodniu marca 2005 roku trzy z czterech głównych tygodników – „Veja" (nakład 1,2 miliona egzemplarzy), „Época" (nakład 430 tysięcy) i „IstoÉ" (nakład 375 tysięcy) – na okładce umieściły zdjęcie Paula Coelho, zaś w środku ośmiostronicowe artykuły o jego życiu i twórczości. Wyłamał się tylko najmniej popularny z czwórki, „Carta Capital" (nakład 60 tysięcy), który na temat tygodnia wybrał oskarżenia przeciw bankierowi Danielowi Dantasowi, a okładkę ozdobił fotomontażem przedstawiającym głowę biznesmena, w którą młotkiem bije sędzia, a poniżej podpisem: „Koniec z Dantasem". Uwaga, jaką poświęcono książce *Zahir* w trzech głównych tygodnikach i w artykułach o tematyce kulturalnej, była czymś niezwykłym. Typowy krytyczny ton wobec Coelho można było odnaleźć zaledwie w kilku gazetach. Marcelo Beraba, pierwsza tuba „Folha de São Paulo", poświęcił pisarzowi cały artykuł w niedzielnym wydaniu.

Najwyraźniej nastąpiła radykalna zmiana w postawie gazet, które do tej pory, pomijając nieliczne wyjątki, traktowały pisarza po macoszemu. Wyglądało na to, że Brazylia wreszcie doceniła fenomen, o którym od czasu ukazania się *Alchemika* pisano na całym świecie.

Sprawna dystrybucja na całym świecie, to nie jedyny powód dla którego przez dwadzieścia lat kariery Paulo Coelho pozyskał tylu czytelników. Liczyła się przede wszystkim treść jego książek i choć krytycy wciąż nie chcieli tego przyznać, to go wyróżniało spośród innych autorów bestsellerów, jak John Grisham czy Dan Brown. Być może niektórzy sprzedali większe nakłady, ale żaden nie poruszył tylu serc. O wpływie jego twórczości na odbiorców świadczą setki maili, które codziennie napływają do jego biura z całego świata. Ich autorzy często opowiadają o tym, jak zmieniło się ich życie po lekturze jego książek. Mnóstwo listów przychodzi też zwykłą pocztą z najodleglejszych zakątków kuli ziemskiej. Czasem na kopercie jedyny adres to „Paulo Coelho, Brazylia".

W lutym 2006 roku pisarz przebywał w swoim domu w Saint-Martin. Tam dotarło do niego zaproszenie na bankiet do Pałacu Buckingham, przesłane przez sir Jamesa Hamiltona, księcia Abercorn, Lorda Stewarda brytyjskiego dworu królewskiego. Królowa Elżbieta II oraz książę Filip wydawali przyjęcie na cześć prezydenta Brazylii, Luiza Inácia Luli da Silvy, który miał odwiedzić Wielką Brytanię. W zaproszeniu wyraźnie powiedziano, że obowiązują stroje wieczorowe – „white tie with decorations". Kiedy zbliżał się termin uroczystej kolacji, w gazetach pojawiły się informacje, że prezydent Lula oraz jego siedemdziesięcioosobowa delegacja poprosili o zwolnienie z konieczności pojawienia się na gali we frakach. Paulo wyjął już z szafy frak, muchę oraz kamizelkę i nie wiedział, co ma robić. Czy jego również obowiązywało zniesienie nakazu? Nie chcąc popełnić gafy, wysłał maila do szefa protokołu, prosząc o radę.

Dowiedziałem się, że prezydent Lula wraz z brazylijską delegacją nie zgodził się na założenie fraka. Proszę o radę, co w tej sytuacji robić. Nie chciałbym na przyjęciu być jedynym gościem w uroczystym stroju.

Po dwóch dniach przyszła odpowiedź podpisana przez urzędnika Lorda Stewarda. Z listu Paulo dowiedział się, że pomysł zaproszenia go na uroczystość nie zrodził się w gabinecie Luli, lecz w Pałacu Buckingham.

Szanowny Panie Coelho,

Jej Wysokość Królowa Elżbieta II zgodziła się, by prezydent Lula oraz członkowie jego delegacji pojawili się na Bankiecie Państwowym w garniturach. Jednak dotyczy to wyłącznie nielicznej grupy (około 20) osób. Pozostali goście (170 osób) przyjdą na kolację we frakach. Zapewniam, że nie będzie Pan jedyną zaproszoną osobą w stroju galowym. Królowa oczekuje, że jej goście zjawią się we frakach, a Pan jest oficjalnym gościem Jej Wysokości, a nie Prezydenta Luli.

Paulo walczy z piractwem. Pojawia się w internecie
w stroju pirata i udostępnia w sieci swoje książki.

30.

Patrząc w górę na Airbusa A380, Paulo zastanawia się, kiedy ludzie zapomną o jego książkach

Kilka tygodni po złożeniu w wydawnictwie tekstu *Czarownicy z Portobello* Paulo przygotowywał się do nowego wyzwania. Minęło dwadzieścia lat od jego pielgrzymki do Santiago w 1986 roku, pierwszego i najważniejszego zadania wyznaczonego przez Jeana. Tajemniczy mistrz nadal zlecał mu różne ćwiczenia duchowe. Pisarz przyznał, że jedno z nich wykonywał z poczucia obowiązku, a nie dlatego, że mu to sprawiało przyjemność. Chodziło o werbowanie uczniów, przekazywanie im wiedzy, którą otrzymał od Jeana i wskazywanie drogi duchowego rozwoju.

– Mam uczniów, bo muszę, ale się do tego nie nadaję – przyznał w wywiadzie. – Jestem leniwy i nie mam cierpliwości.

Mimo to opiekował się czterema uczniami, tak jak nakazywały reguły zakonu RAM.

Poza pokonywaniem kolejnych Dróg, bo tak w zakonie nazywano pielgrzymki, Paulo był nieustannie poddawany ćwiczeniom duchowym. Niektóre z nich nie wymagały silnej woli ani wytrzymałości fizycznej. Wystarczyło się modlić przynajmniej raz dziennie, trzymając ręce pod strumieniem wody z kranu lub z innego źródła. Czasem zdarzały się wyzwania trudne. Kiedyś, w latach 80., Jean kazał mu pozostać w czystości przez siedem miesięcy, zabraniając nawet masturbacji. Pisarz z humorem o tym opowiada:

– Odkryłem, że abstynencji seksualnej towarzyszy ogromna pokusa. Mężczyzna poddany ćwiczeniu czystości ma wrażenie, że budzi pożądanie wszystkich kobiet, a właściwie nie wszystkich, tylko tych najpiękniejszych.

Niektóre ćwiczenia przypominały samobiczowanie. Kiedyś przez trzy miesiące musiał codziennie chodzić boso, z gołym torsem po gęstym lesie, aż jego ciało było poranione przez kolce, a stopy przez ostre kamienie. Przy takim wyzwaniu trzydniowy post lub trwający kilka miesięcy nakaz codziennej, pięciominutowej obserwacji wybranego drzewa były dziecinnie proste.

Dla osoby postronnej zadanie, jakie w 2006 roku nałożył na pisarza Jean, zdawało się pozbawione sensu. Chodziło o przebycie „Drogi poza Jerozolimę". Przez cztery miesiące (albo jak wolą wtajemniczeni „trzy miesiące i jeden") nie wolno mu było przekroczyć progu żadnego z jego dwóch domów (w Saint-Martin we Francji oraz w Copacabanie w Rio de Janeiro). Oznaczało to, że musiał mieszkać w hotelach. Pojawia się pytanie, czy zatem osoba mniej zamożna ma szansę wstąpić do zakonu? Kiedy dwadzieścia lat wcześniej Paulo zadał Jeanowi to pytanie, usłyszał w odpowiedzi:

– Podróżowanie jest nie tyle kwestią pieniędzy, co odwagi. Przez sporą część życia jako hipis jeździłeś po świecie. Ile miałeś pieniędzy? Niewiele. Czasem ledwo starczało ci na bilet, ale były to najpiękniejsze chwile w twoim życiu, mimo że nie dojadałeś, spałeś na dworcach, nie znałeś języka, musiałeś liczyć na łaskę przygodnie spotkanych ludzi, których prosiłeś o schronienie.

Jak widać nowej Drogi nie dało się uniknąć, więc Paulo postanowił jak najlepiej wykorzystać ten czas. Pierwsze tygodnie podróży poświęcił na załatwienie zaległych spraw i spotkań, których długa lista czekała w biurze Sant Jordi. Pojechał do Londynu na targi książki, jedne z najważniejszych w Europie, gdzie przypadkowo spotkał Jurija Smirnowa, właściciela wydawnictwa Sophia, które publikowało jego książki w Rosji. Paulo zwierzył mu się, że jest w trakcie przymusowej podróży i być może ma jedyną szansę, by pojechać Koleją Transsyberyjską, trasą długości 9289 kilometrów, ciągnącą się przez 75% terytorium Rosji, od Moskwy po Władywostok. Kilka tygodni później, kiedy z Katalonii Paulo jechał na północ Hiszpanii, odebrał telefon. Dzwonił Smirnow: chcąc spełnić marzenie pisarza, zarezerwował mu piętnastodniową wycieczkę jedną z najdłuższych linii kolejowych na świecie.

Paulo spodziewał się jednego przedziału sypialnego. Jakież było jego zdziwienie, kiedy 15 maja w Moskwie Smirnow pochwalił się tym, co załatwił: wynajął dwa luksusowe wagony. W pierwszym znajdował się apartament pisarza i dwa przedziały dla Smirnowa

Podróż koleją transsyberyjską: spotkanie z prezydentem Putinem, rozdawanie autografów w Rosji.

i jego żony Ewy, czytelniczki i wielbicielki Paula, a podczas podróży również tłumaczki. Żeby zagwarantować autorowi pełną obsługę, wydawca zabrał też szefa kuchni, kelnera, dwóch kucharzy i goryli, których rosyjski rząd przydzielił Brazylijczykowi do ochrony. W drugim wagonie znalazło się trzydziestu zaproszonych rosyjskich i zagranicznych dziennikarzy. Licząc w przybliżeniu, ta przyjacielska przysługa kosztowała Smirnowa około 200 tysięcy dolarów. Niestety, inwestycja nie opłaciła się, bo kilka miesięcy później Coelho z wydawnictwa Sophia przeniósł się do Astrela.

Dwutygodniowa podróż była męcząca, nie tylko ze względu na odległość. Na każdym postoju na perony wylegały rzesze czytelników pragnących dostać autograf, uścisnąć pisarzowi dłoń lub usłyszeć choćby jedno jego słowo. We wschodniej części Syberii pociąg skierował się w stronę granicy z Mongolią i Chinami. Podczas całej podróży zegarki trzeba było przestawiać osiem razy. 30 maja pociąg dotarł do Władywostoku nad Morzem Japońskim.

W wywiadach podczas podróży Paulo podkreślał, że nie jest to turystyczna eskapada.

– To nie tylko podróż koleją – powtarzał z naciskiem. – To podróż w czasie i przestrzeni, którą nakazał mi mój Mistrz.

Ciekawe, że po tylu latach ciągłej obecności Paula w mediach całego świata żadnemu dziennikarzowi nie udało się ustalić nazwiska tajemniczej postaci, której pisarz tyle zawdzięczał. Kilka miesięcy po zakończeniu Mundialu, w którym zwyciężyła reprezentacja Włoch, jakiś internauta podpisujący się jako „czytelnik Paula Coelho" przysłał na stronę otwartą w celu zebrania informacji do tej

Anonimowy czytelnik robi zdjęcie z ukrycia. Mężczyzna po prawej stronie to według niego mistrz Jean. Paulo nie potwierdza ani nie zaprzecza: „Jeśli to nie on, jest bardzo podobny".

książki zdjęcie zrobione na ulicy bliżej nieokreślonego miasta. Widać na nim Paula z flagą brazylijską na plecach, Christinę i towarzyszącą im osobę. Nieznajomy ma szczupłą sylwetkę, siwe włosy, stare dżinsy i koszulkę reprezentacji Brazylii, a na szyi telefon komórkowy. Trudno go rozpoznać, gdyż ma czapkę i ciemne okulary, a jego prawa dłoń zakrywa niemal całą twarz. Do zdjęcia anonimowy internauta dołączył krótki komentarz: „To zdjęcie zrobiłem w Berlinie podczas Mistrzostw Świata w Piłce Nożnej w 2006 roku. Mężczyzna w czapce to Jean, Mistrz Paula Coelho z zakonu RAM". Na pytanie o to zdjęcie pisarz odpowiedział wymijająco:

– Nie wiem. Nawet jeśli to nie on, jest bardzo podobny.

Dwa miesiące po mistrzostwach do brazylijskich księgarń trafiło 100 tysięcy egzemplarzy *Czarownicy z Portobello*, pierwszej książki pisarza opublikowanej przez wydawnictwo Planeta Brasil. Pod wieloma względami była to powieść przełomowa. Pierwszą nowością był rodzaj narracji, którą zastosował autor. O urodzonej w Transylwanii, porzuconej przez biologiczną matkę dziewczynie opowiada piętnaście osób. Walory stylistyczne powieści sprawiły, że autor doczekał się pierwszej pochlebnej recenzji w „Folha de São Paulo". „Biorąc pod uwagę wartość literacką utworu, trzeba przyznać, że jest to jedna z najambitniejszych powieści Paula Coelho", napisał Marcelo Pen. W książce autor opowiada o losach Ateny adoptowanej przez libańskie małżeństwo. Dziecko jedzie z nimi do Bejrutu, gdzie wybucha wojna domowa, która w latach 1975-90 pustoszy kraj. Rodzina ucieka do Londynu. Tam Atena dorasta, wychodzi za mąż i rodzi syna. Robi karierę w banku. Po rozwodzie jedzie do Rumunii w poszukiwaniu swej biologicznej matki. Potem trafia nad Zatokę Perską, pracuje w Dubaju jako pośrednik na rynku nieruchomości. Po powrocie do Wielkiej Brytanii poświęca się rozwojowi duchowemu. Zaczyna głosić własne prawdy, pociąga za sobą tłumy wiernych i z powodu swej działalności religijnej jest prześladowana.

Drugą nowością było to, że zanim książka trafiła do księgarń w Brazylii i Portugalii, autor umieścił jej tekst na blogu. W dwa dni stronę odwiedziło 29 tysięcy internautów, co dla Coelho było miłym zaskoczeniem.

– To była wspaniała niespodzianka. Okazało się, że dziś pisarz musi dzielić się z czytelnikami swoją twórczością również w internecie – mówił w wywiadach.

Na pytanie, czy się nie obawia, że w ten sposób zniechęci czytelników do odwiedzania księgarń, odpowiadał:

– W 1999 roku odkryłem, że rosyjskie wydanie *Alchemika* jest dostępne w internecie. Zdecydowałem się walczyć z piractwem jego własną bronią i umieszczać swoje książki w sieci. Sprzedaż nie zmniejszyła się, a wzrosła.

Na potwierdzenie, że „walka z piractwem jego własną bronią" nie jest tylko teorią, na swej stronie internetowej Paulo występuje z chustką na głowie i czarną przepaską na oku, niczym prawdziwy korsarz. Według niego książki internetowe czytają jedynie ci, którzy nie mają innej możliwości, a drukowanie ich w domu jest droższe niż koszt egzemplarza w księgarni. Wkrótce Paulo zaczął umieszczać wszystkie swoje książki w internecie, co wyszło na jaw dopiero dwa lata później, w 2008 roku.

– Okazuje się, że jeśli ktoś przeczyta pierwszy rozdział w internecie i mu się spodoba, idzie po książkę do księgarni – zapewniał.

W tym czasie pisarz był jednak zajęty innymi sprawami. Od połowy 2006 roku Paulo, Mônica, Chris oraz najbardziej zaufani wydawcy trzymali kciuki, by liczbę 100 milionów sprzedanych egzemplarzy udało się osiągnąć do dnia św. Józefa, czyli do 19 marca 2007 roku. Ten dzień Coelho wybrał na obchody swoich sześćdziesiątych urodzin (stumilionowy egzemplarz sprzedano dopiero 5 miesięcy później, w sierpniu, kiedy autor faktycznie ukończył 60 lat). Wbrew zapewnieniom, że sześćdziesiąte urodziny nie są wcale ważniejsze od trzydziestych piątych lub czterdziestych siódmych, w lutym Paulo postanowił urządzić przyjęcie w hotelu El Peregrino w Puente la Reina, małej hiszpańskiej miejscowości oddalonej o 20 kilometrów od Pampeluny, w połowie drogi do Santiago. Na swoim blogu zapowiedział, że zaprosi na uroczystość pierwszych dziesięciu czytelników, którzy się do niego zgłoszą. Zaczęły napływać maile z całego świata. Szczęście się uśmiechnęło do piątki Hiszpanów (Luiz Miguel, Clara, Rosa, Loli i Ramón), Greczynki (Chrissa), Anglika (Alex), Wenezuelki (Marian), Japonki (Heiko) oraz Amerykanki mieszkającej w Iraku (Nika). Wśród gości znalazł się znany piłkarz Raí, przyjaciel pisarza Nelson Liano Júnior, z którym Paulo napisał *Praktyczny podręcznik wampiryzmu*, oraz amerykańska dziennikarka Diana Goodyear. Liano tak opisał atmosferę spotkania w hotelu El Peregrino na swoim blogu:

Była to uroczystość ku czci św. Józefa. Goście porozumiewali się czterema językami. Zgodnie ze starą tradycją hiszpańską Paulo wybrał dzień patrona robotników, by świętować swoje urodziny. Podczas przyjęcia spadł śnieg i cała Droga do Santiago zrobiła się biała. Salsa, francuska muzyka ludowa, bolero, tango, samba i niezapo-

mniane przeboje duetu Raul Seixas – Paulo Coelho nadały zabawie kosmopolityczny wymiar. A to wszystko zakrapiane najlepszym winem rioja.

Tymczasem zbliżała się prawdziwa data urodzin Paula. Całe Sant Jordi pod kierownictwem Môniki pracowało pełną parą nad eleganckim, czterdziestostronicowym folderem wydrukowanym na papierze kredowym. Na okładce zamieszczono zdjęcie uśmiechniętego pisarza oraz napis: „Paulo Coelho – 100 milionów egzemplarzy". Folder miał się ukazać w pierwszym tygodniu października na targach książki we Frankfurcie.

Przyjęcie z okazji dnia św. Józefa w Hiszpanii: pisarz z Christiną, Mônica Antunes i Márcia Nascimento, prezes fanklubu Paula Coelho; Paulo i piłkarz Raí oraz Dana Goodyear z „New Yorkera".

24 sierpnia, podczas gdy w Sant Jordi trwały gorączkowe przygotowania, jubilat oddawał się rozmyślaniom i modlitwie. Gdyby tego dnia o trzeciej po południu ktoś szedł wąską, słoneczną ścieżką w okolicach Barbazan-Débat, dziesięć kilometrów od Saint-Martin, pewnie spotkałby siwego mężczyznę z kitką, w bermudach, bawełnianej koszulce i tenisówkach. Paulo wyszedł z kaplicy, gdzie modlił się przed Matką Boską Boleściwą trzymającą na kolanach brodatego Jezusa. Usiadł na drewnianej ławeczce przed kaplicą, wyjął notes i zaczął coś pisać na kolanie. W szczupłym, skromnie ubranym mężczyźnie mało kto rozpoznałby pisarza, o którego względy zabiegają królowie, emirowie, gwiazdy Hollywoodu, którego wielbią czytelnicy na całym świecie. Obserwująca męża z pewnej odległości Christina podeszła i spytała, co pisze.

– List – odparł nie odrywając wzroku od kartki.

– Do kogo?

– Do autora mojej biografii.

Kilka godzin później z poczty w Saint-Martin wysłał list, który po siedmiu dniach dotarł do adresata w São Paulo. Oto treść tego listu:

Barbazan-Débat, 24 sierpnia 2007

Drogi Fernando,

Siedzę na ławce przed kapliczką, gdzie parę minut temu jak zwykle zapaliłem trzy świeczki przed wizerunkiem Matki Boskiej Boleściwej. Pierwszą, prosząc o opiekę, drugą w intencji moich czytelników, a trzecią z prośbą o godną i owocną pracę. Świeci słońce, ale nie jest upalnie. Wokół żywej duszy, tylko obok siedzi moja żona i patrzy na górski pejzaż, drzewa i róże, które posadzili tu zakonnicy. Czeka, aż skończę list.

W dwie godziny przeszliśmy dziesięć kilometrów. To niezły wynik. Trzeba jeszcze wrócić, a zdałem sobie sprawę, że nie wziąłem wystarczająco dużo wody. Nie szkodzi, czasem w życiu nie ma wyboru – nie mogę przecież tkwić tu w nieskończoność. Czekają moje marzenia, a one oznaczają pracę. Muszę wrócić do domu, nawet jeśli będę spragniony.

Dziś kończę sześćdziesiąt lat. Miałem w życiu prosty plan, żeby robić to, co lubię i udało mi się. Wczoraj o 23.15 pojechałem do Lourdes, by o 00.05 dnia 24 sierpnia znaleźć się przed grotą Matki Boskiej, podziękować za moje życie i poprosić o opiekę na przyszłość. To była wzruszająca chwila, lecz gdy wracałem do Saint-Martin, nagle poczułem się bardzo samotny. Kiedy zwierzyłem się żonie, powiedziała: „Sam wybrałeś takie życie!". To prawda, ale za-

czÄ…Å‚em siÄ™ baÄ‡. W tamtej chwili byliÅ›my tylko my dwoje na caÅ‚ej kuli ziemskiej.

WÅ‚Ä…czyÅ‚em komÃ³rkÄ™ i od razu zadzwoniÅ‚ telefon. To byÅ‚a MÃ´nica, moja agentka i przyjaciÃ³Å‚ka. Po powrocie do domu odebraÅ‚em mnÃ³stwo Å¼yczeÅ„. Zadowolony poszedÅ‚em spaÄ‡ i nastÄ™pnego dnia uznaÅ‚em, Å¼e nie mam powodu do smutku. ZaczÄ™Å‚y przychodziÄ‡ kwiaty, prezenty. Czytelnicy z rÃ³Å¼nych forÃ³w internetowych przysyÅ‚ali oryginalne Å¼yczenia, wykorzystujÄ…c moje zdjÄ™cia i teksty. Niemal we wszystkich przypadkach byli to ludzie, ktÃ³rych nigdy w Å¼yciu nie spotkaÅ‚em. WyjÄ…tkiem jest MÃ¡rcia Nascimento, ktÃ³ra wykonaÅ‚a nieprawdopodobnÄ… pracÄ™ i to dziÄ™ki niej mogÄ™ z radoÅ›ciÄ… powiedzieÄ‡, Å¼e mam swÃ³j wÅ‚asny, miÄ™dzynarodowy fanclub (MÃ¡rcia jest przewodniczÄ…cÄ…)!

Dlaczego o tym piszÄ™? Bo dziÅ› po raz pierwszy mam ochotÄ™ cofnÄ…Ä‡ czas. ChciaÅ‚bym spojrzeÄ‡ na siebie oczami czÅ‚owieka, ktÃ³ry miaÅ‚ dostÄ™p do moich dziennikÃ³w, poznaÅ‚ moich przyjaciÃ³Å‚ i wrogÃ³w â€“ wszystkich, ktÃ³rych spotkaÅ‚em na swej drodze. Mam wielkÄ… ochotÄ™ przeczytaÄ‡ teraz swojÄ… biografiÄ™, ale bÄ™dÄ™ musiaÅ‚ poczekaÄ‡.

Nie wiem, jak zareagujÄ™, gdy poznam jej zawartoÅ›Ä‡. Nad wejÅ›ciem do kaplicy, ktÃ³rÄ… mam przed sobÄ…, jest napis: â€žPoznacie prawdÄ™, a prawda was wyzwoliâ€. Prawda to sÅ‚owo skomplikowane. W jej imiÄ™ ci, ktÃ³rzy uwaÅ¼ali siebie za sprawiedliwych, dopuszczali siÄ™ zbrodni na tle religijnym, wypowiadali wojny, przeÅ›ladowali ludzi. Jedno jest pewne â€“ jeÅ›li prawda wyzwala, nie naleÅ¼y siÄ™ jej baÄ‡. ZgodziÅ‚em siÄ™ na biografiÄ™, bym mÃ³gÅ‚ odkryÄ‡ swoje drugie oblicze. To mnie wyzwoli.

Nad nami przeleciaÅ‚ samolot, nowy Airbus 380, ktÃ³ry jeszcze nie wszedÅ‚ do powszechnego uÅ¼ytku i niedaleko stÄ…d przechodzi prÃ³by. Zastanawiam siÄ™, za ile lat ten cud techniki stanie siÄ™ przeÅ¼ytkiem. CiÅ›nie siÄ™ na usta kolejne pytanie: za ile lat ludzie zapomnÄ… o moich ksiÄ…Å¼kach? Lepiej wyrzuciÄ‡ to pytanie z gÅ‚owy, bo przecieÅ¼ nie pisaÅ‚em z myÅ›lÄ… o wiecznoÅ›ci. PisaÅ‚em o rzeczach, ktÃ³re z pewnoÅ›ciÄ… nie znajdÄ… siÄ™ w Twojej ksiÄ…Å¼ce, bo ksztaÅ‚tujÄ… jÄ… Twoje dziennikarskie doÅ›wiadczenie i marksistowskie przekonania. Ja pisaÅ‚em, by poznaÄ‡ zakamarki swej duszy, czasem mroczne, czasem jasne. MogÅ‚em je odkryÄ‡ jedynie poprzez sÅ‚owo.

Jak kaÅ¼dy pisarz zawsze marzyÅ‚em o autobiografii. Jednak trudno pisaÄ‡ o sobie, nie wpadajÄ…c w puÅ‚apkÄ™ usprawiedliwiania wÅ‚asnych bÅ‚Ä™dÃ³w i wyolbrzymiania zasÅ‚ug â€“ to czÄ™Å›Ä‡ ludzkiej natury. Dlatego tak chÄ™tnie zgodziÅ‚em siÄ™ na tÄ™ ksiÄ…Å¼kÄ™, chociaÅ¼ zdawaÅ‚em sobie sprawÄ™ z ryzyka, Å¼e mogÄ… zostaÄ‡ ujawnione fakty, ktÃ³re wolaÅ‚bym zatrzymaÄ‡ dla siebie. Jednak stanowiÄ… one czÄ™Å›Ä‡ mego Å¼ycia i powinny ujrzeÄ‡ Å›wiatÅ‚o dzienne. Mimo to przyznajÄ™, Å¼e przez ostatnie trzy lata zaczÄ…Å‚em mieÄ‡ obawy przed dalszym pisaniem dziennika, ktÃ³ry prowadzÄ™ od czasÃ³w mÅ‚odoÅ›ci.

Nawet jeśli nie rozpoznam siebie w tej książce, wiem, że jest w niej istotna część mojej osoby. Podczas naszych rozmów musiałem na nowo przyjrzeć się swojemu życiu. Zastanawiałem się wtedy, jakim byłbym człowiekiem, gdybym tego wszystkiego nie przeżył.

Nie czas i nie pora, by zadawać sobie takie pytania. Chris mówi, że musimy wracać do domu. Mamy przed sobą dwie godziny marszu, słońce coraz mocniej świeci, nad polami unosi się żar. Proszę, żeby dała mi jeszcze pięć minut. Kim więc będę w Twojej biografii? Choć jej nie czytałem, mogę po części odpowiedzieć na to pytanie: będę osobami, które spotkałem na swej drodze, człowiekiem, który wyciągnął rękę, bo wiedział, że stoi za nim ktoś, kto w trudnej chwili da mu swoje wsparcie.

Jestem, bo mam przyjaciół. Przeżyłem, bo ich spotkałem. Nauczyli mnie dzielić się tym, co we mnie najlepsze. Nawet jeśli nie zawsze byłem dobrym uczniem, w końcu nauczyłem się, czym jest hojność.

Chris się niecierpliwi, mówi, że już dawno minęło pięć minut. Proszę o jeszcze kilka chwil, bym mógł skończyć ten list słowami, które ponad sto lat temu napisał Khalil Gibran. Nie będzie to dosłowny cytat, gdyż uczyłem się ich na pamięć wiele lat temu, w smutną, ponurą noc, kiedy słuchałem płyty Simona & Garfunkela. Miałem stary adapter, jakich teraz już się nie używa (to tak jak z Airbusem 380, a może i moimi książkami). Te słowa mówią, jak ważne jest dawanie:

Niewiele dajesz, gdy dajesz, co posiadasz. Ale gdy z siebie dajesz,
zaiste prawdziwie dajesz.

Dobrze jest dawać, kiedy o to proszą, ale jeszcze lepiej
dawać tym, co nie proszą, pojmując ich pragnienie.

Dla tych którzy mają otwarte dłonie ku dawaniu,
większą radością niż dar jest samo szukanie człowieka,
który ich dar przyjmie. Bo czy możesz cokolwiek zachować
na zawsze tylko dla siebie? Co jest posiadane,
kiedyś musi być oddane.

Zatem dawaj już teraz. Miej swój czas darowania,
zamiast czasu spadkobierców twoich.

Powiadacie nieraz: Dalibyśmy, ale temu, kto zasłużył.
A przecież nie mówią tak ani drzewa sadów waszych,
ani stada na waszych pastwiskach. One dają, by żyć.
Kto bowiem nie ofiarowuje innym, martwym się staje.

Pamiętajcie – kto zasłużył na dary dnia i nocy,
zasługuje też na wszystko co wasze. Kto godny jest żyć
z oceanu życia, godzien jest także napełnić swój puchar
u waszego źródełka.

Pomyślcie też, czy może być pustynia bardziej w sobie pusta
niż ta, która wymaga wiary, odwagi, a nawet miłosierdzia
od tych, co dary przyjmują? Kimże więc jesteście, gdy żądacie,
aby oni obnażali pierś i dumę swoją? Kimże jesteście wy,
którzy chcecie oglądać ich godność nagą, a dumę z szat odartą?
Upewnijcie się najpierw w sobie, czyście godni dawać,
a więc zostać narzędziem daru.

Tylko życie daje życie. Nie myślcie więc,
że jesteście władcami daru. Wyście tylko świadkami*.

Trzeba wstać i wracać do domu. Przez te wszystkie dni mojego sześćdziesięcioletniego życia byłem ledwie świadkiem swej egzystencji.

Oby Brodaty Jezus miał Cię w opiece,

Paulo

Gdy kończyłem tę biografię, Airbus 380 wszedł do użycia. Tempo starzenia się wynalazków jest takie, że prawdopodobnie firma Airbus wycofa swego olbrzyma na długo zanim znikną setki milionów książek Paula Coelho, a przede wszystkim głęboki ślad, który, mimo krytycznych opinii, pozostawią w sercach czytelników rozproszonych po całym świecie.

* fragment *Proroka* Khalila Gibrana
w przekładzie Ernesta Brylla,
[wyd. Drzewo Babel, Warszawa 2007].

Osoby, z którymi przeprowadzono wywiady

Acácio Paz • Afonso Galvão • Alan Clarke • Amapola Rios • André Midani • Andréa Cals • Antonio Carlos Austregésilo de Athayde • Antonio Carlos „Kakiko" Dias • Antonio Cláudio de Lima Vieira • Antônio Ovidio Clement Fajardo • Antonio Walter Sena Jr. „Toninho Budda" • Arash Hejazi • Ariovaldo Bonas • Arnaldo Niskier • Arnold Bruver Jr. • Artur da Távola • Basia Stępień • Betriz Vallandro • Cecília Bolocco • Cecília Mac Dowell • Chico Castro Silva • Christina Oiticica • Cristina Lacerda • Darc Costa • Dedê Conte • Eduardo Jardim de Moraes • Elide „Dedê" Conte • Ernesto Emanuelle Mandarino • Eugênio Mohallen • Fabiola Fracarolli • Fernando Bicudo • Frédéric Beigbeder • Frédéric Morel • Geneviève Phalipou • Gilles Haeri • Glória Albues • Guy Georges Ruffier • Hélio Campos Mello • Henrique Caban • Hildegard Angel • Hildebrando Goes Filho • Ilma Fontes • Indio do Brasil Lemes • Isabela Maltarolli • Ivan Junquera • Jerry Adriani • José Antonio Mendonça Neto • Joel Macedo • Jorge Luiz Costa Ramos • Jorge Mourão • José Antonio „Pepe" Dominguez • José Mário Pereira • José Reinaldo Rios de Magalhães • José Wilker • Julles Haeri • Kika Seixas • Leda Vieira de Azevedo • Lizia Azevedo • Marcelo Nova • Márcia Faria Lima • Márcia Nascimento • Marcos Medeiros Bastos • Marcos Mutti • Marcos Paraguassu Arruda Câmara • Maria Cecília Duarte Arraes de Alencar • Maria Eugênia Stein • Marie Christien Espagnac • Marilu Carvalho • Mário Sabino • Maristela Bairros • Mauricio Mandarino • Michele Conte • Milton Temer • Mônica Antunes • Nelly Canelas Branco • Nelson Liano Jr. • Nelson Motta • Orietta Paz • Patrice Hoffman • Patricia Martin • Paula Braconnot • Paulo Roberto Rocco • Pedro Quiema Coelho de Souza • Regina Bilac Pinto • Renato Menescal • Renato Pacca • Ricardo Sabanes • Rita Lee • Roberto Menescal • Rodrigo Meinberg • Rosana Fiengo • Serge Phalipou • Sidney Magal • Silvio Ferraz • Soizik Molkhou • Sônia Maria Coelho de Souza • Stella Paula Costa • Vera Prnjatović Richter • Zé Rodrix • Zeca Araújo • Zuenir Ventura •

O książce

Pracę nad *Czarodziejem* rozpocząłem w 2005 roku na lotnisku Saint-Exupéry w Lyonie. Tam po raz pierwszy zobaczyłem Paula Coelho. Ze względu na mój zawód jestem przyzwyczajony do widoku sławnych ludzi podróżujących w otoczeniu ochroniarzy, sekretarek i asystentów. Ku mojemu zdziwieniu mężczyzna, z którym spotykałem się przez następne trzy lata, pojawił się sam, z plecakiem na ramieniu i małą walizką na kółkach. Tak zaczęła się moja dziennikarska przygoda, dzięki której poznałem jednego z najciekawszych ludzi, z jakimi przyszło mi pracować.

Po sześciu tygodniach wróciłem do Brazylii. Na osiem miesięcy przeniosłem się do Rio, gdyż w tym mieście pisarz spędził większość swego życia. Szukałem Paula Coelho wszędzie, gdzie to było możliwe, zbierałem informacje o wydarzeniach, które wpłynęły na jego życie. Szukałem go w najbardziej podejrzanych zakamarkach Copacabany, w kartotekach pacjentów szpitali psychiatrycznych i w ruinach dawnego szpitala Dra Eirasa, w niebezpiecznym półświatku narkomanów, w archiwach służb bezpieczeństwa, wśród satanistów, tajemniczych tajnych towarzystw, w twórczości pozostawionej przez spółkę autorską z Raulem Seixasem, pośród członków jego rodziny i w genealogii. Słuchałem jego przyjaciół i wrogów, przeprowadziłem wywiady z jego byłymi partnerkami, a przez jakiś czas mieszkałem w domu jego obecnej i – jak się zaklina – ostatniej żony, artystki Christiny Oiticicy. Przeorałem jego życie, odkryłem parę sekretów, przeczytałem testament, myszkowałem w jego apteczce, przeglądałem osobiste zapiski, zaglądałem do kieszeni, szukałem dzieci, które mógł spłodzić w swych licznych związkach.

Pisarz pozwolił mi zajrzeć do swego kufra ze skarbami, które zgodnie z jego wolą w przyszłości zostaną spalone. Są tam dzienniki obejmujące ostatnie czterdzieści lat, z których część została nagrana na taśmach. Całymi tygodniami siedziałem w Instytucie Paula Coelho, gdzie skanowałem i przenosiłem do komputera dokumenty, fotografie, stare kalendarze, listy, rachunki. Potem opuściłem Rio i z dyktafonem w ręku jeździłem z pisarzem po całym świecie. Słuchałem jego komentarzy wygłaszanych charakterystycznym nosowym głosem. Odkryłem jego dziwny tik, polegający na odganianiu sprzed nosa niewidzialnej muchy. Byłem z nim na świętej Drodze do Santiago de Compostela. Obserwowałem, jak wzruszony przyjmował wyrazy sympatii zarówno od skromnych czytelników z baskijskiej miejscowości Oati, jak i mieszkańców wielkiego Kairu. Widziałem, jak na bankietach w Paryżu i Hamburgu podejmowali go panowie we frakach i panie w wieczorowych sukniach.

Zbierałem okruchy pozostawione przez Paula Coelho na drodze jego życia i tak powstała książka *Czarodziej*. Biorę odpowiedzialność za wszystko, co zostało tu napisane. Nie mogę też pominąć milczeniem osób, które pomogły mi w tym twórczym maratonie. Przede wszystkim dziękuję staremu przyjacielowi Wagnerowi Homem. Jako specjalista w dziedzinie informatyki pomógł mi uporządkować liczne informacje, dane, wywiady i dokumenty, które zebrałem podczas trzech lat pracy. Żeby wywiązać się ze swego zadania, zamieszkał u mnie na dziesięć miesięcy. Kilka razy przeczytał tekst i wprowadził liczne poprawki, by ostateczna wersja książki była dla czytelnika przejrzysta i zrozumiała. Dziękuję również moim dwóm braciom – przyrodniemu i rodzonemu. Mój przyrodni brat Ricardo Setti z oddaniem czuwa nad wysokim poziomem moich książek. Pomógł mi w wielu trudnych chwilach. Natomiast mój rodzony brat Reinaldo Morais poruszył niebo i ziemię, by praca nad *Czarodziejem* zakończyła się szczęśliwie.

Dziękuję setkom internautów, mieszkańcom ponad trzydziestu krajów, którzy na stronie internetowej, stworzonej specjalnie na potrzeby tej książki, przysyłali mi informacje, dokumenty i fotografie.

Dziękuję także osobom, które z oddaniem pracowały przy tej książce, wszystkim, z którymi przeprowadziłem wywiady, uczonym, dziennikarzom, stażystom, którzy odnajdywali ludzi i wysłuchiwali ich wspomnień. Są to: Adriana Nogueiros, Afonso Borges, agencja literacka Sant Jordi Asociados, Aldo Bocchini Neto, Alfonso Molinero, Ana Carolina da Motta, Ana Paula Granello, Antônio Carlos Monteiro de

Castro, Armando Antenore, Armando Perigo, Áureo Soares de Oliveira, Áureo Sato, Beatriz de Medeiros de Souza, Belina Antunes, Carina Gomes, Carlos Augusto Setti, Carlos Heitor Cony, Carlos Lima, Célia Valente, Cláudio Humberto Rosa e Silva, César Polcino Milies, Dasha Balashova, Denis Kuck, Devanir Barbosa Paes, Diego de Souza Martins, Eliane Lobato, Evanise dos Santos, Fernando Eichenberg, Firmeza Ribeiro dos Santos, Francisco Cordeiro, Frédéric Bonomelli, Gabriel Priolli, Gemma Capdevila, Hércia Marmo, Herve Louit, Hugo Carlo Batista Ramos, Ibarê Dantas, Inês Garçoni, Instytut Paula Coelho, Ivan Luiz de Oliveira, Ivone Kassu, Joaquim Ferreira dos Santos, Joca do Som, José Antonio Martinuzzo, Juliana Perigo, Klecius Henrique, Leonardo Oiticica, Lourival Sant'Anna, Lúcia Haddad, Luciana Amorim, Luciana Franzolin, Luiz Cordeiro Mergulhão, Lyra Netto, Marcio José Domingues Pacheco, Marcio Valente, Marilia Cajaíba, Mário Magalhães, Mário Prata, Marisilda Valente, Mariza Romero, Marizilda de Castro Figueiredo, Miguel Reyes-Múgica, Pascola Soto, Raphael Cardoso, Ricardo Hofstetter, Ricardo Schwab, Roberto Viana, Rodrigo Pereira Freire, Samantha Quadrat, Silvia Ebens, Stowarzyszenie Absolwentów Szkoły św. Ingnacego, Sylvio Passos, Talles Rodrigues Alves, Tatiana Marinho, Tatiane Rangel, Véronique Surrel, Vicente Paim i Wilson Moherdaui.

Dzięki tym wszystkim ludziom ta historia nabrała ciepła i koloru.

Fernando Morais

Ilhabela, marzec 2008

SPIS TREŚCI:

Katalog upamiętniający rzadkie osiągnięcie
– 100 milionów sprzedanych egzemplarzy.

Paulo Coelho w liczbach

Wydane książki

1973 ***Teatro na Educação***

1982 ***Arquivos do Inferno***

1985 ***Manual Prático do Vampirismo***

1987 ***Pielgrzym***
wyd. polskie: Świat Książki, 2003

1988 ***Alchemik***
wyd. polskie: Drzewo Babel, 1995

1990 ***Brida***
wyd. polskie: Drzewo Babel, 2008

1991 ***Największy dar***
wyd. polskie: Świat Książki, 2009

1992 ***As Valkirias***

1994 ***Na brzegu rzeki Piedry usiadłam i płakałam***
wyd. polskie: Drzewo Babel, 1997

1994 ***Maktub***

1996 ***Piąta Góra***
wyd. polskie: Drzewo Babel, 1998

1997 ***Podręcznik wojownika światła***
wyd polskie: Drzewo Babel, 2000

1997 ***Listy miłosne Proroka***
wyd. polskie: Drzewo Babel, 2006 [wraz z *Prorokiem* Khalila Gibrana]

1998 ***Weronika postanawia umrzeć***
wyd. polskie: Drzewo Babel, 2000

1999 ***Palavras Essenciais***

2000 ***Demon i panna Prym***
wyd polskie: Drzewo Babel, 2002

2001 ***Histórias para Pais, Filhos e Netos***

2003 ***Jedenaście minut***
wyd. polskie: Drzewo Babel, 2004

2004 ***O Gênio e as Rosas***

2005 ***Zahir***
wyd. polskie: Drzewo Babel, 2005

2006 ***Być jak płynąca rzeka***
wyd. polskie: Świat Książki, 2006

2006 ***Czarownica z Portobello***
wyd. polskie: Drzewo Babel, 2007

2008 ***Zwycięzca jest sam***
wyd. polskie: Drzewo Babel, 2009

JEGO KSIĄŻKI ROZESZŁY SIĘ W PONAD 100 MILIONACH EGZEMPLARZY.

UKAZAŁY SIĘ W 455 PRZEKŁADACH, 66 JĘZYKACH, 160 KRAJACH.

[W TYM ZESTAWIENIU NIE BIERZEMY POD UWAGĘ WYDAŃ PIRACKICH]

• Afryka Południowa • Albania • Argentyna • Armenia • Austria • Boliwia • Bośnia i Hercegowina • Brazylia • Bułgaria • Chile • Chiny • Chorwacja • Czechy • Dominikana • Egipt • Ekwador • Estonia • Finlandia • Francja • Grecja • Gruzja • Gwatemala • Hiszpania • Holandia • Honduras • Indie • Indonezja • Irlandia • Islandia • Japonia • Kanada • Kolumbia • Korea Południowa • Kostaryka • Litwa • Meksyk • Niemcy • Nikaragua • Norwegia • Oman • Panama • Peru • **Polska** • Portoryko • Portugalia • Rosja • Rumunia • Salwador • Serbia • Słowacja • Słowenia • Szwajcaria • Szwecja • Tajwan • Ukraina • Wenezuela • Węgry • Wielka Brytania • Włochy • Zjednoczone Emiraty Arabskie •

Najważniejsze nagrody i wyróżnienia

- **Złota Książka** • Jugosławia, 1995, 1996, 1997, 1998, 1999, 2000, 2004 (Serbia)
- **Grand Prix Littéraire Elle** • Francja, 1995
- **Księga Rekordów Guinnessa** • Brazylia, 1995/96
- **Chevalier des Arts et des Lettres** • Francja, 1996
- **Premio Internazionale Flaiano** • Włochy, 1996
- **Nagroda Literacka Super Grinzane Cavour** • Włochy, 1996
- **Livre d'Or** • Francja, 1996
- **Nagroda Associação Brasileira de Rádio e Televisão** • Brazylia, 1996
- **Finalista The International IMPAC Literary Award** • Irlandia, 1997
- **Libro de Oro** za *Piątą górę* • Argentyna, 1999
- **Comendador da Ordem do Rio Branco** • Brazylia, 1998
- **Flutuat Nec Mergitur** • Francja, 1998
- **Médaille de la Ville de Paris** • Francja, 1998
- **Fiera Del Libro per Ragazzi** • Włochy, 1998
- **As Empiku** dla *Alchemika* • Polska, 1999
- **Chevalier de l'Ordre National de la Légion d'Honneur** • Francja, 1999
- **Libro de Platina** za *Alchemika* • Argentyna, 1999
- **Libro de Oro** za *Podręcznik wojownika światła* • Argentyna, 1999
- **Libro de Oro** za *Weronika postanawia umrzeć* • Argentyna, 1999
- **Cristal Award Światowego Forum Gospodarczego** • Szwajcaria, 1999
- **Medalla de Oro de Galícia** • Hiszpania, 1999
- **Huésped Distinguido de la Ciudad de Nuestra Señora de la Paz** • Boliwia, 1999
- **Kryształowe Zwierciadło** • Polska, 2000
- **Członek brazylijskiego PEN Club** • Brazylia, 2001

- **Nagroda Bambi** • Niemcy, 2001
- **Studencki Produkt Roku magazynu „Dlaczego"** dla *Alchemika* • Polska, 2001
- **XXIII Premio Internazionale Fregene** • Włochy, 2001
- **As Empiku** dla *Demona i panny Prym* • Polska, 2002
- **Prix de la Littérature Consciente de la Planète** • Francja, 2002
- **Dyplom Brazylijskiej Akademii Literatury** • Brazylia, 2002
- **Nagroda Corine** w kategorii beletrystyki za *Alchemika* • Niemcy, 2002
- **Planetary Arts Award Klubu Budapesztenskiego** • Niemcy, 2002
- **As Empiku** dla *Pielgrzyma* • Polska, 2003
- **Médaille des Officiers des Arts et des Lettres** • Francja, 2003
- **Nagroda Złota Książka** przyznawana przez **„Vecernje novosti"** • Serbia, 2004
- **Medal na Targach Książki** we Lwowie • Ukraina, 2004
- **Nielsen Gold Book Award** za *Alchemika* • Wielka Brytania, 2004
- **Order św. Zofii za zasługi w dziedzinie nauki i kultury** • Ukraina, 2004
- **Literary Latino** dla *Jedenastu Minut* – dla najlepszej książki roku • USA, 2004
- **Knight of Arts and Letters** • Wielka Brytania, 2004
- **Premio Giovanni Verga** • Włochy, 2004
- **Nagroda Ex Libris** dla *Jedenastu minut* • Serbia, 2004
- **Nagroda DirectGroup Bertelsmann** dla autora zagranicznego • Niemcy, 2005
- **Nagroda Goldene Feder** • Niemcy, 2005
- **Budapest Award** • Węgry, 2005
- **Las Pergolas Prize** • Meksyk 2006
- **Platin Book Award** dla *Zahira* • Austria, 2006
- **I Prémio Álava en el Corazón** • Hiszpania, 2006
- **Krzyż Zasługi im. Jacqueline Kubitchka** • Brazylia, 2006
- **Wilbur Award – Religion Communicators Council** • USA, 2006
- **Nagroda Kiklop** za bestseller roku dla *Zahira* • Chorwacja, 2006
- **8th Annual International Latino Book Award** za *Zahira* • USA, 2006
- **As Empiku** dla *Czarownicy z Portobello* – Polska, 2007
- **Distinction of Honour** (Hans Christian Andersen Award) • Dania, 2007
- **Elle • Best International Writer** • Hiszpania, 2008

PAULO COELHO MA STAŁE RUBRYKI NA ŁAMACH 109 TYTUŁÓW PRASOWYCH W 60 KRAJACH:

Afryka Południowa • Albania • Argentyna • Armenia • Austria • Boliwia • Bośnia i Hercegowina • Brazylia • Bułgaria • Chile • Chiny • Chorwacja • Czechy • Dominikana • Egipt • Ekwador • Estonia • Finlandia • Francja • Grecja • Gruzja • Gwatemala • Hiszpania • Holandia • Honduras • Indie • Indonezja • Irlandia • Islandia • Japonia • Kanada • Kolumbia • Korea Południowa • Kostaryka • Litwa • Meksyk • Niemcy • Nikaragua • Norwegia • Oman • Panama • Peru • Polska • Portoryko • Portugalia • Rosja • Rumunia • Salwador • Serbia • Słowacja • Słowenia • Szwecja • Szwajcaria • Tajwan • Ukraina • Wenezuela • Węgry • Wielka Brytania • Włochy • Zjednoczone Emiraty Arabskie •

Kino

O prawa do ekranizacji czterech powieści Paula Coelho ubiegały się następujące wytwórnie filmowe:

- ***Alchemik*** • Warner Brothers
- ***Jedenaście minut*** • Hollywood Gang Productions
- ***Piąta góra*** • Capistrano Productions
- ***Weronika postanawia umrzeć*** • Muse Productions
  Europejska premiera filmu w reżyserii Emily Young
  miała miejsce w Polsce w październiku 2009 roku.

Internet

Strona Paula Coelho **www.paulocoelho.com** jest dostępna w 16 językach.
Autor prowadzi również blog **www.paulocoelhoblog.com**
oraz stronę na Myspace **www.myspace.com/paulocoelho**

Źródła ilustracji

Dołożyłem wszelkich starań, by dotrzeć do źródeł i ustalić autorstwo wszystkich opublikowanych w tej książce zdjęć. Jednak nie zawsze było to możliwe, szczególnie w przypadku zdjęć udostępnionych przez rodzinę i przyjaciół pisarza. Z przyjemnością oficjalnie podziękujemy wszystkim autorom zdjęć, którzy się do nas zgłoszą.

Andrzej Kowalski:
Archiwum Gimnazjum św. Ignacego: 69
Archiwum państwowe stanu São Paulo: 169b, 169c
Archiwum państwowe stanu Sergipe: 148
Archiwum państwowe stanu Rio de Janeiro: 259
Archiwum „Tribuna da Imprensa": 220b
Dachau Concentration Memorial (http://kz-gedenkstaette-dachau.de/): 329
Fernando Morais: 34, 38, 40, 58a
http://piratecoelho.wordpress.com: 454
Instytut Paula Coelho: 30, 44-45, 46, 49b, 54, 58b, 58c, 62, 78, 96, 103a, 110, 119b, 126, 136, 155, 169a, 178, 194, 199, 220a, 241, 248, 255, 262, 269, 272, 293, 298, 301, 304, 312, 317, 324, 336, 343, 350a, 358, 366, 371, 397, 403, 406, 426, 444, 446, 457a, 457b, 461
Krzysztof Plebankiewicz: 8
Paulo Coelho: 410
Ricardo Stuckert Filho: 394, 472
Yuri Zolotarrev/ Getty Images: 457c
Zbiory prywatne Amapoli Rios: 206
Zbiory prywatne Antônia Waltera Seny Júniora („Toninho Budda"): 350b, 356
Zbiory prywatne Antônia Carlosa Diasa („Kakiko"): 164, 174, 189
Zbiory prywatne Cecílii Mac Dowell: 276, 287
Zbiory prywatne Fabíoli Fracarolli: 119a
Zbiory prywatne rodziny Mandarino: 350c
Zbiory prywatne Joela Macedo: 103b
Zbiory prywatne Marii Cecílii Duarte de Arraes Alencar: 49a

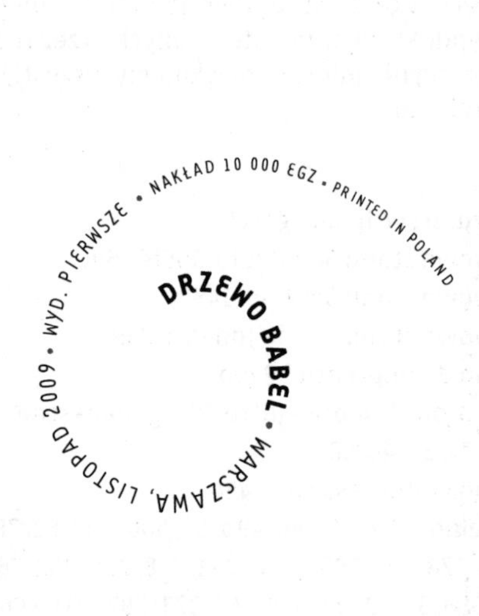

Wyłączny dystrybutor

www.olesiejuk.pl

Druk i oprawa:

Z.P. DRUK-SERWIS, G. GÓRSKA SP. J.
ul. Tysiąclecia 8b • 06-400 Ciechanów